国家出版基金项目
NATIONAL PUBLICATION FOUNDATION

"十三五"国家重点图书出版规划项目

中国兵学通史

明清卷

黄朴民　主编

熊剑平　著

CTS｜岳麓書社
·长沙·

图书在版编目（CIP）数据

中国兵学通史.明清卷/熊剑平著;黄朴民主编.—长沙:岳麓书社,2022.1(2023.4重印)

ISBN 978-7-5538-1574-9

Ⅰ.①中… Ⅱ.①熊…②黄… Ⅲ.①军事思想史—中国—明清时代 Ⅳ.①E092.2

中国版本图书馆 CIP 数据核字（2021）第 225631 号

ZHONGGUO BINGXUE TONGSHI · MING-QING JUAN

中国兵学通史·明清卷

主　　编:黄朴民

作　　者:熊剑平

项目统筹:李业鹏

责任编辑:胡宝亮

责任校对:舒　舍

书籍设计:萧睿子

岳麓书社出版发行

地址:湖南省长沙市爱民路47号

邮编:410006

版次:2023 年 4 月第 1 版

印次:2023 年 4 月第 2 次印刷

开本:640mm×960mm　1/16

印张:38.25

字数:551 千字

书号:ISBN 978-7-5538-1574-9

定价:200.00 元

承印:长沙超峰印刷有限公司

如有印装质量问题,请与本社印务部联系

电话:0731-88884129

《中国兵学通史》编委会

总　序

一、军事历史与兵学思想的地位和价值

孔子说"有文事者必有武备，有武事者必有文备"（《史记·孔子世家》），这充分揭示了一个基本事实，即军事始终是社会生活中的重要组成部分，与之相适应，就是军事历史与兵学思想理应成为历史学研究的主要对象之一。强化军事历史与兵学思想研究，对于推动整个历史研究，深化人们对历史现象的全面认识和历史发展规律的深刻把握，实具有不可替代的意义。

必须重视对军事历史与兵学思想的研究，这是由军事在社会生活与历史演进中具有决定性意义这一性质所决定的。就中国范围而言，军事往往是历史演进的最直观表现形态。国家的分裂与统一，新旧王朝的交替，政治势力之间的斗争倾轧，下层民众的反抗起义，中华民族内部的融汇，等等，绝大多数都是通过战争这个途径来实现的。战争是社会生活的焦点，是历史演进的外在表现形式。

更为重要的是，在中国历史上，军事渗透于社会生活的各个领域、各个层面，成为历史嬗变的指针。具体地说，最先进的生产力往往发源于军事领域，军事技术的进步在科技上呈现引导性的意义。换言之，最先进的工艺技术首先应用于军事方面，最优良的资源优先配置于军事领域，最突出的科技效率首先反映于军事实践。这种情况早在先秦时期便已出现，所谓"美金以铸剑戟，试诸狗马；恶金以铸锄夷斤劚，试诸壤土"（《国语·齐

语》），"来天下之良工"（《管子·小问》），"聚天下之精材，论百工之锐器"（《管子·七法》），等等，都表明军事技术发展程度乃是整个社会生产力最高发展水平的一个标尺。秦汉以降，军事技术的这种标尺地位仍没有丝毫改变，战船制作水平的提高，筑城工艺技术的进步，火药、火器的使用，钢铁先进武器装备的铸造，等等，都是该历史时期先进生产力的集中体现，都毫无例外地起着带动其他生产领域工艺技术水平提高的重要作用。

军事在历史演进中的中心地位同样也体现在政治领域。"国之大事，在祀与戎"（《左传·成公十三年》），这是一条被经常引用的史料，可谓耳熟能详。对一个国家来说，有两件核心的大事：第一是祭祀，借沟通天人之形式，表明政权的合法性和神圣性；第二就是战争，保卫自己的国家，开疆拓土，在激烈而残酷的竞争中生存下去。我们认为，这八个字是了解中国古代历史真相及其特色的一把钥匙，因为它简明扼要地道出了古代社会生活的两个根本要义。以祭祀为中心的巫觋系统与以作战为主体的政事系统，各司其职，相辅相成。这与世界上绝大多数民族和国家政治起源的情况相类似，从氏族社会晚期的军事民主制时代开始，权力机构的运作，是按两个系统的分工负责来具体实施的，这在西谚中被形象地概括为：将上帝的交给上帝，将恺撒的交给恺撒。当然，随着中国历史的演进，"祀"渐渐地更多成为仪式上的象征，而"戎"，即以军事为中心的政务，则打破平衡，成为国家事务的最大主体，在国家政治生活中逐步走向相对中心的位置，所谓"兵者，国之大事，死生之地，存亡之道，不可不察也"（《孙子兵法·计篇》），反映的就是这个客观现实。

这种情况可谓贯穿于整个中国古代的历史。历史上中央集权的强化，各种制度建设的完善和重大改革举措的推行，往往以军事为主体内容。所谓的中央集权，首先是对军权的集中，这从先秦时期的虎符发兵制到宋太祖"杯酒释兵权"，到朱元璋以五军都督府代替大都督府，清代设置军机处等制度和行政措施可以看得十分清楚。国家法律制度与规章，也往往是在军队中首先推行，然后逐渐向社会推广。如军功爵制滥觞于春秋时期赵简子的铁地誓师辞："克敌者，上大夫受县，下大夫受郡，士田十万，庶人工商遂，人臣隶圉免。"（《左传·哀公二年》）战国时期普遍流行的"什伍连坐法"、秦国的"二十等爵制"等，后来逐渐由单纯的军中制度演变为控制与管理整个社会的奖惩制度。从这个意义上说，军队是国家制度建设的先行者，军事在国家政治发展中起着引导作用。至于中国历史上的重大改革，也几乎无一例外以军事为改革的主要内容，如商鞅变法中"尚首功"的措施、大力推进的"耕战"政策，汉武帝"非常之事"中发展骑兵的战略方针，王安石变法中"保甲法""将兵法"等强兵措施，张居正改革中强军与整饬边防的举措，均是具体的例证。而战国时期赵武灵王的"胡服骑射"，则更是完全以军事为中心带动社会政治全面改革与创新的运动。

在思想文化领域，军事同样占有重要地位。先秦时期，儒学其实并未享有后世那种崇高地位。当时，社会上真正崇拜的是赳赳武夫，所以《诗经·兔罝》中说"赳赳武夫，公侯干城"，赳赳武夫是国家的栋梁。现在国学中讲的经史子集图书分类法是隋唐以后出现的，在《汉书·艺文志》中，图书分为"六略"："六艺""诸子""诗赋""兵书""术数""方技"。其中，"兵书"是独立的一类，与"六艺""诸子"等是并驾齐驱的。

就世界范围而言，军事历史与军事思想作为历史学的重要组成部分也是毋庸置疑的。西方早期的历史著作，如希罗多德的《历史》、修昔底德的《伯罗奔尼撒战争史》、恺撒的《高卢战记》、色诺芬的《长征记》、韦格蒂乌斯的《兵法简述》，大都是军事史著作，其中多有相关战争艺术的记载。这一传统长期得以延续，使得在当今欧美国家的历史学界，军事史仍然是人们研究的热点问题之一。有关战争、战略、军队编制、作战技术、武器装备、军事地理、军事人物、军事思想等各个方面的研究都比较成熟，并取得了丰硕的成果，杰弗里·帕克主编的《剑桥战争史》就是这方面的代表之一。与此相对应，军事历史以及军事理论的研究在历史学界甚至整个学术界都拥有较高的地位，产生了较大的影响。

总之，无论东方还是西方，军事历史与军事思想文化都是历史文化中的重要内容，不懂军事就无法全面地了解古今中外的历史。数千年的中西文明史，在某种意义上是一部军事活动史，一部军事思想文化发展史，抽掉了军事内容，就谈不上有完整意义的世界历史。

在整个军事史的研究体系中，军事思想史也即"兵学史"的研究占有核心的地位，具有指导性的意义。英国历史学家柯林武德指出："一切历史都是思想史。"① 其言信然！我们认为，思想史是历史学研究的主要内容与主体对象，思想史的考察，是历史研究的主要方法。林德宏教授曾专门讨论了思想史在历史学研究中的关键作用：历史研究的顺序，是从直观的历史文物开始，展开对历史活动（以历史事件为中心）的认识，再进入对历史思想的探讨（叩问思想背景，寻觅思想动机，从事思想反思）。很显然，我们只有进入思想史这个层次，才可能对人类历史有完整而本质的理解与把握。②

总之，各个领域深层次的历史都是思想史，思想史研究是历史学研究的最终归宿。这一点，在军事史研究中也没有例外，兵学思想的研究，是整个军事史研究的主干与重心。换言之，在中国源远流长的军事史中，兵学思想无疑是其灵魂与核心之所在，它在很大程度上规范了整个军事的面貌，是丰富多姿、异彩纷呈的军事文化现象的精神浓缩和哲学升华，是具体军事问题的高度

---

① ［英］柯林武德著，何兆武、张文杰、陈新译：《历史的观念》（增补版），北京大学出版社，2010 年，第 212 页。
② 参见林德宏：《思想史与思想家》，《杰出人物与中国思想史》，江苏教育出版社，2000 年。

抽象，也是军事发展规律的普遍揭示。所以，兵学思想研究理应成为军事史研究的重点，也应该成为整个学术思想文化发展史认知中的重要一维。

二、中国历代兵学的内涵与主题

军事思想，用比较规范与传统的概念来表述，就是兵学。所谓中国古代兵学，指的是中国历史上探讨战争基本问题，阐述战争指导原则与一般方法，总结国防与军队建设普遍规律及其主要手段的思想学说。它萌芽于夏商周时期，在春秋战国时期形成独立的学术理论体系，充实提高于秦汉三国两晋南北朝至隋唐五代时期，丰富发展于两宋以迄明清时期，直至晚清让位于近代军事学。

先秦时期是中国军事思想发展的第一个高峰，其间分为四个阶段。第一个阶段是萌芽、初步发展期，包括甲骨文、金文、古代典籍如《尚书》《诗经》《周易》中的军事思想，代表作是古本《司马法》。它们体现了"军礼"的基本精神，提倡"以礼为固，以仁为胜"（《司马法·天子之义》），主张"九伐之法"（《周礼·夏官》），"不鼓不成列"（《左传·僖公二十二年》），"不杀黄口，不获二毛"（《淮南子·氾论训》），提倡"逐奔不过百步，纵绥不过三舍"（《司马法·仁本》），"战不逐奔，诛不填服"（《春秋穀梁传·隐公五年》），强调"军旅以舒为主，舒则民力足。虽交兵致刃，徒不趋，车不驰"（《司马法·天子之义》），贵"偏战"而贱"诈战"，"结日定地，各居一面，鸣鼓而战，不相诈"（《春秋公羊传注疏·桓公十年》何休注），出兵打仗还有很多其他的限制，"不加丧，不因凶"（《司马法·仁本》）等，凡此种种，不一而足。

第二个阶段是春秋后期，以《孙子兵法》为标志。春秋后期，战争发生重大改变。第一，战争性质由争霸变为兼并，战争更加残酷，如孟子讲的"争地以战，杀人盈野；争城以战，杀人盈城"（《孟子·离娄上》）。第二，军队成分发生改变，原来当兵的都是受过良好礼乐教育的贵族，此时是普通老百姓。第三，战争区域扩大了，由原来的黄河中下游大平原，扩大到南方的丘陵、沼泽、湖泊地区。第四，更重要的是武器装备变了，原来是原始社会就开始用的弓箭，此时有了弩机，准确率提高，射程加大。武器装备变化带来了整个作战样式、军队编制体制、军事理念和理论的变革。战争的变化带来军事的革命性变化。西周至春秋前期，军队行进比较缓慢，如《尚书·牧誓》所言："不愆于六步、七步，乃止齐焉""不愆于四伐、五伐、六伐、七伐，乃止齐焉"。而春秋后期成书的《孙子兵法》则强调"兵之情主速，乘人之不及，由不虞之道，攻其所不戒也"（《孙子兵法·九地篇》），兵贵神速。原来讲礼貌和规则，"不以阻隘""不鼓不成列"（《左传·僖公二十二年》），现在则"兵以诈立，以利动，以分合为变"（《孙子兵法·军争篇》），军队打仗靠诡诈、欺骗而取胜。毫无疑问，《孙子兵法》的诞生，是中国兵学文化史上的一次具有根本意义的变革与飞跃。后人评曰："孙武之书十三篇，众家之说备矣。奇正、虚实、强弱、众寡、饥饱、劳逸、彼己、主客之情状，与夫山泽、水陆之阵，战守、攻围之法，无不尽也。微妙深密，千变万化而不可穷。用兵，从之者胜，违之者败，虽有智巧，必取则焉。可谓善之善者矣。"（戴溪《将鉴论断·孙武》）可谓恰如其分，洵非虚言！

第三个阶段是春秋后期到战国后期，是《孙子兵法》的延续、演变阶段。当时的兵书浩如烟海，有代表性的包括《尉缭子》《吴子》《孙膑兵法》及今本《司马法》，这些兵书立足于战国时期"争地以战，杀人盈野；争城以战，杀人盈城"（《孟子·离娄上》）的现实，沿着《孙子兵法》所开辟的道路前进，对自上古至战国的军事历史进行梳理与总结，对军事活动的一般规律加以揭示，大大深化了人们有关军队建设与治理要领的认识，从而使对战争指导原则与作战指挥艺术的理解与运用进入了崭新的阶段。

第四个阶段是总结、综合阶段，出现了《六韬》。《六韬》托名姜太公，但实际上至少是战国后期成书的，甚至有可能是秦汉时期的著作。它篇幅很大，有六十篇，内容庞杂，不光讲军事问题，还有先秦诸子的政治理念。《六韬》包括"兵权谋""兵形势""兵阴阳""兵技巧"，体现了综合性，这与当时整个社会的思想趋于综合是相一致的。

从秦汉一直到隋唐五代是中国军事思想发展的过渡期，这个时期的兵书不多，但是大量的战争实践丰富了军事理论。比如之前是东西线作战，没有南北问题，不会出现"南船北马"的考虑。此外，军事思想更多地体现在对策上，如韩信的《汉中对》，诸葛亮的《隆中对》，羊祜的《平吴疏》，以及杜预和王濬的平吴思想，西汉张良与东汉邓禹、来歙等人的献计献策，高颎与贺若弼为隋文帝提出的军事建议等。这些对策是真正的精华，军事学的实用性大大提高了。除军事家外，政治家、思想家也普遍在关注军事问题。比如晁错的《言兵事疏》，王符《潜夫论》中的《边议》《劝将》《救边》《实边》诸篇，都是论兵的名篇佳作。

这一时期军事思想的发展有两个主要标志，一是兵学主题的转换，一是战略向战役、战斗层次的转换。兵学主题的转换在《黄石公三略》中有鲜明的体现。首先，《黄石公三略》是大一统兵学，这一主题与先秦兵学不一样。先秦兵学讲的是夺天下、取天下的问题，而《黄石公三略》讲的是安天下、治天下的问题。秦汉时期虽然也有战争，但总体上和平发展是主流，所以这时的兵学更多是为了维护安全，而不是讲攻城略地的问题。其次，这一时期的兵学主题由作战变为治军，所以《黄石公三略》很少涉及作战指挥的具体内容，都是强调如何治理军队，尤其是如何处理好君主和将帅的关系问题，这既可以说是兵学，也可以说是政治学。三国两晋南北朝到隋唐五代时期有丰富的战争实践，所以到《唐太宗李卫公问对》，就把原来《孙子兵法》中很抽象的东西，用真实的战例来印证，把孙子的原则具体化、细节化了，"分别奇正，指画攻守，变易主客，于兵家微意时有所得"（《四库全书总目·兵家类》）。所以，秦汉至隋唐五代的中国军事思想虽然是比较平稳地发展，但还是有其鲜明的特色。

宋元时期是中国军事思想发展的第三个大的阶段。元代军事思想主要体现在蒙古骑兵的军事实践中，具有鲜明的北方民族特色，但形诸文字的兵学论著很少。而宋代兵学则形成了中国传统兵学的一个高峰。宋代比较优待知识分子，但是，宋代实际上又处于"积弱"的状态，没有强大的军事实力，于是，在一定程度上只能靠军事谋略来加以必要的弥补。宋代的军事理论繁荣集中体现在以下几个方面。首先，宋代武学兴起，系统并规范地培养专业的军事人才，并使这一制度成为定制。其次，宋代颁定"武经七书"，成为武学的官方教科书。中国自古治国安邦文武并用，文是指儒家经典"十三经"或"四书五经"，武就是"武经七书"。更重要的是，宋代兵书分门别类，更加专业化。《孙子兵法》包括治军、作战、战略、军事观念等，是综合性的兵书。而宋代兵书有专门研究军事制度的，如《历代兵制》；有讨论守城问题的，如《守城录》；有大型的兵学类书，如曾公亮等人编撰的《武经总要》；有具体讨论各种战法战术的，如《百战奇法》；有对军事历史人物、事件进行评论的，如《何博士备论》等。宋代虽然兵书著述繁富，但在"崇文抑武"治国方略以及文人论兵思潮之下，兵学儒学化倾向严重，创新性不足，在总结火器初兴条件下新的战术战法、指导战争实践方面未能发挥应有作用，兵学在文献繁荣的表象之下已经蕴含着衰落的危机。

明清时期，中国军事思想发展进入守成阶段。这是中国古代兵学的终点，也是迈向新生的起点，有其显著特色。

就明代而言，当时的兵书数量众多，如《阵纪》《兵垒》《投笔肤谈》等。有些兵书在兵学文化上也不乏建树，表现为重视具体的军队战术要领总结，如戚继光的《纪效新书》和《练兵实纪》。又如，明代出现倭寇，遇到海防这一新问题，于是出现了海防兵书，如郑若曾的《筹海图编》。明代还引进了西洋火器，如佛郎机、红衣大炮等，火器的广泛运用催生了孙承宗的《车营叩答合编》。孙承宗关于新型战法的讨论，显然受到了传统兵学的深刻影响，即便是讨论车战的奇正，也未能在总体上跳出传统范式。但他也试图结合装备发展情况对车战的战法进行探讨，以求更好地发挥火器的威力，这一点显得难能可贵，传统兵学就此迎来转型良机。但令人遗憾的是，封建王朝的更替随即打断了这一转型进程。

清代兵书亦不少，但对兵学贡献最大的却不是兵书，而是有军事实践的曾国藩、胡林翼、左宗棠等人，他们提出了相对完整的治军和练兵思想，如"训有二，训打仗之法，训作人之道"①，"练有二端，一曰练技艺，二曰练阵法"②，在作战方法上创造了水陆相依、围城打援等经过实战检验的有效战法。但从根本上讲，曾国藩等人对兵学的主要贡献仍是在传统兵学框架之内，并未对兵学产生结构性的改变，而仅做了传统兵学思维的实践性转化等工作。所以总体上看，兵学在西方军事理论被引入到中国之前并无体系上的重大突破，亦未扭转步步沦落的局面。总之，明清军事思想有其一定的创新内容，但从根本上讲，并没有重大的突破，乃是中国古代兵学的终点。

19 世纪 60 年代以后，西方军事理论被大规模介绍到中国，传统兵学中的原生缺陷逐步被补足，中国军事学发生重大变革，传统的兵学逐步让位于近代军事学。如以军事教育取代传统的选将，装备保障与建设也逐步形成理论，兵学的内涵发生了较大变化。同时，伴随西方军事理论一同被引入的科学主义精神，推动

---

① 《曾国藩全集·批牍》，岳麓书社，1994 年，第 246 页。
② 《曾国藩全集·诗文》，岳麓书社，1986 年，第 438 页。

了兵学逐步从以经验主义为基础向以科学主义为基础的转变。其中，跳出传统兵学以"范畴"为核心与载体的术语体系，借鉴和应用西方近代军事学，使军事术语得以规范地使用，可谓是兵学趋向专业化和科学化的重要特征之一。这个进程使得传统兵学逐渐开始转型，并最终以军事学的面貌出现在历史舞台之上。但是，如果从深层次考察，这种转型还是保留有传统兵学的明显烙印，带有中国文化的鲜明特征。如，被人们视为按近代军事学体系编撰而就的《训练操法详晰图说》一书，依然不乏"训必师古，练必因时""自古节制之师，存乎训练。训以固其心，练以精其技……权其轻重，训为最要"之类的言辞，与王守仁、戚继光、曾国藩、胡林翼等人的主张一脉相承，无本质上的区别。

综上所述，中国历代兵学的发展脉络清晰，逻辑结构完整，思想内容丰富，表现形式多样，在各个时代都有所丰富和发展，但其核心的内容与基本的原则没有本质上的变化。茅元仪说"后《孙子》者，不能遗《孙子》"（《武备志·兵诀评》），意谓后世的兵书不能绕开《孙子兵法》另起炉灶。作为中国古代兵学的最高成就，《孙子兵法》是难以超越的。茅元仪所说的，正是这个道理。

我们认为，中国古代兵学主要包括历史上丰富的军事实践活动所反映的战争观念、治军原则、战略原理、作战指导等内容，其主要文字载体是以《孙子兵法》为代表的卷帙浩繁、内容丰富、种类众多、哲理深刻的兵书。其他文献典籍中的论兵之作也是其重要的文字载体，这包括《尚书》《周易》《诗经》《周礼》等儒家经典中的有关军事内容，《墨子》《孟子》《老子》《管子》《吕氏春秋》《淮南子》等所载先秦两汉诸子的论兵文辞，正史、政书等典籍中的言兵之作，唐、宋、元、明、清诸多文集中的有关军事论述，它们和专门的兵书著作共同构筑起中国古代兵学思想这座巍峨瑰丽的文化殿堂。

毫无疑问，中国古代兵学的主要载体是卷帙浩繁的兵书典籍。民国时期陆达节编有《历代兵书目录》，著录兵书 1304 部，6831 卷。据许保林《中国兵书知见录》《中国兵书通览》的统计，乃为 3380 部，23503 卷（959 部不知卷数，未计在内）。而按刘申宁《中国兵书总目》的说法，则更多达 4221 种。《汉书·艺文志·兵书略》曾对西汉以前的兵学流派做过系统的区分，将先秦两汉兵学划分为兵权谋家、兵形势家、兵阴阳家和兵技巧家四个大类。在四大类中，兵权谋家是最主要的一派，其基本特征是："权谋者，以正守国，以奇用兵，先计而后战，兼形势，包阴阳，用技巧者也。"显而易见，这是一个兼容各派之长的综合性学派，其关注的重点是战略问题。中国古代最重要的兵书，如《孙子兵法》《吴子》《六韬》《孙膑兵法》大都归入这一派。兵形势家也是比较重要的兵学流派，其特征是"雷动风举，后发而先至，离合背乡，变化无常，以轻疾制敌者也"，主要探讨军事行动的运动性与战术运用的灵活性、变化性。兵阴阳家，其特征是"顺时而发，推刑德，随斗击，因五胜，假鬼神而为助者也"，即注意天时、地理与战争胜负关系的研究。兵技巧家，其基本特征是"习手足，便器械，积机关，以立攻守之胜者也"，这表明该派所注重的是武器装备和作战技术、军事训练等。秦汉以降，中国兵学思想生生不息，代有发展，但其基本内容与学术特色基本没有逾越上述四大类的范围。

中国古代兵学内容丰富，博大精深，大体而言，它的基本内容是：在战争观上主张文事武备并重，提倡慎战善战，强调义兵必胜，有备无患，坚持以战止战，即以正义战争制止和消灭非正义战争，追求和平，反对穷兵黩武。从这样的战争观念出发，反映在国防建设上，古代兵家普遍主张奖励耕战，富国强兵，居安思危，文武并用。在治军思想方面，兵家提倡"令文齐武"，礼法互补。为此，历代兵家多主张以治为胜，制必先定，兵权贵一，教戒素行，器艺并重，赏罚分明，恩威兼施，励士练锐，精兵良器，将帅贤明，智勇双全，上下同欲，三军齐心。在后勤保障上，提倡积财聚力，足食强兵，取用于国，因粮于敌。在兵役思想上，坚持兵民结合，因势改制等。战略思想和作战指导理论是中国古代兵学思想的主体和精华，它的核心精神是先计后战，全胜为上，灵活用兵，因敌制胜。一些有关的命题或范畴，诸如知彼知己、因势定策、尽敌为上、伐谋伐交、兵不厌诈、出奇制胜、避实击虚、各个击破、造势任势、示形动敌、专我分敌、出其不意、攻其无备、善择战机、兵贵神速、先机制敌、后发制人、巧用地形、攻守皆宜等，都是围绕着"致人而不致于人"，即夺取战争主动权这一根本宗旨提出和展开的。

总之，以兵书为主要载体的中国古代兵学，内容丰富，哲理深刻，体大思精，可谓璀璨夺目，异彩纷呈，乃是中国传统文化的重要组成部分，无愧为一笔弥足珍贵的优秀文化遗产。

三、中国历代兵学研究中遭遇的"瓶颈"

与儒家、道家、释家乃至于墨家、法家等诸子学术的研究相比，有关兵学的研究，显然处于相对滞后的状态。成果为数不多姑且不论，在有限的研究成果中，质量上乘、体系严整、见解独到之作亦属凤毛麟角，更多的是词条的扩大与组合，可又缺少词条的科学与准确，犹如什锦拼盘，看不出兵学发展的脉络与规律，见不到兵学典籍所蕴含的时代特征与文化精神。这主要表现为：第一，兵学历史的研究被边缘化，长期不能进入历史学研究的主流，即陈寅恪先生所说的"预流"。与政治史、经济史、思想史、文化史、社会史等学科相比，军事史完全是一个敲边鼓的角色，研究成果数量单薄，质量恐怕也不尽如人意。第二，在有限的研究领域中，军事史不同分支的研究状况也不一样，发展很不平衡。相对而言，兵制的研究稍为成熟，如蓝永蔚《春秋时期的步兵》、谷霁光《府兵制度考释》、雷海宗《中国文化与中国的兵》等，均是学术价值重大、学术影响深远的著述。然而对于战争、军事技术、作战方式、兵要地理、兵学理论的研究，却显得远远不够。第三，战争史作为军事史的主体，研究思路与方法严重缺乏创意。研究者对许多战争的考察与评析，仅仅局限于宏观勾勒的层面，满足于战略的抽象概括，只讲到进步或落后这一性质层面的东西，很少能进入战术的解析层次，未能围绕战法这个核心展开研究。因此，得出的结论往往不够深入，不同的战争分析到最后，看上去似乎都大同小异。第四，学术研究的视野与角度不够开阔，对问题的认识与理解不够全面与辩证。如在充分肯定传统国家安全观为和平防御的同时，对历史上曾经大量存在的穷兵黩武现象缺乏足够的关注，仅看到"苟能制侵陵，岂在多杀伤"的一面，而忽略中国传统军事文化中还存在着"边庭流血成海水，武皇开边意未已"的另一种事实。

当然，兵学历史的研究不尽如人意的主要原因，还是在于兵学学科的自身性质。所谓"巧妇难为无米之炊"，就是这个道理。

在《汉书·艺文志》中，"兵书"虽然自成一类，但兵家并没有被列入"诸子"的范围，兵学著作没有被当作理论意识形态的著述来看待，它的性质实际上与"术数""方技"相近。换言之，《汉书·艺文志》"六略"，前三"略"，"六艺""诸子""诗赋"属于同一性质，可归入"道"的层面；而后三"略"，"兵书""术数""方技"又是一个性质近似的大类，属于"术"的层面。"道"的层面，为"形而上"；"术"的层面，为"形而下"。"形而下"者，用今天的话来说，是讲求功能性的。它不尚抽象，不为玄虚，讲求实用，讲求效益，于思想而言，相对苍白，于学术而言，相对单薄。除了极个别的兵书，如《孙子兵法》之类外，绝大部分的兵学著作，都鲜有理论含量，缺乏思想的深度，因此，在学术思想的总结上，似乎很少有值得关注的兴奋点存在，而为人们所忽略。

这一点，不但古代如此，当今几乎也一样。目前流行的各种哲学史、思想史著作较少设立讨论兵学思想的专门章节，个别的著作即便设置，也往往篇幅有限，具体阐释未能充分展开，令人稍感遗憾。由此可见，中国兵学思想的研究，从学科性质上考察就有相当的难度，而要从工具技术性的学科中发掘"形而上"的抽象性质的思想与理论，则多少会令人感到失望。

此外，与儒家因应道家、释家的挑战，不断更新其机理，不断升华其形态的情况大不相同的是，兵学长期以来所面对的战争形态基本相似，战争的技术手段没有发生本质性的飞跃，大致是冷兵器时代的作战样式占主导。宋元以后尤其是明清时代出现火器，作战样式初步进入冷热兵器并用时期，但即便是在明清时代，冷兵器作战仍然占据着战场上的中心位置。这样的物质条件与军事背景，在很大程度上制约了兵学思想的更新与升华。即使有所变化与发展，也仅仅体现在战术手段的层面，如明代火器的使用，使战车重新受到关注，于是就产生了诸如《车营叩答合编》之类的兵书；同样是因为火器登上历史舞台，战争进入冷热兵器并用时期，就有了顺应这种变化而出现的《火攻挈要》等兵书和相应的冷热兵器并用的作战指导原则。但是需要指出的是，这种局部的、个别的、枝节性的发展变化，并没有实现兵学思想的本质性改变、革命性跨越。从这个意义上说，茅元仪《武备志·兵诀评》所称的"前《孙子》者，《孙子》不遗；后《孙子》者，不能遗《孙子》"，的确是准确地揭示了《孙子兵法》作为兵学最高经典的不可超越性，但同时也隐晦地说明了兵学思想的相对凝固性、守成性、内敛性。

没有研究对象的改变，就无法激发出更新的需求，而没有更新的需求，思想形态、学术体系就难以注入新的生机，就会处于自我封闭、不求进取的窘态。在这种情况下，我们今天要从学科发展的视野来考察兵学理论的递嬗，显然会遇到极大的障碍，而要总结、揭示这种演进的基本规律与主要特征，更是困难重重，充满挑战了。例如，某些大型军事类辞书，在各断代军事思想的词条中，也常常是横向地不断重复诸如战争观上区分了"义战"

与"非义战"的性质，作战指导上强调了"避实击虚""因敌制胜"之类的表述。先秦词条这么讲，秦汉词条这么讲，到了明清的词条，还是这么讲，千篇一律，缺乏发展性和创新性。应该说，这一局面的形成，不是偶然的，而是其研究对象本身停滞不前、自我封闭所导致的。

如果说，以上的归纳总结是兵学思想发展存在的明显的"先天不足"的制约，那么我们还应该更清醒地注意到，这种归纳与总结，还有一个"后天失调"的重大缺陷。

从先秦时期"赳赳武夫，公侯干城"，到汉武帝时代，朝廷"彬彬多文学之士"，汉元帝"柔仁好儒""纯任德教"，中国古代社会的风尚悄然发生了某种变化，阳刚之气似乎有所消退，军人的地位逐渐降低，普通士兵更成了一群可以随时"驱而往，驱而来"的"群羊"（参见《孙子兵法·九地篇》），社会风气一改而成为"好铁不打钉，好男不当兵"。五代以降，兵士脸上刺字的现象时有发生，明代"军户"身份世袭，社会地位低下，就是这方面的例证。这样的群体，在文化知识的学习与掌握上自然属于"弱势群体"，他们文化程度不高，知识积贮贫乏，阅读能力有限，学习动力缺乏。如果兵书的理论性、抽象性太强，那么就会不适合他们阅读与领悟。所以，大部分的兵书只能走浅显、通俗的道路，以实用、普及为鹄的。由此可知，兵学受众群体的文化素质和精神需求上的特殊性，在很大程度上制约了兵学思想的精致化、哲理化提升。

这一点，从后世经典的注疏水平即可看出，与儒家、道家乃至法家经典相比，兵书注疏滞后、浅薄，实不可以道里计。兵家的著述在注注方面，绝对无法出现诸如郑玄之于《诗经》、何休之于《公羊传》、杜预之于《左传》、王弼之于《老子》、郭象之于《庄子》这样具有高度学术性，注入了创新性思维与开拓性理论的著作，有的往往是像施子美《施氏七书讲义》、刘寅《武经七书直解》、朱墉《武经七书汇解》这样的通俗型注疏，仅仅立足于文字的疏通，章句的串讲而已。即便偶尔有曹操、杜牧、梅尧臣、张预等人注《孙子》聊备一格，但是他们的学术贡献与价值，依旧无法与郑玄、王弼等人的成就相媲美。而这种整体性的滞后与粗疏，自然严重影响到兵学思想的变革与升华，使兵学思想的呈现形态失去了值得人们激发热情、全力投入研究的兴奋点与推动力，往往只能在缺乏高度的平台之上做机械性的重复，这显然会导致兵学思想整体研究的严重滞后。

兵学思想史研究的"后天失调"，还表现在这一领域的研究者长期以来在专业素质构成上一直存在着种种局限，并不能很好地适应兵学思想发展史研究的特殊要求。从本质上讲，军事史是历史与军事两大学科彼此渗透、有机结合而形成的交叉学科。这一属性，决定了兵学思想史其实也是军事史与思想史的综合与贯通，这一学术特性，对研究者提出了特殊的要求，即他们最好能具备历史与军事两方面的专业素养。但是由于种种原因，这样的复合型队伍自古至今似乎并未能真正建立起来。熟谙军事者，历史知识、哲学思辨往往相对单薄，这不免导致其研究难以上升到理论思维的高度；而通习历史者，又往往缺乏军旅活动的实践经验，这当然会造成其所研究的结论多属门外谈兵，不着边际。如《礼书通故》一类典籍中有关"偏"的考据，就近乎盲人摸象，花费大量精力考证一"偏"的战车数量，提出莫衷一是的"九乘说""十八乘说""二十七乘说""八十一乘说"等说法，除了徒增纷扰之外，实在看不出能真正解决什么问题。

正是因为兵学思想史的研究，让军事学界、历史学界两大界别的人士都不无困惑、深感棘手，所以一般的人都不愿意身陷这个泥淖。宋代著名兵学思想家、经典兵书《何博士备论》的作者何去非，尽管兵学造诣精深，又身为武学教授（后称武学博士），但自上任之日起就不安心本职工作，曾转求苏轼上书朝廷，请求"换文资"，即希望把他由武官改为文官。何去非的选择，就是这方面非常有代表性的例子。这种研究队伍的凋零没落、薪火难传，恰恰证明了兵学思想发展史研究确实存在着难以摆脱的困境，直至今天仍是亟待突破的"瓶颈"。

除上述困难之外，兵学研究所面临的挑战还包括以下两个因素：一是军事史研究范围与内涵的界定不够清晰。目前的学术界，经常把军事制度的研究混入政治制度研究之中（如商鞅变法中的军功爵制、王安石变法中的保甲法等等），把军事技术的研究归入科技史的研究范畴，把军事法规的研究并入法制史的研究架构，结果是有意无意地放弃了很多本应该是军事史研究的问题，只把目光对准兵役制度、军事谋略，导致内容过于空泛。这也制约了军事史研究的发展。二是受制于文献载体有关军事史内容记载上的固有不足。古代文献中有关军事史战术层面的内容十分单薄，这与西方军事史著作有很大差异。西方的军事史著作对战术层面的内容记载相当详尽，如在记述汉尼拔指挥的著名的坎尼之战时，曾详细描绘了双方怎样排兵布阵，步兵、骑兵如何配置，谁为主攻、谁作牵制，战斗的具体经过又是怎样。反之，我们的史书记述，则侧重于战争酝酿阶段的纵横捭阖、逐谋斗智，而真正描述战争过程的往往就简单的几个字，"大破之""大败之"，一笔带过。我们既不知道是怎么胜的，也不知道是怎么败的，这就为我们从战术层面深化兵学历史的研究带来了重重障碍。

四、我们如何实现兵学研究的"突破"

危机也意味着转机，困境也意味着坦途。我们认为，中国兵学历史的研究固然存在着种种问题，但是，在大家的共同努力下，它的发展和繁荣也并非没有希望。换言之，使它走出困境的转机同样是可以争取和把握的，关键是我们如何寻找到赢得转机的途径与方法。

其一，寻求转机与实现突破，要求我们对兵学历史的研究予以主观上的更大重视，应该明确形成这样的一个基本共识：一个民族、一个国家、一支军队如果不尊重自己的悠久军事文化传统，不善于从以往的军事历史中借鉴得失，获得启迪，那么就难以拥有与理解完整的历史，就没有资格侈谈什么军事理论创新，也不能建立真正有价值的战略学、战术学、军制学，遑论在世界大变局中确立自己的地位，施展自己的影响。一句话，不珍惜传统，肯定不会有光明的未来；漠视历史，迟早会受到历史的惩罚。基于这样的共识，中国兵学历史的研究必将获得动力，因为研究者的责任感与成就之间实际上存在着共生的关系。更重要的是，我们应该通过对中国兵学发展历史的考察与总结，从中积极地汲取经验。众所周知，以史为鉴，可以知兴替。中国历代战争的战略决策、战略指导与作战指挥，以及建军、治军、用将、训练、治边等方面的经验教训，至今仍有给人以启迪和借鉴之处。兵学历史的研究，固然是学术性的探索与诠释，但是，研究者也应始终立足于当代，注重历史与现实的贯通，致力于从丰厚的历史文化资源中寻求有益的启示。我们认为：一部兵学发展史，其实就是一部军事变革史，更是一部军队发展、国防建设的启示录。我们虽然不能从历史博物馆里取出古人的"剑"同未来的敌人作战，但我们可以熔化古人的"剑"铸造新的"武器"。

其二，寻求转机与实现突破，要求我们在思维模式、研究范围、研究方法等方面进行扎实的工作，开辟新的道路，提升新的境界。这包括：对兵学历史学科的内涵和外延要有一个科学而清楚的界定，确立起兵学历史研究的主体性，树立问题意识、自觉意识，使兵学历史研究的独立性得以完全体现；对兵学历史研究人员专业素质提出更高的要求，彻底改变长期以来军事与历史"两张皮"，懂历史的不太熟悉军事，谙军事的在历史学基本训练方面偏弱的情况；尽量调整兵学历史研究领域内各个分支研究不平衡的局面，在继续加强兵制史、兵书著作研究的同时，积极开展以往相对薄弱的军事技术、作战方式、阵法战术、兵要地理等分支学科的研究，使整个兵学历史的研究能够得到均衡协调的发展，各个分支方向既独立推进，又互为补充、互为促进。其中，尤为重要的是调整与改善兵学史研究的基本范式，必须积极尝试研究角度的重新选择，转换习以为常的研究范式，改变陈陈相因的研究逻辑。具体地说，就是实现研究重心的转移，从以研究军事人物思想、兵书典籍理论为主导，变为以研究战法与思想共生互动为宗旨。这个共生互动的关系，可以用一个相对稳定的逻辑结构来描述，即武器装备的改进与发展，引发作战方式、战略战术的变革，同时也促成了军队编制体制的调整和变化，而这些变化，最终又推动了兵学理论的创新、军事思想的升华。而兵学思想的发展，同样要反作用于作战指导领域，使得战法的确立与变革能够在理论的指导下，更趋合理，更趋成熟，以适应军事斗争的需要，为达成一定的战略目标创造积极有利的条件。

在围绕"武器装备—作战方式—兵学理论"这一主线与结构展开叙述的同时，尤其要注意对兵学思想发展史上阶段性特点的概括与揭示。区分不同时期兵学思想的鲜明特征，探索产生这些特征背后的深层次政治、经济、社会、文化原因，观察和说明该时期兵学思想较之于前，传承了什么，又增益了什么，对于其后兵学思想的发展起到了哪些作用，产生了何种影响。换言之，我们今天对历代兵学思想的研究，其成功与否，就是看能不能跳出通常的兵学思想总结上的时代性格模糊、阶段性特点笼统的局限，而真正把握了兵学思想与文化的历史演进趋势和个性风貌。

其三，寻求转机与实现突破，要求我们在从事兵学历史研究过程中，在充分运用历史方法的同时，尽可能借助于军事的范畴、概念与方法，注重从军事的角度考察问题、解决问题。应该说，这正是兵学历史研究讲求科学性、学术性的必然要求。面对军事制度上的疑难问题，我们完全可以参考现代军制的原理与方法来协助解决，例如，释读先秦军队编制体制中"偏"的问题就是如此。我们知道"偏"是先秦时期车战的战车编组形式，但是一偏到底有几乘战车，文献记载说法各异，有"九乘说""十八乘说""二十七乘说""八十一乘说"种种，可谓各有道理，莫衷一是。另外，像先秦军队既有"军、师、旅、卒、两、伍"六级编制，又有"三十人乘制""七十五人乘制"，彼此关系又是怎样？如果花大力气去求证，结果很难如愿，但我们若了解现代军队编制特点的话，那么也许能掌握解决问题的钥匙，即理解军队编制上平时管理和战时配属是两种方式，一支军队可以有平时隶属体制、战时合成编制、临时战斗编组等多种编制。先秦军队就平时隶属体制而言，可以有六级；就战时合成编制而言，即为"乘"；就临时战斗编组而言，又可以有"九乘""二十七乘"等不同的大小"偏"形式。这就是一个参照现代军队编制以深化军事史研究的重要例子。

再如，我们以往研究"韩信破赵"时部署的背水阵，一般只关注到军心士气问题，即韩信之所以部署背水阵，乃是为了激发士兵的战斗意志，置之死地而后生。这几乎是两千多年来人们的一致看法，韩信自己也是如此表白的。但是，我们如要从军事学的角度来分析，那么背水阵其实包含着十分丰富的战术作战要领。首先是变换主客。韩信设置背水阵的主要目的在于引诱赵军前来攻击，如此，本来是处于攻击地位的韩信军队反而变成了防御一方，而在军队作战中，防御和进攻所需的兵力相差是很大的，这叫作"客倍主人半"（《孙膑兵法·客主人分》）。韩信通过背水阵的设置，改变了双方的攻守地位，弥补了自己兵力的不足，在一次进攻性战役中，打了一场漂亮的防守作战，最终取得了胜利。这个主客变置的关键因素，再加上布列圆阵、兵分奇正、置之死地而后生等战术要领，背水阵达到了预期的目标。这个例子可谓极其生动而有力地证明了兵学历史研究离不开军事学要素与方法。总之，兵学历史研究过程中许多学术上的疑难问题，若能借助军事学的原理与方法，解决起来并非不可能。如用现代军事中的"战略预备队"概念诠释《握奇经》中"四为正，四为奇，余奇为握奇"的"余奇"含义，就能使人豁然开朗。又如，拿方阵战术的基本要领来观照"勇者不得独进，怯者不得独退""不愆于六步、七步，乃止齐焉"等兵学指导原则的意义之所在，同样也是恰到好处。

其四，寻求转机与实现突破，我们还需要拓宽视野，以世界军事发展进程为参照，来考察中国兵学历史的演进规律、文化内涵与时代精神。英国军事学家富勒在其代表作《装甲战》一书中曾经这么说过："世界上没有绝对新的东西。我曾说过，学员只要研究一下历史，就可看出，战争的许多阶段将再次采用基本相同的作战形式。只需进行一些研究和思考，就会认识到，过去所采用的所有战略和战术，自觉或不自觉地都是根据军事原则制定的。……无论军队是由徒步步兵、骑兵，还是由机械化步兵组成，节约兵力、集中、突然性、安全、进攻、机动和协调等原则总是适用的。总之，摩托化和机械化只是改变了战争的条件，即改变了将军使用的工具，而不是他的军事原则，这一点是显而易见的。"这是从时间的角度说明军事学基本原则的永恒性、稳定性。其实，从空间的视角考察，这种同一性、常态化又何尝不是如此！中西方军事著作在语言体例、逻辑概念梳理、形象描述等方面固然存在着很大的差异，是两类军事文明的产物。但是，《淮南子·氾论训》言："百川异源而皆归于海，百家殊业而皆务于治。"万变不离其宗，中西方军事学的核心问题，如重视将帅、灵活多变、集中兵力、以攻为主、重视精神因素及士气的振奋等，完全可以说是旨趣一致、异曲同工的，这种一致与相似，远远胜过所谓的"差异"与"对立"。我们应该充分看到中西方军事学的这种同一性，从而更好地认识中西方军事思想文化中那些超越时空的价值，并从中获得有益的启迪。这一点，乃是我们在研究中国兵学历史时，必须予以充分留意与高度关注的。换言之，我们今天的兵学研究，既要立足本土，同时又要面向世界，从世界军事文明递嬗的视域把握中国兵学的精髓，揭示中国兵学的特色，认知中国兵学的价值。

总之，兵学历史的研究只要真正回归历史、回归军事，那么就可以超越过去僵化的模式与平庸的论调，把握住新的发展契机。

鉴于以上基本认识，我们这个兵学历史研究的小团队，不揣谫陋，砥砺而行，和衷共济，经过数年的积极努力，撰写了这套300余万言、7卷本的《中国兵学通史》，就中国兵学历史发展的时代背景、基本内涵、演变轨迹、主要特征、表现形式、重要地位与文化影响等加以全景式的回顾、梳理与总结。在此基础上，我们重点考察与揭示中国历史上的代表性兵学著作、诸子论兵之作、重大战争中所反映的兵学基本原则、四部典籍所蕴含的兵学思想要义及其对中国兵学文化发展的卓越贡献，并对影响与制约中国历史上兵学发展的基本要素，如武器技术装备、军队体制编制、作战样式与战法、军种兵种构成与变化、军事训练与军事法规等，进行必要而细致的考察与剖析。总之，我们的初衷，是要梳理中国古代兵学产生、发展及演变的历史轨迹，总结中国古代兵学的主要成就，揭示中国古代兵学的基本特征，阐释中国古代兵学的文化价值。

受水平所限，本书难免存在着一些值得商榷与改进之处，衷心欢迎诸位专家和广大读者不吝批评指正，以匡不逮，无任感谢。

是为序。

黄朴民

2021 年 10 月 26 日于中国人民大学国学院

目　录

绪　论 ……………………………………………………………… 1

第一章　明前期统一与戍边方略 ………………………………… 11
　第一节　朱元璋的统一方略 …………………………………… 11
　第二节　明前期戍边方略 ……………………………………… 29
　第三节　陆海并重的战略调整及得失 ………………………… 47

第二章　明代重要兵学著作（上） ……………………………… 67
　第一节　《阵纪》 ……………………………………………… 67
　第二节　《草庐经略》 ………………………………………… 94
　第三节　《投笔肤谈》 ………………………………………… 116
　第四节　《兵礨》 ……………………………………………… 137

第三章　明代重要兵学著作（下） ……………………………… 155
　第一节　《登坛必究》 ………………………………………… 155
　第二节　《运筹纲目》 ………………………………………… 175
　第三节　《车营叩答合编》 …………………………………… 191
　第四节　《孙子兵法》注疏作品 ……………………………… 206

第四章　明代著名思想家的兵学思想 …………………………… 219
　第一节　王守仁的兵学思想 …………………………………… 219
　第二节　李贽的兵学思想 ……………………………………… 240
　第三节　吕坤的兵学思想 ……………………………………… 258

第五章　明代中后期兵学新面貌 …………………………… 271

　　第一节　海防新局面对兵学的影响 ……………………… 271

　　第二节　戚继光的兵学思想 ……………………………… 292

　　第三节　火器技术对兵学的促进 ………………………… 310

　　第四节　军事地理学的发展 ……………………………… 330

　　第五节　经学模式和兵学发展的拐点 …………………… 350

　　第六节　《武备志》对古典兵学的总结 ………………… 362

第六章　清前期统一战略及传统兵学的停滞 ……………… 387

　　第一节　晚明边务的衰败与清军入关 …………………… 387

　　第二节　清初统一战争的作战方略 ……………………… 410

　　第三节　古典兵学的停滞 ………………………………… 428

第七章　清前期重要兵学著作 ……………………………… 439

　　第一节　《兵经》 ………………………………………… 439

　　第二节　《乾坤大略》 …………………………………… 458

　　第三节　《戊笈谈兵》 …………………………………… 467

　　第四节　《间书》 ………………………………………… 480

第八章　清前期重要思想家的兵学思想 …………………… 487

　　第一节　黄宗羲的兵学思想 ……………………………… 487

　　第二节　顾炎武的兵学思想 ……………………………… 501

　　第三节　王夫之的兵学思想 ……………………………… 523

　　第四节　唐甄的兵学思想 ………………………………… 543

　　第五节　魏禧的兵学思想 ………………………………… 563

主要参考文献 ………………………………………………… 575

绪　论

　　明清兵学是中国古典兵学发展史的最后阶段，占据着非常特殊的历史地位，同时也担负着特殊的历史使命。作为古典兵学发展的最后一环，明清兵学既需要对既往传统完成整理和总结，同时还要为迈向近现代兵学的转型做好准备和铺垫。中国是一个受到战神偏爱的国度。^① 当然，在漫长的古代社会，战争形态基本相似，战争技术手段也没有根本性变化。^② 这一情形到了明清时期，随着火器的出现和运用才得到了部分改变，并成为刺激明清兵学向前发展的重要诱因。与此同时，倭寇的长期袭扰，迫使明朝统治者不得不提升海防能力，致力于发展水军，并由此形成了较为完整的海防战略和较为系统的海战战法。海防思想和海防战略的形成与发展，都是对中国传统兵学的极大补充。

---

① 黄朴民、白立超、熊剑平：《改变历史的二十四场战争》，中华书局，2017年，第1页。由于中国古代历史记载相对完整，大大小小的战争都详细登记在册，也会给人以"古代中国人极其好战"的印象。参见［美］迈克尔·怀特著，卢欣渝译：《战争的果实：军事冲突如何加速科技创新》，生活·读书·新知三联书店，2009年，第82页。

② 黄朴民、魏鸿、熊剑平：《中国兵学思想史》，南京大学出版社，2018年，第6页。

一、传统兵学的进一步发展和阶段性总结

明清兵学是古典兵学的最后一个繁荣期，其对中国传统兵学有着较为全面的继承和发展，并进行了阶段性的系统总结。考察这个时期的兵学理论著作和有关兵论，不难得出上述印象。

明清时期诞生了大量兵书，而且留存至今的较多，兵书数量毫无悬念地占据着历史之最。这与传统兵学在明清时期的迅猛发展密不可分。有学者统计，仅明代就诞生兵书777部，加上存目兵书246部，共1000余部。① 清代前期诞生的兵书并不丰富，而且承袭较多，创新较少。但到了清代晚期，随着西方军事著作的大规模译介工作的展开，新型兵书不断涌现，传统兵学有了向近代兵学迈进和转型的契机。其间所涌现的各种兵书，同样值得我们关注和研究。兵书种类齐全，而且数量庞大，是明清兵学研究水准最直接的证明。不仅如此，在此期间，伴随着热兵器的大量出现和不断改进，战略战术及治军思想等也出现新的变化，传统兵学的发展就此迎来了前所未有的变局。

虽说明清时期兵书诞生较多，但兵书的集中出现，尤其是有质量兵书的诞生，更多地集中于明代中晚期。著名将领戚继光就著有《纪效新书》《练兵实纪》，在对传统兵学完成继承的同时，也结合抗倭斗争进行若干创新。比如鸳鸯阵和海战战法等，在战术研究上无疑又有了进一步的发展。郑若曾的《筹海图编》大量记载中日两国的基本情况，尤其保存了许多富有价值的海洋地理资料，同时也就海防问题提出了许多策略，弥补了传统兵学的不足。其他如《投笔肤谈》《登坛必究》《兵经》等兵书，延续了宋代以来文人论兵的传统，并不乏富有见地的思考。至于《火攻挈要》等有关火器战法

---

① 许保林：《中国兵书通览》，解放军出版社，2002年，第21页。

的研究，更极大丰富了传统兵学的宝库。茅元仪纂辑的大型类书《武备志》提出了边防、海防、江防并重的战略思想，也对古典兵学进行了较为系统的总结。顾祖禹的《读史方舆纪要》则详细考释历代军事地理，通过对区域地理与军事历史的研究，揭示了兵要地理研究的地位和作用，将军事地理学的研究推向了高峰。

明清时期延续了宋代文人论兵的传统。文人论兵固然有着脱离实践等先天性缺陷，经常被武人斥为书生之见和纸上谈兵，但也有自身特色，似不可一概加以否定。文人论兵能够提高论兵的思辨性，提升战略思维的深度，成为中国古代兵学发展史上一道独特的风景线，也是兵儒合流的明证。明朝中后期，一直延续到清代初年，诸如王守仁、李贽、顾炎武、黄宗羲、王夫之这些具有相对独立思想的学者，都曾投身研究兵学，对古典兵学的发展都做出了独特的贡献。明代兵书中较为出色者，如《投笔肤谈》《登坛必究》《兵经》《阵纪》《运筹纲目》《武备志》等，大抵也属这类作品。它们的结伴出现，无疑极大地提升了明清兵学的总体水平。明清军事地理学研究的兴起与推进，多少也是借助于文人群体的力量，同样可看成文人论兵模式的延续。《广志绎》《筹海图编》《读史方舆纪要》这些论述地理学的重要著作，基本也都出自知识分子之手。包括大型兵书《武备志》，也具有这方面特点。

明代中晚期的兵书，有不少都论及海防，对海洋地理都有不同程度探讨，主要是因为其时倭患日益突出。在《筹海图编》中，作者更为集中地论述海防战略和海洋地理。茅元仪著《武备志》，主张边防、海防、江防并重，其中有不少篇幅论及军事地理。明末清初的顾祖禹著作《读史方舆纪要》，系统论述军事地理，也一举将军事地理学研究推向高峰。这部著作代表了明清军事地理学研究的最高水平，开启的地理学研究之风得到清代学者的继承和发扬。在清代，随着朴学兴盛，产生了一批灿若群星的地理学研究专家。除顾祖禹之外，全祖望、阎若璩、高士奇、胡渭、钱大昕、王鸣盛、洪亮吉等一大批学者，都曾对地理学、军事地理学或沿革地理，有过精深的研究，并且不乏独到见解。从这里也能看出，明清兵学研究群体的丰富性，尤其是文人学者的参与，在一定程度上推动了传统兵学研究水准的提升。

明清时期的兵学发展也与军事科技的发展密切相关。在明代，造船技术、兵器技术，尤其是火器技术，都得到了大幅度提升。造船技术的进步，一度给国人以拥抱海洋的机遇。火器技术的提高，则推动了兵学理论发生巨变。在明代，随着火器种类不断增加，运用日渐广泛，明军甚至设有专门的火器部队，战争中也会围绕火器而制定战术。军事学术、战术思想、建军思想等都由此而发生急速的变化。明代科学家和军工制造人员刻苦钻研的成果，体现在各个方面。他们在诸如钢铁冶炼、火药配制、火器制造等研究领域，都有深入研究。明代兵书中，有关火器和火药的论著占据了非常大的比重，流传至今的尚有十多种。这些论著，或研究火器的制造与使用，或探讨新兵种的建制与训练，或总结与之配套的战术与阵法，都极大地推动了明代兵学思想的深入。明代出现了一大批火器制造与使用的理论著作，影响深远的著作有《火龙神器阵法》《火攻挈要》《神器谱》《西法神机》等。除了专论火器的著述之外，《武编》《纪效新书》《练兵实纪》《武备志》《大明会典》《兵录》《筹海图编》等著作，也都从不同的角度出发，对火器的制造与使用原则等进行了较为系统的阐述。

明朝末期不仅迎来了兵学的快速发展态势，也有体系庞大的兵学著作诞生，尝试对古典兵学理论做系统整理与总结。何汝宾《兵录》、唐顺之《武编》、王鸣鹤《登坛必究》等，都具有这一特点。明代之前也曾尝试对兵学进行总结，比如北宋仁宗时期曾公亮、丁度等人编撰的《武经总要》，对军事制度、用兵选将、军队训练、古今阵法、战略战术、武器制造及阴阳占卜等各方面内容均有总结和阐述，《四库全书总目提要》指出："前集备一朝之制度，后集具历代之得失。"① 明代末期出现的大型兵书《武备志》，则更体现了对

---

① 永瑢、纪昀主编，四库全书总目提要编委会整理：《四库全书总目提要》卷九十九《子部九·兵家类》，海南出版社，1999年。

传统兵学进行总结的特点。与《兵录》《武编》《登坛必究》《经武要略》等兵书着力于"录"有所不同，茅元仪所撰《武备志》还致力于"评"，并在综合性、系统性、创新性等方面都有超越。《武备志》是一部大型辑评体兵书，不仅体系宏大，而且点评精到，条理清晰；既有理论总结，也有史料支撑；不仅考镜源流，更能挖掘古代兵典的要义，同时也立足于解决现实问题，对先进兵学理论和兵器知识及时吸纳，对古典兵学而言，是一部带有总结性质的兵学著作。① 茅元仪对《孙子兵法》的评价——"前《孙子》者，《孙子》不遗；后《孙子》者，不能遗《孙子》"②，因为真切考察了《孙子兵法》与其他重要兵典的关系，所以成为长久流传的名言，以至于不少人习惯用这句话评点中国古典兵学。

二、古典兵学走向终结与被动转型

传统兵学在明清时期迎来发展的高峰期，但与此同时也迈向终结，并迫于内外环境而面临着转型。从快速发展的繁荣景象走向衰落与被迫转型，都与特定的时代背景息息相关。

首先要看到的是兵经模式的影响。明清时期继续推行兵经模式，通过武举选拔将领，却只能说功过参半，达到了部分预期目标而已。通过兵经模式，大量印发官方军事学教科书并组织学习，对于培养军事人才、提升军人的军事理论水平，固然起到了一定的积极作用，但历时既久，也会对兵学的健康发展形成掣肘。且不说所立兵经内容相对陈旧，跟不上形势变化，就连研习人员也存在水平不足等先

---

① 《中国兵学思想史》，第 401 页。
② 茅元仪：《武备志》卷一《兵诀评》。本书载于《中国兵书集成》编委会编：《中国兵书集成》第二十七至三十六册，解放军出版社、辽沈书社，1989 年。

天性缺陷。不仅如此，兵学和儒学的关系也已经发生彻底的改变，由"兵儒结合"变为"以儒统兵"。① 作为兵经的主要研究群体，武人将佐普遍读书较少，文化水平偏低，理论深度不够，缺少"六经注我"的勇气和能力，故而只能停留于"我注六经"的状态，只剩下因循守旧和故步自封。与此同时，兵学经典被神化之后，也会极大地束缚军人的思想，造成思维僵化，古代兵典的卓越思想不幸而变得教条化。推行专制和集权的统治者，希望看到兵学研究只能由少数统治者展开，其他人不能染指。这种近乎"圈养"的方式，显然没有办法获得高水平的兵学研究成果。矛盾而狭隘的心理，加上"言必称孙子"的固执，也在某种程度上决定了传统兵学的命运。明清时期不少兵学著作思想水准不高，与这种兵经模式的长期推行不无关系。康熙对以《武经七书》为代表的中原传统兵学充满轻视，一概视为纸上谈兵，这并非全是偏激和自大。

明代晚期兵学之所以能够获得强劲发展势头，固与军事科技发展息息相关，也系特殊的内外环境逼迫。明朝末期，随着火器技术的飞速进步，西方科学技术的渐次引进，加之文人论兵推动了兵学理论水准的提升，古典兵学在此时已迎来了转型的良机。遗憾的是，这种转型并没有最终完成。众所周知，多种原因导致了明王朝在万历之后迎来了彻底崩溃。经过大大小小的拉锯式战争之后，文化相对落后的清军打败了明军和起义军，成功入主中原，也随即打断了传统兵学的转型节奏。清代统治者对于中原兵学的一贯不屑，对兵学研究的着意打压等，都对传统兵学的发展形成掣肘。清朝统治者不仅没能带来兵学思想的跃升，反而对古典兵学的发展有所压制。康熙本人带头贬损中原兵学，在《四库全书》中，兵书难得一见。②

① 刘庆：《论中国古代兵学发展的三个阶段与三次高潮》，《军事历史研究》1997 年第 4 期。
② 清朝以整理古籍为口号的收集和整理，其实也是为了便于集中管控或销毁兵书。正是这个原因，我们在《四库全书》中只能看到寥寥无几的兵书，历朝注释《孙子》的精彩著作被完全抛弃，只留下五千余字白文。

加上种种特殊的铁腕政策的推行，传统兵学的发展再次陷入低潮，直至走向彻底的衰落。到了晚清时期，随着国运的衰败，西方列强陆续入侵，以天朝上国自居的心态，也致使其在西方列强面前丢盔弃甲。与此同时，人们也渐渐发现传统兵学的落后和难堪大任。

西方哲学家黑格尔认为东方文明固然古老，却也是停滞的，其实这种停滞并非贯穿于中国历史的终始，而更多是在清代出现。考察军事学术史以及军事科技史等，都可以看出这一现象。因为中国在明清时期发展比西方迟缓，"以致从历史上的先进地位转而落后下来"①。不管如何，因为历史机遇的丧失，传统兵学已经很难再次迎来升级和转型，只能是一拖再拖，迟至清朝末期，在非常被动的情况下艰难推进。其时，世界范围的近代军事变革早已完成，中国则处于严重落伍状态，遂由此而处处被动挨打。

三、明清兵学的总体特点与评价

明清时期一度迎来我国传统兵学发展的最后一个高峰期，也一度因为内外形势的发展变化而被迫迈向终结和转型。仅就兵书而言，不仅种类齐全，而且层次多样，是其时兵学研究取得突出成绩的明证。特殊的内外部环境，特殊的历史际遇，都使得明清兵学留下曲折多姿的发展轨迹。

第一，明清兵学进一步由"重道"转向"重术"，或由"重道"转向"重器"。在明清时期，兵学研究仅从内容来看，变得更加具体、更加务实、更加丰富，这些变化正是这种转变的结果。从总体上打量，中国古典兵学的发展和其他学术史有类似之处，也是走在往前发展的道路上。比如，就兵学思想和总体原则等来说，基本没

---

① 　白寿彝总主编，白寿彝主编：《中国通史》第一卷《导论》，上海人民出版社、江西教育出版社，2015年，第291页。

有跳出先秦兵学的藩篱,甚至是《孙子》的藩篱。但在"术"的层面,即具体的战术设计上,随时代变化而不断发展。唐宋时期的兵学研究就已经开始体现出这一趋势,比如《唐太宗李卫公问对》的问世,"显示出古典兵学的重点正开始由战略的层次向战役战术的层次转移"①。明清时期的兵书,同样可以看出这一特征。戚继光的《纪效新书》《练兵实纪》等,体现得尤为明显。为寻求战术的变化,戚继光借鉴前人阵法,研究设计出"鸳鸯阵法",同时他还就练兵和治军等进行了深入探讨。由于皇权统治的需要,军队统御也成为突出问题。一再强调的所谓"练心",不只是要求士卒上下具有胆气,也高度强调服从意识。随着明清时期以火器为中心的兵器的升级,军事家们更强调兵器的使用与保管,尤其是对火器的运用之法等有较为系统的总结和探讨,也就此推动了新战法的诞生。《火龙神器阵法》《火攻挈要》等对火器的使用方法等总结得更为深入,既体现出了"重术"的一面,也体现出了"重器"的一面。

第二,文人论兵的模式得到延续,并取得了不错的成绩。"文人论兵"是宋代出现的特殊文化现象。② 很显然,这一现象在明清时期,尤其是明代晚期得到了很好的延续。王守仁、李贽、顾炎武、黄宗羲、王夫之等著名学者,都对兵学深有研究,并留下了不俗的论兵之作。《投笔肤谈》《登坛必究》《兵经》等著名兵书,也大多出自文人之手。到了清代初期,顾祖禹等一大批学者,都对军事地理学或沿革地理有过不同程度的研究。总之,在明清时期,文人论兵模式的延续,增加了兵学研究群体的丰富性,并推动着传统兵学研究向前发展,也就此进一步推动了兵儒合流。众所周知,文人论兵属于私家兵学,并为政府所禁止。因此,只有等到王朝走向没落,政府对兵学研究和兵书写作的种种管控有所放松之后,兵学研究才能摆脱各种烦琐的束缚,获得迈步向前的机会。古典兵学在明朝末期之所以取得一定程度的发展,与文人的积极参与不无关系,此后

---

① 《中国兵学思想史》,第268页。
② 《中国兵学思想史》,第321页。

的衰落也与文人群体受到打压有关。明清时期，高度集权的政治军事体制日益得到巩固。① 在这种政治统治相对稳定的时期，统治者持续推行专制统治，甚至大力推行高压的统治政策，兵学寻求发展几乎成为一种奢望。

第三，古典兵学日益表现出发展停滞的趋势。当兵学研究更多仰仗于私家著述和文人群体时，其实也等于宣告着其正在走向停滞。同样是文人论兵，但明代末期和宋代是两种情形。宋代兵学的复兴，多少是因为政府的积极推动和提倡，明代末期则更多是出自文人学者的自觉，出于他们的家国情怀。但种种研究都是螳臂当车，无法阻止清兵入关之后，这类研究便难以为继，戛然而止。所以，考察兵学发展史，明代中晚期出现若干具有创见的兵书，更像是一种回光返照现象。还应看到的是，明清时期，传统兵学固然取得了一些成就，但也存在着不少问题。数量不菲的论兵之作，更多属于平庸之作。这其实是古典兵学思想在专制政治之下必然出现的守成趋势，也可以说是宋代延续的兵经模式之下必然呈现的僵化之态。在专制和集权的政治模式之下，统治者出于维护自身统治利益的私心，只会允许兵学研究在官方主导的狭窄范围之内进行，这便很难迎来兵学研究的真正繁荣。中国古典兵学由此而走向停滞，固是历史发展之必然，也与当时的统治者的心胸和治术等密切相关。

第四，"言必称孙子"的现象依然存在，说明《孙子兵法》对明清兵学产生了深刻影响。茅元仪在《武备志·兵诀评》中对《孙子兵法》有句著名的评价："先秦言兵者六家，前《孙子》者，《孙子》不遗；后《孙子》者，不能遗《孙子》。"这句话本是用作评价先秦兵学，但不少人都喜欢用它来评价中国古典兵学。其实，考察中国古典兵学发展史，茅元仪此语也堪称允当，因为孙子的影响确实无处不在。明清兵学也不免受到《孙子兵法》的深刻影响。著名思想家如王守仁、李贽等人，都曾深入研习这部兵典。在撰述兵书

---

① 刘庆：《论中国古代兵学发展的三个阶段与三次高潮》，《军事历史研究》1997 年第 4 期。

时，明清学者大量引用《孙子兵法》一书中的观点，并借助于孙子建立的"虚实"等兵学范畴。《投笔肤谈》不仅模仿《孙子兵法》，写成十三篇的体制，思想内容上也有大量蹈袭。顾祖禹精研军事地理，却对《孙子兵法》非常推崇，称"论兵之妙，莫如《孙子》；而论地利之妙，亦莫如《孙子》"①。至于朱逢甲撰写《间书》，几乎成为《孙子兵法·用间篇》的另类注释。兵学研究者"言必称孙子"，不得不依靠两千多年前诞生的兵典寻找些许慰藉，多少折射出明清兵学的尴尬，从中也可看出传统兵学发展的停滞。

---

① 顾祖禹撰，贺次君、施和金点校：《读史方舆纪要·总叙二》，中华书局，2005 年。

第一章　明前期统一与戍边方略

朱元璋在元朝末期的乱世之中崛起，在与陈友谅等各路豪强的角逐中最后胜出，完成了统一中原的大业。朱元璋为完成统一战略，既注意收买民心，又注意厚植实力，在抓好军队建设的同时，也注意稳步推进，各个击破。朱明王朝建立之后，一度以天朝上国自居，希望并要求同周边诸国建构以明廷为中心的朝贡体系。虽说这一体系终得建立，并在一段时间之内得到维持，但边患并没就此消除。明朝前期的戍边战略可以分为两期，洪武年间强调"固守疆圉"①，更多着眼于守势，到了永乐朝则一度表现为积极进取的攻势。朱棣一面北伐一面南征，并大规模发起"郑和下西洋"之举，都体现出战略方针上的重大调整。

第一节　朱元璋的统一方略

在元朝末年的各路起义军中，郭子兴的队伍是较弱的一支，但朱元璋正是从这里起家，逐步壮大。到了至正二十六年（1366），朱元璋杀害名义上的君主韩林儿，抛掉红巾军的旗帜，开始了独立发展的步伐，直至建立大明王朝，完成了统一中国的目标。朱元璋统一天下的方略，有以下几条成功经验。

---

① 《明太祖实录》卷十二，上海书店，1982 年。

一、收买人心，厚植实力

朱元璋之所以能够成就帝王之业，与他早期低调积蓄力量、注意加强人才储备、发展经济和军事实力等举措，有着密切的联系。

在与各路豪强角逐的过程中，朱元璋始终非常注意收买民心，陶安曾因此称赞其"人心悦服，应天顺人"①，积极鼓励朱元璋夺占金陵。元朝末年的黑暗统治，激起了各地农民大起义，反抗元朝政权也成为各地人民的普遍诉求，所以朱元璋始终注意将"反元"作为招揽人心的重要举措之一。在与陈友谅决战时，朱元璋便提出"同讨夷狄，以安中国"②的口号，以此收买人心。后来在《谕中原檄》中，他也非常明确地提出了"驱逐胡虏，恢复中华"③的口号，从中可以看出，朱元璋非常善于利用反元口号来收买民心。

总结朱元璋对元朝的态度不难发现，他并非始终坚定地反元。有学者考察其起初阶段一度对元政府态度"比较暧昧"，对于"反抗元朝的统治至少是不热心的"。④对元朝采取何种态度，其实与朱元璋的自身处境密切相关。在羽翼尚不丰满的初起阶段，他希望元军将注意力更多地集中在刘福通、徐寿辉、张士诚、方国珍等处，所以努力避免与元军发生正面对抗，避免己方受到重大损失。在归附韩林儿、刘福通为首的宋政权后，朱元璋顺势接过推翻元朝统治的旗帜。在攻下婺州（今浙江金华）之后，他竖起"山河奄有中华地，日月重开大宋天"的旗帜，这才较为清晰地亮出了反抗元朝的立场。在消灭张士诚的队伍之后，南方诸雄已经被剿灭殆尽，朱元璋立即开始着手北伐。他一面对元朝主要将领采取安抚和招降之策，一面组织大军取道山东，进逼元都，对元军发起最后的清剿行动。此时，朱元璋旗帜鲜明地举起反元大旗，也在真正意义上结束了元

① 张廷玉等撰：《明史》卷一百三十六《陶安传》，中华书局，1974 年。
② 《明太祖实录》卷十二。
③ 《明太祖实录》卷二十六。
④ 陈高华：《论朱元璋与元朝的关系》，《学术月刊》1980 年第 4 期。

朝的统治。

不仅是举起反元大旗，朱元璋还积极利用反元口号广泛争取民心，更注意积极拉拢士人，广纳贤才，并鼓励他们建言献策。朱元璋较早认识到"致治之道在于任贤"①的道理，所以将贤才视为"国之宝也"②。李善长、陶安、夏煜、孙炎、杨宪等人被罗致帐下，后来他们都为朱元璋争夺天下起到了积极作用。反元与传统的夷夏观相通，很容易引起传统儒生的共鸣，进而主动前来投靠。

早期的朱元璋格外重视招纳各方人才。浙东四大名士刘基、宋濂、章溢、叶琛经举荐前来投靠，朱元璋极度欣喜地说"我为天下屈四先生"③，言语之中明显地表现出其对于人才的渴求。《明史》中记载："明始建国，首以人材为务，征辟四方，宿儒群集阙下，随其所长而用之。"④这也充分反映出早期的朱元璋重视吸纳各类人才并想方设法拉拢士人的态度。当然，正所谓此一时彼一时，在坐稳皇位之后，朱元璋对这些人的态度发生了天翻地覆的变化，从而上演了一出又一出"狡兔死，走狗烹"的人间悲剧，其中表现出的帝王心机和残忍刻薄，都令人唏嘘。虽说朱元璋在早期和晚期差异巨大，但还是要看到早期朱元璋吸纳人才之举所起的作用，对他广纳贤才的种种努力给予充分肯定。

朱元璋不仅致力招贤纳才，礼贤下士，对于降将降卒也能晓之以理，积极予以拉拢，争取为我所用。在徐达攻打镇江之前，朱元璋特地叮嘱其注意选用贤才，要求他一定要注意寻访一个叫秦元之的人才，"致吾欲见之意"⑤。在攻占集庆之后，朱元璋特地宣布："贤人君子有能相从立功业者，吾礼用之。"⑥在攻打陈友谅的过程

① 《明太祖实录》卷六十。
② 《明太祖实录》卷八十一。
③ 谷应泰：《明史纪事本末》卷二《平定东南》，中华书局，1977年。
④ 《明史》卷二百八十一《高斗南传》。
⑤ 《明太祖实录》卷十八。
⑥ 《明太祖实录》卷四。

中，朱元璋始终高举"吊民伐罪，纳顺招降"①的旗帜，明确表明了对于降兵降将的态度：只要顺从自己，就无性命之虞。在与陈友谅角力期间，朱元璋曾抓获不少俘虏，大多都能结以恩义，有伤者为之疗伤，愿意返回的则悉数遣返，与陈友谅大肆杀戮俘虏的行为形成鲜明对比。这一点，对于塑造仁义之师的形象，招纳天下贤才，都起到了积极作用。

在建立南京政权之后，朱元璋为了巩固新生政权，制定并推行积极的经济政策，培植经济实力，为统一天下进行更为充分的物资准备。朱元璋在打下徽州之后，因为邓愈的推荐，召见朱升询问策略。朱升回答说："高筑墙，广积粮，缓称王。"②朱元璋对此极为欣赏，授其侍讲学士、知制诰、同修国史等职。考察朱元璋此后统一天下的进程，不难看出朱升这一建议的影子。因为自身实力尚且不济，出于自保，朱元璋必须"高筑墙"；为了在初期避免与元军正面冲突，他必须"缓称王"；无论是为当前计，还是为长远计，军需物资都是不可或缺，所以朱元璋必须"广积粮"，致力于发展经济。

为了确保获得充足的后勤补给，朱元璋首先想到的措施就是，大规模组织军队展开屯田垦荒行动，努力增加粮食储备，力争实现军队的自给自足。朱元璋在攻下建康之后，随即下令军队于龙江等地积极开垦荒地，广泛种植粮食，不少文官也先后领命，积极参与耕种事务。各地都广泛开展了屯田运动，其中以康茂才所取得的成绩为最佳："得谷一万五千余石，以给军饷，尚余七千石。"③当然，与康茂才相比，其余各处的屯田效果并不理想。于是，朱元璋一方面任命康茂才为营田使，专门负责各处屯田事宜，另一方面，他特地申谕将士"兴国之本，在于强兵足食"④。在这之后，局面果然有了很大改观："自今诸将，宜督军士及时开垦，以收地利，庶几兵食

① 《明太祖实录》卷九。
② 《明史》卷一百三十六《朱升传》。
③ 《明太祖实录》卷十二。
④ 《明太祖实录》卷十二。

充足，国有所赖。"① 在消灭陈友谅之后，朱元璋再次命令邓愈等人在襄阳等处大规模进行屯田，继续执行且耕且战的政策，以保证三军足食的效果。

屯田制度后来成为明代一项长期执行的政策。朱元璋本希望通过这一方法来实现军队的自给自足，但是这一目标"从来就没有实现过"②。这可以举出南直隶的情形作为例证：南直隶的两处军屯在实行军事屯田制度 20 年之后，仍然不能实现自给自足。以此类推，"整个军屯体制自给自足的可能性就更加微乎其微了"③。当然，即便是无法保证自给自足，军屯制度多少也可以在减轻国家财政压力、降低百姓负担方面起到作用。随着时间的推移，这种军屯制度的弊端越发显现，到了宣德年间逐步遭到破坏。有学者指出，这种军屯制度虽然是一种残暴的农奴制度，但在初期阶段"还是起过一定的积极作用"④。

与屯田制度相辅而行的是"民兵"制度。这一制度始设于至正十八年（1358）⑤，即选拔农村壮丁编列为伍，安排在靠近城池之处耕种。这样做的好处是："练则为兵，耕则为农，兵农兼资，进可以取，退可以守。"⑥ 这其实就是兵农合一制度，通过且耕且战的方式"以给军储"⑦，在充分保证军队战斗力的同时，也努力保证军粮的供给。兵食既足，则可以"观时而动，以图中原"⑧。

在立国之初，朱元璋很快就意识到"天下初定，所急者衣食"⑨的道理，所以一直致力于发展经济和"劝农桑"。他除了通过大量组织屯田大力发展农业，最大程度地保证军队粮食供给之外，还积极

---

① 《明太祖实录》卷十二。
② 黄仁宇：《现代中国的历程》，中华书局，2011 年，第 77 页。
③ 《现代中国的历程》，第 78 页。
④ 陈梧桐：《朱元璋大传》，中华书局，2019 年，第 411 页。
⑤ 黄冕堂、刘锋：《朱元璋评传》，南京大学出版社，2011 年，第 110 页。
⑥ 《明太祖实录》卷十四。
⑦ 《明太祖实录》卷二十。
⑧ 《明太祖实录》卷十四。
⑨ 《明太祖实录》卷二十六。

鼓励百姓种植桑麻。通过此举，既可以安抚百姓，使其安居乐业，也可以保证军队的棉麻供应，同样是统一战争的必备举措。

至正二十五年（1365）六月，朱元璋专门就桑麻种植发布命令："凡农民田五亩至十亩者，栽桑麻、木绵各半亩，十亩以上者倍之。"① 那些持有田地较多者，都需要按照比例增加桑麻的种植面积。为了保证此项措施真正得到贯彻执行，朱元璋下令各地官员都要"亲临督劝"②。对那些懈怠懒惰之人，则需要采取必要的惩处，具体措施是："不种桑，使出绢一匹，不种麻及木绵，使出麻布绵布各一匹。"③ 经过努力，桑棉麻等农副业作物的种植逐渐得到发展。在北伐战争即将发起之前，朱元璋更是强调以农业为立国之本，明确提出"足食在劝农桑"④ 的要求，将其视为完成统一大业的根本大计。在发展农业的同时，朱元璋也注意通过控制茶、盐的销售等广辟财源，也下令开采铁矿，发展渔业，并"开铁冶，收渔税"，从多个渠道出发，努力提高财政收入，力争实现"国用益饶，而民不困"⑤ 的目标。

在劝勉民众积极从事农桑之业的同时，朱元璋也非常注意与民休息，尽量减轻民众的经济负担。

朱元璋每占领一处新区，都注意基本保留旧有经济体系，对前朝官员、儒士以及"富民""大户"等，都允许其保留原有的田庄及田产，降低征粮额度。此举令这些人迅速解除了对朱元璋的戒备之心，从而心甘情愿地与新政权展开合作。至于普通百姓，朱元璋则尽量减轻其税收负担。陈友谅盘踞江西时横征暴敛，使得老百姓困苦不堪。朱元璋则反其道而行之，及时地免除了百姓身上背负的各种苛捐杂税，既赢得了民心，也促进了当地经济的发展。至正二

---

① 《明太祖实录》卷十七。
② 《明太祖实录》卷十七。
③ 《明太祖实录》卷十七。
④ 谈迁著，张宗祥校点：《国榷》卷二，中华书局，1958 年。
⑤ 《明史》卷一百二十七《李善长传》。

十六年（1366），朱元璋在平定淮东后，及时指示有司尽量减轻民间税粮和差役等，"务从宽简，令尔军民各安生业"①。对于工商业的管理，朱元璋也制定了较为宽松的税收政策，注意有节制地征取税收。例如，盐税由十税一改为二十税一，商税则先改为二十税一，后又进一步减为三十税一，而且下令各地严格执行这些宽松的税收标准，对于那些过度征取者，则"以违令论"②。这些轻征薄敛的政策，符合百姓的利益，非常有利于经济的恢复和发展，从而为此后的北伐战争创造了条件。

二、严明军纪，恩威并用

朱元璋一向以严格治军闻名，军队纪律之严明，为历史上所罕见。在起初阶段，朱元璋出于招降纳顺的考虑，设立了双重标准。对那些拒不投降的对手，包括所占城池，他放任将士肆意展开抢掠，而且所掠之物听为己有。如果对方能够主动投降，那就立即对其网开一面。应该看到，这对逼迫对手投降和激励将士攻城略地起到了一定的作用，但也只是一种权宜之计，而且流弊颇多，至少会对军队形象造成很大影响。不久之后，朱元璋认识到这一问题的严重性，于是开始推行更为灵活的招降纳顺政策，并要求将帅严格军纪，严令杜绝士卒随意抢掠财物。此举显然对收买民心和士心很有好处，吸引了大量江浙富民前来归附。至正十六年（1356），朱元璋率领军队攻取镇江时，已经严禁扰民，由此而出现"号令严肃，城中晏然，民不知有兵"③的安定局面。两年之后，朱元璋的军队在攻占婺州时，仍能做到"民庶无惊，市肆不扰"，由此而赢得广大民心，以至于"数日之间，浦江诸县闻风来归"④。在夺取九江和南昌时，朱元璋听说民众饱受陈友谅的盘剥欺诈，于是果断去除陈氏政权鱼肉百

---

① 《明太祖实录》卷二十。
② 《明太祖实录》卷十四。
③ 《明太祖实录》卷四。
④ 《明太祖实录》卷七。

姓的各种弊端，严禁军队抢劫百姓财物，始终保持"军令肃然"，使得百姓"各事本业"和"各保父母妻子"，于是而"士民皆感悦"。① 很显然，因为朱元璋的军队有着严明的军纪，并能采取其他多种得当的政策措施，由此而赢得民心，为顺利完成统一大业增加筹码。

朱元璋深知军纪问题关系到民心向背，所以早就意识到整饬军纪的重要性，始终将严明军纪当成治军之急务。但凡军队出征，朱元璋总是反复告诫将士严守纪律，并提出严厉警告，对于那些违犯军纪者，也一律以军法从事，绝不手软。朱元璋手下将帅，一般都能很好地贯彻朱元璋铁腕治军的理念。比如邓愈在夺占江西后，发现部下有私自抢劫财物的行为，随即予以制止，并下令"敢有掠民财者斩"②。在进攻苏州之前，徐达收到朱元璋的反复告诫，于是严肃宣布纪律："掠民财者死，折（拆）民居者死，离营二十里者死。"③ 胡大海也是以严明治军而闻名。他虽然自称"武人"，不爱读书，却深深懂得赢得民心的道理，大力推行"三不"政策。胡大海所推行的"三不"，即"不杀人，不虏人妇女，不焚毁人庐舍"④。这些举措受到各地民众拥护，胡大海的军队给人们留下了纪律严明、从不侵掠百姓的良好口碑，所以受到老百姓的普遍欢迎，史料记载："故其军一出，远近之人皆趋附之。"⑤ 虽然胡大海治军严明，他的儿子却违反了军令，而且立即就被消息灵通的朱元璋得知。对此，朱元璋非常愤怒，决定给予严惩。当时胡大海正在外领兵作战，不少人为其求情。对此，朱元璋不予理睬，异常坚定地说道："宁可使大海叛我，不可使我法不行。"⑥ 此后，他竟然亲手杀掉胡大海之子。看到朱元璋执行军纪的态度如此坚决，三军上下为之肃然。

① 《明太祖实录》卷十。
② 《明太祖实录》卷十六。
③ 《明太祖实录》卷二十五。
④ 《明太祖实录》卷十。
⑤ 《明太祖实录》卷十。
⑥ 《明史》卷一百三十三《胡大海传》。

名将常遇春勇冠三军，但时有肆意杀戮无辜的坏毛病。为此，朱元璋经常对其进行劝谏和警告，告诫其严申军纪，不要滥杀无辜。在攻打赣州时，熊天瑞负隅顽抗，常遇春并没有强攻，而是通过围困之法迫使熊天瑞投降。看到常遇春兵不血刃攻克赣州，朱元璋非常高兴，特意遣使褒奖："予闻仁者之师无敌，非仁者之将不能行也。今将军破敌不杀，是天赐将军隆我国家，千载相遇，非偶然也。"① 在朱元璋的努力下，常遇春从大杀四方的杀神转变为"广宣威德，保全生灵"② 的懂得节制的将军。

通过严整军纪，重塑军队形象，朱元璋已经逐步做好了北伐中原和统一天下的准备。在发起北伐战争之前，朱元璋仍然格外强调军纪问题，他召见诸将士谕示"六勿"。所谓"六勿"，其实就是六条禁令，具体内容为：

> 今命尔诸将各率所部以定中原，汝等师行非必略地攻城而已，要在削平祸乱以安生民。凡遇敌则战，若所经之处及城下之日，勿妄杀人，勿夺民财，勿毁民居，勿废农具，勿杀耕牛，勿掠人子女……③

在发起北伐中原的战争之前，朱元璋不仅一再强调"安生民"的宗旨，还特意颁布"六勿"的军纪，并对"遗弃孤幼"设有特别的安置政策，无非都是为了最大程度收买民心，使得北伐战争的形势朝着更加有利于己的方向发展。

孙子治军，非常注意恩威并施，所以才会主张"令文齐武"。朱元璋治军同样注意"威德兼施"④。在一贯强调严明军纪之外，他也注意对士卒进行德化教育，用亲情和奖赏等拉拢士卒。他曾特别告

---

① 《明太祖实录》卷十六。
② 《明太祖实录》卷十六。
③ 《明太祖实录》卷二十六。
④ 《明太祖实录》卷一百四十九。

谕部下，对待士卒应当"推恩意以怀之，严号令以一之"，也即恩威并施，才能在临战之际"得其死力"。① 为此，他举出鄱阳湖决战中俞通海死里逃生的经历，对此加以说明。当时，俞通海的处境非常危险，手下军士为了阻挡陈友谅的军舰靠近俞通海，冒死用头顶住敌舰，甚至连铁帽子都顶坏了仍不退缩。朱元璋总结俞通海脱险的关键原因就在于，他的队伍"训练有素，恩威兼济"②。

本着"恩威兼施"的原则，朱元璋非常注意在平时加强对士卒的教育。他经常教育广大士兵，自己组织队伍发起战争的目的就是反抗黑暗势力，最终目标是解救天下的穷苦百姓。由于朱元璋本人出身低贱，自幼便历经种种磨难，所以和下层士卒有较多共同语言，也很容易与他们打成一片。此举无疑可以培养士卒的忠诚精神，也可激励士卒增强勇气。在组织北伐之前，他谕令部队此行目标是"北逐群虏，拯生民于涂炭，复汉官之威仪"③，注意宣讲道理，加强思想教育。通过种种手段，朱元璋很好地点燃了士卒的民族情绪，从而激发他们的斗志，促使他们树立赴汤蹈火的必死信念，死心塌地地为他效命。

当时的乱世之中，各路豪强纷纷起兵反抗元朝暴政。除朱元璋之外，还有陈友谅等各路军事势力。在与他们角逐的过程中，朱元璋又更换了宣传口号。他指责这些竞争对手都是"假兵以逞志"和"恃威凭陵"——"有以货财而贪戾者，有以声色而淫暴者，有因仇雠而报复者，有因忿怒而加诛者"，统统都是"提兵奋旅，求快意于一时"，他们不仅不会拯救百姓于水火，反而是"伤人害物"，为害一方。④ 所以，在各路豪强之中，只有他朱元璋是真正为了伐罪救民，值得始终追随和效命。这些宣传手段，很好地配合了他的铁腕治军手段，也起到了很好的效果。

---

① 《明太祖实录》卷四十。
② 《明太祖实录》卷四十。
③ 《明太祖实录》卷二十六。
④ 《明太祖实录》卷二十四。

朱元璋在战争中往往是身先士卒，亲自冲锋陷阵。这其实也是为了达成上行下效的效果，鼓励士卒在战场上奋勇争先。朱元璋使用这种方法激励士卒奋勇杀敌，也确实取得了非常不错的效果。在建立南京政权之后，他已是一方诸侯，但在与陈友谅的四次大战中，仍然每每坚持亲临战阵，与士兵一起冲锋陷阵，出生入死。① 这种以身作则的态度，当然能够极大地感染士卒，很好地激励士气。

朱元璋早年曾亲历各种艰辛，也从社会和军队的最底层品味了太多的苦难，所以他能够深切体察普通士卒的艰苦。在身份和地位发生极大改变之后，他仍然始终坚持善待士卒，并在军队上下形成善抚士卒的良好风气。为了善待士卒，他经常将战争中所得分给部下，自己则是一无所取。经历无数大小战阵之后，他总结军队成功的经验就是："必以恩抚之，亲如兄弟，爱如骨肉。"② 这些话由他自己亲口道出，真实性尚待进一步考察。但不管如何，朱元璋的军队能够一步步发展壮大，确实与其过人的治军之术有着密切的联系。朱元璋深知，只有善抚士卒，才能在攻战之际，使得士卒争先效力，奋不顾身："以此所向克捷，人皆称其善战，而不知由其善抚士卒，故能如此。"③ 在平时，朱元璋注意观察士卒与将帅之间的关系，一旦发现问题便能及时处置。为了进一步拉拢士卒，表达其善抚之心，朱元璋使用了各种手法，甚至不惜处死那些以身试法的将领。比如指挥使王纲不仅贪敛财物，而且逼死军士，朱元璋获知此暴行后，立即下令将王纲处死，而且告诫全军："昔天下未定，朕身亲战阵，与士卒同甘苦，未尝以非礼加之。"④ 朱元璋常常自诩始终"与士卒同甘苦"，未必是一句虚言。他还自称，在遇到生病的士卒时，他还能够主动扶持，"服劳奔走，一如子弟之于父兄，无不尽心"⑤，这

---

① 《朱元璋评传》，第 125 页。
② 《明太祖实录》卷一百九十一。
③ 《明太祖实录》卷一百九十一。
④ 《明太祖实录》卷一百九十七。
⑤ 《明太祖实录》卷一百九十一。

些举动也许是受到吴起为士卒"自吮其疽"①的启示,是收买人心之举,却也能够起到相当好的实效。

为了有效化解官兵矛盾,朱元璋还特地为各级军士颁发"护身敕"。朱元璋发现,各级军士的艰苦有时不为将领者所体察,因此导致军士心生怨恨,颇多怨言。为了解决这个问题,"抚绥爱养之道,通上下之志,达彼此之情,直说其辞"②,朱元璋下令制作护身之敕颁示各级军士,命令各级为将者永为遵守,"于是军士莫不感悦"③。总之,朱元璋使用了各种手法,努力改善官兵关系,塑造仁义之师的形象,为北伐和统一天下做着积极准备。正因为其所领导的军队上下一心,才使得其统一方略得以按照既定计划有步骤地展开,统一天下的进程由此而变得更加顺利。

"威德兼施"不仅是治军之策,同时也成为朱元璋统一战争所长期坚持的重要原则,尤其是经常用来治理边疆。为稳定边疆,在处理民族矛盾时,朱元璋坚持"怀之以德"④,强调的是"华夷无间"⑤。包括对蒙古族士卒,朱元璋同样坚持这一策略,但也不放弃武力。对于蒙古残余势力,朱元璋经常首先发动招抚之策,遇到顽强抵抗之后,则立即侧重于军事打击,改而采取以威服之的手段。如果遇到蒙古贵族主动投降,朱元璋不仅好言劝慰,还适当封授官衔,给予财物上的赏赐。对于归降的蒙古牧民,朱元璋也注意照顾其习俗,并因俗而治。有官员主张将他们迁往内地,朱元璋表示反对。他指出:"凡治胡虏,当顺其性。胡人所居,习于苦寒。今迁之内地,必驱而南,去寒凉而即炎热,失其本性,反易为乱。不若顺而抚之。使其归就边地,择水草孳牧,彼得遂其生,自然安矣。"⑥当然,虽说反对将其南迁,朱元璋仍注意在蒙古族聚居地设立羁縻

---

① 司马迁:《史记·孙子吴起列传》,中华书局,1959年。
② 《明太祖实录》卷一百九十一。
③ 《明太祖实录》卷一百九十一。
④ 《明太祖实录》卷五十。
⑤ 《明太祖实录》卷五十三。
⑥ 《明太祖实录》卷五十九。

卫所，由那些愿意归顺的当地首领担任卫所的长官，命其"各领所部，以安畜牧"①。这种"威德兼施"的手法，不仅用于北元，还在统一南方的过程中广泛运用。朱元璋照顾当地习俗，安抚民心，又注意建立相应的赏罚制度，加强惩戒，对于稳步推进其统一大业起到了很好的作用。

三、各个击破，分步推进

朱元璋能够在乱世之中崛起，成功击破各路豪强，与他正确制定的战略方针密不可分。朱元璋的战略方针，概括起来就是"各个击破，分步推进"。经过一番努力，朱元璋建立了较为稳固的根据地，在军事实力和经济实力上有了很大提升，为日后进一步发展壮大奠定了基础。

根据冯国用的建议，朱元璋夺取应天（今江苏南京），以作为"四出征伐"的战略基地。攻占应天之后，朱元璋巡视城郭，慨叹道："金陵险固，古所谓长江天堑，真形胜地也。"② 由此开始，他更加坚定了巩固阵地、向外拓展的信心。在建立南京政权后，虽说战略目标更加明确，但朱元璋伪装得更加巧妙。对宋政权，他长期保持形式上的隶属关系，避免自己成为众矢之的。对元朝官吏，他注意拉拢，设法促使其转变态度而为我所用。他大力发展经济、努力加强军队建设，同时还在政治、文化等方面采取了一系列措施，从多个方面积极推进和谋划，统一天下的大业。根据朱升的建议，朱元璋采取了"高筑墙，广积粮，缓称王"③ 的策略，韬光养晦，稳步推进。在刘基等人的建议之下，朱元璋采取的是"先西后东，先南后北"的策略，把握各个阶段的重点方向，分步骤推进其统一战略。

元朝末年，群雄割据，除朱元璋建立南京政权之外，其他具有

---

① 《明太祖实录》卷一百九十六。
② 《明太祖实录》卷四。
③ 《明史》卷一百三十六《朱升传》。

相当规模和军事实力的还有不少。在南方有陈友谅、张士诚、明玉珍、方国珍等势力集团，在北方则有察罕帖木儿父子、王宣、李思齐、张思道等势力集团。其中对朱元璋推进统一大业构成严重障碍的有南方的陈友谅、张士诚和北方的察罕帖木儿之子扩廓帖木儿（即王保保）这三支力量。要想顺利完成统一天下的任务，朱元璋当然要对这些集团采取各个击破的方针，但首先进攻何方则成为一大难题。

朱元璋在与刘基精心谋划之后，决定采取"先西后东，先南后北"的战略方针。具体说来就是分三步展开：第一步是消灭西边的陈友谅，第二步征服东边的张士诚，第三步则是北伐中原，攻打扩廓帖木儿。据《明史》，朱元璋在选择进攻的先后次序时曾询问刘基，只见刘基回答道：

> 士诚自守虏，不足虑。友谅劫主胁下，名号不正，地据上流，其心无日忘我，宜先图之。陈氏灭，张氏势孤，一举可定。然后北向中原，王业可成也。①

从中可以看出，朱元璋统一战略的"三步走"方案，其中贯穿着刘基的巧思。考察当时的割据形势，这个战略计划相对合理，不仅可以各个击破主要竞争对手，同时也能有效避免己方腹背受敌。之所以选择"先西后东"，是因为刘基看到张士诚仅是个只知自守、缺少远谋之人，陈友谅志气骄横，常来挑衅，应当首先予以打击。分析二人性格，刘基判断他们不会有深度合作，但如果先向张士诚用兵，则可能引起陈友谅攻击己方侧后的欲望，如果首先攻打陈友谅，以张士诚的胆气则不会受到东西夹攻的危险，因为张士诚的性格决定了他不敢轻举妄动。至于扩廓帖木儿部，虽然实力强大，但远在江淮以北，尚且有韩林儿等反元力量存在，何况扩廓帖木儿与李思齐、张思道之间也互有矛盾，所以对朱元璋的南京政权暂时不

---

① 《明史》卷一百二十八《刘基传》。

会构成直接威胁。

在制定总体战略方针之后，朱元璋立即将兵锋指向陈友谅。朱元璋与陈友谅之间时有冲突，从至正二十年（1360）的南京龙湾之战到安庆之战，再到江州之战，双方之间大战不断，而且规模越来越大，终于引发至正二十三年（1363）夏的鄱阳湖决战。在这期间，张士诚果然如刘基所料，不愿冒风险。他采取的策略是坐山观虎斗。面对陈友谅派来的使者，他佯装答应出兵相助，实则是"守境观变"①，一直按兵不动。由于张士诚的保守和犹豫，朱元璋果真迎来各个击破的良机。

对这些重大战役，朱元璋始终都非常重视，每次都是亲临战阵，亲自指挥。与陈友谅相比，朱元璋虽说实力上明显处于下风，但因为指挥得当，还是获得了胜机。陈友谅不仅兵力众多，而且水师占据上游，建制完整，但最终还是败下阵来。究其原因，除了陈友谅为人勇而无谋、狂躁自大之外，更是因为朱元璋及其智囊的正确谋划，制定了合理可行的战略战术。在金陵龙湾之战爆发之前，陈友谅在推进大军逼近南京的同时，也曾约请张士诚从东面夹攻朱元璋，还幻想康茂才担任其内应，结果都一一化为泡影。朱元璋则巧妙地利用了陈友谅的性格缺陷和冒进心理，命康茂才佯为内应，引诱陈军进入预定伏击圈，从而给了陈友谅致命一击。金陵龙湾之战，陈友谅除了损伤士卒无数之外，更有大量战舰和战船被朱元璋所缴获，改变了两军对垒的形势，朱元璋赢得更多与陈友谅展开决战的筹码。陈友谅经历惨败，只能采取退守之势。他为自保而发起的若干反攻，最终也徒劳无功。至正二十三年（1363），双方在鄱阳湖展开决战，这是朱元璋和陈友谅之间的最后一次决战。在战争中，朱元璋起初处于下风，"连战三日，几殆"②，最终采用火攻扭转战局。陈友谅虽兵力占优，却因战法上出现诸多失误而大败，他本人也中流矢而亡，损兵折将无以计数，只剩一些残部退守武昌，苟延残喘，没过

---

① 《明史》卷一百二十三《张士诚传》。

② 《明史》卷一百二十三《陈友谅传》。

多久只能举手投降。

在成功消灭陈友谅之后，朱元璋已经顺利完成统一战略的第一步，遂于至正二十五年（1365）十月起兵征讨张士诚，继续贯彻此前制定的"先西后东"的战略计划。在出兵之前，朱元璋与李善长、徐达、常遇春等人就用兵方略进行了充分讨论。李善长的意见相对保守，主张相机而动，不宜急攻。徐达则认为张士诚的主要将领"皆龌龊不足数，徒拥兵众为富贵之娱耳"①，因此主张立即出兵。朱元璋最终采纳了徐达的意见，定下出征日期与进攻计划。他们首先攻占淮东，截断张士诚的退路，第二步猛力进攻湖州和杭州，消灭了张士诚的主力，最后转向苏州，将张士诚团团围困在城中，在劝降未果后攻破苏州城，张士诚就此成为俘虏，后在南京自杀。

至此，朱元璋统一战略的第二步计划也宣告完成，第三步作战计划，也即北伐讨元，就此被提上议事日程。吴元年（1367）十月，朱元璋与徐达、常遇春等高级将领和重要谋士共同策划和制定北伐灭元的战略战术。他们对敌我双方的军事实力及所处战略态势等等，都进行了周密的分析。

自元朝末年以来，统治者政治腐朽和残暴无道，已经完全丧失民心，可谓"君昏臣悖，兵戈四兴，民坠涂炭"②，由此而导致四方割据、诸侯混战，民众也由此而遭受空前困苦。在这种局面下，结束分裂局面，实现国家统一，既是历史发展的必然要求，也成为普通百姓的迫切诉求。比较双方实力情况，朱元璋认为己方也已经具备北伐灭元的基本条件，并与徐达等主要将领认真研究具体的作战方案。

在消灭陈友谅和张士诚之后，朱元璋的实力不断发展壮大，成功地建立了以金陵为中心的根据地。在平定江南地区之后，朱元璋不仅获得富庶之地的全部钱粮，也成功招揽了大量的能臣良将，可谓兵强马壮，人才济济。无论是人力和兵力，还是物力和财力，都

① 《明太祖实录》卷五。
② 《明太祖实录》卷二十六。

获得了极大提升。经过多年发展，朱元璋已经具备对北元发起总攻的条件。反观北元这边早已是"中原扰攘，人民离散"①。朱元璋对北方割据的局势进行了分析和总结："山东则有王宣父子，狗偷鼠窃，反侧不常；河南则有王保保，名虽尊元，实则跋扈，擅爵专赋，上疑下叛；关陇则有李思齐、张思道，彼此猜忌，势不两立，且与王保保互相嫌隙。元之将亡，其机在此。"② 虽说战略形势对朱元璋非常有利，但如何选择主攻方向仍存有玄机。常遇春主张先攻打元都："今南方已定，兵力有余，直捣元都。以我百战之师，敌彼久逸之卒，挺竿而可以胜也。都城既克，有破竹之势，乘胜长驱，余可建瓴而下矣。"③ 对此，朱元璋立即表示反对，认为"元建都百年，城守必固"，并不能保证轻易拿下，所以定下了"先取山东，撤其屏蔽，旋师河南，断其羽翼，拔潼关而守之"④ 的分步推进计划。相比之下，朱元璋制定的这一作战计划更加稳健合理，令徐达等人连连称善。

吴元年（1367）十月，朱元璋命徐达为征虏大将军，常遇春为征虏副将军，率军 25 万浩浩荡荡向北进军，发起北伐灭元之战。同年十二月，朱元璋在南京登极，建国号为大明，并宣布来年年号为洪武。在夺取山东、河南之后，北伐军攻占潼关，扼住元都的门户，然后再取道开封，直逼元都。元朝统治集团内部此时尚且忙于争斗，扩廓帖木儿因为拒不听从命令，被元顺帝削职。很显然，元朝统治者的这种内斗，给了徐达顺利推进的机会。朱元璋在战后曾颇为自诩，炫耀自己制定的作战计划有"出其不意"和"不劳而克"⑤ 的良好效果，其实元朝统治集团的腐朽没落和互相倾轧等因素也不容忽视。洪武元年（1368）七月底，北伐军已经顺利攻占通州。看到

① 《明太祖实录》卷二十六。
② 《明太祖实录》卷二十六。
③ 《明太祖实录》卷二十六。
④ 《明太祖实录》卷二十六。
⑤ 《明太祖实录》卷五十八。

大势已去，元顺帝只得弃城逃跑，元朝九十多年的统治，至此画上句号。同年八月，朱元璋得知徐达和常遇春已经攻克元大都的消息后，决定改大都路为北平府，并下令其乘胜进兵，进一步清剿故元残余势力。此后，平定四川、云南的计划也得以稳步推进。在成功消灭四川、云南等地的割据势力之后，朱元璋基本完成了统一大业。

　　总结朱元璋的统一方略，其成功之处有以下几点：第一是最大程度争取民心，努力将军队打造成为受人称颂的王者之师。尤其是在站稳脚跟之后，朱元璋顺势而变，适时推出反元这一战略目标，并以吊民伐罪和除暴安民作为宣传纲领，很好地争取到天下百姓的支持和拥护。第二是稳扎稳打，分步推进，尤其是"先西后东，先南后北"的战略计划的制定，使得朱元璋可以将统一战略稳步地朝前推进，并贯彻始终。在北伐灭元的决战中，朱元璋反对直取元都的冒进战略，而是采取了稳步推进，先去枝干、再动根本的策略。这种方案可能会被某些人视为保守，其实这种冷静态度始终是进行战略决策时最为需要的。第三是注意培养上下一心、士气高昂的军队，尤其是注意培养下层士卒的效忠赴死之心。与此同时，朱元璋非常注意恩威兼施，在严格治军的同时，加强军队的训练，使得军队始终保持旺盛的战斗力。第四是建立和建设稳固的后方基地，大力发展经济，培植持久战斗力。在"高筑墙，广积粮，缓称王"这一方针的指导下，朱元璋非常注意抢先夺占江南富庶之地，努力达成"足兵足食"，进而徐徐图谋中原。第五是知彼知己，选准决战时机。朱元璋对孙子"知彼知己"的情报论显然深有体察，在军事斗争中，非常重视各种情报的搜集。① 朱元璋需要对包括主帅性格在内的各方情报都有非常精确的了解，并据此做出正确的分析和判断。因为有扎实的情报工作，朱元璋才能将军事力量集中于一方，并有效避免陷入双线作战的困境，保证分步推进的战略方针得到很好执行。在确定主要作战对象之后，更是下大力气搜集对手的各类情报，尽最大努力做到"知彼知己"，努力找到一击制敌的机会。

---

① 《朱元璋大传》，第97页。

第二节　明前期戍边方略

建立大明王朝以后，朱元璋一面致力于稳定国内秩序，一面努力谋求安定的外部环境。对内，他废除宰相制度，设立锦衣卫，大肆杀戮功臣，推行集权统治。对外，他采取务实而灵活的手段，积极恢复和发展与邻国的关系。随着领土的扩大和邻国的增多，如何有效地戍边卫国，就此成为朱元璋迫切需要解决的问题。面对众多邻国，朱元璋必须分清主次，把握重点。为此，他一面以"不征"作为主导思想，致力缓和与周边各国的关系，一面注意防范主要对手，尤其是北方的蒙古势力，并在政治上、军事上、经济上都采取了一些积极措施。

一、分清主次，灵活施策

由于受传统儒家学说的深刻影响，朱元璋继承了儒家那一套"修身、齐家、治国、平天下"理念，同时也严守夷夏之别。在当上帝王之后，意图维系天朝上国的地位，以天子自居，视四方为蛮夷。从明初所颁发的诏令文书来看，"明太祖刻意追寻古贤帝王，欲成为'天下主'"①。因此，他在登极之后立即向海外各国颁发中国的《大统历》，希望四方各国按时向中国朝贡以示臣服之心。如果表示臣服，则尊重各国自主权利，按自己的礼俗进行治理："礼从本俗，使自为声教，来则受之，去亦勿追。"② 不仅如此，他也从儒家继承了"怀柔远人"之术。如果邻邦自愿远来，心悦诚服成为属国，则欣然接受，甚至不惜慷慨解囊，以"厚往薄来"的办法尽量满足其利益

---

① 万明：《明代中外关系史论稿》，中国社会科学出版社，2011年，第87页。
② 《明太祖实录》卷二百四十四。

需求，实现"与远迩相安于无事，以共享太平之福"① 的目标。这种贡赐活动成为洪武年间非常重要的一项外交活动，而且政治意义远远超过经济意义。② 朱元璋摆出了"天下共主"的姿态，不仅四处颁布诏书封王，还试图要求他们依照儒家思想治国，尊奉所谓"先王之道"③，为民兴利除害，对明朝永远持有诚敬之心。

在长期对蒙古的战争中，朱元璋深刻体会到战争的巨大破坏作用。为此，他不仅劝阻徐达等人劳师远征，也对包括北元在内的各处敌对势力尽力修好。除非迫不得已，不再轻易用兵。为了争取与北元达成和平共处的局面，朱元璋一方面重兵布防北疆，一方面采用怀柔之策，多次专门遣使致书，对其进行拉拢说服，甚至宣称"华夷一家"，理应一视同仁："华夷抚御之道，远迩无间。"④ 有学者统计，从洪武元年至三十年，明廷遣使致书元主本人共 5 次，使谕元丞相驴儿 4 次，遣使至云南故元梁王和大理总管段明处 3 次，遣使扩廓帖木儿和辽东纳哈出各 2 次，遣使李思齐、张思道各 1 次。⑤ 由此可见，朱元璋为了调解与北元的关系，可谓煞费苦心，想出了各种办法。他对被俘的故元贵族及其他官员大多以礼相待，甚至还曾册封扩廓帖木儿的妹妹为秦王朱樉的妃子，通过联姻来争取对手。

虽说对北元采取缓和态度，并积极予以拉拢，但朱元璋始终对其保持着戒备之心，通观朱元璋处理国家矛盾的总原则，其实可以概括为："分清主次，灵活施策。"在大明王朝的建国初期，此项原则对于朱明政权的生存和发展起到了重要作用。这种"分清主次，灵活施策"战略的核心要义，其意图无外乎是少树敌人，集中力量对付北元势力。对于这一重要原则，朱元璋担心后世子孙在执行时会发生偏离，于是非常明确地写进《皇明祖训》，并且列于首章，就

① 《明太祖实录》卷三十七。
② 《朱元璋大传》，第 485 页。
③ 《明太祖实录》卷四十六。
④ 《明太祖实录》卷一百三十四。
⑤ 《朱元璋评传》，第 175 页。

此将其定为此后各代帝王必须遵照执行的金科玉律，确定为一项长期执行的基本国策。在《皇明祖训》中，朱元璋宣布了不宜"兴兵轻伐"和不贪"一时战功"的戒律："贪一时战功，无故兴兵，致伤人命，切记不可。"与此同时，他也指出了今后需要重点防范的对象即西北胡戎："但胡戎与西北边境互相密迩，累世战争，必选将练兵，时谨备之。"朱元璋所说"西北胡戎"，就包括故元北逃的残余势力。他们在中原的统治根基虽然已被摧毁，但在塞北还拥有大本营，即便是退守和林之后，仍然拥有相当强的军事实力，所以始终是大明王朝的一块心病。强硬的征伐政策得到持续推行，连续的战争对北元残余势力造成很大打击。

洪武四年（1371）九月，明太祖朱元璋召集臣僚，郑重地宣布他所确定的对外政策："海外蛮夷之国，有为患于中国者，不可不讨；不为中国患者，不可辄自兴兵。"[1] 从这段话可以看出，朱元璋以是否为患中国作为根本原则，将周边诸国分为两种：对于那些可以和平相处的国家，采取的策略是"决不伐之"[2]；对于那些为患边疆的，则一定要予以必要的惩处。与此同时，朱元璋特别强调，西北的蒙古始终是心腹大患，必须始终谨慎防备："惟西北胡戎，世为中国患，不可不谨备之耳。"[3] 朱元璋将北部边疆作为军事防御的重心，对故元残余势力始终保持着高度的警惕，对境内各处残存的武装势力一直致力清剿，甚至不惜代价劳师远征，展开千里追击，甚至也对北元在塞北的大本营实施持续不断的攻击。但是，对于其他的周围小国，明太祖则秉持"不征"的原则，尽量采取和平相处的原则。也就是说，所谓"不征"，其实是区别对象而施行。对于故元顽固势力，不仅不会执行"不征"原则，恰恰相反，一旦觅得有利战机，就会毫不犹豫地发起攻击。这其实就是积极防御战略的要义，平时基本处于守势，如果有很好的战机出现，则果断展开出击。不

---

① 《明太祖实录》卷六十八。

② 《明太祖实录》卷六十八。

③ 《明太祖实录》卷六十八。

仅洪武朝是这种情形，此后的永乐朝也是如此。明成祖朱棣先后五次北伐，甚至死在北伐途中，也能充分说明这一点。

洪武年间，明朝不仅与近邻的高丽、琉球、占城、真腊、暹罗、安南等国来往频繁，也和西洋的琐里、彭亨及西域的撒马儿罕等国有派驻聘使和通商等活动。朱元璋将其中一些列为所谓"不征"之国，如朝鲜、日本等，共计15个国家。这些国家，无论是否与明廷建立朝贡关系，无论是否敌对，都尽量采取"不征"的态度。这是洪武朝的基本国策。万明总结明朝初期外交的基本特征就是"不征"，认为朱元璋这种外交活动不仅是中国古代对外关系的一个重大转折，同时也是中国外交向近代转型的开端。① 这种"不征"，其实是传统观念与制度的遗留物，摆出的是一副"天下共主"的姿态，仍然强调了对外的征伐之权。但是，既然放弃了这种征伐之权，说明朱元璋已经认识到理想与现实之间所存在的巨大差距。现实情况也是这样，即便各国出现弑君等违背儒家思想的行为，朱元璋最多也只是谴责一番而已，如果侵犯了中国的利益，经常只能通过外交手段来解决矛盾。所以，所谓"天下共主"，实际不过是"大国之君"。② 尽管存在这种内在的矛盾性，朱元璋不仅提倡"不征"，还将有关主张写进了《皇明祖训》，要求后世子孙严格遵守。因此，"以'不征'为特征，为明代奠定了与历朝历代不同的独特的和平外交模式，影响延续有明一代近300年。"③

朱元璋之所以始终强调与邻国和平相处，并确立了"不征"作为外交原则，除了受儒家夷夏观影响之外，还充分吸取了前朝的历史教训，坚决反对穷兵黩武。朱元璋曾与群臣论兵，引用古人"兵者，凶器"的论断，阐述了自己对于战争的认识："黩兵者，驱人于死地，有国者所当深戒也。"④ 洪武二十年（1387），朱元璋与众臣

---

① 《明代中外关系史论稿》，第213页。
② 《朱元璋大传》，第484页。
③ 《明代中外关系史论稿》，第146页。
④ 《明太祖实录》卷六十八。

论兵时指出:"国家用兵,犹医之用药。蓄药以治疾,不以无疾而服药。国家未宁,用兵以戡定祸乱。及四方承平,只宜修甲兵,练士卒,使常有备也。盖兵能弭乱,亦能召乱。若恃其富强,喜功生事,结怨起衅,适足以召乱耳。正犹医家以瞑眩之药强进无病之人,纵不残躯陨命,亦伤元气。故为国者,但当常讲武事,不可穷兵黩武。"① 在这里,朱元璋以治病为喻,旗帜鲜明地反对穷兵黩武,同时也主张加强战备,做到有备无患。在此思想指导下,朱元璋一贯与邻邦尽量和平相处,友好交往,同时时刻不忘备战,尤其注意抵御和反击故元顽固势力的挑战。

朱元璋曾总结历史教训,说:"古人有言,地广非久安之计,民劳乃易乱之源。如隋炀帝妄兴师旅征讨琉球,杀害夷人,焚其宫室,俘虏男女数千人,得其地不足以供给,得其民不足以使令,徒慕虚名,自弊中土,载诸史册,为后世讥。"② 朱元璋借助于历史事件批评隋炀帝,也由此确立了杜绝"民劳"的原则,并将其作为是否发起战争的决策依据。在处理与邻国的关系时,朱元璋变得更加慎重而务实。

处理国内矛盾时,尤其是处理与蒙古族的关系,会牵涉到与北元的关系,所以也要慎重对待。朱元璋汲取了历史教训,尤其是元朝统治者的教训,对民族政策进行了大幅度的调整。在元朝,因为统治者实行了民族歧视政策,从而加深了各民族之间的仇恨和隔阂,也由此影响了政权的稳定。这促使朱元璋思考如何改善民族关系,对包括蒙古族在内的各少数民族都优礼相待。朱元璋在给元顺帝的祭文中,虽要求北元"以小事大",但也默认并接受南北分治,甚至提出"君主沙漠,朕主中国"③ 的主张。当然,更多时候,朱元璋

---

① 《明太祖实录》卷一百八十六。
② 《明太祖实录》卷六十八。
③ 《明太祖实录》卷一百十九。

还是严守"内中国而外夷狄"① 及"天下一统"② 传统理念，强调天下"定于一者"③。因此，他一方面视四海之内皆为赤子，强调所谓"一视同仁之心"④，另一方面又推行"威德兼施"之道，并强调"治蛮夷之道，必威德兼施，使其畏感"⑤。说到底，所谓"征"或"不征"，需要根据内外形势和自身利益的变化，进行灵活的运用和处理。

对于周围邻邦，朱元璋除了宣布"自为声教"和不加干涉之外，对于那些愿意和平交往的，特别设立四夷馆负责协调关系，还在泉州、广州等地置市舶司接待外商，并给予减免商税等优惠政策。这一政策，后来因为倭寇在东南沿海的猖獗活动而宣布终止，明廷也由此开始施行严厉的海禁政策。为了笼络邻邦，朱元璋一贯对其施行"厚往薄来"的政策，不仅优礼接待外国使臣，还特许对方以各种方式展开自由贸易，并且全部给予免税的优惠政策。为了不让外国来朝时因为携带贡物太多而加重其负担，朱元璋特令礼部严格限制贡品数量，对于回赐各国的礼物则一再要求从优从厚。根据这种"厚往薄来"的政策，明朝赏赍外国的物品，在数量和价值上都远远地超过了外邦送来的贡品。⑥ 而这，也许是洪武朝始终能够与周边邻国持续保持睦邻友好的重要原因，是朝贡体系得以维持的一种重要手段，也能帮助"分清主次，灵活施策"的战略得到很好的贯彻。朱元璋还注意政府与民间的区别，使得其外交战略更加具有灵活性。比如对于日本，朱元璋也将倭寇的袭扰行为与日本政府严格区分开来，并不对日本政府采取完全敌视的态度。在洪武十三年（1380）后，因胡惟庸案和倭寇的影响，朱元璋下令推行海禁政策，但与一些主要近邻国家如朝鲜、琉球等，仍然维持着密切交往。这其实也

---

① 《明太祖实录》卷一百九。
② 《明太祖实录》卷七十六。
③ 《明太祖实录》卷三十四。
④ 《明太祖实录》卷一百三十四。
⑤ 《明太祖实录》卷一百四十九。
⑥ 《朱元璋大传》，第 486 页。

是其"分清主次，灵活施策"的战略要求使然。

二、从积极征讨到"固守疆圉"

蒙古人在退出中原之后，并没有就此偃旗息鼓。元顺帝死后，其子退守和林，试图继续维持旧有政权，历史上称其为北元。这成为蒙古贵族组织反攻、恢复元朝的寄托与希望。朱元璋不得不在北疆重兵布防，努力消解来自塞外的威胁。终明一代，蒙古人始终在北部边境对大明王朝造成持久的威胁。既然如此，也难怪朱明政权视其为死敌，一直将其列为主要对手。

起初阶段，朱元璋对包括东北、漠北及西南各地少数民族政权，都是采取积极拉拢的态度，施行"羁縻"政策，努力敦促其放弃割据。为了达成这一目标，明廷甚至在经济上给予积极的优惠政策，极少索取，并经常给予补贴，即便是明知此举并不能始终奏效。在面对较为顽固的北元时，朱元璋也曾试图和平争取，耐心细致地与其谈判，想方设法进行拉拢。但是，纳哈出面对明廷的遣使致书，始终无动于衷，最后只是在大兵压境的绝境之下勉强投降。朱元璋深知，要想彻底消除北元对中原的威胁，仅仅依靠"羁縻"政策显然不行，必须同时注意清剿这些顽固不化的残余势力，防止他们卷土重来。从明朝初期的多起战乱来看，主要还是与北元残余势力的矛盾。洪武年间，明廷与北元之间爆发的战争，规模较大的就有七次①，至于规模较小的战事，则难以计数。

出于统一全国的需要，朱元璋采取了积极进攻的策略。洪武四年（1371）正月，朱元璋下令出动大军，兵分两路，筹划消灭四川明夏政权。大军将出，朱元璋密谕傅友德"兵贵神速，但患尔等不勇"②，要求其果断出击。与此同时，他下令邓愈等人全力做好后勤保障。明军很快灭掉了明夏政权，为进一步平定云南创造了条件。此后，西南各部残余势力纷纷宣布臣服，朱元璋遂下令停止进一步

---

① 《朱元璋评传》，第259页。
② 《明太祖实录》卷六十四。

的清剿行动。但是，也有一些部落首领充分利用明廷急于"羁縻"的想法，虽在政治上有所妥协，却不愿意在经济上有所让步，甚至拒绝放弃军事武装。尤其是云南的梁王，朝廷派出的使者先后两次被杀。朱元璋彻底看清其勾结北元对抗朝廷的真实面目，于是加紧推进军事清剿的准备工作。洪武十年（1377），吐蕃某部落首领，抱着和梁王相似的心态，顽固地与明廷为敌，朱元璋同样本着先礼后兵的策略，坚决予以清剿。卫国公邓愈受命担任征西将军，大都督府同知沐英受命担任副将军，率领大军征讨，经过一番苦战，最终大败对手，"群番震慑，不敢为寇"①。

对于逃到北方的北元军队，朱元璋也加大力气进行追剿，尽量消灭其有生力量。要想实现"北拒蒙古，南捍诸番"②的战略目标，就必须加强对西北地区的控制，何况拥兵十余万的扩廓帖木儿也日益成为大患。刘基曾告诫朱元璋"王保保未可轻也"③，此王保保即扩廓帖木儿。洪武三年（1370）正月，朱元璋任命左丞相信国公徐达为征虏大将军，浙江行省平章李文忠为左副将军，都督冯胜为右副将军，御史大夫邓愈为左副副将军，中山侯汤和为右副副将军，率师数十万，兵分两路，征伐北元。其中一路由徐达率领，负责对扩廓帖木儿发起进攻；另外一路则由李文忠率领，负责攻打元主在塞北的驻地。经过数月奋战，两路大军都取得胜利。徐达击溃了扩廓帖木儿的大军，俘虏将校士卒8万余人，马匹万余，扩廓帖木儿仅携妻儿数人侥幸脱逃。李文忠也取得了丰硕战果，缴获俘虏及驼马牛羊等无以计数，元太子仅率数十骑逃脱。

为了继续清剿扩廓帖木儿残部，洪武五年（1372）正月，朱元璋再次任命徐达为征虏大将军，李文忠为左副将军，冯胜为征西将军，兵分三路，出师塞外。出兵之前，朱元璋曾和众将讨论北边问题，徐达建议立即北征。朱元璋一度非常犹豫，看到众将纷纷支持

---

① 《明史》卷三百三十《西域传二》。
② 《明史》卷三百三十《西域传二》。
③ 《明史》卷一百二十八《刘基传》。

徐达，最终同意出兵，但也告诫徐达等人"益思戒慎，不可轻敌"①。结果，此役果然出师不利。三路兵马中，仅冯胜的西路军战果丰硕。李文忠的东路军在深入蒙古腹地之后，遭到北元军队的激烈抵抗，宣宁侯曹良臣及周昱、常荣、张耀等将领战死，李文忠也险遭不测。徐达的中路军在岭北等地败绩，损失惨重。

此役过后，朱元璋深切感受到蒙古军事力量尚强，一时难以平定，于是将积极进攻的策略，改为积极防御的战略。② 也有学者认为采取的是"防御为主的战略"③。二十多年后，当朱元璋回忆此役，仍然后悔不迭，称当时应该"正欲养锐，以观胡变"，最终却"轻信无谋，以致伤生数万"。④ 与此同时，他也用这次失败的教训，严厉告诫晋王和燕王应始终对北元保持戒备之心。

朱元璋吸取教训之后，虽说发起的战争规模已经大不如以前，但对元朝残余势力的追剿行动仍在持续。洪武十二年（1379），朱元璋派马云征大宁。洪武十三年（1380），朱元璋命西平侯沐英统兵征讨和林的元国公脱火赤。在经过一番围攻之后，沐英成功活捉脱火赤。洪武十四年（1381），朱元璋下令"规画粮饷，开拓道路，置立驿传，积粮草，以俟大军征进"⑤，为征讨云南故元梁王做准备。同年九月，朱元璋命傅友德为征南将军，蓝玉、沐英为左右副将军，率大军攻占云南，就此置云南布政使司。洪武二十年（1387）正月，朱元璋命宋国公冯胜为征虏大将军，对长期据守辽东的故元大臣纳哈出发起进攻。20 万明军火速进兵，纳哈出身处重围之中，而且众叛亲离，只得束手归降。其手下部众也大多投降。洪武二十年（1387），朱元璋命蓝玉为征虏大将军，唐胜宗、郭英为左右副将军，率兵 15 万再攻北元。次年，蓝玉率兵击溃敌军，擒获包括元主次子地保奴，俘获人口甚众。两年后，傅友德随燕王朱棣出征漠北时，

---

① 《明太祖实录》卷七十一。
② 《朱元璋大传》，第 220 页。
③ 南炳文、汤纲：《明史》，上海人民出版社，2003 年，第 68 页。
④ 《明太祖实录》卷二百五十三。
⑤ 《明太祖实录》卷一百八十九。

逼迫北元丞相乃儿不花投降。这些行动说明朱元璋在做好固守的同时，始终不忘抓住时机对北元发起攻击，争取北疆的彻底安定。

从上述进攻态势可知，朱元璋此时对北元实则采取的是"积极防御战略"，说是"防御为主的战略"也通。朱元璋继续进行着征伐故元残余势力的军事行动，但不会再一味冒进，而是懂得适可而止，确定有了绝对优势之后才会发起进攻，而且始终是进退有据。此时朱元璋越发认识到北元实力犹存，而且简单地通过战争行为无法从根本上解决问题。在这之后，朱元璋对北元真正改变了策略和方针，政策上转而采取安抚为主，战略上也基本趋于守势。这一策略，也就是朱元璋自己所总结的"固守疆圉"。做出这一改变，既是基于双方实力的考虑，也与时势的变化直接相关。

在确定"固守疆圉"的战略方针之后，朱元璋对故元势力不再继续实施穷追猛打的战术。当初徐达北伐军威正盛之时，曾一度主张深入漠北腹地，"乘势捣其孤城"[1]，结果被朱元璋阻止。其时，徐达如果继续进兵，不仅有孤军深入的危险，也违背了孙子"穷寇勿追"[2] 的战理。当然，朱元璋劝阻徐达的理由还不止这些，还包括那些神鬼难测的玄而又玄的荒诞之理："气运既去，理固当衰，其成其败，俱系于天。若纵其北归，天命厌绝，彼自渐尽。"[3] 不管如何，朱元璋对徐达进行了劝阻，并告诫他说："不必穷兵追之，但其出寨（塞）之后，即固守疆圉，防其侵扰耳。"[4] 至于孙子所说"穷寇勿追"的道理，朱元璋后来还在另一场合说过。此时，徐达仍然主张高歌猛进，奏称天下已定，"惟王保保出没边境"[5]，所以请命率领众将士进兵围剿。对此，朱元璋仍是予以劝阻："彼朔漠一穷寇耳，终当绝灭，但今败亡之众远处绝漠，以死自卫，困兽犹斗，况

---

① 《明太祖实录》卷三十二。
② 《孙子兵法·军争篇》曰"穷寇勿迫"，《后汉书》《资治通鉴》等书引为"穷寇勿追"。
③ 《明太祖实录》卷三十二。
④ 《明太祖实录》卷三十二。
⑤ 《明太祖实录》卷七十一。

穷寇乎，姑置之。"① 在这里，朱元璋虽然没有提及《孙子兵法》，但其中所述道理与孙子"穷寇勿追"完全相通。"固守疆圉"成为洪武朝中后期，乃至终明一朝对北元和蒙古的基本态度。

所谓"固守疆圉"，着眼点在"守"，明显是一种防御战略。就当时总体形势而言，朱元璋做出这种改变，非常及时而又正确。大明王朝刚刚建立，国内正处于百业待兴的局面，需要致力于发展经济，经不起长时间的战争消耗。北元这边则占据大漠南北的广袤地域，在塞外也长期拥有牢固的统治基础，明军对于此地只能是鞭长莫及。塞外作战主要依靠骑兵，北元因为拥有良马而一举占据优势，明军则主要依靠步兵，全国可用的战马不多，缺乏在塞外与北元作战的基础条件。受政治形势、军事形势、经济条件等因素逼迫，朱元璋及时改变对北元的战略。"固守疆圉"是积极防御的战略，并不是消极防守，而是守中带攻，一旦条件成熟，则立即对敌展开进攻。随着北疆形势的稳定，明朝转而积极经营东北和西北边疆，对北元的左右两翼施加压力。

在《皇明祖训》中，朱元璋曾明确宣布他对"四方诸夷"的态度："四方诸夷，皆限山隔海，僻在一隅，得其地不足以供给，得其民不足以使令。若其不自揣量，来扰我边，则彼为不祥。彼既不为中国患，而我兴兵轻伐，亦不祥也。"② 这段话既然写进"祖训"，说明其被确定为明朝的基本国策，而且充分表明了朱元璋的边境政策就是"人不犯我，我不犯人"，其中贯穿的正是防御的战略方针。当然，在战略上改为退守之势，并不代表消极防守，无所作为，依然要加强战备，防患于未然。为此，朱元璋要求徐达等人在无事之时，应当加紧"练习军士，修葺城池，严为备守"，这才能保证"边境永安，百姓乐业，朝廷无西北之忧"。③

为了求得边境的安宁，朱元璋对塞外蒙古各部，转而更多采用

① 《明太祖实录》卷七十一。
② 陈建辑，沈国元订：《皇明从信录》卷十，明末刻本。
③ 《明太祖实录》卷七十八。

"羁縻"之策，并力争分而治之。与此同时，在国内的民族政策上，尤其是对蒙古族的政策上，朱元璋也做了调整。当初，为争取民心，朱元璋在北伐檄文中宣告："如蒙古、色目虽非华夏族类，然同生天地之间，有能知礼义，愿为臣民者，与中夏之人抚养无异。"① 在推翻元朝统治之后，朱元璋对大量留居中原的蒙古人和色目人，同样给予优待，不仅给予从事耕种和生产的机会，也允许他们和汉人通婚，甚至对其中优秀分子大胆重用。这种改变也是对塞外蒙古族的主动示好，无疑也会对推行战略防御起到一定的积极作用。

三、加强戒备，构筑坚固防线

明廷对北元的策略由积极进攻改为"固守疆圉"，不代表明军可以自此忽视军事力量的建设。恰恰相反，朱元璋始终都非常重视边境问题，尤其强调军事力量的存在，并以此作为固守的基础。明军虽不再轻易挥师越境，不再对敌寇继续采取穷追猛打之势，但仍是认真做好战争准备，进行周密的军事部署，随时应对来犯之敌。

为保证边境的兵力存在，朱元璋对军制进行了重大改革，在全国推行卫所制："革元旧制，自京师达于郡县，皆立卫所。"② 这种新的军事体制，使得耕种与防务合而为一，卫所通过屯田实现自给自足，不再需要国家补给粮食，还保障了军队的兵源。设置卫、所，立足点在防务，所以要占据要害之地，"系一郡者设所，连郡者设卫"③。卫的兵力额定为五千六百人，所的兵力或成千，或上百，分别称为千户所和百户所。由于北边长期是守备的重点，明初在北方布置的兵力为一百多万，占据了全国兵力的一半左右。朱棣即位之后，又增设京军三大营，即五军营、三千营、神机营，全部都由精锐步骑兵组成，而且装备有火枪、火炮等火器。这三大营既是京军的主力，也是担任北部边防的机动任务的重要兵力。

---

① 《明太祖实录》卷二十六。
② 《明史》卷八十九《兵志一》。
③ 《明史》卷九十《兵志二》。

　　朱元璋用兵，非常强调实力为本。为做好"固守疆圉"，他更强调这一理念。朱元璋曾与文武大臣探讨用兵之道，指出："用兵之道，必先固其本。本固而战，多胜少败。"① 这里所说的"本"，其含义就是指军事实力。由强调实力出发，他非常强调平时的武备。只有平时加强武备，不断提升实力，才能确保己方立于不败之地，这也即孙子所强调的"先为不可胜"②。与孙子的理念非常相似，朱元璋强调"治兵然后可以息兵，讲武而后可言偃武"③，告诫全体将士"当天下无虞之时而常谨不虞之戒"④。虽说就整体实力而言，明军相对北元占据一定优势，但朱元璋还是策略性地改而采取守势，并且不遗余力地对其进行拉拢和分化。在与北元长期交战的过程中，朱元璋对蒙古贵族的诡诈和顽固已经有了深刻体会，因此从没抱有彻底和解的幻想。他一面与北元示好通使，一面始终强调加强武备，督促将帅加强军事训练，保持高度戒备之心。

　　洪武六年（1373），朱元璋命魏国公徐达、曹国公李文忠等前往山西、北平训练兵马，加强边防。临行之前，朱元璋特地谕之曰："处太平之世，不可忘战略。"⑤ 朱元璋将蒙古人比作"犬羊之群"，山西、北平既然与胡地相接，就需要格外加强战备："犬羊之群，变诈百出，仓卒有警，边地即不宁矣。"⑥ 因此，朱元璋要求徐达等人于无事之时"练习军士，修葺城池，严为备守，使边境永安，百姓乐业，朝廷无西北之忧"⑦。对于东部海疆，朱元璋同样不敢松懈，因为倭患自元朝末年便已兴起。洪武六年（1373）三月，朱元璋任

① 《明太祖实录》卷四十八。
② 《孙子兵法·形篇》，孙武撰，曹操等注，杨丙安校理：《十一家注孙子校理》，中华书局，1999 年。
③ 《明太祖实录》卷四十八。
④ 《明太祖实录》卷四十八。
⑤ 《明太祖实录》卷七十八。
⑥ 《明太祖实录》卷七十八。
⑦ 《明太祖实录》卷七十八。

命于显为总兵官，朱寿为副总兵，负责"出海巡倭"①。与此同时，他下令加强海防建设，尤其是注意在沿海地区建设卫所，构筑防御城池。洪武年间，在东部沿海共建设 58 个卫，88 个守御千户所。除此之外，还有 200 个左右巡检司及 1000 多城池、寨堡、烽堠、墩台等。② 为了加强海上御敌力量，朱元璋还下令修建战船，并大力加强水师建设，仅仅洪武五年（1372）八月，就下令浙江、福建两地造船 660 艘。③ 为保证军队有足够的兵员抵御倭寇，朱元璋一面调集外地士兵，一面收编并重用张士诚、方国珍的旧部，并发动沿海民众参军，"隶各卫为军"④，充分发挥他们熟悉当地地形又习惯当地气候的长处。

　　为了加强边防的防御力量，朱元璋在军事指挥体制上下功夫，通过封藩来加强边防的防御力量，建立藩王与朝廷合一的联防体制。朱元璋深知，明王朝的所谓边防，其重点就是要严防蒙古，所以他在从东北到西北的漫长边境配置了大量兵力，并将严防蒙古的战略写进《皇明祖训》，要求子孙们"必选将练兵，时谨备之"。为此，朱元璋将一批得力的儿孙分封全国各地，希望他们在"夹辅王室"⑤的同时，也能够有效地维持大明王朝的长治久安。明朝初期，国都建在离边塞千里之遥的江南，虽说可以远离战端，但是一旦北边有事，便有鞭长莫及之感。朱元璋不得不仰仗诸皇子发挥积极作用，命他们各率重兵，镇守各处要津，利用大小藩王构筑起一道戍边的坚固防线，北境藩王也由此而有了"塞王"之称。这些"塞王"分别沿长城立藩，构成内、外两道防线。外线藩王七名，包括辽王、宁王、燕王、谷王、代王、庆王、肃王，内线则有两名，分别为晋王和秦王。在分封之时，"塞王"名额明显偏多，也可以看出朱元璋对诸皇子的信赖和依赖。朱元璋分封显然是有所选择的，秦王就藩

---

① 《明太祖实录》卷八十。
② 《朱元璋大传》，第 500 页。
③ 《朱元璋大传》，第 501 页。
④ 《明太祖实录》卷七十。
⑤ 《明史纪事本末》卷十四《开国规模》。

西安，晋王就藩太原，燕王就藩北平，他将几个年长的儿子都安插在北部边境，占领各处军事重地，显然也是为了重点防范北元势力。朱元璋授予这些"傅险狭，控要害"的王子相应的军政大权，要求他们"肃清沙漠，垒帐相望"。① 诸王中又以宁王、晋王、燕王的势力更为强大。其中宁王号称"带甲八万，革车六千"②，至于燕王，也因屡次率兵打败北元军队，获得"节制沿边士马"③ 的特权，大将如宋国公冯胜、颍国公傅友德等，皆受其节制。北方诸王之中，以朱棣兵力最强，后来发起"靖难之役"，改变明代历史走向的，也正是他。

除了沿边设置藩王、大量配置军力和加强训练之外，明廷还在各地兴办武学，培养和训练军事后备人才，并在科举中增设武科，通过考试来选拔将才，也通过种种制度来激励士气。与此同时，朱元璋也着力加强边境军备物资的保障能力。在建立南京政权之后不久，朱元璋便和刘基、宋濂等智囊共同商讨治国之道，确定了与民休息、以农为本的基本国策，致力发展经济。朱元璋命军队屯田，耕种粮食，全力保障军备。在农业之外，朱元璋也大力发展手工业，由于冶炼技术的进步，兵器性能得到很大改进。与蒙军相比，明军的马匹无论是数量还是质量，都有明显的差距。为了扭转颓势，明初致力推行马政，不仅是推动官牧，还提倡民牧，鼓励和引导民众养马，并在赋税上给予减免之类的优惠。与此同时，不少卫所也被赋予了养马的任务。朱元璋下令五军都督府及锦衣卫等，"各置草场于江北汤泉、滁州等处，牧放马匹"④。为保证北边的牧马顺利推进，朱元璋下令确保荒闲平地的面积，听其牧放，并且禁止在边所封之王占用，"不许占为己场而妨军民"⑤。通过推行马政制度等种

---

① 何乔远：《名山藏》卷三十六《分藩记一》，北京大学出版社，1993年。
② 《明史》卷一百十七《诸王二》。
③ 《明史》卷五《成祖一》。
④ 申时行等修：《明会典》（万历朝重修本）卷一百五十一《兵部·马政》，中华书局，1989年。
⑤ 《明太祖实录》卷二百四十九。

种努力，包括对全民养马的鼓励与扶持，朱元璋很好地推动了骑兵建设，进而提高了与蒙古骑兵的对抗能力。

为保证军备物资顺利运往北疆，明廷下大力气疏通运河，保障粮食的运输。朱元璋下令迅速疏浚运河，并设立专门的管理机构，以保证南北之间有畅通的漕运。洪武元年（1368），朱元璋北伐战争发起之前，特地"诏御史大夫汤和还明州，造海舟，漕运北征军饷"①。这年九月，朱元璋在北巡途中更加意识到漕运的重要性，特地设置京畿都漕运司，增设漕运使，以加强对漕运的管理。② 为保证运夫的数量，洪武五年（1372）朱元璋从户部所请，将"不应徭役者，凡一万三千九百九十户"③，充当漕运夫。除了漕运之外，明廷还设法拓展海运和陆运，通过建设专门的运输队来保证军备物资的运输。通过多种渠道，南方的物资可以源源不断地运往北疆。这一远道运输粮食的制度，在洪武时期建立，被称为"海陆兼运"④。洪武二十九年（1396），仅苏州府便通过海运向北疆运输"粮米凡八十万四千四百二十二石"⑤。朱棣迁都北京之后，北方所需军粮更加浩大，"海陆兼运"已经无法满足补给之需。由此开始，朱棣决定重新修浚大运河，提升运河的运输功能，开凿和疏浚了会通河，并借助卫河河道提高运输能力。朱棣去世后，明廷又尝试使用民间运力，所谓"兑运制"得到试行。此项制度规定，纳税人可以将粮食运送到运河边各粮仓并缴纳一笔运费，再由军队从粮仓将粮食运到京城。⑥

为提高防御作战能力，构筑更加坚固的防线，明朝自洪武朝便开始修筑万里长城，希望能借助于坚固的城墙来阻挡蒙古骑兵的南

---

① 《明太祖实录》卷三十。
② 《明太祖实录》卷三十五。
③ 《明太祖实录》卷七十二。
④ ［英］崔瑞德、［美］牟复礼编，杨品泉等译：《剑桥中国明代史 1368—1644 年》上卷，中国社会科学出版社，2006 年，第 246 页。
⑤ 《明太祖实录》卷二百四十六。
⑥ 《剑桥中国明代史 1368—1644 年》上卷，第 248 页。

下袭扰。巍峨挺拔而且绵延万里的长城，自我国先秦时期开始便已经修建，属于军事建筑，也在历史上长期发挥着重要的防御作用。在大明王朝，因为朱元璋推行积极防御的战略，长城的防御功能再次受到重视。

在明朝初期，明军在实力上占据较大优势，多次发兵出击漠北，沉重打击了北元势力。但洪武五年（1372）徐达的军队在漠北受到严重挫折，朱元璋就此转向防御，开始修筑长城。在明朝前期，修筑工作主要围绕在关口和边墙而展开，集中在北京至山西一线。此时的建造质量和工艺等尚且不高，但已经非常注意依托地形，因地制宜。随着时间推移，明军对修筑长城提出了更加严格的标准，除了在城墙附近驻扎边防军之外，还对城墙的高度等有具体规定，要求所筑城墙便于观察和射击，可以居高临下打击敌军，城墙之下则设大小隘口，便于军队出入，还修建房舍用以屯兵和存粮。在城关上设有瓮城。此外，还增建烟墩、烽堠、戍堡和壕堑，大量的土垣也被改筑成坚固的石墙。这种种设计，都是希望提高长城在防御作战中的作用。在洪武朝之后，城墙修筑除了北京西北至山西之外，逐渐往东西方向延伸，以成化和正德年间修筑规模最大，修建堡垒数量最多。

到了明朝中晚期，随着明朝军队整体战斗力的下降，明军在北疆又被迫由积极防御转变为消极防御。这一转变的标志是，明廷开始更加重视长城的防御作用，对修筑长城花费了更多投入。到了嘉靖和万历年间，随着北方游牧民族的不断南下入侵，明廷一度又掀起修筑城墙的高潮。此时，明军再无能力组织反攻，只能将抵御强敌的希望寄托在砖石之上，也为此付出了沉重的军费。经过漫长的接力式建设，明朝逐渐完成了东起鸭绿江、西至嘉峪关，长达一万两千余里的长城修筑工程，从而在漫长的北部边境构筑起一道蔚为壮观而且非常奇特的防御阵地。在明朝两百多年统治时期之内，统治者几乎从没停止过对长城的修筑工程。这是一项耗时耗力而且又耗费大量财物的浩大工程，但统治者一直乐此不疲。这一行动或许能够说明长城在军事上确实存在着难以替代的特殊作用，绵延万里的城墙至少可以在一定程度上阻止或延缓游牧民族的南下袭扰。

朱元璋始终致力于在北边构筑坚固的防线，长城重新受到重视并不奇怪。《明史》中说"东起鸭绿，西抵嘉峪，绵亘万里，分地守御"①，反映的正是朱元璋为了有效抵御北元势力，以长城为中心构筑防御体系所做的种种努力。"东起鸭绿，西抵嘉峪"，说的正是明代长城的起点和终点，"九边"防御体系依傍长城而逐渐形成。为了使得长城更好地发挥作用，明廷根据地理位置划分为九大管理区，这便是"九镇"或"九边"。据《明史》记载："初设辽东、宣府、大同、延绥四镇，继设宁夏、甘肃、蓟州三镇，而太原总兵治偏头，三边制府驻固原，亦称二镇，是为九边。"② 昌平镇和真保镇为明代后期增设，而且存在时间较短，故人们仍是习惯称之以"九镇"。《明史》对这一防御体系也曾有褒奖："自辽以西，数千里声势联络。"③ 值得注意的是，戍守长城的士兵同样来自卫所，却又自成体系，而与卫所的编制有别。④ 镇的军事长官称镇守总兵官，简称总兵。总兵之下则设副总兵、参将、游击将军、守备、把总。⑤ 各镇所驻扎的军队无定额，还会根据形势变化有所增减。

戍守长城的军士中特别设有"尖哨"，分明哨与暗哨，负责搜集和刺探军事情报。在长城沿线也设有驿站，负责情报的传递。在距离长城不远的边防地区，同样也建设了大量驿站。星罗棋布的驿站存在，再加上配套的管理制度，很好地保证了军事情报快速而又保密地传递。早期城墙设置的烽火台也有传递军情的功能，明代仍然有所继承。但这种方式传递信息较为模糊，也容易受制于天气因素。更主要的缺陷是，狼烟四起，敌我双方均可见到，很难做到保密。因此，为了确保军情传递的万无一失，明代下大气力建设较为完备

---

① 《明史》卷九十一《兵志三》。
② 《明史》卷九十一《兵志三》。
③ 《明史》卷九十一《兵志三》。
④ 景爱：《长城》，学苑出版社，2008 年，第 283 页。
⑤ 《明史》卷七十六《职官志五》。

的驿站系统，在驿站周围特意构筑围墙加以保护，并于驿路之上也布设瞭望台。① 对于"尖哨"，明军也制定了各种规章制度加以管理和约束。戚继光在北疆戍守期间，就曾特地写下《条陈尖哨事宜》②。围绕长城所展开的各种设计，能在一定程度上保证边防军队的机动和御敌行动的展开。

总之，明朝建立初期的戍边方略不仅能够有序推进，也在不同阶段灵活做出调整和变化。面对众多对手，朱元璋采取灵活策略，注意把握重点，分清主次。面对形势的变化，他又及时地寻求战略收缩，从积极征讨而改为"固守疆圉"，并将主要精力放在筑牢防线上来，严防北方的蒙古势力卷土重来。灵活的方略，尤其是适度的屈伸，使得朱元璋的戍边战略保持着一定的战略弹性，并体现出可行性与务实精神。政治、经济和军事上采取的扎实有效的措施，为明朝数百年的基业奠定了基础。

第三节　陆海并重的战略调整及得失

明太祖朱棣在夺得皇位之后，对前朝旧制进行大幅度调整，甚至也抛弃了洪武朝所确定的"固守疆圉"战略，自此对蒙古采取积极进攻的策略。不仅如此，他积极推动郑和远下西洋，在对南方诸国如安南等，也推行强硬政策。步入永乐朝，明廷开始大幅度改弦易辙，不仅在战略方针上变得更加积极进取，而且在战略方向也有较大调整，选择的是陆海并重。这种调整对明代的历史走向产生了深远影响。

---

① 《长城》，第 97 页。
② 戚继光：《条陈尖哨事宜》，陈子龙等辑：《明经世文编》卷三百五十，中华书局，1962 年。

一、朱棣新政与战略方针的调整

朱元璋赶走蒙古统治者之后，并没有继续效仿元朝四处征伐、不停扩张疆域的做法，而是选择在有限范围之内扩张王朝疆域。除了对故元残余势力继续进行追剿之外，对于其他周边小国，明太祖更能接受的方式是称臣入贡，友好相处。在"不征"的基本国策之下，明朝与各国和平交往。这种保守的观念多少会对朱元璋有关北疆的战略决策产生影响。在北元面前，朱元璋缺少决战到底的勇气和决心，甚至在战略机遇到来时，没有指挥大军继续扩大战果，从而给了对手喘息之机。终明之世，蒙古一直可以不间断地对元朝北疆造成影响，并最终协助后金吞并明王朝。对于元朝所留下的广袤领土，朱元璋并没有强烈的占有欲望，甚至将大片领土拱手让出，故此朱元璋放弃了征伐四方的武装力量，总体战略趋于保守。如果在建国之初，朱元璋趁着军事实力空前强大之时，给予对手最为彻底的打击，很可能会是另外一种结局。接下来，朱元璋急于铲除功臣，一批能征善战的将领遭到清洗，明廷对蒙古的压力变得越来越弱。

当初朱元璋将朱棣封为燕王，希望依仗他的力量镇守北疆。没想到在朱允炆继承大位之后，手中握有重兵的朱棣便以"靖难"为名举兵南下，夺取皇位。朱允炆也以诸叔父拥兵自重为威胁，于是推出削藩计划。这正好给了朱棣起兵对抗的理由，他与建文帝的皇位争夺战就此展开。为避开间谍的侦察，在手下谋士道衍的建议下，朱棣一直秘密备战，打造兵器的工厂也建在地下，地上则大量饲养鹅鸭"乱其声"①。到了建文元年（1399）七月，朱棣以"清君侧"为名举兵，自号其军为"靖难之师"②，正式向他的侄子宣战。没用多少时间，朱棣便拥有了大量精兵。建文帝先后派出耿炳文和李景隆率兵征讨，但都被朱棣击退。燕王朱棣在起兵初期取得了一些胜

---

① 《明史》卷一百四十五《姚广孝传》。
② 《明史》卷一百四十五《姚广孝传》。

利，但在此后很长时间与朝廷军队形成了拉锯战，持续三年之久。在这期间，燕王"亲战阵，冒矢石，以身先士卒"[1]，却仅仅占据北平、保定、永平三府而已，且屡屡处于险境。这种胶着的战局令朱棣非常着急，一直苦思对策。没想到就在此时，远在京师的间谍帮助朱棣打开了局面。一位被黜宦官提供了一条重要情报："京师空虚可取。"[2] 朱棣立即破釜沉舟，全力攻打京师。建文三年十二月（约在 1402 年 1 月），燕王朱棣率领主力远袭京师，仅留少部分军队在其他各处发动佯攻。等到建文帝发现长江对岸驻扎大批军队之时，已经来不及组织抵抗。六月，朱棣从瓜洲渡江，将应天团团围困。守城的谷王朱橞、李景隆见大势已去，只得打开城门投降，朱棣终于如愿坐上皇位。

通观"靖难之役"的总体进程，朱允炆的优柔寡断与朱棣的坚韧果断形成了鲜明的对比。朱允炆放弃了郭任"先本后末"的建议，在选择讨伐对象时，没有利用兵力上的优势果断对燕王朱棣发动致命打击，而是"北讨周，南讨湘"[3]，这种策略不免会打草惊蛇，让朱棣有了更多的准备时间，以致最终酿成"以天下制一隅"[4] 的败局。

对比之下，我们更能明显看出朱棣的军事指挥才能。首先，朱棣能够经常做到身先士卒，冲锋在前。此举可以极大地提振士气，尤其是在己方实力不如对方时，更能充分地激发士卒的作战潜能，进而扭转被动局面。其次，朱棣非常重视情报工作，并能虚心接受道衍等人的建议与筹划，真正做到了孙子所说的"先知"。[5] 由于僧人道衍等人出色的组织和情报工作，朱棣能够完全掌握朱允炆的战略动向和虚实情况，从而在夺取皇位的战争中始终占据主动局面。

---

[1] 《明史》卷五《成祖一》。

[2] 《明史》卷五《成祖一》。

[3] 《明史》卷一百四十一《郭任传》。

[4] 《明史》卷一百四十一《齐泰传》。

[5] 《孙子兵法·用间篇》："明君贤将，所以动而胜人，成功出于众者，先知也。"

在南下进攻应天的过程中，正是极具价值的情报帮助朱棣下定作战决心，找准进攻方向。再次，朱棣非常善于使用欺骗之术，孙子所提倡的那种"形人之术"①，被朱棣充分发挥，很好地隐藏了己方的战略意图。比如，通过佯装生病等手段，朱棣成功地迷惑了对手，使得建文帝丧失应有的警惕，采取应对措施时总是慢了一拍，最终走上失败的道路。最后，朱棣善于机动应变，从不墨守成规。一旦捕捉到有利战机，他便能果断出击。在得知南京守备空虚之后，他及时放弃原定作战计划，改变进军路线和方向，取得了"靖难之役"的胜利。这一战法，与孙子的"避实而击虚"② 不无暗合之处。

朱棣成为永乐皇帝之后，继续加强中央集权。他对政治体制和军事组织大力进行改组。对于锦衣卫，朱棣重新给予高度重视，并就此培养出纪纲这样的佞臣。在锦衣卫之外，朱棣又另设东厂，标志着明代对内侦察进入一个新阶段，特务统治得到进一步加强。虽说他担任藩王期间痛恨朱允炆的削藩，但当他即皇帝位后，便立即致力于削藩。他不仅将塞王迁往内地，加强控制，还大量削减其护卫军。有的是三卫尽削，有的是只留一卫，有的则只留有几十人的"备使令"。③ 他不仅严令禁止诸王节制武臣，还明令藩王"不许擅役一军一民及敛一钱一物"④。当初，朱棣正是成功地利用这些权力建设军队，对抗朝廷。在夺取大位之后，他不得不对亲王采取必要的打压措施，效仿建文帝削藩。当然，与建文帝相比，朱棣的削藩手段更加高明，而且也确实取得了更好的效果，就此从根本上改变了明初藩王权力过大的局面。

为了进一步稳固政权，他还下令将北京改造成大明王朝的新都，对北京城进行了重新规划和建设，就此对政治、军事等各项制度进行大幅度调整。围绕北京，在北方建立起新的政治中心和权力中心。

---

① 《孙子兵法·虚实篇》："形人而我无形。"
② 《孙子兵法·虚实篇》。
③ 晁中辰：《明成祖传》，人民出版社，1995 年，第 258 页。
④ 《明太宗实录》卷十八，上海书店，1982 年。

建设新都无疑是一项艰巨任务，会给国家财政和黎民百姓增加沉重负担。北京城作为元朝旧都，在经历数次战火之后，只剩下部分完整的城墙和宫殿，大部分需要重建，而且城市的总体格局必须做出较大改动，难免大兴土木。还有一点不容忽视，那就是运输线的建设。由于北京粮食无法自给，大部分粮食补给需要依靠从东南各省远道运来，朱棣只得大规模建设海陆运输队。《明史》中记载："永乐元年，平江伯陈瑄督海运粮四十九万余石，饷北京、辽东。二年，以海运但抵直沽，别用小船转运至京，命于天津置露囤千四百所，以广储蓄。四年定海陆兼运。"① 随着政权机构大量迁往北京，南京及其他各地官署的权力难免受到影响，地位明显下降，物资分配也随之发生改变。在朱棣眼中，迁都北京意义深远，一旦决心已定，就必须坚决执行，不可逆转。当初明太祖朱元璋分析政治和军事形势，也对南京作为都城表示过不满，认为它距离边境太远，无法对北疆尤其是蒙古形成足够的威慑力，所以一度产生迁都北方的念头。既然如此，朱棣定都北京便可视为完成父皇遗愿，可以由此让那些反对者闭嘴。通过迁都，他可以对已经营多年的大本营继续进行巩固，也可对保护北边和征讨蒙古起到积极作用。在迁都之后，明代长期实行"两京制"："立两京，置郊社宗庙，创建宫室。"② 南京作为另外一个行政中心得到保留，但地位已远不如前。南京各部通常只留一些有职无权的侍郎充任。

对于军事体制，朱棣也进行了大幅度调整，将原驻扎在南京的卫军纷纷调往北方："命兵部以孝陵、济川、广洋、水军、左右、江阴、横海、天策、英武、飞熊、广武、应天等卫留守南京，神策、镇南、饶骑、沈阳、虎贲、豹韬、龙骧、鹰扬、兴武、龙虎、武德、和阳、潘（沈）阳右等卫调守北京。"③ 他同时将自己的嫡系部队提升为亲军，使得拱卫京师的军事力量得到极大加强，驻扎北京的京

---

① 《明史》卷八十六《河渠志四》。
② 《明太宗实录》卷二百三十一。
③ 《明太宗实录》卷二百三十一。

卫就此成为规模最大和最为精锐的一支部队。通过削藩，朱棣果断取消了藩王的护卫部队，洪武时期各亲王所拥有的政治和军事权力大部分被逐渐剥夺。由于蒙古是头号大敌，朱棣不能不大大加强北方的防御建设，重点建设长城沿线军事重镇，对蒙古始终保持高度戒备。为提高军队的战斗力，朱棣在京师设营，士兵定期轮换，在京营中完成操练和训练，再去边境服役。据《明史》，朱棣不仅增设京卫，还建立三大营，分别为五军营、三千营和神机营。所谓五军营，分步骑军为中军，加上左、右掖和左、右哨，亦统称为五军。所谓三千营，由三千“边外降丁”① 组成，所选都为蒙古骑兵精锐。所谓神机营，主要掌管和操演火器，并随驾护卫马队官军。

二、持续的南征和北伐

与明太祖朱元璋“以海外诸夷多诈，绝其往来”② 的态度不同，明成祖朱棣是以“四海一家”③ 的态度对待邻国。基于这一态度，朱棣“广示无外”④，致力于和外邦修复关系。但是，对于南边的安南与北边的蒙古，朱棣则是发起积极的进攻。强硬之态度，多少让人感到一丝意外。

安南，即古交阯地，在今越南北部。洪武年间，朱元璋曾命侍读学士张以宁往封安南国王，并赐驼纽涂金银印及《大统历》，也宣布安南为“不征”对象之一，安南国王自此开始定期朝贡，不时贡献方物。

明成祖朱棣承继皇帝位后，也派出官员及时诏告安南，并命令礼部郎中夏止善册封胡奃为安南国王，相信了胡氏“前国王陈氏嗣绝”⑤ 的谎言，并默认其“以外孙主祀”⑥ 的事实。胡奃派出使者

① 《明史》卷八十九《兵志一》。
② 《明太祖实录》卷二百三十一。
③ 《明太宗实录》卷十二上。
④ 《明太宗实录》卷十二上。
⑤ 《明太宗实录》卷二十五。
⑥ 《明太宗实录》卷二十五。

前来谢恩，但在国内仍自称皇帝。他表面上接受明廷的命令，私下给占城授予印章，逼迫其做自己的属国。永乐二年（1404）八月，朱棣得知安南前国王实则是被害，尚有后人陈天平在老挝。得知真相的朱棣，对胡氏十分厌恶，于永乐三年（1405）命令御史李琦、行人王枢一起带着皇帝敕令前往责问，并命人护送陈天平回国，恢复陈氏对安南的统治，结果被胡氏派人截杀。朱棣因而更加怒不可遏，决定严惩安南。何况他也想借此机会，加强对安南的控制。

永乐四年（1406）七月，朱能奉命率兵远征安南，张辅作为副将随同出征，沐晟由云南方向进军安南。朱能在前往安南的路上病死，南征大军改而由张辅和沐晟共同指挥。起初，明军进展顺利。朱棣为此非常自得，也错误地估计了安南的形势。他随即根据张辅的建议，设交阯布政使司，将安南正式纳入明王朝的版图，变成明朝的一个省级机构。朱棣对"新附之民"实施轻赋薄敛，要求"为宽政务宽简"，征收赋税时必须"务从轻省"，[①] 没想到还是引起了安南的强烈反感。永乐六年（1408）八月，安南陈氏旧官陈顒起兵反明，自称日南王，建元兴庆。朱棣命张辅领兵出征。永乐七年（1409）陈顒之侄陈季扩称帝，建元重光，尊陈顒为太上皇。朱棣命张辅出兵镇压，陈顒兵败被擒，押解至京师处死。次年十二月，陈季扩遣使请降，朱棣遂命陈季扩为交阯右布政使，但陈季扩拒不受命。张辅、沐晟随即再次出兵征讨，安南继续顽强抵抗，战事又起。张辅受命镇守交阯期间，局面一度有所挽回，但当他奉命随驾北征之后，局势再次陷入困境，反抗明军的战争仍在此起彼伏。朱棣陆续投入更大规模的兵力，但收效甚微。洪熙时期，由于明军将领内部不和，战争更是屡遭失败。在安南的战事持续消耗着朝廷的财力，到宣德初年，明廷被迫承认朱棣强行推进的安南政策彻底失败，宣布"尽撤军民北还"[②]，撤销交阯布政使司，命黎利"权署安南国

---

① 《明太宗实录》卷七十七。
② 《明史》卷三百二十一《外国传二》。

事"①。在正式册封称王之后，黎利继续向明朝朝贡。

除对安南用兵之外，朱棣对蒙古发起了更大规模、更为持久的攻势。为加强北疆防御体系的构建，朱棣改变了洪武朝以来所坚持的固守之策，采取积极的进攻态势，对蒙古大举展开北伐。这一方面是消除其对朱明王朝的威胁，同时也是为了"防止出现有雄才大略的蒙古领袖重新控制整个蒙古民族"②。镇远侯顾成曾上书认为"北虏遗孽，其众强悍，其心狡黠，睢盱侦伺，侵扰边疆"③，应重点加强对北部边境的防御。这其实代表了明军上下一种较为普遍的担忧，也为朱棣所体察和认同。

蒙古人退回北方后，分裂为鞑靼、瓦剌和兀良哈三大部。其中，兀良哈部活动于辽河、西辽河、老哈河流域；鞑靼部活动于鄂嫩河、克鲁伦河和贝加尔湖一带；瓦剌部活动于科布多河、额尔齐斯河流域及其以南的准噶尔盆地。当时兀良哈部已经归附明廷，并被编为朵颜等三卫，瓦剌部也与朱棣通好，只有鞑靼仍在与明廷对抗。朱棣在夺得皇位的当年，就向鞑靼派出使臣，表达希望通好意愿，结果遭到拒绝。不仅如此，鞑靼还于永乐七年（1409）派兵袭扰明朝北部边境。在击退鞑靼之后，朱棣仍然派使臣表达通好之意，结果使臣被杀。见此情形，朱棣派出大将丘福率十万兵马出击鞑靼，结果遭到鞑靼军的伏击，全军覆灭。朱棣由此而对鞑靼的军事力量深有体察，决心组织大规模反击。从永乐八年（1410）到永乐二十二年（1424），朱棣在十四年之间，先后五次亲率大军北征蒙古，创下帝王御驾亲征的纪录。

永乐八年（1410），朱棣第一次亲率大军北伐。明军击败鞑靼军，鞑靼首领阿鲁台向明朝称臣纳贡，双方关系趋于缓和。此次北征，取得部分战果，但明军因为缺粮少水和士卒多病，不得不撤军。永乐十二年（1414），因为瓦剌的叛离行为，朱棣决定发兵进行征

①　《明宣宗实录》卷八十一，上海书店，1982 年。
②　《剑桥中国明代史 1368—1644 年》上卷，第 222 页。
③　《明太宗实录》卷二十三。

讨。交战中，明军使用火炮对瓦剌军展开攻击，取得很好的作战效果。虽说明军也遭受重大损失，但成功地击退了瓦剌军，此次北征持续不到五个月，朱棣宣布凯旋，并在《班师诏》中自诩明军的攻势"如摧枯朽"①。永乐二十年（1422），阿鲁台因为实力得到恢复，不断袭扰明朝边塞重镇。这种情况下，明成祖朱棣组织第三次大规模北征，但出师三个多月并没有寻到鞑靼主力决战。朱棣只得改变打击目标，攻击了依附于阿鲁台的兀良哈部。此次出征，夏元吉一度以消耗过于庞大而提出反对意见。为了保证战争供给，"用驴三十四万头，车十一万七千五百七十三辆，挽车民丁二十三万五千一百四十六人，运粮凡三十七万石"②，确实造成巨大的物资损耗。出征将士加上保障民夫，相当于全国每六七十人中就有一人被直接卷进到北征的行列，③ 显然是一个沉重的负担。永乐二十一年（1423）七月，因听闻阿鲁台欲重新南下进犯，朱棣组织第四次北伐。在得到明军北征的消息后，阿鲁台又一次及时避开，明军因为无法找到作战对手，又由于粮草消耗殆尽，只得无功而返。在听说阿鲁台已被瓦剌人打败后，朱棣稍得一丝安慰。永乐二十二年（1424）正月，鞑靼部进犯边关，朱棣经过短暂准备，于四月组织大军第五次北伐。但明军还是苦寻对手而不得，始终没能找到与阿鲁台决战的机会。有将领请求深入敌境，被朱棣以"不欲重劳将士"④ 为由拒绝。此时，朱棣已经感觉身体不适，结果在大军回撤途中病重不治，最终死在榆木川（今内蒙古多伦西北）。

明成祖朱棣前后五次亲征漠北，虽说耗费了大量的人力物力，但在一定程度上打击了蒙古贵族势力的抬头，阻止了其南下侵扰，在一定程度上维护了边境的安宁，至少在一段时间之内，震慑和瓦解了蒙古各部，令其不敢轻易南下。朱棣作为一国之君，一再坚持

---

① 《明太宗实录》卷一百五十二。
② 《明太宗实录》卷二百四十六。
③ 《明成祖传》，第 392 页。
④ 《明太宗实录》卷二百七十二。

御驾亲征，这在中国历史上属于罕见。由于他曾长期带兵打仗，具有作战经验，所以每次亲征，都能基本维持不败的局面。当然，由于游牧民族具有灵活机动的特点，朱棣即便是部队规模空前，却也会因为作战准备不足和情报不够及时而寻找不到对方主力部队作战，白白地损耗了人力和物力，并丧失有利的作战时机。因此，也有一种观点认为，"他的政策在无意之间削弱了北方沿边的安全"①。

对于蒙古采取积极进攻的战略并多次御驾亲征，朱棣的举动并不让人感到意外。有学者认为，朱棣之所以连年北征，和他想得到传说中的那个传国玉玺的心理有关。② 得到玉玺，也许可以早点摆脱"篡逆"的骂名。而且，越是标榜"帝王之宝在德"③，越是能暴露出他内心的这一隐秘动机。相比之下，试图通过战争彻底消除北疆的威胁，怕是发起北征更为主要的因素。蒙古族的彪悍和勇力，也曾给中原民族留下深刻印象。自大明王朝建立以来，北部边境始终是朝廷关心的重点。朱棣曾认为，只要守住辽东、开平、兴和、大宁、甘肃、宁夏，则北边无忧。但是，他早在永乐元年（1403）就已经放弃大宁，后又将兴和守备力量调入宣府，致使开平陷入孤立无援的境地，完全暴露在蒙古铁骑之下，也将兴和拱手送给对手。在这之后，明军的防御纵深大为压缩，"敌可直接窥伺畿辅，京师的防卫比洪武时期削弱多了"④。所以，朱棣貌似咄咄逼人的进攻，并没有取得什么理想效果，与自己当初并不恰当的调整也有关系。在朱棣之后，明军对蒙古人的有效征伐越来越少，渐渐丧失了对塞外的控制，只能退守长城一线组织防御。有学者指出，这便是朱棣大规模进兵的后果："这肯定是永乐帝咄咄逼人的边境政策的最严重的负效果。在这些讨伐中大量浪费的精力和物力，并没有取得长远的

---

① 《剑桥中国明代史 1368—1644 年》上卷，第 225 页。
② 《明成祖传》，第 391 页。
③ 《明太宗实录》卷一百十一。
④ 军事科学院编，范中义、王兆春、张文才、冯东礼著：《中国军事通史》第十五卷《明代军事史》上册，军事科学出版社，1998 年，第 395 页。

效益。"①

至于朱棣南征安南的举措，除了损兵折将之外，则是一无所得，因而被日本学者檀上宽形容为"'永乐盛世'开放的一朵不结果的空花"②。朱棣以天朝上国自居，不免会出现好大喜功的心态，因为一时冲动做出错误决定，暴露了其战略决策时的急躁和妄动。随后设置交阯布政司的决定，则完全忽视了安南民众的反抗决心，对于当地地理条件及民心等也疏于考察，致使明军陷入战争泥潭而不能自拔。随着时间的延长，战祸继续蔓延，几乎贯穿整个永乐朝，遗留问题直到宣德皇帝即位才得到匡正，从中不难看出朱棣因固执和激进而对明朝历史走向所产生的深远影响。

三、积极的海洋战略

中国的地理特点是西高东低，西边多为崇山峻岭，东边则有着漫长的海岸线。自先秦以降，我国的边患多来自西北和北部，东部沿海地区则鲜见外族袭扰。茫茫的深海大洋，俨然成为一道天然屏障，日夜守护着华夏民族。这种情况下，中国渐渐成为"有海疆，无海防"的国家。西方学者视唐朝为中国走向海洋的时代，而且与海上竞争对手发生冲突的可能性也很大，但有关海战的文献记载非常有限，基本属于"两栖作战"③。总体来看，明代之前的水战，多集中于内陆湖泊和大江大河，海上的行军和作战较少出现。也就是说，水军只能长期作为陆军的陪衬，并不能成为战争的主角。而国人则长期受这种观念和意识支配，"不惟不知海上之害，而且完全忽视了海上之利"④。就连德国哲学家黑格尔也曾注意到这一点，他指出："在他们看来，海只是陆地的中断，陆地的天限；他们和海不发

---

① 《剑桥中国明代史 1368—1644 年》上卷，第 225 页。
② ［日］檀上宽著，王晓峰译：《永乐帝：华夷秩序的完成》，社会科学文献出版社，2015 年，第 228 页。
③ ［美］林肯·佩恩著，陈建军、罗燚英译：《海洋与文明》，天津人民出版社，2017 年，第 319 页。
④ 王尔敏：《清季兵工业的兴起》，广西师范大学出版社，2009 年，第 55 页。

生积极的关系。"① 这种状况一直到了明代才发生根本改变。茅元仪说："海之有防，自本朝始"②，对明代海防有所肯定。

水军曾对朱明王朝的建立起到重要作用，比如朱元璋击败陈友谅的关键之战——鄱阳湖之战，就是依靠水军而扭转战局，奠定了问鼎中原的基础。也许正是这个背景，明代统治者在初始阶段其实非常重视发展水军，不仅船舶的建造技术得到突飞猛进，与船舶配套的火器等也非常精良。但是，倭寇长期大规模袭扰，令明朝长期实行海禁政策，将海洋大国的地位拱手让出。早在元朝时期，倭寇其实已经开始在中国东部沿海地区进行袭扰掠夺。海盗肆虐之时，统治者被迫实行海禁。所谓海禁，其实是明朝统治者从元朝学到的经验。但是，元代统治者的海禁尚且有禁有开，区别时机和季节，③而朱明王朝的海禁则几乎贯穿明代终始，从洪武年间开始，一直延续到明代灭亡。两百多年内，只是间或有所松动。

据《明太祖实录》和《明史》记载，明代在洪武四年（1371）就下令实施海禁，不仅"海民不得私出海"，海道因为"可通外邦"，也被禁止往来。④"片板不许入海"⑤的严令，出自清代修撰《明史》，容或有所夸张，却能和明代有关律令求得对应，可以部分反映其时严令禁海的实情。在《大明律》中，关于禁海的法律非常严苛，如果有人胆敢违反规定出海，将会受到非常严厉的处罚。不管是军士，抑或是普通民众，都被禁止下海。即便是近海渔民，都不得随意进出港口，擅自与夷人进行交易。如果被发现交易朝廷所严令禁止的物品，比如兵器等，更会被处以极刑。应该承认，明朝这些关于海禁的严令，短时间内收到了一定成效，对辅助海防、抵

① ［德］黑格尔著，王造时译：《历史哲学》，上海书店出版社，2001 年，第 93 页。
② 《武备志》卷二百九《占度载》。
③ 有学者总结为"四禁四开"，详见陈高华：《元代的海外贸易》，《历史研究》1978 年第 3 期。
④ 《明太祖实录》卷七十。
⑤ 《明史》卷二百五《朱纨传》。

御倭寇袭扰起到了些许作用，但正所谓物极必反，这些极端封闭的禁令，为明代中后期倭患的大规模爆发埋下了祸根。

永乐年间，倭寇的入侵相较洪武年间明显有所下降，这与朱棣实施积极的海洋战略密不可分。朱棣曾多次下达沿海加强戒备的命令，也经常派出水军出海巡逻，同时下令加强海防建设，这些措施都卓有成效。在积极的海洋战略指导下，朱棣组建大规模的远洋舰队，派遣郑和作为使者，多次出使西洋。

明代所称西洋，大抵是指南海以西的海洋及沿海诸地，包括郑和下西洋所到的今天印度洋至波斯湾、北非红海一带。[①] 永乐年间，对外交往明显得到加强。朱棣为了提高自己的国际威望，宣扬国威，同时他"疑惠帝亡海外，欲踪迹之"[②]，于是不断地派遣使者外出，太监郑和就是这些使者中的佼佼者。郑和本姓马，云南人，因为跟随朱棣起兵有功，赐姓郑，俗称"三保太监"[③]。郑和出身穆斯林世家，又通晓佛教，并且了解诸国文化习俗，而且能文善武，被朱棣视为出使诸国的最佳人选。

永乐三年（1405）六月，朱棣命郑和与搭档王景弘等人第一次出使西洋。郑和率领士卒多达二万七千八百余人[④]，特地建造六十二艘长四十四丈、宽十八丈的大型战船，船上装满财物和金币。他们从太仓刘家港出发，首先到达占城，此后顺次出访南洋西洋各国，宣布天子诏令，并向各国国王赐赠礼物，"不服则以武慑之"[⑤]。永乐五年（1407）九月，郑和等人回国后，许多"番国"的使者也随郑和来京朝见永乐皇帝，朱棣非常高兴，分别给予这些使者封赏。有个叫陈祖义的海盗，抢掠商旅，也计划抢劫郑和船队，被郑和打败，陈祖义被擒后被押至北京斩首。此后，郑和又率船队六次远航。

---

① 《明代中外关系史论稿》，第 281 页。
② 《明史》卷三百四《郑和传》。
③ 《明史》卷三百四《郑和传》。
④ 《明史》卷三百四《郑和传》。
⑤ 《明史》卷三百四《郑和传》。

七次奉命出使，郑和的足迹遍及占城、爪哇等三十余国，带回宝物不可胜数，同时"中国耗废亦不赀"①。宣德以后，偶尔还有印度洋沿岸国家前来朝贡，但规模远不如前。

明成祖朱棣多次派郑和下西洋究竟出于何种目的，历来有着不同看法。明清时期的传统看法，是《明史》中的"追踪建文"和"耀兵异域"。随着研究的深入，人们提出了不同观点，比如转移国内矛盾，努力通过"万国来朝"的大好形势来巩固自己的统治地位。再如，努力建构"朝贡贸易"，通过郑和出使，与各国建立官方贸易，并开辟通往西洋各国的海上交通线，由此而促进了明代的经济发展，这不仅仅是扩大了明朝的对外贸易，更刺激了手工业的迅速发展，对社会经济发展起到了积极作用。也有学者将其视为单纯的"海上远征"。通过郑和远下西洋，明军的旗帜飘扬在整个东南亚和印度洋，由此"清楚地显示了明帝国的政治和军事优势"。因此，由远下西洋的行为出发，也可以看出这位喜动不喜静的皇帝，"对帝国的世界秩序所持的看法和它应用于南洋的对外关系的看法"。② 也有西方人将郑和远下西洋行为看作殖民行为，远下西洋行为的结束，即宣告"对外殖民的时期已将近结束"③。这显然是一种错误观点。郑和下西洋所推行的赍赐贸易给友邻国家带来巨大的贸易实惠，甚至提供无偿的经济援助④，显然与西方殖民统治模式不可同日而语。

总体来看，郑和下西洋的行动与朱棣积极主动的对外战略保持一致，与其南征北伐的军事行动也极为合拍。郑和下西洋的行动，标志着海禁政策的松动，标志着明朝的海洋政策朝着积极的一面发展。郑和在不到 20 年的时间内，多次成功地跨越大洋，将明王朝的声威远播到海外，因此这一时期被视为中国海洋事业的"全盛时

---

① 《明史》卷三百四《郑和传》。

② 《剑桥中国明代史 1368—1644 年》上卷，第 229 页。

③ ［美］布赖恩·莱弗里著，邓峰译：《征服海洋：探险、战争、贸易的 4000 年航海史》，中信出版社，2017 年，第 51 页。

④ 沈福伟：《中西文化交流史》，上海人民出版社，2017 年，第 276 页。

期"①。在这期间，虽说也曾在交涉过程中发生矛盾并使用武力，但更多则是遵循"厚往薄来"②原则。这无疑促进了各国的经济交流，也由此而"刺激了区域商业的扩张"③。有学者指出，多次远航的完成，标志着郑和"进行了15世纪末欧洲的地理大发现的航行以前世界历史上规模最大的一系列海上探险"④。当然，郑和下西洋，其目标显然不只是为了完成所谓的"海上探险"。

四、影响与评价

与朱元璋相比，朱棣的对外战略有着明显不同。对此，日本学者也有简明扼要的总结："永乐帝热衷于建立华夷秩序，而太祖朱元璋更重视内政。"⑤朱元璋更加重视内政，也在情理之中。明王朝初建，百业待兴，内政不稳，所以统治者迫切需要建设稳定的内部秩序，以巩固自身统治地位。到了永乐时期，内外情势已经发生很大改变，朱棣多少具备了一定的基础和机会推行对外拓展战略，因而明显表现出积极进攻态势。即便是面对实力强大的北元，朱棣也不惜一切代价接连发起征伐战争。包括对安南的战争，以及郑和远下西洋等，都体现出四面出击、咄咄逼人的态势。《明史》评论朱棣对外战略的特点时说："当成祖时，锐意通四夷，奉使多用中贵。西洋则和、景弘，西域则李达，迤北则海童，而西番则率使侯显。"⑥所谓"锐意"，也即锐意进取。这一词语倒是非常贴切地形容了朱棣对外战略积极进攻的特征。外国学者评价朱棣，对其赫赫武功印象最深："永乐帝想成为历史上一位伟大的君主，他倾心于用军事征服来达到这个目的。他四面出击：出击北方、西北和东北的边境地区；深入亚洲内陆；通过亚洲海路远至波斯湾以西的各地。他想方设法

---

① 《海洋与文明》，第373页。
② 《明太宗实录》卷一百六十八。
③ 《海洋与文明》，第376页。
④ 《剑桥中国明代史1368—1644年》上卷，第233页。
⑤ 《永乐帝：华夷秩序的完成》，第211页。
⑥ 《明史》卷三百四《郑和传》。

到处扩张明王朝的政治的、文化的和经济的影响。不是所有这些行动都需要军事对抗或公开的侵略。皇帝也力求用外交使节和给予贸易特权来达到他的目的；这些贸易特权是在洪武帝建立的朝贡制度下给予外国的。然而当局势许可时，皇帝也毫不迟疑地要动用武力。"① 很显然，这一评价与《明史》基本保持一致，都指出了朱棣热衷于使用武力的特点。既重视陆地，也重视海洋，朱棣的战略可以简称为"陆海并重"。在执政期间，明成祖朱棣一度四处出击，取得了一定的成绩，但也暴露出诸多问题。

朱棣曾经作为藩王领命驻守北平，故此他对如何治理北部边陲很有一番设想和理念。在即位之后，他立即将其付诸实施。永乐元年（1403），朱棣就派出使者"往谕奴儿干"，到永乐二年（1404），已经"置奴儿干卫"②。在得知朱棣取得靖难之役的最终胜利后，"忽剌温等处女直野人头目把剌答哈来朝"③，朱棣不失时机地予以重用，或为指挥同知，或为千户，并赐予诰印和冠带等，为永乐七年（1409）设立奴儿干都司打下了基础。奴儿干都司是军政合一的地方最高机构，明廷对都司及其下属卫所实行羁縻统治，并设有都指挥使、都指挥同知、都指挥佥事等官员，既宣示了对此地的主权，也加强了对此地的管理。④ 为了对蒙古形成牵制，明成祖效仿朱元璋也在西北设卫。明代在嘉峪关外先后设立"西北七卫"，其中有三卫为明成祖所设。其中，永乐四年（1406）设立的哈密卫为明代地处最西边的一个卫，地理位置尤为重要。不仅如此，朱棣还使用改土归流的办法经营西南，进而设立贵州布政司，使得贵州成为明代十三个布政司之一，同样具有非凡意义。对西藏和南海诸岛方向，明廷也都加强了管控，这些都是明成祖经营边陲的杰出成就，也在中国古代治边历史上写下了浓墨重彩的一页。郑和的远航，在数量、

---

① 《剑桥中国明代史 1368—1644 年》上卷，第 220 页。
② 《明太宗实录》卷二十八。
③ 《明太宗实录》卷二十八。
④ 《明成祖传》，第 284 页。

财富、技能、科技和精密度方面，都胜过葡萄牙人和西班牙人。①
仅从这一角度来看，也应承认郑和七下西洋的重要意义和深远影响。
明代的航海技术一度领先于世界各国，这对于巩固海防无疑具有积
极意义。在永乐朝，倭寇对明朝的袭扰相对较弱，也与此密不可分。
由此可见，主动出击也是巩固海防和边防的有效手段，有时会比防
御更具效果。

朱棣积极发展军事实力，研制开发武器装备，六下西洋，强征
安南，五伐蒙古，几乎完全抛弃了其父"不征"的主张。其中，五
次北伐更是有力地打击了蒙古贵族势力，保证了北部边疆的安全。
定都北京，也显示出朱棣誓与蒙古抗争到底的决心。朱棣的积极外
交政策使华夷秩序基本奠定，促进了东亚国际秩序的进一步完善。②
在永乐朝，朱棣为了招来更多朝贡者，甚至不惜一切代价奖励朝贡
使者，以此展示其"怀柔远人之恩"③。此举无疑可以吸引更多国家
不惜克服路途之苦赶来朝贡。这对华夷秩序的构建，无疑具有积极
作用。即便是在永乐之后，明朝实力远不如前时，仍然还有不少国
家赶来进献贡物，这都与朱棣的努力密不可分。前来朝贡的国家，
目的各异，或是出于对大明王朝高度发达文化的仰慕，或是出于对
通过朝贡所获赏赉的贪恋，或是因为贸易往来所得的经济利益，或
是仰仗得到大明天子的庇护，纷纷维持或寻求与明朝建立这种朝贡
体系。

积极战略从短期来看，确实具有一定收效，但如果做长期考察，
则也会显现出弊端。为达成万方来朝的繁荣景象，朱棣一方面是采
用武力手段，一方面则是不惜使用财物来进行收买，这两种方式都
会带来大量的人财物的消耗。就战争而言，孙子早就指出这是"日
费千金"④的高消耗行为。至于维持朝贡体系，更是赔本赚吆喝的

---

① ［美］蔡石山著，江政宽译：《永乐大帝：一个中国帝王的精神肖像》，中
　　华书局，2009 年，第 198 页。
② 《永乐帝：华夷秩序的完成》，第 222 页。
③ 《明太宗实录》卷二十八。
④ 《孙子兵法·作战篇》。

交易。为了维持这一体系，明廷每每需要通过"厚往薄来"的方式，维持朝贡者的积极性。如此一来，朝贡者通过朝贡所得贡物越多，就越会造成明廷的财政损耗，渐渐变得入不敷出。所以，朱棣的两项积极政策，给其后来者带来了巨大的包袱。他去世后，包括"下西洋"在内的各项活动都先后被终止，对交阯的政策也得到及时调整。其时，朱棣醉心于征伐和朝贡所造成的财政紊乱等问题，都已经暴露无遗，令洪熙皇帝不得不改弦易辙。

除了财政困难之外，朱棣积极进攻的战略，还带来了其他隐患。既然是多途出击，在进攻方向的选择上就可能会犯下主次不清的毛病。就这一点而言，他与战国时期的反面教材典型魏惠王也有几分相似。① 朱棣同样好大喜功的天性，也在积极冒进的过程中显现无疑。即便是明知不会成功的最后一次北伐，朱棣还是命人勒石留念，便是这种心态的真实体现。诸多负面效应，随着多途出击战略的推进而越发显现。除了财力匮乏之外，还必然会诱发民怨沸腾、政局不稳等问题。朱棣北征之时，夏元吉曾经力谏，并直言北征已经带来诸多问题："频年师出无功，戎马资储，十丧八九。灾眚间作，内外俱疲。"② 此语自然会造成朱棣的极大不悦，但也客观地描述了连年用兵的危害。

从总体上考察，朱棣所采取的积极进攻战略，只收到短暂和局部效果，并没有办法维持边地的长期安定。在明太祖时期，明军实力最为强劲，却没有乘胜追击，彻底消除北部边患，到了永乐朝，朱棣即便是把身家性命丢在了塞外，却终是没有办法根治边患。这种劳民伤财的主动出击，并没有达成一劳永逸之效果，边患问题还是丢给了后世子孙。

朱棣在处理边疆问题时更具进取之心，但也暴露出自负和残忍

---

① 魏惠王急于事功，随意对其他诸侯使用武力，不仅造成魏、韩、赵三晋联合阵线破裂，也与齐、楚等大国交恶，这种四面出击的结果只是换来四面楚歌，迅速败掉魏国图霸的所有筹码。

② 《明史纪事本末》卷二十一《亲征漠北》。

的特征。有学者直言不讳地批评其远征"带有压迫和掠夺的一面"①。四面出击导致巨大的人力物力消耗，这些都直接影响了北疆进攻战略的实现。朱棣多路出击的结果是四处树敌，而且效果难称理想："只能使双方的矛盾暂时得到掩盖，而不能从根本上解决问题。"② 这也正如蔡石山所指出的那样："永乐的成就容易消散且代价昂贵。"③ 朱棣每次出兵北伐规模都很大，民众负担之重，不难想象。更为人诟病的是，朱棣的北伐大军始终没有办法给予对手致命打击，在最后一次的行动中反倒是把身家性命搭进去，这些都充分暴露出他在战略决策和战术设计上的缺陷，也反映出战前准备存在着各种问题。

明前期所推行的北疆战略说明，在己方实力占优之时，如果采取防御策略，可以轻松确保无忧。但如果想要有所作为，也需要付出相当大的代价。说到底，要想达成边境的凛然不可侵犯，必须拥有相当的军事实力，甚而在军事实力上明显超过对手。用实力求和平，永远是颠扑不破的真理。明朝中晚期，随着国运的衰微，蒙古人、女真人都曾进逼北京城，无论如何巧布防御战术，终究无法避免强敌的进攻。

---

① 《明成祖传》，第392页。
② 《明成祖传》，第392页。
③ 《永乐大帝：一个中国帝王的精神肖像》，第166页。

第二章　明代重要兵学著作（上）

明代延续了宋代文人论兵的传统，加之特定的历史际遇和特殊的内外环境，军事科技尤其是火器技术的飞速发展，包括印刷出版业的繁荣等，都为兵书的著作和出版创造了条件。明代留下的兵学著作非常多。[①] 这充分说明此时兵学研究所取得的成绩。值得玩味的是，明代兵书中更具影响力的著作几乎都是在中晚期出现，古典兵学在晚明时期才真正地再次迎来繁荣景象。其间诞生的不少兵书都有独到见解，甚而至今仍散发着重要影响力。

第一节　《阵纪》

《阵纪》为嘉靖至万历年间由浙江余姚人何良臣所撰。顾名思义，所谓"阵纪"就是战阵之间的纪律问题，所以该书将治军思想作为重点，颇有值得称道之处。这本书从"选卒"和"练卒"出发，结合历代用兵的经验教训，详论治军之法和用兵之法。与此同时，作者也深入探讨了战略战术，尤其注意结合奇正之法研究各种阵法的使用。

---

① 据《中国兵书知见录》记载，包括民国在内，历代存世兵书共计 2308 部，明代有 777 部，加上明代存目兵书也有 246 部，两者相加，共 1000 余部。参见《中国兵书通览》，第 21 页。

一、治军之基："募选"和"赏罚"

《阵纪》开篇就探讨治军问题。何良臣主张，要想打造纪律严明的军队，首先就要在士卒的挑选上下功夫，这便是"募选"。因此，何良臣撰写《募选》篇，专门讨论士卒的招募和选拔。他指出："募非握机，无以合众；众非精选，无以得用"，所以募兵时要广泛动员，不妨多征召一些，但在真正选兵之时一定要遵循精兵原则："故募贵多，选贵少。多则可致贤愚，少则乃有精锐。"①

对于选人标准，何良臣也进行了论述："最喜诚实，独忌游闲，不在武技勇伟，而在胆气精神。"② 也就是说，要优先挑选那些诚实可靠之人，而且注重胆气精神。这些诚实之人，多在乡村和田间，故而要到耕种的农民中挑选。至于身处城市的百姓，则要慎重选择。因为他们多为"市井狡猾、衙门玩法、崛强偏拗、宿留女相、阔论迂谈、胆小力弱之辈"③。

在选拔士卒时，首先看重精神和胆气，这一观点与戚继光非常相似，但讨论问题的视角有所不同。④ 戚继光注意到"有胆"的好处，何良臣则强调了"无胆"的弊端："大率其选务精，而其用在胆。伶俐而无胆者，临敌必自利；有艺而无胆者，临敌忘其技；伟大而无胆者，临敌必累坠；有力而无胆者，临敌心先怯。俱败之道也。"⑤ 其次则是考察是否"膂力便捷"，看看这些选拔对象是不是强壮有力，是否身手矫捷。既然如此，征募范围首选"二十岁以上，四十岁以下"，因为这个年龄段的人正是年轻力壮："胆力倍人，精

---

① 何良臣：《阵纪》卷一《募选》，《中国兵书集成》编委会编：《中国兵书集成》第二十五册，解放军出版社、辽沈书社，1994年。

② 《阵纪》卷一《募选》。

③ 《阵纪》卷一《募选》。

④ 详细讨论参看戚继光：《纪效新书》（十八卷本）卷一《束伍篇·原选兵》，《中国兵书集成》编委会编：《中国兵书集成》第十八册，解放军出版社、辽沈书社，1995年。

⑤ 《阵纪》卷一《募选》。

神出众，而智识过一队者，立为伍队之长。更于伍队长内，拣选材艺伎俩堪作千、百夫长者，为一营之司率。负出群异众之才，果敢凭凌之气者，宜即举为偏裨将、部曲侯。"① 当然，何良臣也反对一刀切，反对采取过于绝对化的措施。比如四十以上的，虽然胆气和精力日渐衰惫，也不堪劳苦，但其中也有一些"武技兼人，手足利捷，曾经战斗，惯识夷情"②。对于这些老兵，何良臣主张用人之长，比如让其充当"司教、司战"。还有一些老者，由于"乖觉晓事，诚慎细密，备谙山川进退险易"③，则可以令其充当哨探和巡察。包括那些有特殊才能之人，也要予以重用："捷能飞檐走壁而杀人放火，技能奇巧异人而骇世惊俗，术能窥天测地而预知吉凶之类，俱应选入中军，为心膂之用。"④

对于选人方法，何良臣也进行了探讨。他反对简单地以蛮力大小作为选人标准，指出："徒试其力，而不观其精神，是粗砺钝汉耳。"⑤ 能举铁石器固然不错，但更要观察其是否耳目伶俐，是否手足便捷。所以，要将那些年齿适当、膂力过人、耳目清楚、手足伶俐和胆艺过人者作为上选。在这些人中，又可以挑选出那些身躯伟岸、胆气和武技超出常人的，让他们充当头领。

戚继光非常重视选兵问题，对"选兵"的基本原则和方法等都有论述。他非常重视选用"乡野老实之人"，尤其重视其中"黑大粗壮辛苦，手面皮肉坚实，有土作之色"。⑥ 何良臣在很大程度上继承了戚继光的思想，用"乡野之人"，但他对"乡野之人"的理解与戚继光也有所不同。在他眼里，这些"乡野之人"之所以是更合适的人选，是因为他们"惧官畏法，诚信易于孚感，而且不敢度测

---

① 《阵纪》卷一《募选》。
② 《阵纪》卷一《募选》。
③ 《阵纪》卷一《募选》。
④ 《阵纪》卷一《募选》。
⑤ 《阵纪》卷一《募选》。
⑥ 《纪效新书》（十八卷本）卷一《束伍篇·原选兵》。

我笼络之术，即绳以重威，使其入伍便畏军法，继以恩信"①。

选拔精锐之士，当然是每个指挥员的愿望，但是理想和现实之间往往存在着差距。何良臣虽以上述选人标准为"承平选士不易之规"②，但也看到这种标准在执行时的困难。例如遇到紧急情况，身处乱离之世，那就只能"驱老幼，用乌合，集市人"③。只是这样的乌合之众很难克敌制胜。如果想使用这样的队伍克敌制胜，那就需要多想一些其他办法才行，比如《孙子兵法·九地篇》中所说的那种"陷之死地"的方法："致之以死地，而使其人自为战也；重诱以爵赏，而使其慕战乐斗也；激发以忠义，而启之以怨仇也；悚告以利害，而悟之以多方也。"④ 在何良臣看来，通过"陷之死地""诱以爵赏""激发忠义"及"晓以利害"等方法，可以激发那些乌合之众的战斗力。这里其实牵涉到编列队伍等问题，必须依靠那些善于治军的将帅才能做到。何良臣指出："惟束伍以致其节，因力以授其器，信必以服其心，分门以教其技，此四语无分有急、承平，但欲用兵，便不可缺其一。"⑤ 由此可见，能否做好"束伍"，同样关系重大。

何良臣首先指出了"束伍"的总原则："疾而条理，严而简便。"⑥ 接着他点出了"束伍"的大致过程：等兵士募齐之后，通过过堂点名的方式，选定就编队伍。每队都认真登记士卒籍甲、年貌、疤记、尺寸、斤力、住居、习艺等，到了次日，令其各领腰牌、衣甲、旗帜和器械。此后，严格控制其出入营门，不允许士卒外出，也不许他们与隔壁营寨私自交往。一旦将伍列编定，相应的禁令随之而出。伍长必须熟悉属内五人的性情和声音，队长也必须知道一队之内各人的胆力和强弱。不仅如此，自偏裨将至于伍队长，由上

---

① 《阵纪》卷一《募选》。
② 《阵纪》卷一《募选》。
③ 《阵纪》卷一《募选》。
④ 《阵纪》卷一《募选》。
⑤ 《阵纪》卷一《募选》。
⑥ 《阵纪》卷一《束伍》。

而下必须签订条文，规定不许有懒惰、怯弱、嫖赌、为非、逃脱、顶替等现象发生，一旦发生则甘心与之同罪。如果犯禁违令，则处以重刑，更会通过连坐之法，使其心存畏惧。

至于编列队伍的方法，何良臣推崇《周礼》等旧制，依据"伍编而分列"①。但他主张在周制的基础上有所变化。周制一般以五人为伍，二十五人为两，四两为卒，五卒为旅，二千五百人为师，一万二千五百人为一军，从"两"到"卒"，打破了"五"的固定建制。何良臣的编列方法则始终以"五"为基本建制数："五人为伍，五伍为队，五队一百二十五人为哨，五哨六百二十五人为总，五总三千一百二十五人为营，五营一万五千六百二十五人为镇。大约用一万八千人成一镇也，以二千三百七十五人为奇零之用。"②

编列完成之后，便是"授器"，也即分配武器装备。"授器"的要点在于，必须遵循短长兵器的运用特点和使用技巧等，做到因人而异。枪、筅、弓、弩、标、铳等，为长兵；刀、镰、钗、钯、牌、斧等，为短器。分配这些长短兵器，也很有技巧：力气稍大而且有胆气者，可以教他操练长牌；壮健而且进退持重者，则可习狼筅；年少利便手足轻捷者习藤牌；壮年有杀气而且有战斗精神者，可以习长枪；骁勇活泼而运转飞腾自如的，则可以习短器；至于身体相对矮小但坚健伶俐者，可以练习鸟铳药弩；那些老实本分，能够负重，而且甘为人下者，可以充当火兵……总之，要按照士卒的各自特点发放兵器，保证长短兵器的战斗性能得到充分发挥。

在完成"束伍"、编列和授器之后，就需要加强教育和训诫，使他们懂规矩、守纪律，同时也要教士卒学会遵守礼义之道，懂得知耻。在何良臣看来，"耻感"非常重要，为每个士卒所必备。只有知耻，才会以奋进冒死为荣，以退却求生为耻，大足以战，小足以守。

---

① 《阵纪》卷一《束伍》。
② 《阵纪》卷一《束伍》。

《吴子》强调"教之以礼，励之以义，使有耻也"①，便是这个原因。除此之外，也需要教育大家团结一心。一旦入伍，就要使得全体士卒体察和培育生死与共之情，既不得倚仗强悍而欺压卑弱，也不能自恃先入伍而欺侮后来者，必须使得"将吏与军士情同父子，义若弟兄，疾病相扶，患难相救，寒暑饥饱，苦乐均之"②。何良臣指出，如果一个将帅能懂得这些道理并加以运用，那么"为将用兵之道，已得大半"③。只有这样的军队才会充满战斗力，能在战场上取胜。

　　要想使得军士团结一心，教育只是手段之一，另一重要手段则为赏罚。《孙子兵法》治军思想的总原则是"令文齐武"，也即"令之以文，齐之以武"④，讲究的是文武并用。何良臣一面强调教育，一面强调赏罚，其实正是继承这一主张。在何良臣看来，天子设绂冕就是为了尊贤，制斧钺就是为了诛恶，所以必须有赏有罚，赏罚结合，相得益彰。不仅如此，在必要的时候，还要施行重赏和重罚，而且还要做到标准统一，不避贵贱："能行诛于贵显，下赏于微贱，则威自伸而明不翳。"⑤ 何良臣还通过引用古代经典，来进一步说明赏罚的重要性。其中，《管子》引用两次，分别为"明赏不费，明刑不暴"和"用赏贵诚，用刑贵必。"⑥《尉缭子》引用一次，"发能中利，动则有功"⑦。在强调赏罚的基础上，何良臣主张"重连坐之刑，信崇赏之令，行诛大之权，厚下士之礼"⑧，如此则可实现军容自整，武艺自精。反之，如果没有必要的赏罚手段，就会带来

---

① 《吴子·图国》，《中国兵书集成》编委会编：《中国兵书集成》第一册，解放军出版社、辽沈书社，1987 年。

② 《阵纪》卷一《束伍》。

③ 《阵纪》卷一《束伍》。

④ 《孙子兵法·行军篇》。银雀山竹简本作"合之以交，齐之以武"。

⑤ 《阵纪》卷一《赏罚》。

⑥ 分见《管子·枢言》《管子·九守》。"用赏贵诚，用刑贵必"，《管子·九守》作"用赏者贵诚，用刑者贵必"。《管子》，《四部丛刊》景宋本。

⑦ 《尉缭子·制谈》，《中国兵书集成》第一册。

⑧ 《阵纪》卷一《赏罚》。

"事是而不能立，事非而不能废"① 的恶果。

　　接下来，何良臣探讨了赏罚的实施原则和具体方法。赏罚固然重要，但如果赏罚失当，也会造成不良后果，比如会立即带来"废一善则众善衰，赏一恶则众恶归"② 的负面效应，所以必须坚持原则，讲究方法。何良臣总结的原则方法有这两点：第一是频率适当，也即"赏罚不可以疏，亦不可以数"③，不能频繁地赏罚或大面积地推行赏罚。第二是轻重适当，也即"赏罚不可以重，亦不可以轻"④，赏赐太轻则无法起到激励作用，惩罚太轻也无法起到惩戒作用。总之，一定不能让士卒"轻刑而忽赏"："轻刑则将威不行，故严刑罚以明必死之路；忽赏则上恩不重，故信庆赏以开必得之门。"⑤ 自古赏罚出自主将，因此主将能否秉持公正之心，能否杜绝军中私议，都显得至关重要。何良臣指出，一旦对有功之人进行颁奖，胆敢有人奏请不赏的，必须斩首；处罚有罪之人，如果有人胆敢出门予以阻拦，同样需要斩首。这样才能在做到"军中无二令"的同时，也可以有效杜绝"市私恩，借公议"的现象。⑥ 在何良臣看来，"赏罚须行于平日"，只有做到平时的纪律严明，才能保证战时的三军用命。由此出发，何良臣总结指出："敌势轩然如决积水于千仞之上，巍然如转圆石于万丈之巅，天下皆度吾兵之不敢进，而吾之士卒无不齐勇负气，虽死伤过半而蚁进不止者，无他术焉，刑赏信也，必死故也。卒之所以能必死者，感上义之素隆也；而我之所以能令其必感者，为积恩之不倦，威令之素行也。故曰：施积恩者，不可与战。然亦有军势迫穷，恐人离散，故数赏以安之；人力倦乏，已不用命，故数罚以督之。俱无济于事。是以赏罚须行于平

---

① 《阵纪》卷一《赏罚》。
② 《阵纪》卷一《赏罚》。
③ 《阵纪》卷一《赏罚》。
④ 《阵纪》卷一《赏罚》。
⑤ 《阵纪》卷一《赏罚》。
⑥ 《阵纪》卷一《赏罚》。

日也。"① 也就是说，不仅是平时注意赏罚，更应在战时强调赏罚。

除了祭出平常将领所惯用的赏罚措施之外，何良臣也强调"以威德服人"②。无论是赏是罚，都要做到"必持至公"③，这样才能保证整个军队上下一心，首尾相顾，坚不可摧。尤其是在战时，如果能以威德服人，或以智谋使敌屈服，不通过杀戮就使得对方投降，赚得敌之良将，这就叫"不世功"。这当然要予以重赏。等而次之的，则有"奇特功""上功""中功""下功"等，都要给予相应的奖赏。虽然是偏裨以下军士，但如果得"不世功"之赏，就应当给予特别提拔，比如拜左右副将、储将、材官，以至部曲长等。反之，如果在战争中犯了过错，比如贻误战机、临战退却等，都要给予严惩。当然，也要注意做好惩前毖后、治病救人，对于犯错之人，应给予罪犯戴罪立功的机会。比如，一旦军士犯罪，就给他在战场上纠错的机会。如果他能够拼死直抵贼营，能建奇功，就可以"免死复赏"④。

二、训练思想："教练"和"致用"

在完成招募和编列之后，一方面需要开展耻辱观和军纪教育，另外还需要进行必要的军事技能训练。有关这方面内容，明代著名军事家戚继光有较多探讨，在《纪效新书》《练兵实纪》中也有集中展现。何良臣对此也有关注，并进行了深入探讨。他非常强调对那些已经编列成伍的军士，必须组织军事技能训练，尽快完成由"教练"到"致用"的过程。

众所周知，组织训练也要讲究方法和步骤。何良臣指出，训练如果不得其法，"虽朝督暮责，无益于用"⑤。那么，什么才叫训练

---

① 《阵纪》卷一《赏罚》。
② 《阵纪》卷一《赏罚》。
③ 《阵纪》卷一《赏罚》。
④ 《阵纪》卷一《赏罚》。
⑤ 《阵纪》卷一《教练》。

得法呢，他认为是"善练兵者，教艺有师，教战有率"①。也就是说，先要找到称职的教官，再树立优秀的表率，然后才能有步骤地展开训练。仅就队列训练来说，必须做到"整行齐伍"，除了统一号令之外，更要整齐队伍。如果是进行兵器训练，一定要正确区分各种武器装备的性能，长短兵器互相搭配，因为"短兵有长用，长兵有短用"②，必须使各种长短兵器都能够放在最为合适的地方，才能使其在战阵之间发挥出最大效率。

何良臣指出，在平时训练中，要注意施行"五教之法"。所谓"五教之法"，即"以形色之旗教其目，以金鼓之声教其耳，以进退之节教其足，以长短之利教其手，以赏罚之信教其心"③。在何良臣看来，这一"五教不易之大纲"，必须严格遵循。从《孙子兵法》等兵书来看，中国古代很早就重视金鼓、旌旗对于军队指挥所起的作用，通过各色之旗和金鼓之声统一号令，可以保证军队的进退有节。④ 金鼓和旌旗的作用，就是"一人之耳目也"。如果军队能做到进退统一，"则勇者不得独进，怯者不得独退"，这就能保证军队始终是一个整体。所以孙子总结道"夜战多火鼓，昼战多旌旗，所以变人之耳目也"⑤。在中国古代，人们有时候把金鼓、旌旗这些故意神秘化，以加强对士卒的控制。比如《管子》将其作为"治国之器"看待。⑥ 直至宋明时期，从《虎钤经》《纪效新书》等兵书可以看出，人们仍在高度强调金鼓、旌旗的作用。在《纪效新书》中，戚继光认为，从训练到出征，再到战场决战，金鼓、旌旗始终是最为重要的指挥工具，所以始终有很多笔墨予以探讨。何良臣同样重

---

① 《阵纪》卷一《教练》。

② 《阵纪》卷一《教练》。

③ 《阵纪》卷一《教练》。

④ 《孙子兵法·军争篇》引《军政》曰："言不相闻，故为金鼓；视不相见，故为旌旗。"

⑤ 《孙子兵法·军争篇》。

⑥ 《管子·重令》。在《管子》看来，所谓"治国之器"有三：一曰"号令"，二曰"斧钺"，三曰"禄赏"。而这三者，各有作用："非号令毋以使下，非斧钺毋以威众，非禄赏毋以劝民。"

视金鼓和旌旗，但他将这二者与"进退之法""长短之利""赏罚之信"并称为"五"，总称为"五教"。在"五教"之中，金鼓和旌旗的地位仍很重要——何良臣将其排列为前两项，指出其"同其心，一其气，指之前，麾之后，顾之左，应之右"① 的作用，但也指出，军事训练不能仅仅围绕这些展开，还必须教会军士进退之法、操练兵器的要领、明确军队的法令法规等。在他看来，这些内容同等重要，都不可偏废："能如是，乃可称教练之卒，用兵之雄。"② 虽说"五教"的主要内容仍未逃离古代固有模式，但也需承认何良臣在军事训练方面的独到之见。

　　在训练过程中，特别强调"胆气"的训练，也可看出何良臣的识见。戚继光强调选兵过程中，尤其要着力把那些富有胆气之人选拔出来，指出："惟素负有胆之气，使其再加力大、丰伟、伶俐，而复习以武艺，此为锦上添花，又求之不可得者也。"③ 他也强调训练中"练胆"，认为"练胆气乃练之本也"④，可见其对胆气非常看重。何良臣的观点与戚继光保持一致，同样强调"练胆"的重要性，指出："教练武艺，节制行列者，总为张胆作气之根本。"⑤ 他还认为："兵无胆气，虽精勇，无所用也。故善练兵者，必练兵之胆气。"⑥ 在何良臣看来，每个人的胆气有大有小，这是客观存在，不可苛求："夫人之胆有大小，其大小不可预知；气有勇怯，其勇怯不能凭识。"⑦ 但是，通过扎实有效的训练仍是可以培养出胆气的。所谓"胆"，有时候更是"气"。所以，"气"是一身之用，死生荣辱系之。高明的指挥员总能"作其气而张其胆"，令千百将士负胆气而前行，如果更有精于武艺而且训练有素的人，并能够很好地执行战术

---

① 《阵纪》卷一《教练》。
② 《阵纪》卷一《教练》。
③ 《纪效新书》（十八卷本）卷一《束伍篇·原选兵》。
④ 《纪效新书》（十四卷本）卷十一《胆气篇》，《中国兵书集成》第十八册。
⑤ 《阵纪》卷一《教练》。
⑥ 《阵纪》卷一《教练》。
⑦ 《阵纪》卷一《教练》。

纪律，就会无往而不胜。①

训练胆气的关键，何良臣认为是练习武艺。只有武艺高强，才能获得更加出众的胆气。所以，他指出："故善练兵之胆气者，必练兵之武艺。"② 其次，要加强阵法训练："故善练兵之武艺者，必练兵之阵法。"③ 在严整的阵法之中，即便是缺少胆气的军士，也会变得勇敢起来。严整的阵法尤其不许冒犯纪律胡来："负胆气者，不得独先而致蹶；精武艺者，不得恃技而乱冲。"④ 在何良臣看来，这么做的好处是，在做到"齐勇合一"的同时，也能做到"倏忽万状"，从而富有变化，令敌军无从捉摸。具体说来就是："其进也，齐勇合一，如奔潮之入钱塘；其止也，如崇山深林，使敌敢望而不敢进；其变也，分如掣电，合如乌云，聚散率然，倏忽万状；其退也，前忽为后，后忽为前，虎正龙奇，旋坤转乾……故使士卒熟识我之阵法，而莫待其预测我之用变化也。"⑤ 俗话说，兵贵精，不贵多。如果在平时做好训练，将士胆气干云，武艺出众，那么在战争中不需要太多人马也可以打赢战争。何良臣指出，商汤以良车七十乘，必死之士六千人，周武王以虎贲三千人，简车三百乘，齐桓公以锐车三百乘，教卒万人，都可以威行海内，天下莫当。其他如晋文公和阖庐等人，也都是以少量兵马挫败强敌，由此可见选拔和训练王霸之兵，走精兵路线的重要性。

队伍训练有素只是战胜敌军的一个重要前提，在战场上合理编配军事力量，认真选人用人，同样非常关键。所以何良臣写有《致用》等篇，专门讨论这些问题。战争发起后的编伍，与招募之后的编伍，并非完全一致。平时的编伍完全是着眼于训练方便，可叫作"束伍"。至于战时的编伍，则完全是着眼于打赢，所以可称"致用"。所谓"致用"，就是通过合理的战术编组等，最大程度地激发

---

① 《阵纪》卷一《教练》。
② 《阵纪》卷一《教练》。
③ 《阵纪》卷一《教练》。
④ 《阵纪》卷一《教练》。
⑤ 《阵纪》卷一《教练》。

各级将士的战斗潜能。何良臣认为，"致用"的关键是用好关键性人才。对于重要岗位的关键性人才，一定要很好地结合他们各自的特点，做到用人之长和用人之才："人莫不有贤愚，才莫不有奇拙，识莫不有浅深，事莫不有穷竭。善用人者，必尽用其贤愚；善用才者，必尽驭其奇拙；负远识者，必预得其浅深；善料事者，先已判其穷竭。固亦有假人之长以补其短，用人之才以发其气。"① 在何良臣看来，"人莫不有贤愚"，必须做到方法得当，才可以"尽用其贤愚"。对于重要人才，一定要很好地结合其各自特点，因材施治，才能达到"假人之长，以补其短；用人之才，以发其气"② 的效果。

为了说明这个问题，何良臣借助申述《六韬·王翼》的用人思想，对其进一步加以探讨。《六韬·王翼》中，作者"以七十二人各尽所长，分统轻重，为股肱羽翼之佐也"，或总揽计谋，或司占审候，或察远近险易，或通达饷道，或执锐披坚，或考校艺文，或察言观色，或伺察奸变，或计营垒之增减……总之"尽人之才以致其用"，所以才能称"王者之略"。③

何良臣不仅赞同《六韬》的用人思想，积极主张"假人之长，以补其短；用人之才，以发其气"④，而且强调在平时应注意做好各种人才储备工作，组建诸如"异术队""秘技队""胆勇队""敢死队"乃至"乞降队"等各种不同功用的"特种部队"，以备"不时之需"和"不时之使"，具体措施有："故军中宜有储将队、材士队、异术队、秘技队、胆勇队、羞过队、激恩队、敢死队、恨敌队、乞降队、亡命队，须另致一军，驭以诚信，为不时之使。"⑤ 无论是"用人之长"，还是"用人之才"，都非常重要，但都是说来容易做来难。对此，何良臣也非常清楚，所以他说："军中惟为使之才尤

---

① 《阵纪》卷一《致用》。
② 《阵纪》卷一《致用》。
③ 《阵纪》卷一《致用》。
④ 《阵纪》卷一《致用》。
⑤ 《阵纪》卷一《致用》。

难，而一言之得失，则三军解结死生系耳。"①

其中，辨别各类人才的特长尤为关键。考察各类人才的特点之后，再将其派到各个关键性岗位。比如，就出使人才的选拔来说，他主张从四个方面进行考察：是否能因隙立端、详言足意；是否能泛从古咎、隐喻今非；是否能辨析至理、诂释德义；是否能启闭利害、喜怒疾徐。只有四者俱备，才可以担任出使敌营的任务。对于其他各种岗位，也应该详细考察其才能，力争做到人尽其才，对各类人才应区别对待："他如蛇行蜮伏者，可使为报探；贫穷忿怒者，可使立功名；勇悍过人者，可使陷阵突围；弓弩中的者，可使潜射敌首；武技绝伦者，可使应危御急；过犯亡命者，可使后殿先驱；巧辩饶辞、利口便舌者，可使为激劝；精谙世故、熟识高低者，可使为门吏；清介不苟者，可使主分财；持正不屈者，可使为犯难；因显知微者，可使察敌情；博见闻、多智略、精异技、妙神术者，可使为隐辅；骁猛能格敌、恪密而沈审者，可使为心膂。"② 在这里，何良臣不厌其烦地对各种人才都提出了考察方法和使用建议，既可看出他对特殊人才的高度重视，也可看出他对《六韬·王翼》的继承和发展。

在何良臣看来，如果想在战阵之间取得成功，除了重用各类人才之外，还需要努力达成"节制之师"。何为"节制之师"，何良臣说："堂堂正正者，节制之师也。"③ 各类人才充斥各种关键岗位，只是"节制之师"的部分条件，不是全部。对于"节制之师"的表现形态，何良臣也进行了描述："解续不搀越，凌翼各轻利，左右角掎，前后顾应，曲直方圆，无不绳正。动静死生，系乎旗鼓，离合聚散，不失行伍。似勇而不勇，似怯而不怯，似治而不治，似乱而不乱。纷纭浑沌，驻足成阵，面面受敌，威无不振。"④ 在何良臣看来，这样的"节制"之师，分合自闲，而且奇正自变，即便是不能

---

① 《阵纪》卷一《致用》。
② 《阵纪》卷一《致用》。
③ 《阵纪》卷一《节制》。
④ 《阵纪》卷一《节制》。

保证大胜，也不至于出现大败。这样的队伍，肯定是在平时就训练有素，纪律严明，故而始终保持旺盛的战斗力。孙子曾说"无邀正正之旗，勿击堂堂之陈"①，可以看出堂堂正正的"节制之师"，就连孙子尚且畏惧几分，训诫大家不要轻易对其发起攻击，只此便可以想象这是何等森严的阵势。

既然"节制之师"非常重要，何良臣对打造"节制之师"的方法也有一番探讨："凡出军操演，围猎扬兵，或传几路进发，行止寝食之间，兵不得离伍，伍不得离队，队不得离哨，哨不得离营，营不得离镇。设或停歇市镇郊原，虽粪土污湿之处，自依次序而止，不得取便搀越，所谓'行由路，集成营，遵节制'也。"② 从中可以看出，所谓"节制之师"，既需要平时的养成，更需要战时的坚守。这就是《吴子》所说的"兵以治为胜"。所以，《吴子》所说的"居则有礼，动则有威；进不可当，退不可追；前却有节，左右应麾"③，正是成就"节制之师"的要诀。所以，何良臣相信这样的"节制之师"，不仅战斗力强大，也一定能够"投之所往，天下莫当"④，圆满地完成战斗任务。

总体而言，治军理论是《阵纪》军事思想较为突出的内容，既有对《孙子兵法》《吴子》等经典兵书继承的一面，也有深入发展的一面。由"招募"到"束伍"，再由"教练"到"致用"，是《阵纪》治军理论的主线，大量讨论治军方法和手段，仍要落实到战争实践中去，是为了实现战场上克敌制胜。就这一点而言，它和戚继光《练兵实纪》等兵书类似，反映出明代兵书贴近实战、追求实际战争效果的特点。另外，作为与戚继光差不多同时代的军事理论家，何良臣的治军理论多少可以看出受其影响的痕迹，但也有其独到见解。比如他总结的"五教之法"及如何实现"用人之长"等，

---

① 《孙子兵法·军争篇》。
② 《阵纪》卷一《节制》。
③ 《吴子·治兵》。
④ 《吴子·治兵》。

都有着鲜明的自身特点。

三、用兵布阵：重视"奇正"和"众寡"

奇正是中国古典兵学中非常重要的一对范畴，也为历代军事家所重点关注。《孙子兵法》对此也有讨论，先是指出"三军之众，可使必受敌而无败者，奇正是也"，又说"战势不过奇正，奇正之变，不可胜穷也。奇正相生，如循环之无端，孰能穷之?"①银雀山出土竹简中有《奇正篇》专门讨论奇正问题，《唐太宗李卫公问对》也对奇正进行深入探讨，指出"善用兵者，无不正，无不奇，使敌莫测"②。除了诸多重要兵书之外，许多著名的军事家，如曹操、戚继光等，都对此论题有不同程度的探讨。在《阵纪》中也设有专篇讨论奇正，他的讨论结合虚实而展开，可谓另辟蹊径。

何良臣首先强调了奇正的作用："奇正生而后变化不竭。惟变化不竭者，乃能致胜于无形。"③在他看来，奇正是达成变化的根本，战争中只有做到变化莫测，才能夺取战场主动权，获得胜利。接下来，何良臣花费很多笔墨阐释他所理解的奇正。他借用《淮南子》"奇正相应，若水、火、金、木之代为雌雄"④一语，指出奇正是雌雄对应，找出了"奇"，也便找到了"正"："故静为躁奇，治为乱奇，饱为饥奇，佚为劳奇。而轻疾悍敢，若灭若没，无不是奇也。"⑤所以，要想达成奇正，那便需要像孙子那样"善出奇"："善出奇者，无穷如天地，不竭如江河。"⑥以此类推，又可以找出很多"出奇"之法："以旁击为奇，埋伏为奇，后出为奇；选锋为正，先

---

① 《孙子兵法·势篇》。
② 《唐太宗李卫公问对》卷上，《中国兵书集成》编委会编：《中国兵书集成》第二册，解放军出版社、辽沈书社，1988年。
③ 《阵纪》卷二《奇正（虚实）》。
④ 顾迁译注：《淮南子·兵略》，中华书局，2009年。
⑤ 《阵纪》卷二《奇正（虚实）》。
⑥ 《孙子兵法·势篇》。

合为正，老营为正……"①　在何良臣看来，一般是将正面抵挡敌军的作为正兵，在左右担任辅翼的为奇兵，其实正兵之中也有奇兵，奇兵之中也有正兵，奇正之变无法穷尽。如果以金鼓和旌旗来进行辨别，那就是"无不可以为首，无不可以为尾，无不可以为伏翊，无不可以为奇正"②。这种论断，其实就是《唐太宗李卫公问对》所说"无不正，无不奇"的翻版。因此，那些把"正者只做正兵，奇者只做奇兵"的，一定只是庸将，必定会在战场上吃败仗。那些真正善用奇正的指挥员，不但令敌人不识我之奇正，也无法预测我方孰为奇孰为正，这样才能确保我方立于不败之地。

　　从何良臣的论述来看，预测"何为奇何为正"其实就是探知敌方虚实，所以他继续从虚实的角度来论述奇正。在他看来，知晓奇正相变之术，便可得知敌人虚实之情，正是奇正"致敌之虚实"③的道理。按照常理，敌方实便用正，敌方虚便用奇，所以他们猜测我方用正，便会以奇击之，猜测我方用奇，便会以正击之，那么我方则可以反其道而行之，打乱对方的作战意图："所谓形之者，以奇示敌，非吾正也；胜之者，以正击敌，非吾奇也。故善用兵者，必使敌人不识我之孰为正，孰为奇。"④　所以在何良臣眼中，奇正和虚实密不可分，只有那些善于揣测敌方虚实和敌方作战意图的，才可称作善用奇正。而且，了解奇正的主要内容，学会变化奇正，一定不是最终目的。其最终目的是要在战场上运用奇正，达成虚实变化，进而获得胜利。

　　唐代的李靖是一位善用奇正的将领，曾就奇正留下精彩论述。但在何良臣看来，李靖关于奇正的理解仍有可商之处。比如李靖曾说"旗齐鼓应，号令如一，虽却非败，必有奇也"，何良臣便对此进行了反驳，认为兵法中还存在所谓"以诈而施"，也可能会施行诈术

---

① 《阵纪》卷二《奇正（虚实）》。
② 《阵纪》卷二《奇正（虚实）》。
③ 《阵纪》卷二《奇正（虚实）》。
④ 《阵纪》卷二《奇正（虚实）》。

而将溃败之师充当节制之师。① 李靖还曾指出"善用兵者，教正不教奇"②，何良臣对此同样不以为然。他说，"奇而不教，则号无以别，变何以施"，奇正之法都必须谙熟于胸，才能行使"相生无端"之变术。③ 李靖是以善战和善用奇正而闻名天下，但在《奇正（虚实）》篇，何良臣多次就奇正问题与之进行辩驳，可见他对自己的理论充满自信。

通观何良臣的论述，有些内容属于故作玄虚，复杂得如同绕口令，不免给人"以其昏昏使人昭昭"的感觉。但有些倒也通俗易懂，比如，他以人体为喻说明奇正问题，就显得非常形象生动。何良臣论述道："正兵如人之身，奇兵如人之手，伏兵如人之足。有身而后有手足也，三者不可缺其一。三者能俱用，而旗鼓秘之，是为神化。故三分其一为奇伏，然伏出于奇者也，奇又出于正者也。"④ 从中可以看出，在奇兵和正兵之外，何良臣又列出伏兵，接着又大段阐述使用伏兵的方法和原则。比如"善用伏者，自无处不伏耳"，再如"如敌入伏内，伏必胜也。敌当我头而来，伏易为也"，但是这些伏兵的运用，仍然是在"识奇正"的基础之上。只有善于分别奇正，才能使用伏兵制胜："世之庸将，尚不识何以为奇，何以为正，何以为伏，又乌能出无朕之化，发不尽之机耶？"⑤ 可见，奇正是用兵的基础，掌握了奇正之法，才可以辨别虚实。掌握了虚实的诀窍，才可以"致用之以神"⑥。

何良臣虽然对李靖多有不服，但他从未对《孙子兵法》有所冒犯。其论奇正，多结合虚实展开，这其实也是孙子的逻辑。孙子在

---

① 《阵纪》卷二《奇正（虚实）》。《唐太宗李卫公问对》卷上："若旗齐鼓应，号令如一，纷纷纭纭，虽退走，非败也，必有奇也。"又，一说《唐太宗李卫公问对》为托名之作。

② 《唐太宗李卫公问对》卷中。

③ 《阵纪》卷二《奇正（虚实）》。

④ 《阵纪》卷二《奇正（虚实）》。

⑤ 《阵纪》卷二《奇正（虚实）》。

⑥ 《阵纪》卷二《奇正（虚实）》。

《势篇》开篇提出了四个概念——"分数""形名""奇正"和"虚实"。这些概念一个比一个费解，孙子花费的笔墨也越来越多。前面两个一笔带过，"奇正"是《势篇》的重点内容之一，"虚实"则开辟了专章讨论。孙子说"三军之众，可使必受敌而无败者，奇正是也；兵之所加，如以碬投卵者，虚实是也"①，可知"奇正"和"虚实"关系之密切。

不仅如此，孙子讨论虚实问题，目标是避实击虚，以众击寡："我专为一，敌分为十，是以十攻其一也，则我众而敌寡。"② 从总体上来看，何良臣的思路与孙子非常相似，在讨论奇正和虚实之后，便专门探讨众寡之用。孙子在《谋攻篇》总结"知胜之道"时说，"识众寡之用者胜"，何良臣对此也非常认同。他指出，在战争中如果做好了"众寡之用"，即便是兵力不如对方，只要上下齐力一心，无畏向死，也可以做到"进不可当，退不可追"，所以他总结道："用众者，进而止之；用寡者，进而退之。所以识众寡之用者胜。"③

"众寡之用"与战争胜负有着密切联系，兵力部署、奇正运用和虚实配置等，都与之息息相关。何良臣认为，"众寡之用"不只是追求简单的数量，还应该讲究兵员的质量。所以，他在认同"众寡之用"的同时，还提出了"众寡之治"，突出强调的是"治"："众寡之用，法固称难，而更当识众寡之治也，求众寡之情也，审众寡之敌也。"④ 他继续以孙武等人为例证，说明兵贵精而不贵多的道理。在他看来，兵员虽多，不善治理，不会使用，最终只能是"将众而用寡"；反之，如果是一支训练有素的队伍，指挥员方法得当，就可以取得"将寡而用众"的效果。在他眼中，"孙武以三万胜，吴起以五万雄，管仲以七万霸，汤、武以万人王"⑤，都是识"众寡之

---

① 《孙子兵法·势篇》。

② 《孙子兵法·虚实篇》。

③ 《阵纪》卷二《众寡》。

④ 《阵纪》卷二《众寡》。

⑤ 《阵纪》卷二《众寡》。

治"的原因。身为指挥员，如果善于识别"众寡之治"，就不会被数量占优的敌军吓倒，可以趁着"敌众不治"而"一击乱之"。高明的指挥员善于审势相机，把握住对方的"不治"："观其不治，便可冲之。"① 当然，敌众我寡的局面，自然会给己方士卒带来几分畏惧，进退变得犹豫不决，缺少必胜的勇气和决心。这时候就应该"开以必生之机，示以必死之路"②，让士卒的畏惧之心冰释，作战勇气重生。既然有了战斗气概和决战的勇气，战场的局势就会由此发生根本改变。值得注意的是，"开以必生之机，示以必死之路"的战法，其实是从《孙子兵法·九地篇》中"陷之死地而后生"化出，但也有所变化。孙子"死地求生"的战法强调的是"示以必死之路"，何良臣强调的是"开以必生之机"。

何良臣不迷信经典，不盲从权威，敢于对李靖这样的著名军事家发难，但他对孙子非常崇敬。对孙子的兵学理论，何良臣更多的是阐释，只间或有所发挥。除了上述"奇正"理论之外，他对"率然"理解也是如此。

孙子曾指出，善于指挥作战的，就应当使得队伍能够做到首尾呼应，就像是"率然"。所谓"率然"，其实是一种蛇。这种蛇反应敏捷，击打它的任何一个部位都不容易，因为它的头部和尾部都会赶来救援。孙子主张，军队各部分之间的相互接应就应该像率然这种蛇一样迅捷。这样的部队才是一个完美的整体，很难被完全击败。③ 对于这一观点，何良臣极为赞赏，不仅完全接受，还以"率然"为题特地设专章探讨军队各部分之间的呼应问题。在何良臣看来，不管兵力是众是寡，各部分之间都需要做好呼应，以达成"率然之势"："所谓率然之势者，言其首尾顾应，斯须不离，腰不可断，首不可击，尾不可摧。故曰率然如常山之蛇。所以善用兵者，无不

---

① 《阵纪》卷二《众寡》。
② 《阵纪》卷二《众寡》。
③ 《孙子兵法·九地篇》。

率然。"① 何良臣对"率然"所作阐释重点突出的是"首尾顾应，斯须不离"，这几乎是孙子的翻版，但他又认为"善用兵者，无不率然"，则又更进一步。孙子论"率然"，是围绕死地决战，也即千里奔袭战略而提出。何良臣则认为军队之间的呼应必须贯穿于始终，在平时或战时的各种场合都需做好互相呼应，这才能确保部队始终处于不败之地："故能握率然之用者，必能应变于不挠，而又能以率然制敌于不测。"② 所以他也就此将能否掌握和运用"率然之用"，作为判断能将或庸将的重要依据："能将之善任战者，率然如风之陡发，如云之陡合，如转圆石、溃积水于万丈之上，使人莫识其来、莫知所御，是谓握率然之用。"③ 不仅如此，何良臣认为"率然"这种呼应之势，不仅仅是军中之事，同样需要治国理政的统治者高度关注。何良臣总结天下突发情况为"五危"："以前古鉴之，则有五危：曰乱民也，曰罪弃也，曰荒淫也，曰四夷也，曰权篡也。"④ 在他看来，高明的战略家必须真正掌握"率然之用"，即使发生任何突发情况，仍可以从容加以应对。

四、既固守"阵法"，也重视"战机"

仅从书名就可以猜测，《阵纪》这本书有大量笔墨探讨阵法。事实也是如此：阵法确实为本书重点内容之一。在《阵纪》中，何良臣详细讨论了车战、骑战、步战、水战、火战、夜战、山林泽谷之战、风雨雪雾之战等各种列阵之法和作战之法。

何良臣首先是对主要阵法的历史演变进行了简要回顾。他指出，上古时期的阵法，无外乎是变化方圆："内外方圆，左右顾应，曲折参连，互隐奇正，备而简，固而整。虽神圣握兵，不外乎是。"⑤ 至

---

① 《阵纪》卷二《率然》。
② 《阵纪》卷二《率然》。
③ 《阵纪》卷二《率然》。
④ 《阵纪》卷二《率然》。
⑤ 《阵纪》卷三《阵宜》。

于变化方圆的目的，则无外乎是"申奇正之用，明进退之理"①。军事家能否在战场上保持节制之师，通过一个阵法就可以昭然而见。从伏羲氏的师卦阵，到轩辕氏的握奇阵，再到吕望的三才五行阵、郑子元的鱼丽阵、楚武王的荆尸阵、管仲的内政阵、阖闾的鸡父阵等等，都是如此。它们或内外俱圆，或内圆外方，或内方外圆，都曾在历史上发挥过重要作用。他还认为，著名军事家孙武从伏羲师卦的内外俱圆、黄帝握奇内圆外方，变而成为内外俱方，其实仍是奇正、分合的演变。② 高明的军事家一定不会受到方圆的拘束，而是果断变化，不断地创造出新的阵法。阵法的变化还必须考虑步兵战法与车战战法的结合，因为车法起于步法，步法则与车法紧密相关，因此变化阵法"大抵因地行权，得用步之妙"③。

接下来，何良臣又以韩信和诸葛亮等著名军事家为例，继续强调将帅灵活指挥、善于变阵的重要性。汉初名将韩信曾将三十万人分为五军列阵，以孔将军居东南而为左，费将军居西南而为右，自将前军居汉王之先锋，绛侯、柴将军又居汉王之后，如此排列垓下阵，就此大破楚军。韩信使用这种阵法之所以获得成功，是因为他正好遇到了自视过高的项羽。如果换了一个交战对手，韩信就未必能够依靠此阵破敌。诸葛亮依靠握奇阵推演变化，"推河洛之方圆，寓井田之遗制，分四奇四正"④，就此演变而成八卦阵。所谓八阵，分别为天阵、地阵、风阵、云阵、龙阵、虎阵、鸟阵、蛇阵，而且在这八阵之后，另有游骑二十四阵。各阵各队前后相连，奇正有别，进退有节，或方或圆，或曲或直，或前或后，合而为一，又列而有九，所以能够得到无穷之变化。八阵之所以堪称"昭泄幽微，委曲

---

① 《阵纪》卷三《阵宜》。
② 《阵纪》卷三《阵宜》。当然，何良臣也指出其中存在伪托现象："孙武之方阵、圆阵、牝阵、牡阵、雁行阵、罘罝阵、车轮阵、冲方阵、常山阵者，皆唐人裴绪所作。"
③ 《阵纪》卷三《阵宜》。
④ 《阵纪》卷三《阵宜》。

周备，极明作阵之理"①，并成为一代名阵，就是因为诸葛亮善于运用变化之术。后代的庸将，因为缺少这一才能，"不识其去留盈缩，妄捏形势，失其本来"②，不仅无法得到此类阵法的要诀，更无法依靠阵法而获胜。

在何良臣看来，善于变化的将帅，还可以利用步兵对阵法加以演变，以寡斗众、以弱胜强。比如吴起之进止队、李陵之驰骤队、韩信之轻凌队、张巡之聚散队等，都是如此："皆参古法今而作，其用变取胜，各有神异。"③ 其他如李牧、岳飞、杨素、吴璘、戚继光等名将，都善于运用方阵和圆阵作为基本阵型，再参以无穷变化："能将握步根本，练之精，出之熟，变之神，自可驱步卒横行而无敌也。"④ 此即多方"误敌"之术，主要通过奇正相混，达成所谓"无不是奇，无不是正"⑤ 的效果，令敌军无法探清我方虚实。与此同时，一定要注意遵循"安而静，出而理，轻而简，重而治"的原则，必须保持千变万化，前后呼应，做到"率然进止，车骑相因，终以继始"⑥。

在对历史上的名阵进行总结和回顾之后，何良臣总结道："故善作阵者，无一定之形，必以地之广狭险易，即据方、圆、曲、直、锐而因之可也，又从敌之众寡强弱治乱而因之可也。至于我之多少重叠，或为犄角，或分五行，或列三才，却在随时布演，务须首尾相顾，必应表里，阵队能容，形名故别，冲之不乱、撼之不动，斯为有得。"⑦ 在何良臣看来，阵法既要有方圆、曲直的变化，又要参考敌方之众寡、强弱和治乱等情况，还必须依据地形条件的不同而灵活展开。地势狭窄则只用一伍，地势宽广则用十伍、百伍、千伍、

① 《阵纪》卷三《阵宜》。
② 《阵纪》卷三《阵宜》。
③ 《阵纪》卷三《阵宜》。
④ 《阵纪》卷三《阵宜》。
⑤ 《阵纪》卷三《阵宜》。
⑥ 《阵纪》卷三《阵宜》。
⑦ 《阵纪》卷三《阵宜》。

万伍，军队的规模必须有所变化。地形狭窄之处则只用战斗部队，地势宽广则可加侧翼部队、包围部队、伏击部队、救援部队等。不管如何，军队都必须遵循"进轻退重，进易退难"的原则，始终保持阵型不变，不听到鸣金则坚决不许撤退，始终保持"迎战之势，以备敌之乘我"①，始终保持"止而齐，齐而整，浑沌而不乱，纷纭而条理"② 的严整之势。

有意思的是，何良臣一直非常迷信于传说中诸如伏羲氏师卦阵之类阵法，但对历史上那些喜欢穿凿的兵阴阳家深恶痛绝，认为他们是"假知兵之名，而妄作阵图，为害深矣"③。因此何良臣在总结历史上较为成功的名阵之外，又指出那些托名于著名军事家名下的伪阵。仅仅是兵圣孙武的名下，就有众多托伪之阵，比如方阵、圆阵、牝阵、牡阵、雁行阵、罘罝阵、车轮阵、冲方阵、常山阵等。何良臣指出这些阵法其实都是唐人裴绪所作，并非孙武所作。他同时指出几位善于作伪之人，如李筌、许洞等，帮助人们辨别真伪。尤其是许洞，何良臣斥其"穿凿者不可类数。大抵负诞好奇，不究根本，形势日巧，实用日拙"④。不管何良臣的取舍臧否是否有理，我们仍然可以从中看出他对于军阵研究的用力之深。

精通各种阵法，大抵只能实现孙子所说的"先为不可胜"⑤，要想在战争中挫败强敌，攻陷敌阵，还必须通晓用兵之理，善于捕捉战机，进而因敌制胜。因此何良臣在探讨阵法之后，又花费很多篇幅讨论捕捉战机的问题，也论述了"因势"而"摧陷"的战法。

在对阵法给予突出强调之外，何良臣还指出了把握战机的重要性。不管是进攻，还是防守，何良臣都高度强调捕捉战机的重要性。为此，他先是提出了"静"的概念，主张"静以待敌"："得战之机

---

① 《阵纪》卷三《阵宜》。
② 《阵纪》卷三《阵宜》。
③ 《阵纪》卷三《阵宜》。
④ 《阵纪》卷三《阵宜》。
⑤ 《孙子兵法·形篇》。

者，藏形于无，游心于虚，故圣人常务静以待敌之有形。"① 之所以"静以待敌之有形"，一方面是需要努力探知对方虚实情况，另一方面是等待对手露出破绽。一旦探知敌军虚实，就可以任势而为，对敌军发起突然攻击："见敌之有形矣，乃任我之气势，或击其先动，或乘其衅生。"② 由此可见，"静"与"动"形成了鲜明对比。在何良臣看来，何时发起进攻，如何发起攻击，都必须根据敌情来决定："敌将坚壁，我则突其未成，急趋其可攻；敌欲冲我，我则绝其必返，先备其所从。敌长则截之，敌乱则惑之，敌薄则击之，敌疑则慑之，敌恃则夺之，敌疏则袭之。"③

何良臣指出，历史上那些善战的指挥员都是因为擅长捕捉战机，善于把握敌军的盛衰之气，从而巧妙地避实击虚。军队的行动一定要做到飘忽不定，令敌军无从掌握："是以善战者，必以盛而乘衰，以实而击虚，以疾而掩迟，以饱而制饥。应之以不穷，投之以不测，飘往忽来，莫知所之；独出独入，莫知所集。其合如云，其变如龙，若从天降，若出地中，犹水之扑火无不息，汤之沃雪无不融。既其退也，敌不知我之所守；其进也，敌不知我之所攻。"④ 在战场上，敌之谋我，也如我之谋敌。高明的指挥员不仅要善于捕捉进攻时机，也需要在防守之时有效防止敌军的进攻，进而把握由守转攻的时机。深入敌境，如果始终毫无动静，那么敌军必有埋伏绝我归路。这个时候就不能再贸然前进，而应一面派出精锐之卒搜捕敌军动向，一面保护好粮道，做好前后左右的呼应，防止敌军发起进攻。并且，在防止被敌军埋伏偷袭的同时，还要不失时机地对敌设伏："遣发哨探，密布埋伏。"⑤ 在设伏之前，务必探清敌军虚实、远近、众寡之情，同时充分结合地理形势。至于设伏的将士，务必"选精锐诚实，

---

① 《阵纪》卷三《战机》。
② 《阵纪》卷三《战机》。
③ 《阵纪》卷三《战机》。
④ 《阵纪》卷三《战机》。
⑤ 《阵纪》卷三《战机》。

不以庸卒"①。何良臣指出，设伏就必须做到"伏兵诡谲，情状万端"，令敌军无从窥探我方行迹："故善伏者，敌虽巧智，无能测识我之所伏，乃为伏也。"② 所以，那些借助山谷蒙翳处作为伏击之所的，仍然不过是"寻常之伏"，要想对敌军构成致命一击，就必须让敌军无法掌握我方虚实，再抓住时机对敌发起攻击。

把握战机的重要前提就是先机掌握敌情。何良臣无论是讨论设伏之法，还是讨论反伏击之法，都高度重视探知敌情、搜集地理情报，就是这个道理。并且，这也和孙子的"大情报观"完全对应。③不仅如此，何良臣还借引用《管子》《淮南子》等经典中论述情报的名言，探讨把握战机与掌握敌情的关系："不明于敌人之情，不可约也；不明于敌人之将，不先军也；不明于敌人之士，不先阵也。士卒未附，教习未精，敌情未得，不可以言战也。"④ 何良臣接着举出吴起重用间谍的案例，说明情报对于把握战机的重要性，论证"明敌人之情、敌人之将、敌人之士，而后战也"⑤ 的战争逻辑。

除了侦察敌情之外，善于借势也是战争取胜的关键因素，何良臣特地写下《因势》篇，对此加以专门论述。所谓"因势"，意即根据战场态势决定攻守。所以何良臣特别强调"因"的重要性："是以用兵之术，惟因字最妙。"⑥《孙子兵法》中多次提及"因"，特别强调"因敌制胜"⑦，这想必对何良臣产生了一定的影响。《阵纪》中有一大段文字是讨论如何因敌制胜的：

> 或因敌之险，以为己固；或因敌之谋，以为己计；或因其

---

① 《阵纪》卷三《战机》。
② 《阵纪》卷三《战机》。
③ 《孙子兵法·地形篇》："知彼知己，胜乃不殆；知天知地，胜乃不穷。"可知孙子论情报，不仅强调"知彼知己"，同时也强调"知天知地"。
④ 《阵纪》卷三《战机》。
⑤ 《阵纪》卷三《战机》。
⑥ 《阵纪》卷四《因势》。
⑦ 《孙子兵法·虚实篇》。孙子说"因利而制权""因粮于敌""因形而错胜""能因敌变化而取胜者，谓之神"等，皆为其重"因"的明证。

因，而复变用其因；或审其因，而急乘其所因。则用因而制胜者，不可言穷矣。敌虽有智，吾必知其不能逃我之所因也。吴子谓占将察才："因形用权，则不劳而功举。"故敌处高燥，不利水草，因而困之；敌便水草，己处卑下，因而灌之；敌居不便，出入艰难，粮道远绝，因而凌之；敌地广大，食匮兵少，四守失隘，因而急之；敌将贪利，可赂可啖；上骄下怨，可间可离；愚昧轻信，可慑可诱；喧嚣不整，可薄可欺；乘劳务利，可袭可击。虑进疑退，众必失依；人有归志，将不能禁；开险塞易，其军必迷。若夫敌人疲怠，饥渴惊疑，前队未营，后军未涉，偶值晦冥，风雨忽作，故可因敌之势以致胜也。我勇且谋，士卒死战，进如骤雨，发如飘风，故可因我之气以决胜也。阙山狭路，大阜深洞，龙蛇盘礴，羊肠狗门，险堕飞鸟，守在一人，故可因地之利以必胜也。三者得一，敌已挫亡；俱得用者，所向莫当。所以善兵者，必因敌而用变也，因人而异施也，因地而作势也，因情而措形也，因制而立法也。①

所谓"因势"，所本当然是"势"。"因敌制胜"，其实也是"因敌势而制胜"，也就是说，战争决策要根据敌军的态势而展开。所以何良臣论"因"，也是要结合"势"而展开："因势而驱用之，握机而死致之"；"所以能因敌转化，用敌于无穷，因形措胜，用形于不竭者为之神"。② 不仅如此，何良臣还特别指出，如果逆势而动则必亡。善于用兵之人，一定不会逆势而为，不会轻举妄动，而是做到"因人之势以伐恶"，这才能取得战争主动权，进而夺取胜利。

"势"与"气"紧密相连，故世人常用"气势"一词形容旺盛之斗志。斗志和士气可由必取之势而来："善作气者得乎机，善用机者决诸势。"③ 另外也需要指挥员巧妙激发。何良臣相信"作气之

---

① 《阵纪》卷四《因势》。
② 《阵纪》卷四《因势》。
③ 《阵纪》卷四《摧陷》。

机，存乎心法"①，也就是说，高明的指挥员一定要巧妙地激发部队的士气。如果能够激发军队的斗志，如孙子那般将士卒逼入死地作战，有那种死地求生的气概，就能够"使千万众之气，如一死贼而誓不俱生"，就可以做到"进不可当，退不可拒"，实现攻城拔寨、摧毁敌军的战斗目标，因为士气在战场上有着无可替代的作用："气强则勇，气懦则怯，气勇则战胜，气怯则战北。"② 他总结说，高明的指挥员一定要使得三军具备必死之气概："故善摧敌之坚、陷敌之势者，能使三军负必死之气也。"③ 不仅如此，还一定要注意"势莫为敌所用，而我常用敌之势也；气莫为敌所夺，而我常夺敌之气也"。由此可知，"气势"的一反一正，必然会对战争结果造成很大影响。

　　总体而言，《阵纪》对各种列阵之法和作战之法的探讨，令我们很容易想起来先秦时期的著名兵书《六韬》。《六韬》对步兵、骑兵、车兵等各兵种的作战方式进行了讨论，探讨和总结了不同兵种之间的协同作战之法，可以说是早期的合同战术。这些内容对《阵纪》产生了一定程度的影响。《阵纪》卷四中有很多篇幅探讨车战、步战、水战、火战、夜战等各种战法。在《技用》等篇则结合鸟铳等各种火器讨论各种阵法和战法，充分注意到冷热兵器的协同作战，充分结合了明朝战争实践和武器装备的发展。从中可以看出，《阵纪》虽追随《六韬》而来，却没有止步不前。也许正是这个原因，《四库全书总目提要》对《阵纪》做出了"犹为切实近理"④ 的评价。

---

① 《阵纪》卷四《摧陷》。
② 《阵纪》卷四《摧陷》。
③ 《阵纪》卷四《摧陷》。
④ 《四库全书总目提要》卷九十九《子部九·兵家类》。

第二节 《草庐经略》

《草庐经略》作者不详，从书中所提到的"御倭"等内容判断，它大致成书于明代的万历初年。该书共 12 卷，结合历代战争经验和兵学理论等，对战争观、战略战术、治军理论、兵器应用等，都有较为深入的探讨。

一、训练主张："习技艺"与"教部阵"

严格的军事训练是军队战斗力的基本保证，古往今来的军事家对此都非常重视，《草庐经略》在开篇即以《操练》篇专门论及，并在其他篇卷花费很多笔墨。《草庐经略》首先引用孔子的名言"以不教民战，是谓弃之"①，申述训练的重要性。只有扎实地做好平时的训练工作，才能保证军队旺盛的战斗力，征之能战，以备不虞："从古国家巨弊，莫巨乎平时武备废弛，卒闻有警，招募而即使之战也。"② 而且，"善操之将，即善战之将"③，只有重视军事训练的将领，才是善战之将。作者以此论题作为全书开篇，其实是有感而发，直接针对的就是当时明军武备松弛、军心涣散的危险情况。他总结明军训练的现状是"七不"："旗帜虽有，不谙指挥；金鼓虽有，不晓进退；器械虽有，不堪攻击；部阵虽有，不识奇正；士卒虽有，不汰老弱；手足虽有，不习技艺；将帅虽有，不精兵机。"④ 作者批评这种操练之法只是"窃操练之名，模仿故事"，奔走呼喊，

---

① 张燕婴译注：《论语·子路》，中华书局，2006 年。
② 佚名：《草庐经略》卷一《操练》，《中国兵书集成》编委会编：《中国兵书集成》第二十六册，解放军出版社、辽沈书社，1994 年。
③ 《草庐经略》卷一《操练》。
④ 《草庐经略》卷一《操练》。

如同儿戏，"虽穷年无益于事"。①

　　对于正确的操练之法，作者也提出了主张："在上选器械、教师咸备，三令五申，驱而用之，必能临阵杀贼，为国报效。"② 他进一步总结训练重点应集中为技艺、耳目、心志、胆气四个方面："操其技艺，使之精熟；操其耳目，使之不惊；操其心志，使之不乱；操其胆气，使之外不畏敌，内不爱身。"③ 作者还明确指出了训练的目标应为："必使弱士可为贲诸，百人可当万众。"④ 也就是说，一定要将三军上下捏合为一个整体，互相之间团结友爱："上下之情相通，兵将之法相习。"⑤ 必须确保做到这一点，才能与之赴汤蹈火，共赴深溪。和明代军事家戚继光⑥、何良臣⑦等人一样，《草庐经略》的作者同样认为应该将训练胆气作为重要内容。作者以春秋末期吴国国君阖庐和越国国君勾践训练死士为例，认为他们的成功之处就在于训练胆气，争取做到"民不惧而后用之"，以收"鼓舞振作之效"⑧。就训练胆气的方法而言，作者更赞赏"以其所好易其所恶，坚其所好"⑨，主张以此来鼓舞士卒不爱其身，并能舍身杀敌。

　　除了胆气，《草庐经略》还强调训练军事技能。明代著名军事家戚继光曾说："身无精艺，已胆不充。"⑩ 出众的武艺，才是为自己壮胆提气的根本。在《草庐经略》中，作者写有《习技艺》《教部阵》等篇，围绕这些内容而详细展开。在《习技艺》中，作者首先

---

① 《草庐经略》卷一《操练》。
② 《草庐经略》卷一《操练》。
③ 《草庐经略》卷一《操练》。
④ 《草庐经略》卷一《操练》。
⑤ 《草庐经略》卷一《操练》。
⑥ 戚继光指出："练胆气乃练之本也。"详细讨论参看《纪效新书》（十八卷本）卷一《束伍篇·原选兵》。
⑦ 何良臣说："大率其选务精，而其用在胆。"详细讨论参看《阵纪》卷一《募选》。
⑧ 《草庐经略》卷一《操练》。
⑨ 《草庐经略》卷一《操练》。
⑩ 《纪效新书》（十四卷本）卷十四《练将篇》。

强调训练应以"技艺"为本："今日之操练，不教诸军以技艺，而第教以阵法，已非矣。"之所以不能在阵法上下太多功夫，一方面是因为所习阵法沿袭已久，而且容易发生错讹；另一方面，即便是阵法没有错，但阵中士卒不通技艺，仍然如同金弓玉矢，"不可得而用也"。所以，对一般士卒来说，虽说不强求十八般武艺完全掌握，但也应当熟悉其中一二。至于弓弩枪刀等，则需要人人熟练掌握。作者指出，训练中最忌的是训练那些无用的花法。这些花法，尽管进退回旋都做得非常好看，但只能观赏，并不实用。所以训练要基于实战展开，"当教以临阵正法，使之精熟"①。

《草庐经略》还强调了训练中应注意培养骨干："一人教十，十人教百，百人教千，千人教万。"② 为了加强训练的效果，还要经常进行检阅和评比，优秀者要给予奖赏，拙劣者应给予处罚。不仅要建立起完备的奖惩制度，还要充分保障制度的执行，真正做到令行禁止。处罚时，不仅仅是罚其本军，也要处罚其教练。同理，奖赏时，不只赏其本军，还要同时奖赏其教练。作者认为，通过这种严厉的赏罚制度，可以确保军队上下团结一心，军心振奋，武艺日进，普通士卒也会就此成为精锐之卒。作者进一步以北宋名将种世衡等人为例，说明平时加强训练和严格推行赏罚制度的重要性。种世衡在镇守环庆时，经常有意识地组织官员和百姓进行射击训练。那些在平时犯有过失的士卒，如果射击成绩优异就可以被破格加以释放。有时遇到诉讼，也会以射术高下来定夺。长此以往，士卒都知道加强射击的好处，都刻苦训练，人人都非常精于射术，由是而形成"数年敌不敢近"③ 的局面。弓弩和鸟枪的训练，以中多者赏，中少者罚，这容易为人所知。枪、筅、耙、钗、刀、牌这些兵器的操练，也有比较之法，其说备于戚继光《纪效新书》。《草庐经略》中对此讨论不多。作者提醒人们关注戚继光著作之余，也将《纪效新书》

---

① 《草庐经略》卷一《习技艺》。
② 《草庐经略》卷一《习技艺》。
③ 《草庐经略》卷一《习技艺》。

中一些训练要领进行了简要总结和介绍，建议人们分上、中、下三等尝试其中的优劣，并建立相应的奖惩制度。作者同时建议，在训练之初，可以将赏罚的标准稍稍放宽，令士卒相对容易达到训练目标。等渐渐熟练之后，再尝试加大奖惩的力度。

《草庐经略》认为，在完成基本武艺的训练之后，才能逐步开展阵法训练。但是，作者反对将阵法神秘化："昔人有言：善师者不阵，善阵者不战。若区区依古阵法以求胜，愚将也。夫阵亦何常之有，而可拘泥为哉。"① 也就是说，阵法固然重要，但也不要对其过于迷信，更不可过于拘泥于阵法。作者指出，诸如孙子和吴起这样的著名军事家，都对阵法不太在意，没有多少篇幅论及，这更能说明阵法非必备之器。他同时反对将《孙子兵法》中"纷纷纭纭，斗乱而不可乱；浑浑沌沌，形圆而不可败"，《吴子》中"圆、方、坐、起"数语，当作是讨论阵法。在作者看来，孙、吴即便是探讨阵法，也是"不泥法而法自在，非如今人侈谈古阵，胶柱鼓瑟也"。② 在明确对阵法的基本态度之后，《草庐经略》的作者对古代著名阵法五行阵进行了总结，指出其中得失，尤其是点出其中合理成分，同样认为五行阵虽然可用，但也不可拘泥。这种阵法，奇正皆备其中，而且迭进迭退，使得兵力不乏，敌军难以获得可乘之机，所以有其实用的一面。但是在具体训练展开时，也要结合地形条件，务求灵活变化。在各种名阵中，作者非常推崇的是戚继光"自谓杀贼必胜而屡效"的鸳鸯阵，对其训练要领进行了要言不烦的总结和介绍，希望士卒熟练掌握。

《草庐经略》总结各种阵法的核心是实现自保，即孙子所言"先为不可胜"："凡为战阵，先立家计。家计既固，则可以胜，不可以败。否则一败即溃，不可复支。"③ 在作者看来，大将统领万众、列阵向敌之时，首先要做的就是"固壁垒"和"备炊爨"，这

---

① 《草庐经略》卷一《教部阵》。
② 《草庐经略》卷一《教部阵》。
③ 《草庐经略》卷一《教部阵》。

其实就是力求"可以胜，不可以败"。① 其次则要注意合理分配兵力，合理配置正兵与奇兵。不管是用井田阵，还是用五行阵，或是用鸳鸯阵，都一定不可拘泥，更不能随意列阵，必须将阵法的运用和兵力的分配结合在一起考虑。在分配兵力时，还应分配出担负"扬""奇""伏""备"等各种特殊任务的分队，与主力部队形成配合和呼应。《草庐经略》对上述各种分队的任务进行了明确："扬者，挑战之兵，即选锋也；奇，用以出奇制胜；伏，用以袭其两旁；备，则设伏于后，以备不虞。"② 作者强调指出，高明的指挥员应给予这几支分队以恰当比例，充分发扬各兵种的长处，这便可以在保证合理布阵的同时，能更充分发挥各分队的战斗力。

二、治军手段："军刑"与"军赏"

《草庐经略》非常重视对士卒的管理。在《军刑》《军赏》等篇中，作者大量引用古代治军案例和《孙子兵法》等兵学经典，系统阐述了自己的治军理论。

作者认为，要想使得军中上下亲近团结，必须懂得"拊揗之道"，也就是说，要推行一些安抚人心之举。他非常推崇《孙子兵法·地形篇》的"善卒"思想，引用"视卒如婴儿，故可与之赴深溪；视卒如爱子，故可与之俱死"一语，对此加以论述。相比孙子，《草庐经略》的"拊揗之道"内容变得更加具体，表现在日常生活的方方面面："饥寒困乏，如以身尝；疾病医药，亲临诊视。解衣推食，哀死问孤；殡殁吮伤，恩逾骨肉；言语频烦，谆勤教诲；财必与共，甘苦与分。卒虽最下，得以情通。三军未食，将不先炊；三军未次，将不先幕，军井未成，将不先饮。亲裹赢粮，与分劳窘。以父母之心，行将帅之事，则三军欣从，万众咸悦。"③ 中国古代有不少名将，都以善于"拊揗之道"而著称。作者列举了司马穰苴、

---

① 《草庐经略》卷一《教部阵》。
② 《草庐经略》卷一《教部阵》。
③ 《草庐经略》卷一《拊揗》。

吴起、岳飞等，进一步说明"拊揗"的重要性。司马穰苴在与燕、晋之师交战的过程中，对军队所需饮食、医药等，经常亲自品尝之后才放心。粮食也从不多占，始终与士卒平分，所以士卒非常感动，战场上都奋勇争先。吴起为将，经常与最下等的士卒同衣食，共劳苦。士兵中有因病而生疽者，吴起亲自为其吸吮，士卒因此而战不旋踵，奋勇杀敌。岳飞在遇到战士生病时，亲自为其调药，也会解下自己的衣服装殓死者，岳家军因此而有旺盛的战斗力，每个人都舍生忘死。作者在列举这些案例的同时，也指出这种非常之恩"势难遍施"，但也会因为"爱及一人"而实现劝勉三军的效果，因而使士卒与将帅生死共命。①

当然，"拊揗之道"固然重要，但也需要把握好度，《草庐经略》对此也有提醒。比如，一旦"拊揗"已久，士卒已经亲附，就应当及时收敛，否则就会带来"威刑不肃"等问题。也就是说，如果过分使用恩宠，就会导致兵骄将纵，士卒容易犯上，各级将领也会失去等级观念，甚至会导致战阵之间指挥失控，出现未战而先退的局面："鼓之不进，令之不止，譬之骄子，不可用也。"② 为了杜绝这种现象发生，就需要重视军纪的养成，必要时还需通过杀人来整肃军纪："苟在所统，犯法有刑，即位已崇高，亲如子弟，断不可宥。杀一人而三军震者，杀之。"③ 作者指出，"欲节制则不得不立法，欲立法则不得不行诛"④，充分强调立法的重要性。

实施惩罚同样也须讲究方式方法，尤其是要注意把握好时机。法律规定的条文都已经非常完备，宣传教育也已到位，三令五申的情况下，却仍有冒险试法之徒，那就一定要对其进行严惩。而且，越是临近大战，越要使用峻刑，这才能达到激励士气的效果。在作者看来，三军上下如果对己方将帅心存敬畏之心，就会在战场上舍

① 《草庐经略》卷一《拊揗》。
② 《草庐经略》卷一《军刑》。
③ 《草庐经略》卷一《军刑》。
④ 《草庐经略》卷一《军刑》。

命欺侮敌军，反之则会因为畏惧敌军而欺侮己方将帅，这就是"为所畏者胜，为所侮者败"①的道理。所以作者主张，尤其要对那些临阵退缩之徒进行严惩，无论贵贱都必须斩首。自古以来的战争，都是依靠士卒拼死作战才能取得胜利。如果认识到退却是一条必死之路，就只能拼死向前。而且，将帅要想使用严酷的军刑，必须是在"恩爱既施，人心固结"②之后。如果平时不知使用恩宠之法，不懂"拊揗之道"，一旦看到有士卒犯罪，就滥加刑戮，不仅起不到整肃军纪的作用，反而会激变。在作者看来，历史上那些善于使用严刑之将，都能保证三军不忍生出反叛之心，而且也不是以好杀来立威，更不是滥施淫威。此外，一旦施行惩罚，就必须及时果断。如果因为犹豫和疑惧而逾期实施惩罚，也会造成军心生乱，同样是自取败道。作者主张为将者应秉持"小犯则宥，大犯则诛；无心之犯则宥，有心之犯则诛"的原则，必须始终秉持公平公正的原则，这才能达到"用法虽严，军中咸服"的效果。③

在主张不失时机地对违纪分子予以严惩的同时，《草庐经略》也将奖赏作为治军的必备手段。在历史上，奖惩结合也一直是治军的基本路数。孙子论治军，主张"令文齐武"④，力求多种手段结合。韩非子治国，也将刑、德推为二柄⑤，同样非常注意赏罚的结合。

作者非常认同"诛大为威，赏小为惠"⑥的治军原则，认为这是自古以来的惯例。在实施惩罚之时，需要先将那些罪行严重的害群之马揪出，才能起到威慑作用和警示作用。如果对那些立下微末之功的进行奖赏，就更能激励三军将士义无反顾地拼命向前。这就是奖励的"贵小"原则。当然，实施奖励不只是"贵小"，还要贵

---

① 《草庐经略》卷一《军刑》。
② 《草庐经略》卷一《军刑》。
③ 《草庐经略》卷一《军刑》。
④ 《孙子兵法·行军篇》："令之以文，齐之以武。"
⑤ 《韩非子·二柄》："明主之所导制其臣者，二柄而已矣。二柄者，刑、德也。"陈秉才译注：《韩非子》，中华书局，2007 年。
⑥ 《草庐经略》卷一《军赏》。

"速"，所谓"赏不逾时"。不只是"贵小"和"贵速"，还要"贵溢""贵公""贵信""贵不滥"。这些内容全部加在一起，就是《草庐经略》所提倡的"六贵"原则，具体描述如下："故不独贵小而贵速，迟则为屯膏，而人怀观望；不独贵速而贵溢，溢则出望外，而人咸激劝；不独贵溢而贵公，公则如天地，而人咸倾服；不独贵公而贵信，信则不负人，而人思尽力……然而尤贵不滥，滥则得者不以为荣，贪者辄图侥幸。有限之财源，既不胜其漏卮；膏泽之难遍，且将令其觖望。"① 以上所述"六贵"原则，既可以视为并列关系，也可视为逐层叠加的关系。也就是说，"贵不滥"是最为重要的原则，更应给予强调。孙子指出"数赏者，窘也"②。如果将帅滥赏士卒，便说明其已经黔驴技穷，处境困难。《草庐经略》则直言不讳地指出了滥赏的结果：不仅会使得那些得到奖赏之人不以为荣，也会就此勾起那些贪婪之徒的侥幸心理。一旦让这些人得逞，那就必然会造成有限资源的不当分配。

在奖惩之外，号令也为治军所必备。《草庐经略》指出："大将有号令，是三军之所栗而奉者也。"③ 号令既已具备，执行号令就必须严格，否则仍然没有办法对将士起到约束作用。作者对执行号令的理想境界进行了形容："是令之出也，必明如日月，凛若雷霆，迅若风行。"④ 也就是说，号令一经发出，就没有收回的可能，必须做到雷厉风行，才能收取实效。如果在发出号令时犹豫不决，那就只能是庸将："庸将之令，或中格而不行，或朝更而夕改，或违令而不诛。此虽三令五申，只取烦渎耳！"⑤

三、军事人才："训将"与"选能"

《草庐经略》对将帅的选拔和管理等，也有非常独到之见解。作

---

① 《草庐经略》卷一《军赏》。
② 《孙子兵法·行军篇》。
③ 《草庐经略》卷三《号令》。
④ 《草庐经略》卷三《号令》。
⑤ 《草庐经略》卷三《号令》。

者首先是对将帅的地位和作用给予充分肯定，认为："一贤可退千里之敌，一士强于十万之师。"① 在作者看来，选出贤能的将领是"军中之首务"②，选拔时要注重全面素质，选拔之后也应该加强训诫和管理。

作者首先是对当时明军将帅无能的实际情形进行了总结："今日之将官，其下者目不识一丁，而其上者工诗作赋，坐消壮气。"③ 在作者看来，当时明军将帅的文化水平参差不齐，素质低者竟至于目不识丁。那些文化水平稍高的将领，却又不务正业，因为他们热衷于吟诗作赋，学习儒术，对于研习兵家要义反倒不感兴趣，甚至是"终身不学"。针对这种局面，作者特地以专门之章讨论"训将"问题，格外强调对于将帅的管理，不仅积极提倡努力提升将帅自身的文化水平，更注意提高将帅的领兵作战能力。

在《训将》篇，作者以项羽求学为例，说明将帅加强学习的重要性。楚汉之际的名将项羽，眼见读书不成便开始学剑，因为缺乏耐心又没学成。他的叔父项梁便生气了，项羽辩解说："读书只是记人姓名而已，至于剑术，也只是一人敌，没必要学。要学就学万人敌。"于是项梁开始教项羽研习兵法。这里所述项羽的故事其实是从《史记·项羽本纪》转述而来，旨在强调将帅学习"万人敌"之类兵法的重要性。当然，作者这里并没有将项羽求学故事转述完整。根据《史记》，项羽研习兵法不久之后，"略知其意，又不肯竟学"④，终究没能坚持下来。《草庐经略》没有继续介绍项羽求学这段经历，似有缺陷。项羽在楚汉相争中吃了败仗，更能说明将帅加强学习的重要性。

要想保证将帅的知识水准，除了督促将帅加强自身学习之外，还要在选拔任用方面下功夫。《草庐经略》对此论述非常充分，在

---

① 《草庐经略》卷一《任贤》。
② 《草庐经略》卷一《任贤》。
③ 《草庐经略》卷一《训将》。
④ 《史记·项羽本纪》。

《选能》《任贤》等篇，作者明确了非常严苛的选用标准。作者指出，在选拔将帅时，一定要首先以"贤"作为标准，始终注意任人唯贤。对于"贤"，作者所赋予的内涵非常之广，可知其对将帅的要求非常之高：不仅要有勇有谋，也要临危不乱；不仅要善于指挥，也要勤勉治军；不仅要事必躬亲，也要推功避誉；不仅要讲求信用，赏罚得当，也要廉洁奉公，爱护士卒；等等。

研读《草庐经略》不难发现，"贤"似为作者对将帅素质的总体描述。对于"贤"，书中还有具体而细微的要求。

第一是善谋。作者以孔子主张"好谋而成"为例，说明"三军之事，以多算胜少算，以有谋胜无谋"① 的道理。作为将帅，攻不必取则不能勉强出师，战不必胜则不能勉强接刃，必须做到必胜和必取才能发起攻战，这其实就是孙子所谓"胜兵先胜而后战"②。精心谋划，其实就是为了先得胜算。作者进而描述不善谋划的庸将的种种表现："不料彼我之势，不决制敌之机，不设奇谲之变，不讲地形之利，统军而进，偶尔合战，亦偶尔分胜负，而将不能自主也哉！"③ 这些庸将之所以会误事，就是因为不会谋划。战争的胜负与将帅的先期谋划有着密切关系，能承担这种重任的才可称为"国家安危之主"④。如果发现对方有机可乘，就果断出击；如果敌方势头正旺，就不能与之争一朝之胜负，决不轻易挑起战争。做到这些，就具备了最基本的谋划能力。

第二是勇敢。《草庐经略》的作者所提倡之"勇"，是大勇。因此，他特地对《吴子》"勇者必轻合，轻合而不知利，未可也"⑤ 一语进行反驳，指出《吴子》所言是充满血气之"小勇"。其实《吴子》所批驳之"勇"，是"鲁莽"，也即孙子所说"必死"⑥。《草庐

---

① 《草庐经略》卷二《将谋》。
② 《孙子兵法·形篇》："是故胜兵先胜而后求战。"
③ 《草庐经略》卷二《将谋》。
④ 《孙子兵法·作战篇》。
⑤ 《吴子·论将》。
⑥ 《孙子兵法·九变篇》。

经略》所欣赏的"勇"，是"大勇"。作者对"大勇"所作定义为："大勇者，能柔能刚能弱能强。临之而不惊，加之而不惧；虽折而气不挫，虽小而不可欺。事机宜赴，有直往而不逗遛；地所必争，无心摇而有死守。"① 在作者看来，具备了这种素质，就有神武之威，才可能万夫不当之勇，足以冲锋陷阵。反之，如果将帅缺乏勇敢精神，看到敌军之后就担惊受怕，未临敌阵已先想着撤退，这必然会影响三军锐气，甚至导致丧师覆众。勇敢精神既然如此重要，培养这种精神便成为必然。那么，如何培养将帅的勇敢精神呢？作者提出了自己的主张，也即"习勇之道"，总共有三个方面："一曰忠义，二曰利害，三曰见定。"② 也就是说，首先是要培养其忠义精神，其次是对其晓之以利害，再者要教会将帅判定敌我之势："知彼我之势，朗烛事机之要，是以不惑人言，万夫必往。"③ 三方面结合起来，将帅就不会再惧怕敌军，就会表现出勇往直前的气概。

　　第三是勤力。"勤力"一词，《草庐经略》也有提及，但作者认为《六韬》中曾有使用，故借用其中"将不勤力，则三军失其势"④一语，说明将帅忠于职守、勤勉其事的重要性。作者指出，将帅始终担负着保证国家安全的重任，而这绝非儿戏之事，虽殚精竭虑，仍然担心会有疏漏。如果稍有不慎，就会因为一人未察或一事偶失，造成难以挽回的败局，所以必须始终保持勤勉的姿态。作者进一步指出，作为将帅应该在以下方面保持"勤力"："营寨部队，躬为督视；军资器械，亲董其事；抚降驭下，情意恳恻；宾客游士，不妨折节，词讼听览，曲直欲明；簿书笺牍，校雠欲清；遴选众职，务得其人；赏罚群类，务服其心；外察敌人，欲详以审；内职军情，务密以精。千纲万目，无不赡举。非有奇术，总由将勤。"⑤ 这些内

---

① 《草庐经略》卷二《将勇》。
② 《草庐经略》卷二《将勇》。
③ 《草庐经略》卷二《将勇》。
④ 《草庐经略》卷二《将勤》。此处可能是作者所据版本不同，也可能系记忆有误。查《六韬》，其中所用为"服力"，与"勤力"意思相近。
⑤ 《草庐经略》卷二《将勤》。

容，其实已经将将帅平时工作的重点进行了大致勾勒，至今仍不乏启示意义。接下来，作者又列举田单守即墨身操版锸、诸葛亮终日流汗执簿书等案例，并且指出"治军应敌，众务纷纭，虑或一误，所失非小"①的道理，也借此说明了将帅甘于劳苦而厌恶安逸的重要性。

第四是谦让。众所周知，谦让是中华民族的一种传统美德。身为将帅，如果能够做到"有功而能谦让"，也可称善。《草庐经略》的作者也非常推崇谦让之举，指出："惟有功而不居其功，故天下莫与争功；有能而不居其能，故天下莫与争能。"②在他看来，将帅即便是功盖天下，也不过尽了人臣的职分而已，完全没有必要乘机炫耀或借机邀功。作者进一步以靡笄之战晋军获胜后范文子等三位主帅让功的案例，以及信陵君窃兵符破秦救赵等案例，赞扬这种谦逊的君子之风。在他看来，将帅如果具备了谦让的美德，自然会高人一等。

第五是诚信。身为将帅，始终是三军上下所仰望的对象。将帅一语既出，则万人执行，必须做到言必行、行必果。《草庐经略》指出，将帅一旦出现有言不践、云赏不赏和云罚不罚的情况，那就会将治军当成儿戏，造成"禁令徒严，科条徒密，人必将心非而巷议"③的局面。在这之后，必然会带来"赏格虽立，人不以为劝；刑章虽示，人不以为畏"④的恶果。如果是令出而不行，禁出而不止，部队就会成为一群乌合之众，没有任何能力争胜。作者进而以秦人徙木立信、晋文公伐原十日而罢兵等事例，说明将帅守信的重要性。在他看来，一支军队包含着千乘万众，本来就非常难以捏合，如果将帅一言爽约，必将难以服众。因此，将帅应该注意"信为至

---

① 《草庐经略》卷二《将勤》。
② 《草庐经略》卷二《将让》。
③ 《草庐经略》卷二《将信》。
④ 《草庐经略》卷二《将信》。

重"①，坚守诚信。

第六是廉洁。在《草庐经略》的作者看来，败军之将基本都有一个共同点：贪欲无法遏制。将帅一旦产生贪婪之心，就会不停地盘剥军中士卒，士卒也会就此产生怨恨之心。敌军如果得知，便会乘机设下诱饵，进一步使得士卒离心。一旦事态发展到这一地步，将帅即便是身怀宏远之谋，也会"为阿堵中物所昏，而半筹不展矣"②。反之，将帅如果做到廉洁自律、心澄如水的话，就会"德盛而威自张"，不仅是"万众仰之惟谨"，也会使得敌人"闻风而畏服"③。从总体上来看，贪墨之病的出现，多半是因为将帅谋求仕进，由于谋求仕进，所以才会用心侍奉钱神，进而身背"债帅"之名，为人所笑。但是，将帅却一定不能如此贪墨。由于担负的责任非常重大——"任大责重，非大器必不能堪"，一旦为将，就必然会将"众之死生，国之存亡"系于一身，一旦心生贪婪，就会忘记自身所担负的职责，"虽智勇有足录，终庸夫也"。④ 因此作者主张，必须慎重考察将帅的品格，重点要考察廉洁与否。

第七是约己，即严格自律。作者认为，身为将帅，一定要注意严格约束自己，始终与士卒同甘共苦："与士卒同甘苦，同劳瘁，同饥馁，而心忘其贵也。"⑤ 只有做到这些，军中上下才会对将帅心存感激，三军用命，争先恐后地充当先锋，即便身死而不悔。

第八是戒骄，即避免产生骄傲情绪。在作者看来，将帅屡战屡胜之后，一般都会出现骄傲之心，这必然会埋下隐患。一胜而骄或小胜而骄，皆为取败之道。将帅轻敌会带来不少问题，主要有："自高其功，自神其智，自矜其勇，不忧其寇，不恤其下，忠言逆耳，良士疏斥。"⑥ 在作者看来，将帅一旦骄气太重，进攻时就会容易冒

---

① 《草庐经略》卷二《将信》。
② 《草庐经略》卷二《将廉》。
③ 《草庐经略》卷二《将廉》。
④ 《草庐经略》卷二《将廉》。
⑤ 《草庐经略》卷二《约己》。
⑥ 《草庐经略》卷二《戒骄》。

进，防守时也会容易松懈，无疑会给敌人留下可乘之机。因此他引用《老子》"祸莫大于轻敌"①一语，特地警告将帅戒骄戒躁，不要产生轻敌之心。因为心生骄气，所以会浅虑而寡谋，并且隐伏而不觉，自此走上危亡之路。

第九是责己，即勇于自责。俗话说，人非圣贤，孰能无过。将帅如果出现失误，往往是致命的，但也并非无法挽回。如果意识到问题，并勇于"责己"，及时改正错误的话，仍然能够"易危为安，转败为功"②。所以，在《草庐经略》的作者看来，"责己"也是将帅必备的品质。

第十是受善，即虚心纳谏。智者有千虑之一失，愚者有千虑之一得，所以需要集思广益，从善如流。因此《草庐经略》主张考察将帅是否受善，也即是否有虚心纳谏的品质："大抵将之听谏，当观其人品，校其深情，察其至计，可以从众，可以从寡，可以独断。夫从善之心，如衡之平，如鉴之明，物至而照，妍媸自见。"③在作者看来，那些能够果断决策之人，就能够做到受善。他不会排斥忠言，哪怕是有些逆耳，也不会伤害那些进谏之人。只有在特殊情况下，比如因为军机不可泄露，将帅才能斩杀那些妄言者。

第十一是致身，即亲自冲锋陷阵。作者引用岳飞名言"文官不爱钱，武臣不惜死，天下太平矣"④，论证了将帅具有勇敢精神的重要性。同时也借用曹操的案例，进一步对此加以说明。曹操当初讥讽袁绍，就是因为他贪生怕死："干大事而惜身。"⑤作者指出，身为将帅，必须具备勇敢精神。三军的勇怯，全看将帅。如果将帅有了带头献身的精神，就会形成良性反应："将畏缩而士气痿，将强毅而士气张。"⑥

---

① 饶尚宽译注：《老子》六十九章《议兵》，中华书局，2006 年。
② 《草庐经略》卷二《责己》。
③ 《草庐经略》卷二《受善》。
④ 《草庐经略》卷二《致身》。
⑤ 《草庐经略》卷二《致身》。
⑥ 《草庐经略》卷二《致身》。

第十二是一众，即统一部众的才能。不管是采用什么手段，将帅都必须使得全军上下团结一心："千人同心，则有千人之力；万人异心，则无一人之用。众心不一，则彼此互诿，进退疑二；敌人薄之，前阵数顾，后阵欲走。虽百万之众，竟亦何益！"① 因此，作者认为，将帅必须能够保证万人一心，奋勇向前，将三军捏合成为《吴子》所称"父子之兵"，才能在战场上挫败强敌。

在上述要素之外，作者还强调了其他方面的要求。比如，要有善于组织训练的能力："善操之将，即善战之将。"② 再者，应懂得选能用贤，把有才能的人选拔出来，并且能够用人之长："使智、使勇、使贪、使愚、使才、使艺，惟视其长，尽归擢用。"③ 此外还需要懂得搜集和分析情报："广侦探，多间谍。"④ 最后，将帅还需要懂得"忠义"之理："军心之向背趋舍，事业之成亏兴废，实由此焉！"⑤ 作者非常欣赏岳武穆这种忠义而殉死之将，视"忠义"为将帅必备之品质。可见，《草庐经略》对将帅才能的要求是全方位的，不仅是全面的军事素质，还要具备相当高的道德水准，堪称封建时代的"训将"手册。

四、情报工作："料敌"与"形人"

古往今来的军事著作大都非常重视情报工作，高度关注敌情的搜集与分析，《草庐经略》也是如此。该书有《料敌》《形人》《诡谲》《尚秘》《间谍》《乡导》等篇论及情报工作，不少内容都非常切于实用。作者大量引用《孙子兵法》等兵学经典，并借助历史上的经典案例，对情报理论有更深入的总结。

就情报工作的地位和作用而言，《草庐经略》有明确认识，指

---

① 《草庐经略》卷二《一众》。
② 《草庐经略》卷一《操练》。
③ 《草庐经略》卷二《选能》。
④ 《草庐经略》卷十二《备边》。
⑤ 《草庐经略》卷一《忠义》。

出："夫敌情叵测，常胜之家，必先悉敌之情也。"① 情报工作对战争胜负有着重要的影响。两军对垒，如果没有审察敌情便贸然发起战争，必然会造成难以弥补的损失。作者引用孙子"知彼知己，百战百胜"② 一语，说明情报工作的重要性，认为只有知道敌情并察知地形，才能确保全胜。与之相反，如果不能料敌——知彼，也不能自料——知己，倘若遇敌接战，就必然失败。作者还指出，掌握敌情是一件说起来容易做起来难的工作，因为敌情始终处于不断变化的状态之中，难以掌握。对此，作者有非常形象的总结："虚虚实实，进进退退，变态万状，烛照数计。或谋虑潜藏，而直钩其隐伏；或事机未发，而预揣其必然。"③ 既然如此，情报工作必须注意分清主次，把有限的力量用在刀刃上。对于一些关键性内容做重点搜集。《草庐经略》指出情报工作的重点为关注对方将帅："必观其将而察其才，因其形而用其权"④，同时还要重点关注"军心之趋向，理势之安危，战守之机宜，事局之究竟"⑤。需要重点掌握的是对方军队情况："其动其静，其强其弱，其治其乱，其严其懈"⑥，也即重点掌握敌军的动向、强弱、治乱等情况。作者指出，必须保证这些重点方向的情报工作没有遗漏，才能确保运筹帷幄，决胜千里。

　　孙子曾就情报工作提出了"形人而我无形"⑦ 的主张，这句话点明了情报工作的终极目标：一方面做好对敌方的情报工作——"形人"，另外一方面则是做好反情报工作——"我无形"。根据"形人"的要求，情报人员重点把握敌方的战略部署和作战计划，打探敌方的军事力量。《草庐经略》对孙子这一理念尤其欣赏，特地写

---

① 《草庐经略》卷二《料敌》。
② 此处作者引用有误。《孙子兵法·谋攻篇》曰"知彼知己者，百战不殆"，《孙子兵法·地形篇》曰"知彼知己，胜乃不殆"，与《草庐经略》引文皆有差异。
③ 《草庐经略》卷二《料敌》。
④ 《草庐经略》卷二《料敌》。
⑤ 《草庐经略》卷二《料敌》。
⑥ 《草庐经略》卷二《料敌》。
⑦ 《孙子兵法·虚实篇》。

下《形人》篇对此加以申论。

作者指出，一旦强敌当前，与我长期相持，而且防守严密，无懈可击，那必须通过"形人"之术来寻求突破口："惟有示之以形，以观其变，则彼之隙自开而我可乘也。"① 从中可以看出，《草庐经略》与孙子的主张基本一致，主张积极运用情报术来刺探情报。"形人"的基本内容是调动对手，一方面需要依靠先进的情报手段，另一方面也需要出色的情报谋略。必要之时，还需要使用军事力量，比如发起佯攻之类，窥探对手的虚实情况。接下来，作者还总结了"形人"的具体实施方法："吾欲东也，而形以西；欲西也，而形以东；欲进，而形以退；欲退，而形以进；欲攻，而形以守；欲守，而形以攻；欲缓，而形以速；欲速，而形以缓；治也，而形以乱；饱也，而形以饥；众也，而形以寡；勇也，而形以怯；备也，而形以弛。"② 从上述"形人"之术来看，其讨论范畴实则已超出了情报术的层面，倒更像是孙子的"诡道"③ 之术，将情报与战法结合在一起，也与孙子"先知而后战"的逻辑基本吻合。

《草庐经略》认为，通过出色的情报工作，掌握敌方的兵力部署等情况，对敌方情况了如指掌，就一定可以在战争中占据主动地位。顺应这一逻辑，作者也非常重视间谍的使用，认为间谍是获取情报的重要途径之一。《孙子兵法》在最后一篇《用间篇》中专门探讨谍报术，并且指出："明君贤将，所以动而胜人，成功出于众者，先知也。"《草庐经略》也有专章讨论间谍的使用之法，名曰《间谍》。在该篇的开头，作者就引用了上述名言，指出情报工作的重要地位，申述间谍的重要作用。没想到在这之后，作者笔锋一转，指出了重用间谍可能会带来的危害。《草庐经略》的作者显然对《唐太宗李

---

① 《草庐经略》卷六《形人》。
② 《草庐经略》卷六《形人》。
③ 《孙子兵法·计篇》："能而示之不能，用而示之不用，近而示之远，远而示之近。利而诱之，乱而取之，实而备之，强而避之，怒而挠之，卑而骄之，佚而劳之，亲而离之，攻其无备，出其不意。"

卫公问对》中"或用间以成功，或凭间以倾败"① 的认识极为欣赏，所以提出了与此非常类似的主张，认为间谍固然可以使用却"不可常恃"。作者一针见血地指出，身为将帅，不应该将胜负的筹码全部押在用间上，否则就可能会带来灾难性后果。相对于特别重视用间，只见其利、不见其害的孙子而言，《草庐经略》的态度显得更为冷静，也更加客观。

孙子论用间，强调的是"五间俱起"，而且"五间"之中又有"乡间"，重视当地向导的作用："因（当作乡）间者，因其乡人而用之。"② 当然，孙子更重视的明显是"反间"，认为"反间不可不厚也"。《草庐经略》似乎更重视"乡间"，单列专篇进行讨论。在作者看来，军队进入敌境之后，如果对当地的地形和敌情等情况都不掌握的话，就会遭到伏击，从而导致失败。所以，到了这时就必须重视向导的作用。作者指出，依靠向导的帮助，可以更容易知道以下这些情况："何处可以顿舍，何处可以进兵，何处可以设伏，何处可以截杀，何处可以通粮，何处险阻可据，何处关梁可涉，何处别道可袭，何处饶野可掠，何处须防火攻，何处为吾之害可以避，何处为吾之利可以趋，城池何大何小何坚何圮何路径何险何夷何远何近。"③ 虽说向导作用重大，但也需要加以仔细甄别，作者提醒将帅，在使用向导时必须通过察言观色等手段考察其真伪，从而避免受其误导。为了使向导死心塌地为我所用，还需要使用恩宠等手段，加强感情联络。这些内容对孙子用间理论有所补充。当然，作者认为使用"乡间"之后，就能迅速掌握如此之多的具体情报，显然对其作用有所高估。

《草庐经略》不仅重视敌情搜集工作，也重视对己情的保密工作。对己情的保密，今人称之为反情报，也是情报工作的重要内容。《草庐经略》强调了反情报的重要性，特设专篇予以论述。作者指

---

① 　见《唐太宗李卫公问对》卷中。
② 　《孙子兵法·用间篇》。
③ 　《草庐经略》卷六《乡导》。

出："兵者，机事也。机不深藏，使士卒得窥其际，敌人闻之而预备矣。"① 所以，必须做好保密工作。在作者看来，高明的将军在指挥作战时，"有时秘藏如处女，有时飘忽如风雷"②，使敌无从窥探己方战略意图。为了突出情报保密工作的重要性，作者举出戚继光、沈希仪等名将重视反情报工作的典型案例，总结其经验得失，进而得出结论："尚秘为兵家第一义也。"③

五、战法："奇正之术"与"虚实之术"

在《草庐经略》中，作者最为用心，或者说最有心得的，是战法研究。比如，对于中国古典兵学的重要范畴"奇正"和"虚实"等，该书有着深入研究。作者对于历史上包括《孙子兵法》在内的诸多讨论有所继承，也有所补充，既指出了奇正的常法，也指出了奇正的变法，同时还论述了如何结合虚实使用奇正。

作者对著名军事家有关奇正的见解进行了回顾，指出其中之得，也指出其中之失，认为之所以会出现"纷然不一"的情况，在于对正兵的理解上有所不同："正兵之说，亦纷然矣。有以聚为正，分为奇；有以前向为正，后却为奇；有以先出合战为正，后出为奇；有以受之于君为正，将所自出为奇。而《曹公新书》则以旁击为奇，是向正中者为正矣；又云'己二而敌一，则以一术为奇，一术为正；己五而敌一，则以二术为正，三术为奇'。"④ 以上各种解释，在作者看来都有一定道理，不可偏废："兹数说者，皆是也。"⑤ 之所以会有这种理解，就是因为孙子曾指出"奇正相生，如循环之无端"，李靖也说"敌实，则我必以正；敌虚，则我必以奇"，奇正相生，变化无穷，不可拘泥。在那些善用兵之将看来，"无不是正，无不是

---

① 《草庐经略》卷四《尚秘》。
② 《草庐经略》卷四《尚秘》。
③ 《草庐经略》卷四《尚秘》。
④ 《草庐经略》卷五《正兵》。
⑤ 《草庐经略》卷五《正兵》。

奇。诸家之说，奇正之常也"①。既然如此，对于"奇正"存有不同解说也属正常现象。

在申述各家观点之后，作者推出自己对于奇正的理解："兵正者，其阵堂堂，其队整整，退如山移，进如不可当，前却有节，左右应麾，可以更休而迭战，可以致远而无弊，敌人卒来撼之而不动，敌人暗袭当之而不乱。由此而变化不测，倏忽无常，是以正生奇也。纷纷纭纭，斗乱而不可乱，混混沌沌，形圆而不可败，是以奇归于正也。奇正之用，其无穷矣。"② 正如作者所指出的那样，奇正的真正妙处，就在于实现二者的相互转化，既有"奇正相生"和"奇归于正"③，也要做到"临阵出奇"和"非奇不战"④，这才能真正做到因敌制胜，变化无穷，从而将奇正之术运用到极致。可贵的是，作者的思考并未止步于此。在这之后作者又写出《奇兵》篇，专门讨论如何"临阵出奇"："兵，险谋也。其所击之处，或缓、或速、或分、或合、或怯、或进、或左、或右、或前、或后、或隐、或显、或围、或解，或动九天，或藏九渊，因应投机变，故万端大都愚弄敌人，伺隙而发，攻其无备，出其不意也。"⑤ 在作者看来，"临阵出奇"的总原则与孙子"诡道十二法"的总原则"攻其无备，出其不意"⑥ 保持一致。战争本来就依靠险谋取胜，也即"兵无奇不胜"⑦，因此将领只能通过努力设奇取胜："善用兵者，临阵出奇，因敌制胜，敌无常形势，自然之理也。"⑧

《孙子兵法·势篇》在论述"势"之外，也大量探讨"奇正"，接下来的《虚实篇》则是集中探讨"虚实"，仅此也可说明这两对

---

① 《草庐经略》卷五《正兵》。
② 《草庐经略》卷五《正兵》。
③ 《草庐经略》卷五《正兵》。
④ 《草庐经略》卷五《奇兵》。
⑤ 《草庐经略》卷五《奇兵》。
⑥ 《孙子兵法·计篇》。
⑦ 《草庐经略》卷五《奇兵》。
⑧ 《草庐经略》卷五《奇兵》。

范畴之间存在密切关系。就用兵而言，奇正的运用离不开虚实变化，虚实不仅仅是势的外在表现形式，也是达成奇正的必备手段。《草庐经略》同样看到"奇正"与"虚实"的紧密关系，所以在探讨"奇正"之后，也对"虚实"进行了集中讨论。

作者首先指出，虚实之势的运用，是所有军事家都绕不开的课题："虚实之势，兵家不免。"① 善于用兵之人，一定要努力达成"以实击虚"之势，也就是说，在保证己方用兵之实的同时，攻击对手的虚弱之处。只有这样才能达成势如破竹、以石击卵的效果。既然虚实的运用能对战争胜负产生如此重要的影响，就不能不引起军事家们的高度重视。对于如何达成己方之实，即"使我常实"，作者提出了自己的主张："使我常实者，由兵食常足，备御常严。"② 也就是说，要始终保持戒备森严，并且粮草充足，兵强马壮。"使我常实"只是其中一方面，更为重要的是"使敌常虚"。作者对此也提出了自己的主张："使敌常虚者，即逸能劳之，饱能饥之，安能动之，治能乱之，严能懈之也。"③ 这段话与孙子"诡道十二法"的笔法非常相似，也是主张依靠战争谋略来调动对手，瓦解对手，使得敌军由强大走向虚弱。也就是说，要想掌握战争主动权，就必须学会"误敌"之术，学会欺骗之术。《草庐经略》对这些欺骗之术也进行了总结："或虚而示之以实，或实而示之以虚，或虚而虚之，使敌转疑以我为实，或实而实之，使敌转疑我以为虚，元之又元，令不可测，乖其所之，诱之无不来，动之无不从者，深知虚实之妙而巧投之也。"④

在实际战争中，我对敌展开欺骗之术，敌也会对我实施诡诈之术。所以，准确把握对方之"虚"，不被对手欺骗，也是考量指挥员智慧的重要课题。《草庐经略》由此继续深入，教会指挥员如何识别

① 《草庐经略》卷六《虚实》。
② 《草庐经略》卷六《虚实》。
③ 《草庐经略》卷六《虚实》。
④ 《草庐经略》卷六《虚实》。

"虚"。作者指出："所谓虚者，非值其兵之寡弱也。凡守备之懈弛，粮食之匮乏，人心之怯慑，士众之淆乱，城隍之颓淤，兵力之劳倦，壁垒之未完，禁令之未施，贤能之未任，阵势之未固，谋画之未定，群情之未协，地利之未得，若此者，皆虚也。"① 从中可以看出，作者对"虚"的种种表现进行了非常详尽的总结。身为指挥员，必须重视这些内容，如果看到敌军暴露出"虚"的一面，就应立即派出精兵展开袭击。

在孙子看来，用兵的奥秘尽在"避实而击虚"②，可见"击虚"与"避实"也紧密相连。作为指挥员，必须在击敌之虚的同时，尽量避敌之实。《草庐经略》又以专篇讨论"避实"。作者指出，如果指挥员不审察敌情，贸然进攻敌军的锋锐之师，这就是没有避开敌军之实，其结果必然如同螳臂当车。因此，高明的指挥员一定要做到"宁蓄锐，无浪战，宁斗智，无斗勇"，选择暂时避开，这是为了等待进攻的最佳时机，实现虚实转化："正欲需其时，而不为退避之计者也。"③

众所周知，《孙子兵法·计篇》主张"兵者诡道"，还为此提出了著名的"诡道十二法"，这些理念也为《草庐经略》所继承和发展。该书从卷九到卷十，作者设计了更为详细的动敌之法，内容包含误敌、怒敌、饵敌、疑敌、骄敌、懈敌、饥敌、待敌、薄敌、离敌、追敌、蹑敌、诳敌，共计十三条，每一条都有要言不烦的论述。相信作者如此设计，不仅仅是为了追求行文的气势或作文的章法，也是试图基于实战需要，为将帅设计出更加丰富多变的战术。作者设计这些动敌之法所本原则为"诡谲"，这与孙子高举的"兵者诡道"④ 和"兵以诈立"⑤ 几乎一脉相承。作者认为，"诡谲之法"，

---

① 《草庐经略》卷六《击虚》。
② 《孙子兵法·虚实篇》。
③ 《草庐经略》卷六《避实》。
④ 《孙子兵法·计篇》。
⑤ 《孙子兵法·军争篇》。

是"其为术小，而施之于用则巨"① 的战争必备之法。作为指挥员，如果拘泥于仁义道德而不肯用诡谲之术，那就只能像宋襄公那样遭受惨败。不仅如此，《草庐经略》也对具体的战术方法进行了深入研究。在卷十一使用专篇分别探讨水战、山战、隘战、野战、车战、夜战、风战、雨战等各种战法。在卷十二则更换一种角度继续探讨攻守战术，比如突击之法、防突击之法、掩杀之法、用弩之法等。《草庐经略》所讨论的这些战术方法，虽说绝大多数都是基于冷兵器而设计，随着时代的变化不一定再有实用价值，但也反映出作者勇于探索的精神，对于当时的"备边"和"御戎"也不乏指导价值。

第三节　《投笔肤谈》

《投笔肤谈》也是明代诞生的一部兵学名著，其作者一般被认定为何守法。从现有史籍可知，何守法为浙江人，号"西湖逸士"，生卒年不详，只能大约推断为嘉靖、万历年间人。《投笔肤谈》总共十三篇，从体制上看，似乎存在有意模仿《孙子兵法》十三篇的痕迹。从内容上看，该书确有不少是蹈袭《孙子兵法》。当然，作者在继承和吸收孙子兵学之外，也借鉴了其他兵典，而且在继承之外也有若干发展。

一、强调计谋为本，并视为"自保之计"

《投笔肤谈》以"谋"为首，篇名曰《本谋》，作者的布局谋篇受到《孙子兵法》的影响。众所周知，《孙子兵法》十三篇以"计"为首，就篇名而言，十一家注本曰《计》，《武经七书》本曰《始计》。何守法以"本谋"作为《投笔肤谈》的第一篇，有意无意之中也是与《孙子兵法》形成呼应。《史记·齐太公世家》中说"后

---

① 《草庐经略》卷三《诡谲》。

世之言兵及周之阴权，皆宗太公为本谋"。虽说《本谋》的篇名另
有由来，但仍可看出两本兵书的联系，因为古人向来喜欢以"计谋"
二字连用。

《孙子兵法》在开篇便对战争的性质和作用进行论述，《投笔肤
谈》也是如此。孙子说，"兵者，国之大事，死生之地，存亡之道，
不可不察也"①，简单概括了战争的重要作用是安国全军。《投笔肤
谈》指出，"凡兵之兴，不得已也。国乱之是除，民暴之是去，非以
残民而生乱也"②，也是探讨战争的地位和作用。认为发起战争是不
得已而为之，而且也是除暴与解救生民之举。正因为战争有着重要
的地位和作用，所以必须慎重对待、慎重谋划。至于谋划所起的作
用，不只是"专谋敌求胜哉"，也是希望借此"保民而康国"。③ 就
这一点而言，其实和孙子"安国全军"的战争观比较接近。"杂于
利害"④ 是孙子的重要用兵原则之一，《投笔肤谈》对其也有继承和
发挥，作者考虑战争问题也是基于这一原则："故知害之害者，知利
之利。知危之危者，知安之安。知亡之亡者，知存之存。"⑤

孙子重视情报工作，认为只有做到"先知"才能确保战胜。其
论情报，一贯是将"知彼"和"知己"紧密联系在一起，而且"知
彼"在前，"知己"在后。但在何守法看来，要想在战争中获胜，
就一定要先察知己方之情："不先料敌而料己。"⑥ 也就是说，掌握
己方之情比掌握敌方之情更为重要。"知己"之所以更为重要，大概
是因为，只有知道己方之情，才能正确判断战争是否能够发起。接
下来，何守法指出，历史上有些战争之所以带来危亡之局，原因就
在于没有做到"知己"："是以民劳而兴兵者疲，民贫而兴兵者匮，
民玩而兴兵者散，内有谗臣而兴兵者殆，天灾流行而兴兵者乱，有

---

① 《孙子兵法·计篇》。
② 何守法：《投笔肤谈·本谋》，《中国兵书集成》第二十六册。
③ 《投笔肤谈·本谋》。
④ 《孙子兵法·九变篇》："是故智者之虑，必杂于利害。"
⑤ 《投笔肤谈·本谋》。
⑥ 《投笔肤谈·本谋》。

内难而兴兵者疑，上下离心而兴兵者亡。"① 之所以出现"疲""匮""散""殆""乱""疑""亡"这七种危险局面，其实都是因为对己方情况掌握不清，不知道己方民劳、民贫、民玩等情况。其实这些都是影响战争胜负的重要因素，因为这些因素和军备物资是否充分紧密相连。军备物资匮乏，或兵员不足，都是致败之道。所以说，国不富不可以兴兵，民不和不可以合战。

何守法进一步分析道，战争会在五个方面对民众产生重大影响："三时弛务，妨民之农；隶籍充伍，妨民之业；军需辎重，妨民之财；擐甲冠胄，妨民之力；鼓行搏斗，妨民之生。"② 在他看来，战争的危害是多方面的，对春耕、夏耘、秋收等，都会带来直接影响，所以才会妨农、妨业、妨财、妨力和妨生。而且，战争即便是圣王也不能避免，所以不能不小心戒备。

至此，"本谋"到底该谋划什么，也便有了答案。何守法指出，为将者必须在以下这些方面进行谋划："士出何籍，马出何牧，粮出何税，财出何赋，器用出于何供，推挽出于何力。"③ 只有把这些问题谋划清楚，才能做到在战胜强敌的同时，不贻害于民，不贻患于国。高明的将领一定要因敌制变，如果是迫不得已而必须用兵，也要"惟谋以为之本"④，力争少废军旅，速战速决，不用蛮力。以谋为本，才能救民于水火，有效避免前述之五害。这其实也是孙子所提倡的"上兵伐谋"："拔敌之城而非攻也，致敌之降而非围也，寝于庙堂之上而非战也，散于原野之间而非守御也。"⑤ 这段话从写作思路和语言风格上看，都与《孙子兵法·谋攻篇》中的"屈人之兵而非战也，拔人之城而非攻也，毁人之国而非久也"非常相似，未尝不可视为是对孙子的延续。

如前所述，古人多以"计谋"二字连用，《投笔肤谈》首篇谈

① 《投笔肤谈·本谋》。
② 《投笔肤谈·本谋》。
③ 《投笔肤谈·本谋》。
④ 《投笔肤谈·本谋》。
⑤ 《投笔肤谈·本谋》。

"谋"，第二篇便论"计"，也是遵从这一习惯逻辑。只是作者眼中的这种"计"，与孙子"计算"之"计"在含义上存在差别。其篇名曰"家计"，其实是保自家之计。上一篇讨论料己之谋，一旦得知己方之实情，而且辨之已明，便需要完善自保之计，也即"家计"。作者所论"家计"，一方面可看成自保之计，同时也可视为是在确保己方立于不败之地的基础上，寻求战胜之机。何守法指出："用兵之道，难保其必胜，而可保其必不败。不立于不败之地，而欲求以胜人者，此徼幸之道也，而非得筹之多也。"① 推敲其中含义，已经是在由"自保"转向"战胜"。这既与首篇《本谋》中"有不败之道，而无必败敌之道"一语承接，也与兵圣孙子的主张暗合。孙子曾指出，善用兵者，一定要首先确保己方立于不败之地："昔之善战者，先为不可胜，以待敌之可胜。"② 如果将其与《投笔肤谈》"家计"之论进行对照，可以更明显地看出何守法对孙子兵学思想的学习与继承情况。

接下来，《投笔肤谈》重点讨论如何立家计而自保。在作者看来，除了首篇所强调的"料己"之外，还要做到"料敌"和"防敌"，必须保持镇定和审慎的态度，不被对方欺骗。作者指出："善用兵者，审虚实之势，校轻重之权，量缓急之宜，度先后之节。"③ 这段话如果落在实处就是，保持己方兵营阵法坚固，实而不虚，不能重攻而轻守，更不能因为急于进攻而先彼后己。如果已经发起进攻，那就要"进思其退"④，防止对方突然对我方发起偷袭，攻击敌方右翼，就要防止敌军偷袭我方左翼。一旦深入敌境，已经处于反客为主的状态，而且相持旷日已久，更要严防敌军出奇制胜。作者总结其中总原则是"谨守弗失"和"以有虞待不虞"⑤，所以宁可不

---

① 《投笔肤谈·家计》。
② 《孙子兵法·形篇》。
③ 《投笔肤谈·家计》。
④ 《投笔肤谈·家计》。
⑤ 《投笔肤谈·家计》。

胜，也不能贸然发起进攻，宁肯持久，也不能被敌军欺骗。一旦敌军以小利诱惑我方，就一定要多去想一下可能带来的灾难。一旦遇到对方以各种方式激怒我方，就要冷静对待，想一想由此而带来的变数。等敌军真正露出破绽，便对其发起猛烈的攻击。

为了实现"自保"，何守法坚决反对分兵，更反对各部队之间距离过远："夫兵不贵分，分则力寡；兵不贵远，远则势疏。是不惟寡弱在我，而强众在敌也，虽我强我众，亦防敌之乘我也。"① 换句话说，一旦能保证实现"我专而敌分"②，不仅可以寻机击败敌人，而且也是实现自保的万全之策。反之，如果是分兵而且相距较远，一旦出现紧急情况，则无法及时展开救援，也就无法实现"自保"。在何守法看来，即便是敌方力量相对寡和弱，也要认真加以防备。一旦对方处于强势，则更需要提高警惕。因为"天下之乘，不在敌，则在我；不在我，则在敌"③，既然己方可以"乘人"，那么对方也可以"乘己"，不可不防。这一层道理，正如敌方可能图谋我方，我方也在图谋敌方一样。所以一定要防人之谋，确保己方不被偷袭。

二、战争谋略："通达权变"与"校其优劣"

"权"的本义是秤锤，用来称物体之轻重。在称重过程中，秤锤需要往来取中，所以人们用秤锤的往来表示变化之意，也称为权变。在战争中，敌情我情、敌势我势，都在不停地发生变化，所以指挥员必须通达权变，切不可胶弦袭辙。何守法指出，"凡兵出于国，民和于野，固当以必死为节，必克为志，尤先于达权"④，特别强调了将帅知权变的重要性。

众所周知，"权变"是孙子设计诡诈之法的关键内容，也是其奇兵制胜的主要内容。孙子围绕着诡诈之术，研究建立起一整套"分

---

① 《投笔肤谈·家计》。
② 《孙子·虚实篇》。
③ 《投笔肤谈·家计》。
④ 《投笔肤谈·达权》。

合为变"的战法。"变"是实现孙子诡诈之术，获取战争胜利的直接手段。正是由于善于运用变术，孙子兵学才显得气象万千。何守法也强调"权变"之术，不仅强调"居常虑变"①，还总结了"虑变十八法"，具体为："屯营者，务持重；临敌者，贵合谋；接战者，先示形；纳降者，须防伪；袭人者，顾本营；伏兵者，视地利；攻众者，解其心；陷坚者，孤其势；远征者，警其赴救；追奔者，防其分兵；突进者，矢石在前；无粮者，乘饱以战；卒遇敌者，不可妄动；见异物者，不可辄发；过险阻者，不可不速；遣间谍者，不可不密。凡此，皆宜达之以权也。"② 上述十八法，都需要己方指挥员慎重对待，只有做到通达权变才能有效地免除己方之危害，并获取万全之胜机。

在论述了"虑变十八法"之后，何守法再次强调了"自保"："故知兵者，必先自备其不虞，然后能乘人之不备。"③ 在他看来，想要打败敌人，首先必须做到自保，然后才能抓住有利时机，乘人不备发起攻击。对敌发起进攻，何守法称之为"乘人"。他不仅强调"兵贵乘人，不贵人所乘"④，还对"乘人"之术进行了系统总结，总共为十条："乘疑可间，乘劳可攻，乘饥可困，乘分可图，乘虚可惊，乘乱可取，乘其未至可挠，乘其未发可制，乘其既胜可劫，乘其既胜可退。"⑤ 众所周知，孙子在《九变篇》中专门讨论用兵变法。"九"是"极言其多"，"九变"则是强调变化很多。在孙子看来，指挥员要想赢得战争胜利，就必须学会随机应变："因敌变化而取胜者，谓之神"⑥。《投笔肤谈》接连总结"权变十八法"和"乘人十术"，也试图对战争中的变法进行总结，可谓洋洋大观，气象万千。

---

① 《投笔肤谈·达权》。
② 《投笔肤谈·达权》。
③ 《投笔肤谈·达权》。
④ 《投笔肤谈·达权》。
⑤ 《投笔肤谈·达权》。
⑥ 《孙子兵法·虚实篇》。

　　除此之外，何守法还提醒人们千万不可被荒诞之事所误。他总结出的荒诞之事总共有四点，可简称为"四不"，具体为："不可听淫言，不可信谶纬，不可拘风占，不可惑物异。"① 在提出"四不"之外，何守法还提出了四个注意事项，可简称为"四要"，具体内容有："识众寡之用，明刚柔之宜，达进退之机，知顺逆之势。"② 何守法认为，将帅如果做到这些，就可以做到通达权变，不仅可以实现自保，而且还能"乘人"，获得击败敌军的机会。此外，作为指挥员，还要注意"不可怒"和"不可侮"："怒强敌者殆，侮弱敌者悔。"③ 之所以会出现这种危险局面，也是因为指挥员没有做到上述"四要"和"四不"。由于缺少"本谋"和"家计"，没有充分做到"备己"，也缺乏"虑变"之谋，所以更谈不上通达和权变。在何守法看来，善于权变之人，既能做到"敌能者备之，不能者扰之"④，见其可攻，才会发起进攻，也善于通过"委敌以货而胜之"，善于使用诱敌之计；同时也非常善于使用权宜之计来激发士卒的斗志，比如："谓我无可生者，激吾众也。谓敌不足畏者，安吾民也。布疑言于人耳者，使人感也。置赤心于人腹者，使人信也。"⑤ 更为高明的是，"可使敌兵知吾之仁，而不可使吾兵知敌之仁；可使吾兵知敌之暴，而不可使敌兵知吾之暴"⑥，也就是说让对方的士卒都感觉我方的仁义，唾弃敌将的残暴。总之，善于权变的将领，善于使用种种手段，最大程度地争取人心，既能有效瓦解敌军，也可坚定己方斗志，可以就此扭转战局，使其朝着更加有利于己的方向转换。

　　战争的基本表现形态就是攻守，攻守必须保持平衡，这才能既保证"自保"，也达成"乘人"。这就是《投笔肤谈》所说的"持衡"。何守法在继《达权》之后，又写出《持衡》，专门讨论战争中

---

① 《投笔肤谈·达权》。
② 《投笔肤谈·达权》。
③ 《投笔肤谈·达权》。
④ 《投笔肤谈·达权》。
⑤ 《投笔肤谈·达权》。
⑥ 《投笔肤谈·达权》。

的攻守平衡问题。

何守法首先指出，攻与守本来就是各有利弊："凡以守待敌者佚，以攻待敌者劳，劳佚之相乘，而利归于守也。攻则力合而难敌，守则势分而难救，分合之相乘，而利归于攻也。"① 因此，对于攻和守需要辩证看待，在一攻一守之间，胜负之机也随之而摇摆不定。如果面对坚固的城池，固执地发起攻击，置士卒的生死于不顾，那就必然会饱尝强攻之灾。反之，如果守兵不足以保卫城池，粮草也不足以供应守城将卒，而且救援迟迟不到，也会品尝固守之灾。所以，聪明的将帅一定要学会保持攻守平衡，这才是"违其灾而乘其利"②。不仅如此，还要学会各种进攻之法和防守之法。在《投笔肤谈》中，何守法重点对防守之法进行了总结："是故善攻者，噪以动之；善守者，静以待之。善攻者，屡出扰之而使乱，多方误之而使虚；善守者，主气蓄之而使锐，客气尽之而使衰。善攻者，破其所恃则势孤，执其所爱则计失，解其腹心则体溃，告以兵威则胆裂，示以俘囚则气夺。俟其既困，然后举兵以从之，而敌之城可拔也。善守者，塞其险阻以遏之，清其原野以待之，绝其粮道以饥之，劫其营垒以挠之，捣其巢穴以牵之。伺其既归，然后出以袭之，而敌之帅可擒也。"③ 在作者眼中，高明的防守之术所包含的内容很多，比如以静制动，静待对方锐气消失；比如出兵骚扰，使得对手乱了方寸；比如设置障碍，给对手增加进攻难度；比如切断敌方粮草，令其无以为继……与之相应，进攻之术理应也有很多种，但何守法并未进行更为详尽的总结。由前所述，作者明显地更偏于"自保"，更重视"家计"。可知《投笔肤谈》是偏爱防守的兵法。对比《孙子兵法》，这是非常值得玩味的现象。在《孙子兵法》所提出的众多兵学范畴中，"攻守"显得非常突出。孙子围绕"攻守之道"留下不少精彩笔墨，但二者之间的地位并不十分相称。相比较防守，

① 《投笔肤谈·持衡》。
② 《投笔肤谈·持衡》。
③ 《投笔肤谈·持衡》。

孙子似乎更偏爱于进攻。十三篇中，有以"谋攻"为主题的专篇，却没有以"谋守"为主题的专篇，也可侧面说明这个问题。在孙子看来，无论是多么出色的防守，也一定会存在漏洞，总会露出一些破绽。因此，进攻就是最好的防守。所以，强调"自保"和"家计"，更重视防守的《投笔肤谈》，也可说是对孙子兵学思想实现了一种补充。

《投笔肤谈》总结了各种防守之法，无论防守之术如何变化，仍须保持必要的平衡。而且，在作者眼中，最为高明之法是"攻者攻其心，守者守其气"①。所谓"攻心"，正如诸葛亮七擒孟获那样，必须想方设法使得对手心悦诚服，从内心深处真正折服，这才能收获最终的胜利。所谓"守气"，就像春秋末期赵氏坚守晋阳那样，必须确保军民团结一心，无惧无畏并抗争到底，才能最终打败强敌。何守法强调士气的重要作用，指出："善守者，主气蓄之而使锐，客气尽之而使衰。"② 士气对于战争本来就有非常重要的影响，何况敌我之间还存在着一盛一衰的差异。

三、力量生成与运用："壮我之势" 与 "转移虚实"

和《孙子兵法》一样，《投笔肤谈》也高度重视"势"的作用。《孙子兵法》中有《势篇》专门论"势"，《投笔肤谈》也特设《军势》对"势"加以讨论。何守法认为，由"军势"可以观强弱："军之势，亦观于强弱而已。"③ 一旦知道双方实力上存在强弱之分，便可以由此推知战争的胜败。

"军势"牵涉到方方面面的因素。比如"气势"一词，说明"气"与"势"密切相关，"势力"一词则说明"势"与"力"紧密相连。要想战场上得势，除了鼓舞士气之外，更多的还是仰仗军事实力。除此之外，将帅的领导和指挥也对军势产生重要的影响。

———————————

① 《投笔肤谈·持衡》。
② 《投笔肤谈·持衡》。
③ 《投笔肤谈·军势》。

《投笔肤谈》认为，影响军势的诸多因素中，"将"是非常重要的一环。何守法以人的身体为喻，具体说明这个问题："且三军之势，如人一身。大将，心也。士众，四体百骸也。军需辎重，饮食也。教练纪律，体悉赏罚，所以培植元气、振励精神也。是三军之势，莫重于将，选将之道，不可不慎也。"① 由此可见，何守法将决定"军势"的因素分为四个方面："大将""士众""军需辎重""教练纪律"。这四个因素基本都与治军紧密相连，所以作者虽是在论军势，但也是在论治军。

对人体而言，心脏无疑是最为重要的器官之一。《投笔肤谈》认为，"大将"对于"军势"所起到的作用，正如心脏。所以，要想形成良好的军势，就一定要首先重视"大将"。在何守法看来，"将"分儒将、武将和大将三种，而且作用各有不同。儒将担负着决胜庙堂的责任，更多是运筹帷幄；武将需要折冲千里，战必胜，攻必取；大将需要深明天地、兼资文武，具备多方面才能。可见，这三种"将"都身负重任，不是偏裨之将可比："凡此三者，国之柱石，民之司命。"② 既然将帅的地位如此重要，就需要在"选将""用将"上慎之又慎："圣王之选将也，必择是材而用之。"③ 一旦找到合适的人选，就应给予充分信任并充分放权，不能听信谗言，也不能过度加以约束。何守法总结道："苟得其人，授之专阃，不中制，不外监，不分权，不信谗。"④ 在他看来，养兵需要依靠君主，治兵则需要将帅。只有信任将帅，才能保证人尽其才。

在讨论将帅的选拔和使用之后，何守法接着探讨治军问题。他指出，士兵固然需要拥有"甲胄之坚"和"器械之利"，更需要"手足之便"和"行阵之闲"。也就是说，要注意加强士兵的军事训练工作。除此之外，也要培养士卒上下一心的团结精神："上不爱

---

① 《投笔肤谈·军势》。
② 《投笔肤谈·军势》。
③ 《投笔肤谈·军势》。
④ 《投笔肤谈·军势》。

下，下不亲上，厚赏之不激，而苛罚之不畏，是犹心乱而肢痿也。"① 一支军队如果做到训练有素，而且保持同仇敌忾的旺盛斗志，就可以最大程度地"壮我之势"，不用担心其缺乏战斗力。何守法不仅认为治军有法，而且认为"其道可数"："足其刍粮，备其铠器，习其击刺，熟其进止，明其分数，谙其旗技，正其体统，严其号令。未已也，又恤其饥寒，忧其疾苦，别其功过，公其赏罚，均其劳佚，释其疑贰。则三军之势不伤，而日渐强实矣。"② 在何守法看来，治兵有道，将帅首先需要备足粮草和兵器，教会士卒刺击之术，熟悉旗鼓号令和进退之道，同时也要与士卒同甘苦共患难，还要公平赏罚，均其劳佚。总之，要做到教戒为先，才能保证三军之势日渐强大。

何守法固然主张关爱士卒，但也强调掌握分寸，不能越过"度"，更不能培养士卒的骄气，这就是"兵不可使骄，骄则难制；不可使玩，玩则难用"③ 的道理。善于治军的将帅，一定要在带头做好表率作用的同时，正确使用奖惩之法："抚之以仁而非姑息也，断之以刑而非残忍也，励之以义而不赏自劝也，教之以礼而不怒自威也。"④ 总之，军势要靠平时培养，求得贤将是前提，将帅懂得治军之道是关键。只有获得"如山之重、如火之烈、如雷霆之迅速、如江汉之不竭"⑤ 的军势，才能"壮我之势"，保证军队具有足够强大的军事实力。

当然，战争瞬息万变，各种情况都有可能发生，拥有强大的军事实力只是战争获胜的必备条件之一。也就是说，实力占优的一方，并不能确保战争中必然获胜。在历史上也有不少以弱胜强的战例，充分说明了这个问题。如果把握不住战争的发起时机、决战时机的话，军势占优的一方也有可能在战争中落败。《投笔肤谈》将这种时

---

① 《投笔肤谈·军势》。
② 《投笔肤谈·军势》。
③ 《投笔肤谈·军势》。
④ 《投笔肤谈·军势》。
⑤ 《投笔肤谈·军势》。

机称为"兵机"。在作者看来，战争进行的过程中，各种意外情况随时都会发生："主客无常态，战守无常形，分合无常制，进退无常度，动静无常期，伸缩无常势。"① 我方既然会有无穷变化，敌方也会使尽各种诡诈之术，这便更需要在战争中掌握稍纵即逝的"兵机"。

因为双方都有无穷变化，所以不能拘泥于奇正之变。作者指出："故以奇为奇，以正为正者，胶柱调瑟之士也。以奇为正，以正为奇者，临书模画之徒也。我奇而示敌以正，我正而示敌以奇者，知胜者也。我奇而敌不知其为奇，我正而敌不知其为正者，知胜之胜者也。凡兵之所交，阵之所向，胜负决于斯须，存亡辨于顷刻者，无非奇正形之也。"② 在作者看来，如果不懂这种奇正之用而胶柱鼓瑟，不善变化，就有可能在战争中落入被动局面。一旦敌我交锋，军阵相对，双方都需要在战争中决出胜负，能不能巧行奇正，能不能辨别对方的奇正之法，都显得至为关键。

既然敌方对我方示以诡诈之术，我方也要善于使用各种诡道制敌："善制敌者，愚之使敌信之，诳之使敌疑之。"③ 何守法也就此总结了若干具体而高明的策略，比如故意让对方骄傲自大，充分暴露敌军所短，想方设法干扰对方的指挥号令，示以虚假的军情，等等。总之，一定要通过多变的诈术，努力使敌方指挥陷入混乱，通过虚实变化来干扰敌军，打乱对方的部署，这才可以找到取胜之机。一旦对方露出虚弱之形，就需要果断发起进攻。与此同时，也要注意不被对方欺骗："敌之虚，我乘之；我之虚，敌不可得而乘也。"④ 这种"虚实之机"，也即"兵机"，非常玄妙，神鬼莫测，只有掌握了才能挫败敌军："虚实之机，变生于敌，渊微之妙，鬼神莫知，然

---

① 《投笔肤谈·兵机》。
② 《投笔肤谈·兵机》。
③ 《投笔肤谈·兵机》。
④ 《投笔肤谈·兵机》。

后能狙敌而成功。"①

　　何守法非常重视将帅这种"转移虚实"的能力，并将这种"转移虚实"与掌握"兵机"的能力联系起来。一旦掌握这些能力，便已经达到用兵之妙境。对于这种妙境，何守法也进行了描述："天时不能为之挠，地形不能为之阻，惟能因机而制变，择利以行权，则电雾风雪为之资，险易广狭为之用。"② 虽说是妙境，实现难度较大，但并非无法达成。何守法认为，将帅如果真能尽人事，仍然可以把握这种机会，达到这一妙境。

　　在何守法看来，将帅一旦掌握了"兵机"，就可以确保"知形"，进而可以实现"因形以措胜"："故知战之形非难，而能知所以战之形为难。能知所以战之形，则能因形以措胜。"③ "因形以措胜"一句其实是从《孙子兵法·虚实篇》中化出④，从中也可见何守法对孙子的尊崇。当然，何守法学习孙子、引用孙子，却不拘泥。其论"形势"，先有"形"和"势"的铺垫，这从《孙子兵法》十三篇的篇次就可看出。何守法显然没有按照孙子的这一逻辑展开，而是另外编排了从"军势"到"虚实"再到"战形"的顺序。这一点也可以从《投笔肤谈》的篇次安排中看出。何守法指出，战争中有"必胜之形"，而且可以归纳总结为五种："得天之时者胜，得地之利者胜，得敌之情者胜，得士之心者胜，得事之机者胜。"⑤ 这五种"必胜之形"从表面上看，似从孙子"知胜之道"化出，但也有不同之处。⑥ 其中最大的不同在于，何守法认为这"必胜之形"既可并列，也可在不同程度上叠加。他一方面认为"五者之中，若有

---

① 《投笔肤谈·兵机》。
② 《投笔肤谈·兵机》。
③ 《投笔肤谈·战形》。
④ 《孙子兵法·虚实篇》："因形而错胜于众，众不能知。"
⑤ 《投笔肤谈·战形》。
⑥ 《孙子兵法·谋攻篇》："知胜有五：知可以战与不可以战者胜，识众寡之用者胜，上下同欲者胜，以虞待不虞者胜，将能而君不御者胜。此五者，知胜之道也。"

其一，敌无人焉"，另一方面更认为"得其五，天下无敌"。①

总之，作为将帅，必须学会掌握"战形"，这是将帅的基本素质之一。具体说来，一方面是力争"必胜之形"，另一方面则是使得己方保持"无败之形"。何守法指出，所谓"制胜之术"与此密不可分："敌饱我饥，则掠不容缓；敌众我寡，则险不容失；敌强我弱，则谋不可以不急；敌攻我守，则备不可以不周；敌佚我劳，则锐不可以不蓄；敌动我静，则变不可以不图。此不惟知胜之形，而且知制胜之术者也。"② 对于审察双方虚实和胜败之形的方法，何守法也进行了总结，简单说来就是"以我量敌，以敌量我"③，也就是说，将帅必须学会换位思考问题。只有这样，才不会被对手的欺骗之术误导。一旦敌方出现败形，也可以把握战机，从而对敌发起致命一击。

四、情报工作："详察敌情"与"间谍之妙"

在《投笔肤谈》中，有《谍间》《敌情》《方士》等篇论及情报工作，其中有不少论述都非常具有新意。

《投笔肤谈》首先是强调获取情报的重要性，要求将领一定要知道敌情才能作战。如果不知敌情，就如同木偶一样，在战争中处于被动挨打局面，即使战机出现，也很难把握住。为强调知情的重要，何守法指出："凡为将者，握三军之权，司万人之命，以与勍敌对，逐于原野，相持而不知其情，是木偶也，相制而不制以术，是猛兽也。"④ 他又称赞情报工作所带来的玄妙："能形敌而得其情者，兵之妙也。"⑤ 这可能不只是说情报工作其本身玄妙，而是认为将间谍之术等情报工作与军事指挥艺术结合，会给战争进程和结果都带来更多变化与更多可能性，也使得以较小成本获取胜利成为可能。

① 《投笔肤谈·战形》。
② 《投笔肤谈·战形》。
③ 《投笔肤谈·战形》。
④ 《投笔肤谈·谍间》。
⑤ 《投笔肤谈·敌情》。

众所周知，《孙子兵法》非常重视情报工作，建构了一套由"先知"到"战胜"的兵学理论体系（也有学者简称为"知战"）。情报固然重要，每个指挥员都应该重视情报工作，但情报却无法轻易得来。事实上，情报与反情报可谓是孪生兄弟，并且一直重复着"道高一尺，魔高一丈"的游戏。关于敌情，作者首先充分认识到情报搜集工作的困难之处。因为"敌不示我以情，亦犹我不以情示敌"①，交战双方都会保守军事机密，严防重要情报泄露，所以搜集情报、刺探情报都不是容易之事，一定会遇到各种各样的困难。何守法对这种困难情况的预判和总结，体现出其过人之处，至少已不再像孙子那样只见用间之利。他对情报工作的功用能投以辩证之眼光，显得非常难得。

对于情报的获取途径，《投笔肤谈》也有自己独到的见解。何守法认为，敌情是动态的，有的可以看见，有的难以看见，因此必须注意侦察敌情的方法和策略。在作者看来，使用间谍和观察"战形"，是掌握敌情的两条最为基本的途径："有用间而得者，亦有因形而得者。"② 如果措施不当，就只能是徒劳无功。相反，如果措施得当，就可以实现"形敌而动情"的效果。这种认识，显然是受到孙子"示形之术"的某种启示，也可视为是对孙子情报思想的发展。孙子曾说："故善动敌者，形之，敌必从之。"③ 这些论述是就情报术与战法的结合而论，何守法则将其引申作为情报获取的基本途径。这一点，有类于今天的战术侦察，使得"形人之术"产生了新意。

对于具体的侦察敌情的工作，《投笔肤谈》也进行了较为深入的探讨。作者认为情报人员必须在做到"详察"的同时，还要做到善于识疑，能够辩证分析敌情，真正掌握敌人的企图。在敌情不明之时，需要采用"示形"之法来准确探知敌情，敌情一旦已经明晰，就不可贻误战机。就情报与战术的紧密联系，作者也有自己的态度，

---

① 《投笔肤谈·敌情》。
② 《投笔肤谈·敌情》。
③ 《孙子兵法·势篇》。

认为这二者关系非常紧密："非谍何以索其情，非间何以投其术哉?"① 由此，我们一方面可以看出作者对于情报工作的重视程度，另一方面则可看出作者坚定地主张"先察而后行"这一战争逻辑。也就是说，必须先得到准确的敌情，然后才能采取相应的军事行动。其中体现的也是孙子"先知后战"的情报先行原则。

孙子不厌其烦地总结了各种敌情的侦察研判之法，世人习惯称之为"相敌之法"②。在《投笔肤谈》中，何守法也模仿孙子进行了新的总结：

> 若夫合而守、分而屯者，奇正也；大营处易、小营据险者，掎角也；冥行林麓者，伏也；潜越草莽者，覆也；鼓行观兵者，将无能也；临敌易将者，兵有变也；……易衣而行、变憩而出者，用寡也；列阵以战、分道而攻者，用众也；我取其有而不较者，害之也；彼弃其有而不惜者，利之也；……强而示之弱者，致我也；弱而示之强者，畏我也；以强为强者，搏我也；以弱为弱者，误我也；铃鼓旌幡、衣服号令，或效吾之制者，

① 《投笔肤谈·敌情》。
② 《孙子兵法·行军篇》："军行有险阻、潢井、葭苇、山林、翳荟者，必谨覆索之，此伏奸之所处也；敌近而静者，恃其险也；远而挑战者，欲人之进也；其所居易者，利也；众树动者，来也；众草多障者，疑也；鸟起者，伏也；兽骇者，覆也；尘高而锐者，车来也；卑而广者，徒来也；散而条达者，樵采也；少而往来者，营军也；辞卑而益备者，进也；辞强而进驱者，退也；轻车先出居其侧者，陈也；无约而请和者，谋也；奔走而陈兵车者，期也；半进半退者，诱也；杖而立者，饥也；汲而先饮者，渴也；见利而不进者，劳也；鸟集者，虚也；夜呼者，恐也；军扰者，将不重也；旌旗动者，乱也；吏怒者，倦也；粟马肉食，军无悬瓿，不返其舍者，穷寇也；谆谆翕翕，徐与人言者，失众也；数赏者，窘也；数罚者，困也；先暴而后畏其众者，不精之至也；来委谢者，欲休息也。""相敌之法"的具体条目，各本存有差异，十一家注本为"三十二法"，《武经七书》本则为"三十三法"。十一家注本"粟马肉食，军无悬缶，不返其舍者，穷寇也"一句，武经作"杀马肉食者，军无粮也；悬缶不返其舍者，穷寇也"。与汉简本比较，疑武经本存在误书。

乱我也；以是而效强兵者，弱也；以是而效弱兵者，强也；……鸣鼓树帜于林谷，扬尘聚烟于山野者，疑也，非所以为战也，所以走我而彼亦不来也；设是而后至者，虚也；设是而诱我之至者，实也；激我射而不发者，尽吾矢也；……激我战而不出者，惰吾气也；两军相薄，势如风雨，我进而敌不动者，恃其有弓弩、炮石也；我退而敌亦不追者，惧吾有奇伏或诱或劫而中伤之也。①

　　对照孙子，何守法的这些"相敌之法"既与之有相似之处，也有变化之处，但仍然是基于冷兵器时代的战场侦察之术。② 但是，其中同样蕴含了丰富的哲理，贯穿的是"去伪存真、由表及里"及"透过现象看本质"等思想方法。这些思想和方法，放在今天仍不过时，对今天的情报工作仍不失启示意义。

　　关于间谍的任务，《投笔肤谈》分为情报搜集和秘密斗争两方面。就情报搜集来说，其内容包括"采物价之腾平，察风俗之好尚，瞷人事之喜怒，觇上下之乖和"③，可见其侧重点在经济情报和政治情报。如果和《管子·八观》的情报搜集思想进行对比，何守法的总结显得更为凝练。至于秘密斗争，作者也将它视为间谍的重要任务之一，其内容包括利用敌方的内部矛盾，使其互相猜忌斗争，进而废黜忠良，拆散同盟等："因隙间亲，因佞间忠，因利间争，因疑间废；诳其语言，乱其行止，离其腹心，散其交与，间谍之妙也。"④ 何守法所列举的这些用间之法中，有一些是继承了孙子，有一些是来自自己的总结和思考，有一些可视为反间之术，有一些则类似于今日所云的隐蔽行动。不管如何，我们从中可以看出，作者

① 《投笔肤谈·敌情》。
② 戚继光也曾模仿孙子，总结出内容新颖的"海上相敌二十法"〔《纪效新书》（十八卷本）卷十八《治水兵篇》〕。
③ 《投笔肤谈·谍间》。
④ 《投笔肤谈·谍间》。

并不将谍报工作局限于搜集情报领域。

对于谍报工作的作用，《投笔肤谈》同样能够辩证地加以对待。在何守法看来，间谍固然重要，但也存在着"传伪于我"和"泄情于彼"这两种风险："凡间谍之人，或望敌之风，而传伪于我，或被敌之虐，而泄情于彼，此皆覆败之所关也。"① 因此作者主张，间谍必须做到"可用而不可恃"。可以看出，这与《唐太宗李卫公问对》及《草庐经略》的观点基本保持一致，同样可视为是对孙子用间思想的反叛与发展。何守法的主张，可能源自《唐太宗李卫公问对》。在《唐太宗李卫公问对》中，作者曾尖锐地指出："孙子用间最为下策。"② 在他看来，正像是"水能载舟，亦能覆舟"一样，用间可能会取得成功，也可能得到失败。至于为什么会出现这种局面，《唐太宗李卫公问对》的作者并没有做进一步深究。很显然，何守法认真思考了这个问题，在千年之后给出了答案，那就是"传伪于我"和"泄情于彼"。考察古代情报史，《孙子兵法》较早指出用间的重要性，《唐太宗李卫公问对》提醒人们用间也会存在风险，《投笔肤谈》则指出了导致这种风险的原因所在，兵学思想史和情报思想史就是这样蜗行牛步般取得进步的。

针对敌人的反间，何守法也提出了相应的应对策略。在《投笔肤谈》中，作者指出："谍为敌擒而得归者，勿听其言。如得实情，则颠倒而用之。"③ 这正是因为作者看到了用间可能存在的风险，故而采取了具有针对性的预防策略。与此同时，作者非常重视对敌间的策反工作。对于如何搞好策反，作者也有总结。他指出，其中第一要义就是舍得投入，舍得花钱，必须肯给敌间以最为优厚的待遇："敌之谍者，为我所得，欲灭其迹，则杀之因之。欲用反间，则厚之脱之。"④ 相对于情感的拉拢而言，何守法显然更重视物质的诱惑。

---

① 《投笔肤谈·谍间》。
② 《唐太宗李卫公问对》卷中。
③ 《投笔肤谈·谍间》。
④ 《投笔肤谈·谍间》。

五、重视地形，谋取"天地之利"

清代《四库全书总目提要》总结中国古代兵家的重要特点之一就是"恒与术数相出入"①。就这一点而言，包括《六韬》这样的兵学经典都不能免俗。《孙子兵法》则主张"不可取于鬼神"②，与封建迷信拉开了距离，所以可称不朽。当然，《草庐经略》等兵书则主张"假托鬼神以为助"，建议采用"以阴鼓其锐气"和"信鬼神为可恃"③的方法来激发士气、鼓舞斗志，这可视为一种特殊的治军手段。《投笔肤谈》虽坚决反对鬼神，但与《草庐经略》的主张保持一致，也主张以"方术""幻术"等手段来达成胜利。

何守法认为，战争往往需要"以巧取胜"："故通小术者，可以集大事；精小艺者，可以成大功。"④ 接下来，作者列举了"刻木为鸟，束藁为人，树栅为城，结草为阵"⑤ 等多种以巧术迷惑敌军的办法，使用这些方术愚敌之耳目。所以，对于方术也要辩证对待，具体说来就是："夫方术之术，实理也；幻妄之术，妖邪也。御方术者以机权，破幻妄者以刚正，则我有以胜敌，而敌无以胜我矣。"⑥在实际军事斗争中，我方可以使用方术和幻术佐胜，那么敌方也会使用这些手段来愚我误我，所以要严密防范，不能为其所害。

除了巧用方术和幻术之外，还可以巧借各种器物之性。在何守法看来，天下之物，凡是可资军中之用者，都应当掌握其特性，并且最大程度地发挥其作用。就物理而言，既有相生者，也有相克者，既有相感者，也有相成者，既有相制者，也有相胜者，所以其性体、声气、形势、作用等，都有可能为我所用，在战场上发挥作用。

接下来，何守法举出各种主要器物，简要说明其特性："圆者易

① 《四库全书总目提要》卷九十九《子部九·兵家类》。
② 《孙子兵法·用间篇》。
③ 《草庐经略》卷三《假托鬼神》。
④ 《投笔肤谈·方术》。
⑤ 《投笔肤谈·方术》。
⑥ 《投笔肤谈·方术》。

转，方者易置，欹者易仆，直者易植，窍者易浮，锐者易刺，牝者
易变，牡者易入，刚者易折，柔者易曲。"① 在何守法看来，领兵作
战的将帅必须懂得这些道理，并且要能够最大程度地发挥各种器物
的作用："是以知兵之士，察物之理，究物之用，总括其利，不遗微
小，则虽百万之众无所穷，千里之远无所困。"②

　　除了掌握物之大略之外，将帅更要懂得天地之利。《孙子兵法》
中有《行军篇》《地形篇》《九地篇》探讨"地"对战争的影响，
《投笔肤谈》也有《地纪》专门论及地形。何守法总结地势有六：
"一曰要地，二曰营地，三曰战地，四曰守地，五曰伏地，六曰邀
地。"③ 这"六地"的划分，与《孙子兵法》既有相通之处，也有不
同之处。相通之处在于，都是基于战略得失来认识地形。不同之处
在于，总结的路数完全不同。众所周知，孙子在《地形篇》中提出
"六地"，即通者、挂者、支者、隘者、险者、远者，在《九地篇》
中又提出"九地"，即散地、轻地、争地、交地、衢地、重地、圮
地、围地和死地。前者是就实际的地理形势而言，后者则带有兵要
地理的性质。《投笔肤谈》所总结的"六地"，就名称而言，与《孙
子兵法》并无重复之处，同样显示出何守法试图摆脱孙子影响的
一面。

　　在"六地"之中，首先是被给予重视的"要地"。何守法认为，
所谓"要地"，是"山川之上游，水陆之都会，可以跨据控引者
也"④。一旦占据这种"要地"，就赢得主动，至少是可以控制很大
一片区域。至于"营地"，是那种背高而面下的开阔地带，而且水草
丰茂，可以依傍而驻军。"战地"，就是那种平原广野的要冲之地，
可以驰骋突击。"守地"，是占据了山坂峻险之塞，可以联络而不断，
非常利于防守。"伏地"，指的是山重水复又多茂林之所，可以藏匿

① 《投笔肤谈·物略》。
② 《投笔肤谈·物略》。
③ 《投笔肤谈·地纪》。
④ 《投笔肤谈·地纪》。

伏兵。"邀地"，指那种关塞要津之扼，可以阻绝敌军，并对敌发起进攻。这六种地形，都是"兵家之善地"①，得之者胜，失之者败。所以将帅一定要知道这种得失之机，懂得占有地利："是以知兵之士，按舆图之纪，采乡导之言，察去取之实，以为临敌之用，则地之利害可尽知矣。"②

既然是有利地形，对方一旦占据也会就此占据战争的主动权，这就是"彼利则我害，我利则彼害"③。对于这种利害相权的局面，不能不慎重对待。己方一旦得利，切不可过于懈怠。如果已经失利，也不可过分消极，而是要做到"不怠其心"，需告诫全体将士始终保持警惕。不仅如此，还要想方设法激励将士，点燃他们的斗志："警吾师，则敌不得以乘其隙；激吾众，则士知必死，而皆毕力以奋争矣。"④既能警也能激，才能保持必胜而无败。

在论述"地之利害"后，何守法立即集中论述"天之象数"。《孙子兵法》也重视"天"，将"天地"与"彼己"并列作为影响战争胜负的重要因素："知彼知己，胜乃不殆；知天知地，胜乃不穷。"⑤但是，通观《孙子兵法》，除《火攻篇》有稍许涉及之外，该书并没有多少篇幅论及"天"。《投笔肤谈》在最末一篇专门论"天"，篇名即为《天经》。

何守法首先提醒人们，应正确看待"寒暑推迁""日月星辰""风云雨雪""阴雾雷电"这些天象。如果将这些与推步、测候、风角、鸟占等联系在一起，便很自然地被当作是惑世诬民之术。其实，这些自然之天象，可以辅助用兵："故天文可以佐吾之用兵，而非可恃以为必胜也。"⑥也就是说，"或以为灾，或以为祥，或以利我，或以害敌"的各种天象，本来就是一种客观存在，因此必须正确面

①　《投笔肤谈·地纪》。
②　《投笔肤谈·地纪》。
③　《投笔肤谈·地纪》。
④　《投笔肤谈·地纪》。
⑤　《孙子兵法·地形篇》。
⑥　《投笔肤谈·天经》。

对，甚至做到"以达其用"。① 接下来，何守法列举了天象对人类造成影响的实际例证，对其进行论证："彼可以疲耗人之气者，寒暑也。可以挫奋人之志者，星辰也。可以劳毙人之力者，雨雪也。可以骇乱人之心者，雷电也。可以迷障人之目者，阴雾也。"② 这些自然现象一旦能够充分加以利用，就可以加强攻势，正像"雨可以资水攻，风可以助火势"③ 一样。俗话说，天命难违，但在天象面前，也有人谋。何守法指出，善于用兵者，"尽吾人谋之可为，以听天命之不可违而已"④。只要尽力即可，对于成败和得失，不用太过计较。

总体上看，何守法精心研读《孙子兵法》，兵学思想不可避免地会受其深刻影响，和其他许多兵学著作一样，同样会陷入"不能遗孙子"⑤ 的路数，无法逃出孙子之藩篱。他甚至特地将篇数凑成十三篇，乃至每篇篇名都以孙子为参照，受《孙子兵法》影响的痕迹已昭然若揭。当然，对于权变之术的总结和重视，对于用间得失的探讨等，也体现出何守法试图摆脱孙子并努力向前迈进的一面。这些努力自然会令这本兵书另外生出一抹亮丽之色。

第四节　《兵垒》

《兵垒》为明代尹宾商著，共七卷。尹宾商，湖广汉川（今属湖北）人。生卒年不详，字于皇，一字亦庚，号白毫子，故《兵垒》又称《白毫子兵垒》。尹宾商曾授知县，因为触忤上级官员而

---

① 《投笔肤谈·天经》。
② 《投笔肤谈·天经》。
③ 《投笔肤谈·天经》。
④ 《投笔肤谈·天经》。
⑤ 《武备志·兵诀评·序》："前《孙子》者，《孙子》不遗；后《孙子》者，不能遗《孙子》。"

被罢免，从此之后闭门著书。其著作除《兵垒》之外还有《武书大全》《阃外春秋》等。《兵垒》是其论兵的代表作，该书以三十六字总结兵学的基本原理，可谓别出心裁。具体分别有：声、煦、整、先、迅、赢、佯、乘、静、集、因、突、掉、诳、肆、信、必、镇、异、持、诛、制、变、袭、合、待、独、谲、纡、果、分、扼、寡、疑、托、微。每一字条之下又有小序，采集前人重要论兵之语，借以申述自己的论兵主张，也引用史事或战例加以论证。

一、治军思想："申之以法"与"以信为大"

尹宾商首先强调了治军思想的重要性。在论兵三十六字条中，有煦、整、集、信、诛、制等字条，就治理军队而展开。

在"煦"字条，尹宾商借引用孙子"视卒如婴儿，故可与之赴深溪；视卒如爱子，故可与之俱死"① 一语，重点论述了关爱士卒的重要性。"煦"有温暖和恩惠之意，可知尹宾商对"善卒"的重视。他首先是以秦穆公宽恕待人而得到回报的例子，说明人与人之间需要宽恕和谅解。当初，秦穆公得知自己的坐骑被人杀了，非但没有怪罪杀马之人，反倒是赐给其美酒，这令杀马之人深受感动，并在三年后秦穆公遇难时，勇敢地站出来解救了秦穆公。尹宾商由此发出感慨："人君且然，而况于将乎？"② 作为将帅，如果学会用真情感人，将士卒视为"婴儿"或"爱子"，那就一定会获得士卒的支持。与此同时，尹宾商主张在实际治军过程中，要分辨情况并对症下药。管理对象不同，治军手段也要有所区别。尹宾商对此进行了总结："故古之良将，贤者，礼而禄之；勇者，赏而劝之；饥者，给食而饲之；寒者，解衣而衣之；有难，则以身先之；有功，则以身后之；伤者，泣而抚之；死者，哀而葬之。"③ 对各种拊循士

---

① 《孙子兵法·地形篇》。
② 尹宾商：《兵垒》卷一《煦》，《中国兵书集成》编委会编：《中国兵书集成》第三十七册，解放军出版社、辽沈书社，1994 年。
③ 《兵垒》卷一《煦》。

卒的方法和注意事项，尹宾商也进行了探讨："军井未汲，将不言渴；军米未炊，将不言饥；军火未燃，将不言寒；军幕未拽，将不言热；夏不操扇，冬不披裘，雨不张盖，财不私己，劳必共众。凡以拊循士卒而致其死命也。"① 为了进一步增加说服力，尹宾商接连举出吴起、李广等古代名将的"善卒"故事，说明"能爱人之生者，可使人舍生而赴死；能亲人之身者，能使人捐身以犯难"② 的道理。总之，身为将帅，一定要和士卒做到同甘共苦，才能赢得人心，令其死心塌地地为自己效命。

　　除了"煦"之外，"信"也是治军的必要手段。尹宾商指出，善治国者，不欺其民，善治家者，不欺其亲，"君子以信为大宝"。③ 之所以自古以来都有"贼臣必欺其君，逆子必欺其父，傲弟必欺其兄，权虏必欺其主"④ 等各种情况出现，就是因为互相之间缺少必要的"信"。人与人相处，"信"始终带有相互的性质，也就是说，上不信下，则下不信上，由此必然带来上下离心，直至失败。在历史上，"齐桓不背曹沫之盟，晋文不渝伐原之信，魏文不愆虞人之期，秦孝不吝徙木之赏"⑤，由此而被称为千古之韪。由此可见，"信"的作用不容忽视，尹宾商认为，无论是治国还是治军，都必须对此足够重视："夫可与为始，可与为终，可与尊通，可与卑穷者，其惟信乎！信而又信，重袭于身，乃通于天。以此治兵，则无敌矣。"⑥ 在尹宾商眼中，以"信"治兵则可以无敌，这虽有夸大之嫌，却足以说明其对"信"的重视。接下来，尹宾商又接连列举九则重"信"的典故，从西周的周武王到汉末的诸葛亮，再到北宋的种世衡等，从不同的侧面揭示了"信"对于治军的重要作用。

　　将帅在管理部队的实际工作中，往往会遇到各种问题，而且错

① 《兵霸》卷一《煦》。
② 《兵霸》卷一《煦》。
③ 《兵霸》卷三《信》。
④ 《兵霸》卷三《信》。
⑤ 《兵霸》卷三《信》。
⑥ 《兵霸》卷三《信》。

综复杂，千头万绪。所以，孙子论治军，主张"令文齐武"，即文、武两种手段都要使用。《兵垒》也是如此。除"恩""信"等手段之外，尹宾商还主张采用"诛杀"这种严厉手段，指出："严家必有怒答，而后无格虏；强国必有重典，而后无奸民。"① 在他看来，士兵就是为杀人而生，战争更是死亡的游戏，军队就是聚集了一群必须杀人的特殊群体："聚杀人之人，而习夫杀人之事。"② 这些桀骜不训、狂放不羁之人聚集一处，必然非常难以管理。因此，必须伏钺临众，"必诛杀以示威武"③。杀人固然为一种很有震慑力的治军手段，但也要讲究方法。尹宾商总结了各种"当杀"之人，具体为："杀一人而三军震者，杀之；杀一人而万人喜者，杀之。当杀，虽甚贵幸而有可听之援，勿赦；当杀，虽甚亲昵而有可恋之情，勿赦；当杀，虽甚勇敢而有可怜之才，勿赦。"④ 如果通过杀人可以整肃军纪，则必须杀。如果所杀对象早已为众人所痛恨，更要毫不犹豫地杀。而且，在行使惩罚之时，不能讲究情面，不能心生怜悯，必须果断而威严，令其成为治军利器。在"诛"字条，尹宾商列举出历史上从严治军的经典案例多达十八则，在所有字条中数量最多，这也从侧面说明作者对"诛"这一惩罚手段的重视程度。

　　无论是文武并用，还是恩威并施，都是为了使军容严整，追求军队的整齐划一。在"整"字条，尹宾商对此进行了集中论述。他首先指出，历来兵家都追求军容严整："善行师行军者必整。"⑤ 接下来，尹宾商重点论述了保持军容严整的重要作用："整者，居则有礼，动则有威；进不可御，退不可追；前后应节，左右应麾；与之安，不与之危。其众可合而不可离，可用而不可疲也。"⑥ 在他看来，军容严整的队伍，按兵不动时会很有秩序，担负军事行动时则

---

① 《兵垒》卷四《诛》。
② 《兵垒》卷四《诛》。
③ 《兵垒》卷四《诛》。
④ 《兵垒》卷四《诛》。
⑤ 《兵垒》卷一《整》。
⑥ 《兵垒》卷一《整》。

会威风凛凛。这样的队伍，如果对敌发起进攻，则战无不克。因为他们能够始终保持团结一心，始终是无法分割的整体。

尹宾商用春秋时期晋楚争霸中的著名一战——鄢陵之战，进一步对此进行论证。鄢陵之战中，晋军将领郤至看到楚军阵容不整，断定楚军必败。战争结果证明，郤至的判断非常准确。郤至之所以能准确预见战争胜负，就是因为他看到了军容严整对于战争的决定性意义。类似的例证还有很多，尹宾商对战争史上一些经典战例进行回顾和总结，然后指出了他对"整"的理解："夫一人之身，举百万之众，俯首伏喙，束肩敛息而莫敢仰视，法制整也。"① 拥有如此严整之师，即便是不懂战阵的匹夫来领导，同样可以"申之以法令，威之以赏罚"②，手下没有人敢于违抗军令。

将帅是军队之魂，其领导能力与指挥水平，对战争胜负往往产生直接影响。在《兵垒》中，尹宾商也对将帅所应具备的能力和素质进行了探讨。在他看来，将帅首先要善于集众人之所长，即"集众之明"，同时也要果敢决策，即"断而敢行"。尹宾商指出，天下并没有纯白的狐狸，却有纯白的裘衣，正是因为人类具有"集之众白"③ 的能力，使得白色的毛发集中起来，为我所用。作为个体的人，同样也是"莫不有长，莫不有短"④，既有优点，也有缺点。作为优秀的将领，一定要假人之长，以补其短，把众人的优点集中起来，才能形成强大的战斗力："集众人之明，无畏乎离娄矣；集众人之勇，无畏乎孟贲矣；集众人之力，无畏乎乌获矣。"⑤

善于倾听别人的意见固然是一种美德，但也有可能因为面对众多不同意见而造成犹豫不决。所以，尹宾商在强调"集众之明"的同时，也提醒将帅注意"自用其智"。他以动物为喻，说明犹豫的危

---

① 《兵垒》卷一《整》。
② 《兵垒》卷一《整》。
③ 《兵垒》卷二《集》。
④ 《兵垒》卷二《集》。
⑤ 《兵垒》卷二《集》。

害：一只犹豫不决的猛虎，甚至不如果断出击的蜂虿，"猛虎之犹豫，不如蜂虿之必螫"。① 同样的道理，鼠首两端的勇士，不如勇敢的妇孺之辈。狐疑是将帅之大忌，也经常由此而导致失败："疑事无名，疑行无功，天下未有疑而不败者也。"② 因此，果断精神是将帅的必备品质："进兵贵果，果而勿矜，果而勿愎，果而勿懈，果而勿蒽，果之为言断也。断而敢行，鬼神且避之，天下无坚敌矣。"③

不仅果断精神非常重要，甚至"独断"也在某些场合成为必要。在"独"字条，尹宾商指出，"独"并非完全是贬义词："独非自负其勇，自用其智，自恃其众也。"④ 可见必要时候的"独"，恰恰能看见胜负之所在。身为将帅，一定要有"四独"精神："嘿运方略，偏裨罔闻，是为独见；发言盈庭，片语折衷，是为独断；躬冒矢石，屹然不移，是为独立；单骑前进，尽屏驺从，是为独往。独见者，见人所不见；独断者，断人所不断；独立者，立人所难立；独往者，往人所难往。"⑤ 也就是说，将帅必须既有"独见"，又能"独断"，既能"独立"，又能"独往"。这种"独"，在尹宾商看来，是一名优秀将帅所必须具备的基本品质。在面对各种错综复杂的情况时，将帅必须能够果敢决策，决不能因为犹豫不决而错失战机。

"谲"这个字听起来不好听，但在尹宾商看来，也是将帅所要具备的素质："兵以正出，而谲用之求胜而已。"⑥ 比如晋文公，即使是被孔子讥为"谲而不正"⑦，但他却是春秋五霸中的佼佼者。由此可见，必须辩证看待将帅的"诡谲"。如果是用在保卫疆土的正道，则是战争谋略的具体体现，而不必以仁义之道斥之。

---

① 《兵垒》卷六《果》。
② 《兵垒》卷六《疑》。
③ 《兵垒》卷六《果》。
④ 《兵垒》卷五《独》。
⑤ 《兵垒》卷五《独》。
⑥ 《兵垒》卷五《谲》。
⑦ 《论语·宪问》。

二、欺骗之术："必匿其爪"与"伪为不胜"

在讨论战争指导问题时，尹宾商更是从多个角度论述了欺骗艺术，强调了诡诈之术的重要作用。在他看来，即便是禽兽相搏之时也都会使用欺骗之术："鸷鸟之击也，必匿其爪；猛兽之搏也，必潜其形。"[1] 动物尚且懂得通过欺骗之术制服天敌，那么人类发起战争行为更应将欺骗和诡诈作为必备手段，至少要学会像动物这样"匿其爪"和"潜其形"。这正如同孙子所推崇的"能而示之不能，用而示之不用"[2]。为了遵循这一原则，尹宾商指出，在两军对垒之时，己方将士一定不要有任何的骄傲自满情绪，更不能随意把自己的长处暴露给敌军，而是应当"匿其壮士肥马，而示以羸骼老弱"[3]。也就是说，要充分欺骗对手，假装暴露自己的弱点和不足之处。只有使用这种欺骗手段，令敌军麻痹和松懈，令敌军盲动和冒进，才能抓住时机，乘机设伏，最终以奇兵制胜。这样的巧妙运作之后，才能争得尹宾商所说的"一击之利"[4]。

尹宾商列举出历史上著名战例对此加以说明，重点则以汉高祖刘邦受困白登山为例，说明伪装和欺骗的作用。汉高祖七年（前200）冬，刘邦率领大队人马御驾亲征，与匈奴进行决战。匈奴假装节节败退，故意摆出一副虚弱不堪的假象，引诱汉军上当。刘邦不知这是匈奴的诱敌之计，一直向北开进，结果被匈奴单于冒顿率四十万精锐骑兵包围于白登山（今山西大同东）。大队人马饥寒交迫，危在旦夕，幸亏陈平使用了出色的间术帮助刘邦脱离险境。尹宾商总结这一战例指出，匈奴之所以得逞，就是因为他们善于欺骗，进而利用刘邦冒进的特点，夺取了战争主动权。而刘邦之所以能够脱险，同样也是得益于欺骗之术的成功运用。

---

[1] 《兵壘》卷一《赢》。

[2] 《孙子兵法·计篇》。

[3] 《兵壘》卷一《赢》。

[4] 《兵壘》卷一《赢》。

除了白登山之战外，尹宾商还举出了其他不少著名战例说明欺骗对于战争的重要性。在他看来，假装示敌以赢弱，是一种高明的战争欺骗手段和制敌手段："故赢为制敌之一奇也。"①

在"佯"字条，尹宾商更是旗帜鲜明地宣扬欺骗手段的价值。他先是指出战争的根本原则是"因敌变化"。在敌情不明的情况下，尤其不要贸然行动："两军相值，未谙敌情，必伺敌先动，俟其有变，乃用计以应之。"② 这句话的核心显然是"因敌变化"，其精神与《孙子兵法·虚实篇》中"因敌变化而取胜"非常相似，都是在强调根据敌情变化而采取相应的军事行动。接下来，尹宾商则提出"因敌变化"的原因："盖兵刃甫接，胜负攸分，未可造次以尝试也。急则血气用事，将逞于一击，而太刚者折；缓则神气不张，将局于守株，而太柔者弛。"③ 也就是说，由于敌情不明，没有办法进行各种战争尝试，很容易就此陷入困境。因此，必须做到既不能太急，也不能太缓。太刚则易折，太柔则易弛，都不利于战场制胜："急则血气用事，将逞于一击，而太刚者折；缓则神气不张，将局于守株，而太柔者弛。"④ 那么，摆脱困境的办法是什么呢？尹宾商认为是"佯"，即欺骗："若夫表缓急，剂刚柔，伪为不胜以求胜，其法在佯。"⑤

"佯"既是"伪为不胜以求胜"的妙法，也是确保己方不败，或"似败而实不败"的高招。所以，高明的军事家在追击敌军的时候，一定是假装追不到，即"佯为不及"。只有假装追不到，才能麻痹对方，令对手降低行军速度，这才能有机可乘，给予对手致命一击。同样的道理，即便是看到有利战机出现，高明的指挥员也一定会假装不知道。只有"佯为不知"，才能迷惑对手，并乘机发起攻

---

① 《兵罍》卷一《赢》。
② 《兵罍》卷一《佯》。
③ 《兵罍》卷一《佯》。
④ 《兵罍》卷一《佯》。
⑤ 《兵罍》卷一《佯》。

击。在《吴子·论将》中，有一段是论述战争欺骗的名言："务于北，无务于得，观敌之来，一坐一起，其政以理，其追北佯为不及，其见利佯为不知，如此将者，名为智将，勿与战矣。"在这里，《吴子》似乎是将"佯"作为将帅必备素质之一予以强调，但尹宾商则更进一步，更加强调"佯"对于战争的重要性，将其视为战法的一种，尤其强调将其作为敌情不明时的一种必选。

在"诳"字条，作者同样集中讨论战争欺骗手段。尹宾商指出，必须依据虚实变化而使用各种"诳术"："兵法有虚有实，实而示之以虚，虚而示之以实。故有余示之不足，不足示之有余，若环之无端，若水之无痕，若鬼之无迹。"① 在"肆"字条，尹宾商又指出"误敌"的重要性。"误"，同样是战争欺骗手段之一。尹宾商指出，兵法有千章万语，不出乎"多方以误之"一句。而且，必须注意正确实施"误敌"之策，目标是"能误人"，而不是"为人所误"："精于误者，能误人而不误于人。"② 在尹宾商看来，假托神道设教，同样也是战争欺骗手段。不仅如此，尹宾商更是称其为"奇计"。当然，要运用好这一欺骗手段并不容易，必须使出非常手段，甚至是令常人都感到惊骇的手段："奇则不泥常，而出于非常。非常者，常人之所骇而走也。"③

在《兵垒》中，尹宾商总结了各种欺骗手段，又特别强调了"变"的重要性。在他看来，欺骗手段本身就是各种"变术"的体现，而各种欺骗手段的展开，更需要依靠千变万化的"变术"。为此，他特地写下"变"字条，尝试对此进行集中论述。众所周知，《孙子兵法》格外强调"变"，指出"能因敌变化而取胜者，谓之神"④。《兵垒》也是如此，特地引用孙子此语来论述"变"的重要作用，而且论证过程中也可看出孙子的痕迹。

---

① 《兵垒》卷三《诳》。
② 《兵垒》卷三《肆》。
③ 《兵垒》卷六《托》。
④ 《孙子兵法·虚实篇》。

　　尹宾商指出，良将用兵正如良医疗病，必须做到"病万变，药亦万变"。倘若"病变而药不变"，那便是庸医，肯定治不好病。①因此，高明的将领一定要做到"杀机在心，活局在臆"②，其运兵方略每次都会有所变化，让敌军摸不着规律，无法防备。而且变化也并非刻意追求，并不是"非务相反"③，而是由于时势产生了变化，因而不得不变。高明的将领对战术的运用，有时甚至依靠内心去感悟。那些不懂变化的将领，只能是刻舟求剑或胶柱鼓瑟，最终沦为纸上谈兵的赵括，只能遭到失败。接下来，尹宾商特地以赵括为例证对此加以论证。赵括确为纸上谈兵、不懂变化的典型，而且赵国军队所遭受的灭顶之灾非常具有震慑力，正好可以起到警示作用，揭示了战败就必然会带来"覆军擒将"的严重后果："若赵括读父书而不知变，其覆军擒将，为天下万世笑，非不幸也。"④

　　在尹宾商看来，使用间谍大概是种种战争手段中较为高明的一种："策莫密于间，莫妙于间。"⑤使用间谍，可以有效地降低战争成本，这一点早已成为军事家们的共识，但如何使用间谍也很有讲究，其中也有不少注意事项。比如，在使用间谍时，必须做到"指纵必极幽隐，虽死弗得漏吾密，虽黠弗得测吾妙"⑥，所以使用间谍也有点类似驱使神鬼，是一种非常具有操作难度的特殊手段。其实，不仅是使用间谍，其他各种战争欺骗手段的实施，都不免会遇到各种各样的困难，甚至是面临非常大的风险。尹宾商指出，这些风险的存在，正如"水以载舟，亦以覆舟；药能生人，亦能杀人"⑦一样，每个指挥员都必须面对，必须辩证予以对待。

　　战争欺骗手段一旦实施成功，就需要果断对敌发起袭击。从某

---

① 《兵垒》卷四《变》。
② 《兵垒》卷四《变》。
③ 《兵垒》卷四《变》。
④ 《兵垒》卷四《变》。
⑤ 《兵垒》卷七《微》。
⑥ 《兵垒》卷七《微》。
⑦ 《兵垒》卷七《微》。

种程度上看，袭击也是战争欺骗手段的一种，因为其与堂堂正正的战法不同，所依靠的正是奇兵。尹宾商指出，"法当用诡道胜之"①，也就是说，兵法本来就应强调使用诡诈之术取胜。但是，即便是诡诈之谋已经运作得相当成功，在即将发起袭击之时，也要注意细节，避免功败垂成的局面产生。首先，对方阵势非常严整，就不要轻易发起袭击："堂堂之阵，弗可击也；正正之旗，弗可邀也。"② 其次，要根据对方的具体防守态势，有针对性地袭击不同地点，"敌备其牡，吾击其牝；敌警其孤，吾抶其虚；敌侦其首，吾棰其足；敌防其凸，吾叩其凹；敌遏其夷，吾挠其险。"③ 总之，要给对方意想不到的打击，真正做到孙子所提倡的那种战法："由不虞之道，攻于所不戒也。"④

三、战术运用："批亢捣虚"与"夺人之心"

就具体的战术问题，尹宾商也有不少精辟之论。而且，这些内容占据了更多的字条，是《兵垒》的主体内容。下面笔者分四个方面对其进行介绍。

第一，批亢捣虚，我专敌分。

在"声"字条，尹宾商强调了"批亢捣虚"是进攻的主要原则。他认为，要想达到进攻的效果，那就必须做到"我之所攻者，乃敌人所不守也"。也就是说，要抓住对方的薄弱之处，才能击倒对手。尹宾商认为虚实可以与八卦的方位图联系起来，虚实不可共生，所以只能避实击虚。其中明显有故弄玄虚之嫌，但也多少点出了兵法的要则。

要想达成避实击虚，就要尤其注意使得我方常专，敌方常分。这其实就是《孙子兵法·虚实篇》的重要主题。孙子强调"我专而

---

① 《兵垒》卷五《袭》。
② 《兵垒》卷五《袭》。
③ 《兵垒》卷五《袭》。
④ 《孙子兵法·九地篇》。

敌分"，也即努力达成"避实而击虚"的效果。尹宾商指出："善战者，使所（我）常专，使敌常分。我专为一，敌分为十，则此众彼寡，我所与战者约矣。我之战地，常使不可知，则敌所备者多矣。所备者多，则我所与战者又寡矣。"① 这段话论述的主题仍然是"我专而敌分"，所希望达成的效果则是避实击虚，这基本上是从《孙子兵法·虚实篇》中化出的。这一方面说明孙子对古典兵学所产生的影响，另一方面则说明，就"虚实"这对兵学范畴而言，尹宾商自己的创见不多，基本还是拾孙子之牙慧。

《兵垒》强调"兵贵精不贵多"，这其实也是孙子的主张。对孙子的精兵思想，尹宾商表示了高度赞赏："此常言，实至言也。"② 《兵垒》列举历史上几次著名的以少胜多的经典战例，比如赤壁之战、彝陵之战、淝水之战都可以说明"众不足恃"和"兵贵精不贵多"的道理。

尹宾商进一步指出"寡"的好处，主要有："寡则势易联也，寡则心易合也，寡则力易并也，寡则械易具也，寡则饷易庀也，寡则动易聚也，寡则归易同也。"③ 在尹宾商看来，人少的好处，比如可以更容易联络，更容易做到齐心协力，更容易展开行动等。东汉班超便是以三十六人定三十六国，成为善用寡者之神手，是这方面的典型。这些理论，已经跳出了孙子的藩篱，可算是尹宾商的创见。

另外，尹宾商强调"贵合"，这其实也是实现"我专"的一种手段。他指出："五指之更弹，不如控拳之一挃"④，这仍然是"我专而敌分"的翻版。对于"合"所能达成的利好，尹宾商也进行了简单总结："合则势张，合则力强，合则气旺，合则心坚。"⑤ 这方面内容对如何实现"我专"，在手段上也有所补充。

---

① 《兵垒》卷六《分》。
② 《兵垒》卷六《寡》。
③ 《兵垒》卷六《寡》。
④ 《兵垒》卷五《合》。
⑤ 《兵垒》卷五《合》。

第二，夺人之心，速战速决。

古代兵家中，既有强调先发制人，也有强调后发制人。《军志》就曾指出："先人有夺人之心，后人有待其衰。"① 所以，要辩证看待和处理战争中先发制人与后发制人的关系。从《兵垒》来看，尹宾商所贵为"先"，更强调"先发制人"。至于"先发制人"的好处，就是能够"夺人之心"："兵家惟其先人，故能有夺人之心。"②

在尹宾商看来，战争行为就像是棋手之间的对弈，必须处处争"先"："奕，小数耳，犹曰自始至终着着求先，况兵乎哉！"③ 就对弈而言，抢占先手非常重要，可以在棋局中占据主动。就战争而言，占据先手之利，同样可以夺取战争主动权。所以，自古以来那些善于指挥作战的军事家，都强调"先"，提倡夺占先手之利。抢占先手的方法有很多种，尹宾商借鉴孙子的兵学理论，总结为四点，即治气、治心、治力和治变："是故治气则先，治心则先，治力则先，治变则先。"④ 这四方面内容，其实是孙子所总结的"治兵四要"⑤，尹宾商认为其对争夺先手也有重要作用，于是进行了移植。

在尹宾商看来，"先"所包含的含义有很多种，"先为不可胜"只是其中一种："古之善战者，先为不可胜，以待敌之可胜，未有不先处战地而待敌者也。"⑥ 除此之外，"先"代表了抢夺先机或先占要地。尤其是那些险要的战略地点，必须抢先占领："隘则先居之，险则先去之，爱则先夺之。"⑦ 例如像关中这种战略要地，如果抢先占据则可以"先人成王"，这就是拼命争"先"的理由。尹宾商指

---

① 左丘明著，蒋冀骋点校：《左传·昭公二十一年》，岳麓书社，2006 年。

② 《兵垒》卷一《先》。

③ 《兵垒》卷一《先》。

④ 《兵垒》卷一《先》。

⑤ 《孙子兵法·军争篇》："故善用兵者，避其锐气，击其惰归，此治气者也。以治待乱，以静待哗，此治心者也。以近待远，以佚待劳，以饱待饥，此治力者也。无邀正正之旗，勿击堂堂之陈，此治变者也。"

⑥ 《兵垒》卷一《先》。

⑦ 《兵垒》卷一《先》。

出，正如咽喉是人体的要害通道一样，战争行为也存在这样的要害之地，往往是性命攸关的急所。高明的指挥员非常善于发现这种要害之地，并果断地抢先占领。在敌我双方旗鼓相当之时，这种要害之地则显得尤为重要："吾与敌旗鼓相闻，审其何处为背，何处为吭，因拊而扼之，敝敌之善策也。"①

抢夺先手或夺占要地，尤其要注意"快"，必须快马加鞭。在《兵垒》中，尹宾商用多种行动敏捷的动物作为比喻，反复强调了"快"的重要性："若乃勃然而起，忽然而至，如豕之奔，虿之螫，狸之抟，兔之脱，谁能御之？"② 与之相似，任何战术行动也必须行动快捷，令对手无暇准备。尹宾商之所以特别强调"快"，有两方面原因。其一，只有迅速果断，才能收到更好的作战效果，令对手"猝而不及持"③；其二，战机稍纵即逝，只有行动快捷才能抓住："时不再来，机不可失，则速攻之，速围之，速逐之，速捣之，靡有不胜。"④ 尹宾商引用《军谶》中的名言"攻敌欲疾，是脱兔之说也"，进一步说明"快"的好处，强调只有行动迅速，才能做到"智者不能为之谋，勇者不及为之怒矣"⑤。

第三，以静为主，见可而进。

尹宾商强调战术行动要"快"，但也不废"慢"。尤其是在进行战略决策时，更不能盲目求"快"，而是要求慢求稳，将速度降下来。在尹宾商看来，天下之事，始终可分为"急之而缓"和"缓之而急"两种，必须考虑周全，慎重对待。为此，他又写下"纡"字条特别加以强调。如果一味求"快"，就必然会带来一些问题："疾行无善步，疾歌无袅音，疾书无劲画，疾啖无余甘。"⑥ 与之相反，如果注意节奏，将速度适当地降下来，则会收到意想不到的效果：

---

① 《兵垒》卷六《扼》。
② 《兵垒》卷二《突》。
③ 《兵垒》卷二《突》。
④ 《兵垒》卷一《迅》。
⑤ 《兵垒》卷一《迅》。
⑥ 《兵垒》卷五《纡》。

"缓则其神必闲，神闲则其气必定，气定则其谋必密，谋密则其发必锐。"① 也就是说，只有保持镇定的态度，保持神闲气定，才能更好地进行战争谋划，使得战争决策能够秘密而又谨慎地展开。这才是尹宾商眼中的"全胜之道"。

在注意"纤"的同时，《兵垒》也强调"静"。尹宾商指出，战争固是武事，却始终"以静为主"。② 所以，军队切不可轻动，更不可妄动。保持安静的好处，是藏匿己方战略意图和作战计划，令对手无从窥探："静则无形，动则有形。动而有形，必为之擒。"③ 他进一步以捕捉动物为喻，说明妄动的危害。由捕捉动物的经验可知，始终是那些喜欢妄动的动物最先被人类抓捕，能保持安静不动的动物则往往可以幸免于难："虎豹不动，不入陷阱；麋鹿不动，不罹罝罘；飞鸟不动，不絓网罗；鱼鳖不动，不摆唇啄，物未有不以动而制者也。"④ 仅从这一角度来看，尹宾商和军事家们反复强调必要时候的"静"也很有几分道理。《尉缭子》也说："兵以静胜。"⑤ 在己方保持"静"态的同时，也需要耐心等待对方发起盲动，就此寻找到击败对手的机会："俟彼有死形，因而制之。"⑥ 不仅是军事家贵"静"，就连圣人也视"静"为宝："是故圣人贵静，静则不躁，而后能应躁。"⑦ 静以待敌，其实就是等待对手犯错，这也是一门高深的学问。为此，尹宾商写下"待"字条加以强调。在他看来，高明的指挥员，一方面要保持"不敢为客而为主，不敢虚憍而恃气"，另一方面要做到"如处女然，如木鸡然"。⑧ 无论是静如处子，还是呆若木鸡，都需要耐心和智慧才行。耐心等待时机的人，都有大智

---

① 《兵垒》卷五《纤》。
② 《兵垒》卷二《静》。
③ 《兵垒》卷二《静》。
④ 《兵垒》卷二《静》。
⑤ 《尉缭子·攻权》。
⑥ 《兵垒》卷二《静》。
⑦ 《兵垒》卷二《静》。
⑧ 《兵垒》卷五《待》。

慧。他们对一切都洞若观火，早已有了井然有序的安排："非至勇不敢待也，非至察不可待也，非至缜不能待也。"① 两军相持，如能保持"静"，而不是贸然发起进攻，就有赢得胜利的机会。我方不敢先发，彼方也不敢先发，高明的指挥员必须保持耐心，做到"见可而进，观衅而动"②，待对方犯错。先失去耐心的一方，终将会犯下大错。因为在这种局面之下，后发制人显得更加可贵。这不再是"迫而后起，不得已而后应"③，而是依靠耐心和善谋才等来的战机。

第四，掌握敌情，因敌变化。

众所周知，战场情况瞬息万变，敌情更是隐秘难测，要想在战争中占据主动，就不能不高度重视情报工作。重视情报工作，是以孙子为代表的历代兵家的优秀品质。孙子高度重视"知"，既重视"知彼知己"，又重视"知天知地"，也是这个道理。

与孙子等兵家不同，《兵垒》将情报工作称为"捭"："敌各有情而吾逆料之，其法曰捭。"④ 这与纵横家倒有几分接近，纵横家的理论作品《鬼谷子》高度重视纵横捭阖之术，将《捭阖》列为全书的首篇，并指出："捭之者，料其情也。"可见尹宾商的说法，虽与众多兵家不同，但也有久远的理论源头。《兵垒》指出："捭"的方法有两种："或捭而出之，或捭而内之"⑤，都是力图掌握包括敌情在内的各种情势变化。至于"捭"的目标则包括很多种："察阴阳之理，类万物之情，观众生之先，见变化之朕，而守司其门户。"⑥通过"捭"，考察对方的刚、柔、弛、张等情况，由此而"审定虚实，与其牝牡"⑦。

既然有了可靠的情报工作作为保障，就可以实现"因敌变化"。

---

① 《兵垒》卷五《待》。
② 《兵垒》卷三《持》。
③ 《兵垒》卷三《持》。
④ 《兵垒》卷二《捭》。
⑤ 《兵垒》卷二《捭》。
⑥ 《兵垒》卷二《捭》。
⑦ 《兵垒》卷二《捭》。

兵法固然贵"因"，但也必须有所"因"。孙子也提倡"因"，主张"因敌变化"，但没有对"何为因"做出解释。在《兵垒》中，尹宾商对于"因"提出了自己的解释："因也者，因敌之险以为固，因敌之胜以为克，因敌之乱以为暇，因敌之来以为往，因敌之谋以为事。"① 从中可以看出，"因"包括各个方面的内容。既可以因敌之"险"，也可以因敌之"乱"，更要注意因敌之"谋"。

大敌当前，能保持镇定，其实也是因为对敌情有着充分掌握。在尹宾商看来，保持镇定可以有很多种情况："有矫情而镇之者，有晰理而镇之者，有审势而镇之者，有量力而镇之者，有迎机而镇之者，有无可奈何而镇之者。"② 从他所总结的各种情况可以看出，"矫情而镇"和"无可奈何而镇"之间的差距，简直不可以道里计。其中的差别就在于有没有做足情报工作，有没有对敌情给予足够的重视。

各种乘人之术的实施，更离不开情报工作。在"乘"字条，尹宾商总结各种可乘之势："制敌亦然，骄可乘，劳可乘，懈可乘，饥可乘，渴可乘，乱可乘，疑可乘，怖可乘，困可乘，险可乘。"③ 需要看到，敌军的"骄""劳""懈""饥"等等情况，几乎都要依靠情报工作才能得到。没有扎实可靠的情报工作，就无从掌握各种可乘之机，更无法实施各种乘人之术。

总体而言，尹宾商通过三十六个字条，试图对兵学的基本原理进行概括性总结和阐释，可谓别出心裁。就体例而言，民国时期发现的著名兵书《三十六计》，也许是受到《兵垒》的启示。④ 尹宾商的条分缕析虽然很有特点，但他在写作过程中，不厌其烦地大量列举古代战例来进行论证，使得《兵垒》更像是一本战争史话类的普

---

① 《兵垒》卷二《因》。
② 《兵垒》卷三《镇》。
③ 《兵垒》卷二《乘》。
④ 《三十六计》的最大特点是"以易演兵"，章节数目也为三十六，与《兵垒》保持一致。

及性读物。由于战例罗列太多，占据篇幅过于庞大，与书中的学理探讨和兵法理论的总结相比，显得非常不相称，难免会拉低该书的理论水准。

第三章　明代重要兵学著作（下）

第一节　《登坛必究》

　　《登坛必究》为明万历年间诞生的兵书，作者王鸣鹤，生卒年不详，字羽卿，江苏淮安人。王鸣鹤是将门之后，少有大志，所以一直关注和研究兵学。他不仅熟读兵书，而且注意广泛辑录论兵之作，从而编纂成体系庞大、内容丰富的《登坛必究》。尽管是辑录之作，王鸣鹤也大量融入了自己对于兵学的思考，尤其是在评论部分，就治军思想、军事谋略等阐述了自己的独到见解。

　　一、治兵之术：“选兵”和“教兵”

　　打赢战争依靠军队，军队的基本组成则是士兵，所以士兵是夺取战争胜利的基本力量和主体力量。只有保证士兵训练有素，才能指望军队具有战斗力。王鸣鹤同样认为，要想建设一支强大的军队，必须注重士兵的能力和素质，从选兵和训练抓起。

　　首先是严格进行选兵。王鸣鹤主张将那些身体强壮、武艺出众之人选拔出来，淘汰那些只知道吃俸禄、缺少战斗能力的士兵。他指出：“选兵之法，大率梗概，兹篇其要，在随材授艺，各当其可，即古器使之道，用兵以增敌忾与用贤，以共治理，其机一也。"① 在指出选兵之法的同时，王鸣鹤也直言不讳地指出当时选兵过程中出现的怪现状："方今四方多事，六道征兵独怪。"② 那么，究竟是怪在哪里呢？怪就怪在选出一帮无用之徒："夫游闲儇子凿窳屠夫，或倚市门而工调笑，或窘朝夕而窃呼号，往往侥幸尺籍以糜公，既东郭先生不吹竽而食禄，殆是辈已。及至缓急之际，鼓之不前，金之不退，手足莫知所措，而披靡随之。"③ 也就是说，明军针对当时危机四伏的局面，并没有选出真正可用之人，而是挑选了一些游手好闲之徒、投机取巧之徒、空口呼号之徒，抓这些人充军，只能如同东郭先生滥竽充数一样，浪费了国家的军饷。在战阵之中，他们不懂闻鼓而进和鸣金而退的道理，如果与强虏作战，那就无异于"投肉虎蹊"，必然给国家带来大患："此所谓投肉虎蹊，几何而不贻国家之大患哉？"④

　　选出可用之兵，建设可战之军，王鸣鹤推崇的是戚继光的做法。王鸣鹤就上述主题在《登坛必究》中进行了简要总结："戚太保谓'今将有章程，兵有额数，饷有限给，其法惟在精愚'，谓'选用之精在一时，而鼓舞之机在平日，熟训练以用长，严号令以肃惰，而又频加犒赏，畜锐养威，以决胜于一战。'"⑤ 戚继光特别强调的是精兵政策，由于军队的兵员有额定之数额，军饷之供给也是固定的，所以必须走精兵路线。不仅如此，即便是选出了精兵，也要在平时组织必要的训练，因为"选用之精在一时，而鼓舞之机在平日"。治兵者还要严明赏罚，养精蓄锐。王鸣鹤认为，李牧当初之所以成功做到备北边和挫强胡，正是因为坚持走精兵路线。

---

① 王鸣鹤：《登坛必究》卷十三《辑选兵说》。本书载于《中国兵书集成》编委会编：《中国兵书集成》第二十至二十四册，解放军出版社、辽沈书社，1990 年。

② 《登坛必究》卷十三《辑选兵说》。

③ 《登坛必究》卷十三《辑选兵说》。

④ 《登坛必究》卷十三《辑选兵说》。

⑤ 《登坛必究》卷十三《辑选兵说》。

"选兵"非常重要，还必须得法。在王鸣鹤看来，"选兵"首先要注意"选锋"。他引用孙子"兵无选锋，曰北"① 一语，论述了这个道理："夫士卒疲勇不可混同为一，一则勇士不劝，疲兵因其所容，出而不战，自败也。故兵法曰'兵无选锋曰北'。"② 也就是说，士卒本身存在着疲怠和勇敢等差别，切不可混同起来。如果使用疲怠之师出征，只能失败。所以必须选兵，将那些精锐之卒选拔出来，才能保证战无不胜。

与此同时，"选兵"务求"选能"，保证人尽其才。王鸣鹤指出："夫总兵之任，务搜拔众材，以助观听，以咨筹略。"③ 在他看来，总兵官的职责之一，就是选拔出那些具有特殊才能之人。对于人才的使用，也要不拘一格，不去计较地位高低和身份贵贱，所以王鸣鹤特地指出对于人才的使用原则："有异能者，无问势之大小贵贱，皆置在幕府以备役用。"④ 只有这样，才能让那些身怀特殊技能之人，可以充分发挥其特长。

"选兵"既然如此重要，将帅就必须将其作为工作重心，视为自身重要职责。王鸣鹤指出："夫大将受任，必先料人，知其材力之勇怯，艺能之精粗，使人各当其任，此军之善政也。"⑤ 此处所论"料人"，实则是考察己方士卒情况。将军到任之后，必须先了解士卒各自的特点，保证在用人时做到扬长避短，充分发挥各类人才的潜能，保证军队在战场上最大程度地迸发出战斗力。

"选兵"重要，"练兵"更重要。身为将帅，必须在选拔精兵之后，注意加强训练工作。将帅如果不懂得"练兵"的重要性，仍然无法战胜对手。为此，王鸣鹤特意对"练兵"的重要性进行了揭示："士不选练，卒不服习，起居不精，动静不集，趋利弗及，避难不

---

① 《孙子兵法·地形篇》。
② 《登坛必究》卷十三《选锋》。
③ 《登坛必究》卷十三《选能》。
④ 《登坛必究》卷十三《选能》。
⑤ 《登坛必究》卷十三《选兵》。

毕，前击后解，此不习勒卒之过也。其法百不当一，故曰：'军无众寡，士无勇怯，以治则胜，以乱则负。兵不识将，将不知兵，闻鼓不进，闻金不止，虽百万之众，以之对敌，如委肉虎蹊，安能求胜哉?'"① 如果军中士卒没有进行充分的训练工作，他们就无法掌握作战要领，甚至连何时前进何时撤退都不知道，训练水平低下，即便是拥有百万之众也无法取胜，只能是羊入虎口，令士卒白白送死而已。

由此出发，王鸣鹤进一步指出了训练的重要作用。他指出，在战争中，往往有士卒未经战阵便已经胆怯，也有战马还未驰骋便已经疲惫出汗，这并非因为"人怯马弱"，而是因为没有进行正规训练，是"不习之过"。② 因此，将帅在平时必须加强训练，使得士卒武艺精熟，驱使治卒击败强敌。只有治卒才有赴汤蹈火、出生入死的勇气，才懂得通过齐心协力、勇往直前来挫败强敌的战法。

至于"练兵"步骤，王鸣鹤认为当从"练心"开始。他指出："制敌先于教兵，此古简阅之说。"③ 回顾军事史就可以知道，教练士卒是春秋战国至唐宋期间都会注意的"遗法"，但在王鸣鹤看来，当时将帅只能效法其表，并不能得其要领，所以会在抗击倭寇和胡虏的过程中屡屡吃到败仗，以致丧师辱国。至于其中原因，《登坛必究》认为是没有"练心"："先正有言，练兵之法，莫先练心。人心齐一，则百万之众即一人之身。将知兵，兵知将，如子弟之卫父兄，手足之捍头目，而常胜在我矣。此又为将者所当知也。"④ 由此可见，王鸣鹤所说"练心"，其实就是通过训练使得军队上下团结一心。在他看来，只有保证军队上下心齐如一，兵将之间的关系如同父子一般亲密无间，才能保证军队常胜。

除了"练心"之外，王鸣鹤还根据《武经总要》等兵书中所论

---

① 《登坛必究》卷十三《教兵》。
② 《登坛必究》卷十三《教兵》。
③ 《登坛必究》卷十三《辑教兵说》。
④ 《登坛必究》卷十三《辑教兵说》。

"教兵"之法，对士卒的训练问题进行了详细探讨。他先是对"治"，也即一支军队训练有素的大致面貌进行了描绘："所谓治者，居则阅习，动则坚整，进不可以犯，退不可以追，前后如节，左右应麾，可合而不可离，可用而不可疲，虽绝成阵，虽散成行，治之素也。"①也就是说，训练有素的军队始终保持着一个整体，所以凛然不可侵犯，即便是被敌军打散，也能很快重新形成严整的阵势。

　　这种"治"，其实就是训练所要追求的目标。目标既然明确，就可以进行针对性的训练。在王鸣鹤看来，如果抓住"三官"和"五教"，就可以实现这种训练目标："古法曰：三官不谬，五教不乱，是谓能军。"②所谓"三官"，即鼓、金、旗三种统一三军和指挥作战的号令。所谓"五教"，指的是针对耳、目、手、足、心的训练之法。尤其是"五教"，更是训练的重中之重："教目知形色之旗，教耳知号令之数，教足知进退之度，教手知长短之兵，教心知赏罚之用。五者用习，是取胜之治卒也。"③在王鸣鹤看来，用兵也像是用器，需要用的是其便利的特性，需要用得顺手才行，所以一定要追求"将校欲其精，士卒欲其教"④。

　　对于具体的训练方法，王鸣鹤也进行了深入探讨。他特地写下了《训练说》，以学生求学的过程，说明应遵循循序渐进的道理。就学生而言，如果想进入科举之路，就必须从学识字开始，渐而明句读、习文章，这才能走入考秀才和中举人的考场。在训练过程中，教练要始终保持责任心和耐心，真正教会学生事事精熟。因此，王鸣鹤指出：所谓"训练"，"训"字有一半工夫，"练"字有一半工夫。这两种工夫是不同的。所谓"训"，就是要将金鼓、旌旗、进退、坐作之法，包括一动一静、一语一默等，都逐项讲解明白，教给士卒如何遵守命令，而不是违抗军令。遇到不明白之人，则要反

---

① 《登坛必究》卷十三《教兵》。
② 《登坛必究》卷十三《教兵》。
③ 《登坛必究》卷十三《教兵》。
④ 《登坛必究》卷十三《教兵》。

复讲解，或者是先教会大小头目和聪明伶俐者，让他们利用与军士行走坐卧的时间，慢慢地进行教导，时间一久，军士自会知晓。这种道理，就像是教孩童学习："譬如初入学孩童，一字不识，一句不知，必须师傅把手教字，开口教书，然后晓得句读，晓得字画。倘师傅不把手教字，开口教书，止将书仿授于学生，任他自己去念去写，只是明日要背书、要判仿，那学生如何来得？"①

教学生句读和字画需要耐心，训教军士更需要耐心，这是因为军中士卒聪明伶俐者相对较少，甚至还比不上那些聪明伶俐的幼童。军中士卒通常都有家事累心和衣食累身，不像幼童无事挂虑，可以一门心思学习。也比不上孩童学习，会有师弟咫尺相亲，不知道就可以随时问，忘记了也可以随时来问。在军队中，将官高高在上，鲜有军士敢去随便询问。如果看到士卒稍有差错便抓来就打，则更会令军士心生畏惧，反倒又因此而遗忘。如果教习不成，导致将官暴怒的话，更容易造成将官与士卒心意不合，在平时都不敢望其身臂，更不懂其指使之意。这样的军队如果临敌，则将、兵各怀二心，"见敌而走，有由来矣"②。所以，在训练之中，尤其要注意方法，务求血脉流通，意气相合。如果遇到无知军士，则一定要好言好语加以教训，令其有所感知。故此，王鸣鹤认为"训"字有一半工夫。

同样的道理，"练"也要讲究方法，注意循序渐进。这同样可以用学生求学作为比喻。拿学生求学来说，在教他句读和字画时，需要看他练习得好与不好。等练熟练好之后，才能接着教他别的内容。如果只是一半熟或一半好，那就不能再教他新的科目。作为将官，在教练军士学习阵法时，也应按照教学生学写文章的步骤循序渐进地展开。如果还没到考秀才、中举人的阶段，却要在临阵与人厮杀的时候，逼迫他们使用考秀才、中举人的招数，那就必然会失败。而且，作为教官一定要教给士卒临阵的本领，对于将来如何在敌阵冲杀，要做到心中有数，有所预判。作者总结道："若明日遇敌突然

---

① 《登坛必究》卷十三《训练说》。
② 《登坛必究》卷十三《训练说》。

而来，不知多，不知少，不知远，不知近，不知强，不知弱，不知左，不知右，不知前，不知后，一撞将来，就与他厮杀，还要杀胜了他。就如人家子弟赴考试官处考秀才、中举的说话，考试官将门封了，凭他出何题目，连师傅也不得来说来教，就要做出文章来。"① 作为考生，要想在考场上取得好成绩，就必须对考试内容有所预判，否则无法临时做成文章。作为军士，如果在平时操演过程中，武艺学得不精，对于如何接战心中没底，等到临阵之时遇到那种"不是我杀人，即是人杀我"② 的场面，便只能手忙脚乱。所以，平时训练必须事事留心，不可有一丝苟且。耳、眼、心、胆、手、足等功夫，都要训练到位才行。

二、御将之术："选将"与"任将"

将帅对军队建设具有非同寻常的意义，王鸣鹤也深知此理。他解释"将帅"的含义，认为"帅"即"率领"之意："率其众，以身先之也。"③ 由于能起到率先垂范的作用，将帅的素质和能力都会对军队建设起到关键性作用。在王鸣鹤看来，明军出现重大危机的原因之一，就是没有解决"选将"与"任将"问题，一直固执地采用将官世袭制度。正是这种世袭制度的存在，导致不少将帅不思进取，由此成为不学无术、目不识丁的废人，既不懂兵法和韬略，更不知权变之术。针对这种现状，王鸣鹤主张在将帅的选拔任用等方面加大力气，既要革除旧弊，科学选将，将真正有用之人选拔出来，同时也要充分放权，令各级将帅真正担负起守疆卫土的职责。

对于将帅的地位和作用，王鸣鹤有一段精彩论述："天下安，注意相；天下危，注意将。安危之间，难易辨焉。"④ 在《辑将帅说》中，他再次重申了上述观点。在他看来，将帅始终担负着挽救天下

---

① 《登坛必究》卷十三《训练说》。
② 《登坛必究》卷十三《训练说》。
③ 《登坛必究》卷十一《将帅》。
④ 《登坛必究·自叙》。

危局的责任，这正像是丞相对于治国理政所起到的作用一样，其地位和作用始终无可替代。因此，自古以来的杰出政治家，都会对将帅予以特别重视。只有在一种情况下，将帅的地位会受到严重忽视，这就是国家承平已久，举世讳言武事之时。在这种情况下，将帅即便是身怀韩信、白起这样的才能，也都找不到用武之地。但这样一来，武备必然也会废弛，将帅地位随之下降，也必然带来深重的危机。

将帅地位既然如此重要，就不能不慎重选用。王鸣鹤考察了古代政治家通过选将来实现治军和强兵的事实，既强调应重视"选将"，也阐述了应如何选将。在他看来，选将制度在周以后逐渐成熟，经由唐、宋再迄于今朝，可谓法制大备。所以不少豪杰之士被选拔出来，保护生灵免遭涂炭，保卫江山社稷免受劫难。诸如司马穰苴这样的重要将领，也是从间伍中选出，由此出发而能"罢燕、晋之师"；韩信也是从卒徒中选拔出来，由此而"檄三秦而定炎刘之鼎"。① 如果选对将帅，就会对战略格局产生重要影响，也会对敌我双方的形势产生重大影响。自古以来，有必胜之将，无必胜之兵。将对军队所起到的作用，对战争所产生的影响，都是士兵所无法比拟的。从这个角度来看，国君如果不善于择将，那就相当于是将自己的国家拱手送给敌国："君不择将，以其国予敌也。"②

对于如何选出具有决定性作用的将帅，王鸣鹤也进行了深入探讨，并提出了以下四点注意事项。

首先，作为君主，一定要懂得"赤心置人腹中"③，也就是说，要尊重人才，对所选贤将报以一片赤心。在历史上，周文武重用吕尚、汉高祖重用韩信，都是这方面的典型。作为君主，只有以赤忱之心待人，对所访贤将坦诚相待，充分尊重，充分信任，甚至是充分放权，才能让对方拼死效命。除了要有赤忱待人之心，为了求得

---

① 《登坛必究》卷十一《辑将帅说》。
② 司马光编著，胡三省音注：《资治通鉴》卷十五，中华书局，1956 年。
③ 《登坛必究》卷十一《将帅》。

贤将，君主还要有三顾茅庐的耐心，必须以实际行动，来打动这些贤能之将。

其次，选将过程中尤其要注意以"才"为先，将才能突出与否作为首要考虑的选人标准。王鸣鹤指出："古者国家虽安，必常择将。择将之道，惟审其才，不以远遗，不以贱弃，不以诈疏，不以罪废。"① 从中可以看出，既然选将以"才"为先，就应注意回避诸如亲疏、远近、贵贱等影响选将的重要因素，不因人为因素而影响选将，甚至不要因为将帅曾犯有过错，就因噎废食，就此无视其指挥才能，从而埋没将才。王鸣鹤列举历史上众多贤将的经历，对此进行论证。比如，管仲即便与齐桓公有一箭之仇，仍然被齐桓公拜相。其他如张仪、乐毅、韩信等，都有明显缺点，却都因为遇到识人之明主，所以没有影响到他们受重用。

再次，要注意"辨将"，辨别其是否为值得提拔和重用之才。将帅是国家的腹心，三军之司命，既然如此，"可不慎于选乎？"② 王鸣鹤主张从以下四点出发，对将帅慎重加以考察："一曰相貌，二曰言语，三曰举动，四曰行事。"③ 从相貌和言语来考察其是否忠厚和忠诚，从举动和行事出发，考察其实际带兵能力等。抓住这几个重要方面，就可以辨别将帅的才能高下及忠诚与否。

最后，要注意在平时做好"储将"，也即有意识地储备将才。在王鸣鹤看来，国家并不难于"选将"，而是难于"储将"。原因就在于"选将在一时，而储将在平昔"④。"储将"是一项长期工程，所以才显出其中的难处。尤其当国家承平日久，武事废弛之时，国君更要注意"储将"，否则就会在危机忽然出现时抓瞎，因为无人可用而变得束手无策。既然这种功夫并非"一朝一夕之事"，就必须在平时建立一套扎实有效的人才培养机制，培养那些具有为将潜力之人，

---

① 《登坛必究》卷十二《选将》。
② 《登坛必究》卷十二《辨将》。
③ 《登坛必究》卷十二《辨将》。
④ 《登坛必究》卷十二《选将说》。

有意锻炼和提高其指挥作战的能力。

在完成"选将"的步骤之后，就需要适时"任将"，也就是任命将帅，委派其担任各种要职。那么，"任将"的过程中，应该注意哪些问题呢？王鸣鹤指出，首先必须敢于革除旧弊，严格按照标准选人用人，将那些有用将才推到重要岗位，担任重要职务。为此，他举出欧阳修劝诫宋仁宗打破"以资品选将"规则的例证，说明"革去旧弊"的重要性，强调只有"以非常之礼待人"，才能收取"非常之效"。① 欧阳修曾对宋仁宗说，将相无种，或出于奴仆，或出于军卒，或出于盗贼。所以，要想选出真正可用之将，就必须打破常规，不要再遵循那些排资论辈的旧制度选人用人。对于名将贤将，一定要不拘一格加以任用。如今国家之弊端就在于"选将之路太狭"，而且"近臣举将，而限以资品，则英豪之在下位者不可得矣"②。所以欧阳修力请革除旧弊，不能以地位高低或身份贫贱来品评人物。只有广开求将之路，才能把那些真正有谋略有胆识的将才选拔出来，才能保证军队威武不可侵犯。

在"任将"之后，要立即明确将领的职责。王鸣鹤引用《武经总要·将职》的有关论述，对其加以论证。其实《武经总要·将职》对于"将帅"的论述，仍是从孙子而来。比如"将者，民之司命，国家安危之主"，再如"辅周则国强，辅隙则国弱"，都是从《孙子兵法》中引用。③ 王鸣鹤借此继续申论将帅的职责："故将在军，必先知五事、六术、五权与夫九变、四机之说，然后可以内御士众，外料战形。"④ 接下来，王鸣鹤也对五事、六术、五权、九变及四机各自的内涵进行了阐释。这里的"五事"，其实就是孙子所言"五事"，即道、天、地、将、法。"六术"则为制政令、明赏罚、

---

① 《登坛必究》卷十二《任将》。
② 《登坛必究》卷十二《任将》。
③ 《孙子兵法·作战篇》："知兵之将，生民之司命，国家安危之主也。"《孙子兵法·谋攻篇》："夫将者，国之辅也。辅周则国必强，辅隙则国必弱。"
④ 《登坛必究》卷十二《任将》。

处舍藏、举进退、窥敌变等。① “五权”为无欲将、无怠胜、无威内及无见其利而不顾其害。“九变”则从《孙子兵法·九变篇》中来，分别为圮地无舍、衢地交合、绝地无留、围地则谋、死地则战、涂有所不由、军有所不击、城有所不攻、地有所不争和君命有所不受。所谓“四机”，是指“张设轻重在于一人”②。王鸣鹤指出，“五事、六术、五权、九变、四机者，皆良将之所要闻而兵家之所先务也。”③ 这些都是良将所必须知晓和掌握的，是所有杰出军事家都必须面对和解决的课题。

在明确了职权之后，就要充分放权。王鸣鹤认为，一旦选出“智必能谋，勇必能战，仁必能守，忠必不欺”的贤将，就应该得而用之，“然后结之以诚信，驭之以恩威，进退赏罚不从中决”。④ 也就是说，要充分授权，令其可以充分发挥才智。使将帅充分履行职责，就需要授之以权，这牵涉的是“将权”。王鸣鹤指出：“夫为三军之司命者曰将，以眇然之躬而系民社之安危者曰将，不夺于爵赏刑威而毅然以摅忠报国为志者曰将，有是将而不稍假之以权则将轻。将轻而令不伸，令不伸而三军不肃，三军不肃而边陲日以多事，积弱之势其渐渍然也。故将始于择终于任，不择而遽任之，是犹责千里于款段也，过也。既择矣而不终任之，是犹絷骐骥之足而责千里也，亦过也。”⑤ 从中可以看出，王鸣鹤强调将领应有明确职责，令其可以安心统率军队，充分保证其履行保国安民等要务。他还进一步以良马为喻，指出了放权的必要性。要想让马儿跑得快，就一定不可束缚其手脚，而是充分释放缰绳，令其可以自由驰骋。同样的道理，对于贤能之将也不能横加干涉，而应给予其指挥军队的权力，充分发挥其指挥作战的能力。

---

① 原文只有五条。
② 《登坛必究》卷十二《任将》。
③ 《登坛必究》卷十二《任将》。
④ 《登坛必究》卷十二《任将》。
⑤ 《登坛必究》卷十一《辑将权说》。

三、战争谋略："伐谋"与"出奇"

《登坛必究》非常认同孙子"兵者诡道"① 和"兵以诈立"② 的主张，积极主张以谋胜敌，号召将帅积极研究谋略，主动运用谋略。王鸣鹤也由此出发，力推"谋主说"，大力弘扬战争谋略。在《辑谋主说》中，他首先为"谋"的地位定下基调："夫国家之大事在军，兴三军之司命在将帅，夫人而知之也。顾兵以诈立，以利动，以分合为变。为将者不可不早计而预图之，此所贵在谋，非圣智孰能与于斯哉?"③ 在这段话中，"所贵在谋"是中心思想，孙子的"兵以诈立，以利动，以分合为变"是关键论据。王鸣鹤不仅赞同孙子对于战争的认识和态度，而且进一步总结出战争"所贵在谋"，这其实也是为战争谋略正名，抓住了战争的本质。因为战争说到底是要付出流血和牺牲的，不能片面追求仁义，必须给谋略适当让路。身为将帅，必须研究战争谋略，并正大光明地使用战争谋略。

为进一步证明谋略的作用，王鸣鹤举出吕望、张良、陈平、诸葛亮等善于谋略的古代名将的故事，指出："吕望谋于周而周王，良、平谋于汉而汉兴，诸葛孔明谋于蜀而存炎刘于既烬。"④ 由于有吕望这样善于谋划的军师，周武王得以灭商兴周；因为有张良、陈平这样出色的谋士，刘邦得以在楚汉相争中取胜；因为有诸葛亮的出色谋划，刘备得以建立蜀汉政权，从而在一定程度上为刘氏政权续命。从中不难看出，谋略始终具有不可替代的作用，战争中理所当然地要以"谋"为主。

孙子主张"上兵伐谋"，但是运用谋略不只是为了实现孙子所云"不战而屈人之兵"⑤，而且也未必能达成这种不战而胜的境界，但一定可以降低战争成本，并最终找到机会战胜强敌。王鸣鹤指出：

---

① 《孙子兵法·计篇》。
② 《孙子兵法·军争篇》。
③ 《登坛必究》卷三十二《辑谋主说》。
④ 《登坛必究》卷三十二《辑谋主说》。
⑤ 《孙子兵法·谋攻篇》。

"兵家之所取胜者，非特将良而士卒劲也，必有精深敏悟之士料敌合变、出奇无穷者为之谋主焉。"① 也就是说，一旦遇到不得已而战的情况，影响战争胜负的首先是谋划战争之人的谋略水准，因此必须早定计谋，方可胜敌。这种谋，依靠的是对战争扎实的研究和谋划，从而保证人的智慧得到最大程度的发挥，而不是凭借龟甲或蓍草征验来进行。

《登坛必究》指出，不只是兵家主谋，就连孔子这样的圣人也主张"好谋而成"："夫谋者，圣人所不能免也，况于兵乎？"② 将帅因为担负着保家卫国、保全族种等重任，更要将研究战争谋略放在重要位置。王鸣鹤以人的身体为喻，对"兵之道"进行了独到的分析，指出："兵之道，犹一人之身：将者，心也；谋主者，思虑也；图籍者，脏腑也；法制者，脉络也；号令者，声音也；旌旗、鼓铎者，耳目也；车骑、步兵者，四肢也。心之统脏腑、总脉络、出声音、用耳目、役四肢也。"③ 在人的身体中，心脏无疑是最为重要的器官，由它统领其他器官，因此心脏堪称谋主。在战争问题上，谋略所起的作用正如心脏一样，是左右大局的关键性因素。所以，战争不可无谋主。指挥作战往往依靠将军，将军有没有谋略，往往直接影响到战争胜负："有之者胜，无之者败，已弃之而资敌者败，敌取之而助己者胜，尝用矣而或弃者亦败，弃矣而或用者亦胜。"④ 从中可以看出，有无使用谋略对于战争非常关键。不仅要重视谋略，大胆使用谋略，还要注意在战争过程中始终使用谋略，因为战争在很大程度上是双方将帅谋略的对抗，如果中途放弃了谋略，也会导致失败。

王鸣鹤充分肯定"谋"在战争中的重要作用，进一步指出"谋主"是战争胜败的"枢机"："夫世之论兵者，止知重将帅之选，急

① 《登坛必究》卷三十二《谋主》。
② 《登坛必究》卷三十二《谋主》。
③ 《登坛必究》卷三十二《谋主》。
④ 《登坛必究》卷三十二《谋主》。

士卒之练，讲器械营阵之所宜，究山川形势之便，而推风角鸟占之说，至于谋主，则未始一言及焉。不知夫谋主者，一军胜败之枢机也。"① 在这里，王鸣鹤将影响战争胜负的主要因素，如将帅之选、士卒之练、器械营阵、山川形势等，与"谋主"进行对比，指出"谋主"是其中更为重要的因素，堪称"胜败之枢机"。因此，将帅作为战争指挥者，必须开动大脑，积极思考，积极使用谋略，认真筹划战争。

在进行理论阐释之后，王鸣鹤进一步以楚、汉相争为例，继续说明谋略的重要性。楚汉相争的初期，项羽兵强马壮，实力比刘邦强过很多，但是项羽勇而无谋，就此交出了战争主导权。项羽不仅本人缺少谋略，而且不能使用谋士范增的谋略，这与刘邦形成了鲜明对比。刘邦不仅虚心纳谏，而且善用张良、陈平之谋，故而最终打败项羽。楚汉相争其实就是"有谋主者胜，无之者败"的生动例证。可见用兵作战，必须把握"谋主"这个"枢机"才行。

王鸣鹤继续援引孙子"上兵伐谋"② 等名言，强调谋略胜人的重要性："夫上兵伐谋，其次伐交，其次伐兵。伐谋者，攻敌之心，使不能谋也。伐交者，绝敌之援，使不能合也。伐兵者，合刃于兵戈之场，不得已而用之也。"③ "上兵伐谋"为古往今来的军事家们所激赏，同样为王鸣鹤所认同。当然，从王鸣鹤的论述来看，他所谓的"谋"，并非空手套白狼，而是要扎扎实实地进行战争准备和战争谋划。不仅要掌握敌情，更要掌握己情；不仅要占得地利，更要积极训练士卒。王鸣鹤特别强调"察彼之形势"："不明敌人之政者不加兵，不明敌人之情者不誓约，不明敌人之将者不先军，不明敌人之士者不先阵。"④ 只有做到了知彼知己，才能进行战争谋划，才能定计于内，进而出兵于境。可知王鸣鹤所称之谋，是充分进行战

---

① 《登坛必究》卷三十二《谋主》。
② 《孙子兵法·谋攻篇》。
③ 《登坛必究》卷二十《叙战》。
④ 《登坛必究》卷二十《叙战》。

争准备，在做好"知彼知己"的基础上进行战争谋划，不打无准备之仗，不贸然与敌决战。

重视"诡道"，必然重视"出奇"。因为"奇"与"正"相对，更强调对常规战法的突破。王鸣鹤对"奇"进行了深入讨论，不仅指出"出奇"的重要性，更研究了各种"奇伏"之法。

王鸣鹤指出，"奇"与"诡道"之法紧密相连，甚至是孪生。上古时期，用兵尊奉古军礼，多有节制，所以多用"正兵"。从这种指导思想出发，军队每开进一段距离，比如五步六步，军阵已经不够严整，于是立即停下脚步，把阵型再调整到整齐划一。在传说中的"竞于道德"的时代，战争双方都尊奉古军礼，因而多使用堂堂正正的战法。到了春秋末世，"兵尚诡道"，更多变为"攻其无备，出其不意"[1]，那些堂堂正正的战法逐渐被抛弃。由此开始，列阵对垒之时，多以奇伏制胜。自此之后，"善出奇者，无穷如天地，不竭如江河"这种崇尚"出奇"的战法，"遂与修道保法之训，载之篇中，并垂不朽"[2]。由于"出奇"之法已被军事家们广泛接受，"正而奇，奇而正"这种无穷的变化，也就此成为"用兵之微权，万世不易之定论"[3]。

由此出发，王鸣鹤对以奇用兵更为重视，格外强调"奇伏"制胜。他借用《武经总要》中关于"奇伏"的论述，对此予以阐释："夫奇兵者，正兵之变也。伏兵者，奇兵之别也。奇非正，则无所恃；正非奇，则不能取胜。故不虞以击，则谓之奇兵，匿形而发，则谓之伏兵，其实则一也。历观前志，连百万之师，两敌相向，列阵以战，而不用奇者，未有不败亡也。故兵不奇，则不胜。凡阵者，所以为兵出入之计而制胜者，常在奇也。"[4] 出奇设伏已经成为军事家的共识，所以两军对垒之时，如果不用奇兵，则无以取胜。而列

---

① 《孙子兵法·计篇》。
② 《登坛必究》卷十八《辑奇伏说》。
③ 《登坛必究》卷十八《辑奇伏说》。
④ 《登坛必究》卷十八《奇伏》。

阵以战，能够取胜的，往往都是依靠"奇"法，而非"正"法。《孙子兵法》强调"以正合，以奇胜"①，正是这个道理。

当然，王鸣鹤强调"奇兵"制胜，却也不废"正兵"。他以身体为喻，说明正兵、奇兵和伏兵的关系："奇兵如手，伏兵如足，正阵如身，三者合为一体，迭相救援，战则互为进退，循环而无已。"② 从中可以看出，王鸣鹤并不偏执于"奇兵"，而是将其作为"伏兵"和"正兵"的有机补充，视三者为一体。孙子强调"以奇胜"，但也重视奇正相生，并且将奇正的不停转化视为战争获胜的重要依据，所以才会说"善出奇者，无穷如天地，不竭如江河。……奇正相生，如循环之无端"③。在王鸣鹤看来，奇正之间未必可以截然划清界限："奇亦为正，正亦为奇，处则合而为正，出则散而为奇。"④ 要想出敌不意，给予对手致命一击，就必须懂得变化的道理，不停地使用诡道之法，不断地变化奇正，尤其是善于使用奇兵制胜。

四、戍边之术："怀远"与"屯戍"

王鸣鹤所处的时代，边患日益严重，如何御寇逐渐成为军事家论兵的重要主题。在《登坛必究》中，王鸣鹤也积极探讨了御寇固边的方略。贯穿其中的，则是中国传统的"夷夏之辨"，"怀远"和"攘夷"由此而成为其种种方略的根本目标。

王鸣鹤一面主张通过"修文德"来"振武威"，一面坚决反对"去兵"之说，指出："兵所以威不轨而昭文德，上古之时所不废也。"⑤ 既然上古时期尚且不废兵，在危机四伏、夷狄交侵的时代，更不应该主动废除武备。他指出，上古时期的帝王，主要通过"修

---

① 《孙子兵法·势篇》。
② 《登坛必究》卷十八《奇伏》。
③ 《孙子兵法·势篇》。
④ 《登坛必究》卷十八《奇伏》。
⑤ 《登坛必究》卷十四《辑威武说》。

文德"的方式来实现"振武威"的目标，所以他们心目中的武威，并不是四处炫耀武力，也不在于大片扩张疆土和大量积累财富："不在舆图之广，财赋之盛，甲兵之强，而其志又非以富天下"①。避免使用蛮力，反而可以使得万民臣服："兆民之允怀，蛮夷之率服，盖有由已。"② 所以，威武的目标是除暴安民，使得蛮夷率服，这才叫"昭文德"，才可以"威不轨"。如果能做到"以德威畏之"，就可以实现"神武不杀"的目标。

在"修文德"之外，王鸣鹤也提出了"修内治"的主张，与前者的含义大同小异。在王鸣鹤看来，秦朝之所以会灭亡，强盛的西汉之所以会走向衰败，都是因为"内治之不修"和"攘外"策略的不当："嬴政讳亡秦者胡，筑长城以备西北，海内叛亡。汉武恃文景之富庶，勤兵于远卒，至疲耗中原而不可收拾，此皆内治之不修而攘之之道过也。"③ 秦始皇和汉武帝由于过分追求事功，边境兵力过多，遂导致中原虚弱而疲惫，教训可谓惨痛。王鸣鹤曾数次提起这两个案例，意在提醒明朝统治者注意"内治之修"。

与"修文德"和"修内治"相比，王鸣鹤更提倡"振武威"。而且，就明朝的情形而言，更应该"振武威"。当初，明太祖大振威武，"文教覃敷，讫于四海"，已达两百余年，但也难免"北虏东倭凶残是肆"④。朝廷上下沸沸扬扬无休止的讨论，只是虚耗岁月，完全不得要领，非常令人痛心。所以，对于"北虏东倭"，就不能再继续使用"修文德"的方法，而应当"振武威"，积极利用征伐战争使其臣服。既然如此，就必须强军备战，提升军队的战斗能力。不仅是"北虏东倭"，即便是遇到国内的暴民反叛，也不能单凭文德，而是应该积极使用武力来根除祸患。

对于"蛮夷"的本性，王鸣鹤进行了分析，指出其"本性黠

---

① 《登坛必究》卷十四《辑威武说》。
② 《登坛必究》卷十四《辑威武说》。
③ 《登坛必究》卷二十一《辑攘夷说》。
④ 《登坛必究》卷十四《辑威武说》。

诈"的特点："夫蛮夷散处要荒，其性殊异，非礼教威武可以化诲誊伏者也。"① 在另外一处，王鸣鹤则斥之如禽兽："夫夷，性鸷悍枭獍，若禽兽然。"② 对于这样的群体，很难实施教化的手法，无法推以恩德而使其感怀。如果片面追求"修文德"，不仅起不到任何效果，而且会使其更加骄横。因此，王鸣鹤指出："夷性黠诈，变态百端，即欲结之以恩，以示羁縻，而彼且纵恣无忌，若骄子之恃慈父母。然西南诸夷，未暇枚举。乃最黠者，在北虏。每以贡市为名，其志实利我财货。至令中国岁辇金帛以事之，欲方饱而盟辄渝，往事可鉴也。其次海夷，狁焉启疆窃窥中夏，朝廷锡封典以彰国恩，而捍然不顾。一方有急，四面皆耸。然则欲纾东北之忧者，将安所以怀之哉？夫怀之不宁，威之不靖，必欲举虞周之事律之，其势亡由也。"③ 王鸣鹤从多个角度对西南诸夷、北虏、海倭等蛮夷交相侵略中国的形势分别进行分析，指出这些蛮夷之中，最为狡黠之徒应数北虏，其次则为海倭。对于这些蛮夷之徒，一定不能结之以恩，或示以羁縻。如果恩宠有加，过于谦让，只会使得夷狄变得像骄子那样更加骄横而且不讲道理，变得更加贪得无厌，不断地进扰和索取。

在王鸣鹤看来，明朝拥有广袤的疆土，而且法制之严密，边务之严密，也远胜前朝："今天下幅帻之广远轶前代，法制详密，备御防闲，亦莫有如今日者。"④ 即便如此，仍是边患不断，具体表现为："东有岛寇，则守邻封；西有羌戎，则守关陇；南有缅甸，而六诏为藩篱；北有诸胡，而三边为锁钥。"⑤ 由于四面都有强敌环顾，天下已经难得磐石之安，只能是到处传来风尘之警，深重的危机之下，只能是"征兵转饷，东撑西支，骚动海内，无息肩之日"⑥。一

---

① 《登坛必究》卷十四《辑怀远说》。
② 《登坛必究》卷十七《辑守边说》。
③ 《登坛必究》卷十四《辑怀远说》。
④ 《登坛必究》卷十七《辑守边说》。
⑤ 《登坛必究》卷十七《辑守边说》。
⑥ 《登坛必究》卷十七《辑守边说》。

边是守不必固，一边是战不必胜，在左支右绌的局面之下，那种"尊中国而威四夷"的理想已经变得遥不可及。

在分析了蛮夷黠诈的本性和深重危机之后，王鸣鹤根据当时的戍边形势，提出了自己的"怀远"方略："择将吏，修纪律，固封疆，守要害，垒军营，远斥堠，务农以足食，练卒以蓄威。"① 也就是加强战备和训练工作，提升军队的作战能力，并且注意固守要塞，足兵足食，更要加强情报工作，及时跟踪夷狄的动向。只有大力提升军队的战斗力，才是戍边怀远之良策。王鸣鹤推崇孙子"先胜"主张，力主募民徙边。孙子曾说："善战者，先为不可胜，以待敌之可胜。不可胜在己。"② 要想做到"先胜"，就必须立足防守，使得己方立于不败之地。这被王鸣鹤认为是戍边之良策。

为了守边固国，王鸣鹤提出了"屯戍"的主张，认为通过在边境屯兵安民，才能从根本上解决御敌大计。他回顾了屯戍的历史，认为其始于成周，在当时来看，不失为防守良策。因为当时的民众乐于趋赴边疆驻守，所以才能达成"屯戍"的目标。至于嬴政主政的秦朝，这种屯戍政策已经较难取得很好的效果，所以"一再传而丧亡之祸，殆不旋踵已"③。不仅如此，到了汉代以后，类似方略也起不到效果。王鸣鹤对其中原因进行了分析："夫土地、人民，均有为国家者所重。恤得民心，则土地为守，失民心，则土地为墟，自昔已言之。今穷边戍卒，或土著，或愿投，或谪徙者，皆日与豺狼为邻伍，以战斗为嬉游，昼则荷戈而耕，夜则倚烽而觇，其困瘁至极矣。然此何莫非朝廷赤子乎？有事之时，既借其力以备战陈。及其无事，则杂役繁兴，每苦其所不能，而处其所不欲，甚则又从而掊克之，斯奚足以结恩情、鼓敌忾，而责之以备御之实耶？"④ 对国家而言，最重要者莫过于土地和人民。如果统治者善得民心，就会

---

① 《登坛必究》卷十四《辑怀远说》。
② 《孙子兵法·形篇》。
③ 《登坛必究》卷十七《辑屯戍说》。
④ 《登坛必究》卷十七《辑屯戍说》。

使人民甘心为国慷慨赴死，保卫疆土。如果统治者失去民心，那么一切土地都会变为废墟。治理国家必须以守国土、得民心为第一要务。当边寇蜂起之时，推行穷边屯戍之策，使得边卒和边民终日与豺狼为邻，就会日夜不得安宁，由此而变得"困瘁至极"。何况他们又会受到各级官吏的敲诈勒索，由此而更加苦不堪言。在这种状态下，企望其备边御寇，当然只能是奢望。为了解决上述问题，王鸣鹤借用晁错之言"虽有材力，不得良吏，犹亡功也"①，认为选择好的将吏，由其主导屯戍，才能成功地守卫国土。

在汉文帝时，晁错曾积极主张大量募民并迁徙边塞，积极推进屯田之法，试图由此解决戍边问题。明朝建立之初，也曾仿照古时的寓兵于农，命令天下卫所督促兵众屯田种地，而且这曾被认为是"养兵而无病农"的"万世良法"，"远轶唐府兵营田之制"。② 但是，随着承平既久，武将地位日渐衰落，肥沃的土地陆续被豪强霸占，贫瘠的土地则闲置而渐渐荒芜，形势已经发生很大变化。即便是储备了一定的粮食，也可能会被贪官污吏暗中窃取，因为法制之废弛已到空前的地步。并且，文武之政能否贯穿执行，往往在于得人与否："其人存则其政举，其人亡则其政息。"③ 这正是"得人"和"任法"的道理。由于不得其人，虽说天下土壤仍为古代模样，戍边之卒也保持旧时模样，但是屯田的效果已经大不如前。目睹日益严重的边患，王鸣鹤忧心忡忡，故呼吁当政者立即采取得力措施，并提出一系列"怀远""屯戍"之策。这些内容既有针砭时弊、警示朝廷的用意，具有现实意义，也丰富和发展了古代的戍边理论。

---

① 《登坛必究》卷十七《辑屯戍说》。
② 《登坛必究》卷十七《辑屯田说》。
③ 《登坛必究》卷十七《辑屯田说》。

第二节　《运筹纲目》

《运筹纲目》的作者为叶梦熊（1531—1597），于嘉靖四十四年（1565）考中进士后，历任福清知县、户部主事、赣州知府、浙江副使、甘肃巡抚、陕西三边总督等职，后官至南京工部尚书。《史记·留侯世家》中载刘邦之语曰："运筹策帷帐中，决胜千里外，子房功也"，叶梦熊据此而著兵书《运筹纲目》和《决胜纲目》。其中《运筹纲目》共十卷，每卷独立成纲，主题分别为：御军、料敌、合战、伏兵、水战、火攻、出奇、用间、狙诈、城守。在每纲之下又设十目，纲目之中，既有总论，也大量采摘史事佐证立说。《决胜纲目》为其姊妹篇，由于己见相对较少，故较少受到关注和重视。

一、情报先行："料敌"与"用间"

与孙子等兵家相似，叶梦熊也强调情报先行。而且，无论是侦察敌情，还是用间探情，他都格外强调诡诈之术。比如就侦察而言，他强调从测度敌人的情况开始，便巧设奇谋秘计——"测度用奇"，同时结合各种情报术的运用，"设方误敌"①，以求达成奇效。

孙子强调"知彼知己"，并明确了"先知而后战"的战争逻辑，此后历代兵家都纷纷将此奉为圭臬。叶梦熊对孙子的理论表示高度认同。在《料敌》篇，他首先借用孙子的名言强调了这一战争逻辑：

　　孙子曰："知彼知己，百战不殆；不知彼，不知己，每战必败。"② 盖能知彼己，则守其可守，攻其可攻，又奚殆焉。不知

---

① 叶梦熊：《运筹纲目》卷二《料敌》，《中国兵书集成》第二十五册。
② 《孙子兵法·谋攻篇》："知彼知己者，百战不殆；不知彼而知己，一胜一负；不知彼不知己，每战必殆。"叶梦熊的引用稍有出入。

　　彼己，可而不进，难而不退，其败必矣。此古之英君、贤相、谋臣、策士，所以重于料敌也。故揭料敌之纲。①

　　从中可以看出，叶梦熊是将孙子"知彼知己"的情报思想作为其"料敌"之纲，强调了由料敌而知攻守的战争逻辑。"料敌"也即"知敌"，由此可见，就彼与己而言，叶梦熊更重视的是"彼"，关注的是敌情，更强调对敌情的掌握。

　　对于料敌，叶梦熊分成名将料敌和儒者料敌两种，并对各自特点进行了总结。他对历史上名将的料敌之法进行了总结，总结出"攻心为上，攻城为下；心战为上，兵战为下"② 这一规律。在他看来，攻心战或心战之所以要高于攻城战或兵战，就是因为其付出成本较低，较多使用谋略之术，更接近孙子"不战而屈人之兵"的境界。在这个过程中，既需要对敌营进行秘密渗透，也需要使用离间之术来瓦解敌军，皆为料敌之术的重要内容。与名将料敌不同，儒生料敌另有侧重之处，可当成"学而知之"的代表。由于儒生一向以博古通今和深谋远虑见长，故能"料敌情伪，吻合事机"③。儒者大多是饱学之士，除了具有广博的知识，能通天地贯古今之外，也更擅长深谋远虑，多方考虑问题。如能准确掌握敌情，就能成功进行战争预判，而且往往符合实情。所以将帅必须善于听从儒者的意见，大胆使用儒生料敌，要懂得"亲近儒者"，而不可轻视儒者。④

　　接下来，《运筹纲目》对具体的料敌之术进行了总结。这些料敌之术中，叶梦熊首推"间人辞色"，提醒人们在料敌时注意"听其言也，观其眸子"。⑤ 俗话说，"言为心声"，可从察言观色中考察敌方的战略意图和战斗决心等。这一点其实是战国时期纵横家的看家

---

① 《运筹纲目》卷二《料敌》。
② 《运筹纲目》卷二《料敌》。
③ 《运筹纲目》卷二《料敌》。
④ 《运筹纲目》卷二《料敌》。
⑤ 《运筹纲目》卷二《料敌》。

本领，在先秦典籍《鬼谷子》中也有较多关于"揣情"和"摩情"的论述。① 到了唐代，军事理论家李筌总结了"探心之术"，算是对《鬼谷子》的遥远的回应。② 在《运筹纲目》中，它又被重新提起，说明这一间术并没有被彻底遗忘。

其次则为"测度之术"。叶梦熊接连引用孙子名言"见胜不过众人之所知，非善之善者也"③ 和"善出奇者，无穷如天地，不竭如江河"④，说明"测度"的重要性，并指出"测度"的关键是知晓对方的"出奇"之术。他指出："夫君子所为，众人不识，今以奇谋秘计，为庸将谈之，欲其见听难矣。"⑤ 由于战争双方都会使用阴谋诡计，大量使用欺骗之术，所以真实意图不易察觉。历史上只有曹操这样高明的军事家才能准确地察知敌情，自非庸将可比。因此测度的关键是知晓对方的"出奇"："兵非出奇不能胜，奇非智将不能出。"⑥ 在测度敌方种种情况，了解对手的虚实和强弱之后，才能以奇谋秘计制敌，才能进一步出奇制胜。

再次则为"误敌之术"。这其实就是孙子的"形人之术"，套用今天的理论，则为情报术和战争欺骗术。孙子主张"形人而我无形"，又主张使用动敌之法获取情报，⑦ 从而将古典情报术发展到高峰。叶梦熊对此表示高度赞同，反对简单使用武力获胜，而是积极主张多用误敌之策。他借用《唐太宗李卫公问对》中的论兵名言——"千章万句，不出乎多方以误之一句而已"，充分强调误敌欺敌的重要性。叶梦熊指出，"误敌之术"的关键是"因时制宜"："然所以误之之术，则又在乎因时制宜，斯敌莫之觉"⑧。只有做到因时

---

① 分别见《揣篇》和《摩篇》。
② 详见李筌：《太白阴经》卷一《数有探心篇》，《中国兵书集成》第二册。
③ 《孙子兵法·形篇》。
④ 《孙子兵法·势篇》。
⑤ 《运筹纲目》卷二《料敌》。
⑥ 《运筹纲目》卷二《料敌》。
⑦ 《孙子兵法·虚实篇》。
⑧ 《运筹纲目》卷二《料敌》。

制宜，才能随机应变，不让对手轻易察觉，从而更容易为我方欺骗。

　　在多方探取对方情报的同时，叶梦熊也强调了"事宜机密"，重视情报保密工作。这在今天被视为反情报。孙子将"形人而我无形"作为情报工作的最高境界，一面对敌使用情报术，一面做好反情报工作。这句话道出了情报工作的两面。两军交战，经常会出现"敌中有我，我中有敌"的情况，都在努力刺探对方的情报，所以必须做好保密工作。叶梦熊引用《六韬》等兵典，进一步对此加以强调。《六韬》中说"谨敕三军，无使敌人知吾之情"①，《孙子兵法》说"能愚士卒之耳目，使之无知。易其事，革其谋，使人无识"②，这些都体现了对保密工作的重视。叶梦熊据此指出："机一泄，为敌所败，岂止不能取胜而已。"③ 也就是说，一旦泄露了军事机密，必然为敌所败。这与孙子在思想逻辑上保持着一致。

　　探知敌情的另外一个重要途径是用间，叶梦熊对此也有专论，总结出十条"用间之纲"。叶梦熊指出："敌情叵测，必须间谍，然后可知矣。故五间之用，古人重之。所谓三军之事，莫亲于间，赏莫厚于间，机莫密于间。"④ 这段话其实是从《孙子兵法·用间篇》中引来，强调的是间谍的重要作用。所谓"五间"，也来自孙子，指的是因（乡）间、内间、反间、死间、生间。孙子在《用间篇》中对古代谍报术进行了较为系统的总结，并建立了深刻而系统的古典谍报理论体系，后人再难逃脱其藩篱。可贵的是，叶梦熊立足于孙子的用间理论，试图通过总结"用间之纲"，重新对用间之术进行总结，共有以下十点。

　　一是"赂宠祸将"⑤。叶梦熊仍然借孙子在《用间篇》的名言"凡军之所欲击，城之所欲攻，人之所欲杀，必先知其守将、左右、

① 佚名：《六韬·豹韬》，《中国兵书集成》第一册。
② 《孙子兵法·九地篇》。
③ 《运筹纲目》卷二《料敌》。
④ 《运筹纲目》卷八《用间》。
⑤ 本条及以下各条标题中的引文均出自《运筹纲目》卷八《用间》。

谒者、门者、舍人之姓名"一语，说明策反对方关键人物的重要性。各种近宠、亲信人员和守将，都是行间的首选目标。如果能够巧妙地加以利用，既可以离间敌人，也可以刺探到有价值的情报。

二是"因使安仇"，就是借助派出使臣的机会，巧妙行间，达到分化敌军、刺探情报的目的。在历史上，诸如韩信、李靖、韩世忠等名将都曾使用此道，成功破敌。

三是"设间惑虏"。叶梦熊指出，在历史上有不少因离间北虏而立功的，比如刘琨、裴行俭等人，但今天的边将已经不懂此道："莫之能知，即知之间，亦莫之能行。"① 在这种情况下，想要建立破虏奇功，可谓难上加难。孙子说，"明君贤将，能以上智为间者，必成大功"②，叶梦熊引用孙子此语，呼唤那种上智之间的出现。

四是"伪书诈敌"，即通过伪造书信，设法送到敌人手中，使得敌人上当。叶梦熊指出，如果手法高明的话，确有意想不到的成效："非上智之才明，足以烛奸者，不能察也。"③ 这就是孙子所说"圣智"之术。

五是"反间疑心"。孙子极为重视反间，曾说"五间之事，主必知之，知之必在于反间"，又称"反间不可不厚也"。④ 叶梦熊也高度重视反间，并举例说明了反间的价值及"反间疑心"的作用。

六是"谣言惑众"，即制造谣言和利用歌谣，散布假情报，来离间敌人，使其君臣相斗。叶梦熊借用"一人传虚，百人传实"这一古语，证明"人心之易惑，而谣言之足以动众"⑤，说明散布谣言行间不仅具有可行性，而且经常会有事半功倍之效。

七是"厚谍得情"。叶梦熊指出，"谍之动静，必先知之"，又说，"使非厚抚间谍，何以得谍之情哉?"⑥ 认为必须厚待间谍和重

① 《运筹纲目》卷八《用间》。
② 《孙子兵法·用间篇》。
③ 《运筹纲目》卷八《用间》。
④ 《孙子兵法·用间篇》。
⑤ 《运筹纲目》卷八《用间》。
⑥ 《运筹纲目》卷八《用间》。

赏间谍，使其真正为我所用，这才能先知敌情，进而达到"动而胜人，成功出于众者"① 的目的。

八是"图形建绩"，即通过画像等方式，对敌展开欺骗，并巧妙行间，以求瓦解敌军。历史上曾有陈平和宋太祖等人巧妙使用此法成功行间，也是用间奇法之一。

九是"因隙成惑"。叶梦熊引用苏轼"木必先腐也，而后虫生之；人必先疑也，而后谗入之"② 一语，说明抓住时机瓦解敌军的重要性。只有令对手互相猜忌，才有机会进一步行间，巧妙分化对方。

十是"纵降反报"。巧妙使用反间，可以让其传递假情报。敌将如果不能辨别，就会有成功的可能性，故不失为一条破敌妙计。

叶梦熊就用间所总结的"十目"，是尝试突破孙子"五间"所做的努力。"十目"还结合了诡诈之术的运用，在继承孙子理论的同时，也在某些方面有所发展。

二、战术运用："合战之法"与"伏兵制胜"

《运筹纲目》在论述"料敌"和"用间"之后，深入探讨战争之法——叶梦熊总称为"合战之术"。"料敌"在先，"合战"在后，这同样遵循的是孙子"先知而后战"的战争逻辑。只有在充分掌握情报之后，才能决定是否发起战争，何时发起战争。

就如何"合战"，叶梦熊强调了"乘机"，指出高明的指挥员必须学会"乘机破众"，必须"深达兵机，窥其败着"。③ 叶梦熊指出，以明朝当时的情形而言，即便是"虏势虽胜"，仍然有"可乘之隙"，关键就在于"晓兵者料敌何如耳"④。只要有效掌握战机，能

---

① 《孙子兵法·用间篇》。

② 吴楚材、吴调侯编：《古文观止》卷十《范增论》，浙江古籍出版社，2010年。

③ 《运筹纲目》卷二《料敌》。

④ 《运筹纲目》卷二《料敌》。

够真正窥探到敌方的虚弱之处，趁着对方疲惫之时发起攻击，便可以乘机破敌。叶梦熊重视趁敌疲惫发起进攻，指出这叫"兵贵乘劳"①。在双方交战之后，也要注意轻重缓急，即从容进取。与孙子主张速决不同②，叶梦熊强调的是"谋当从容"，一定要掌握好缓急之分："当急而缓则取败，当缓而急则无功。"③ 也就是说，作战行动要视战机而定，当急则急，当缓则缓，这就是"谋当从容"。

叶梦熊指出，两军接战之后，胜负会随之决出，必须慎重对待。要想在战阵之中打败敌人，就必须研究"合战之术"。在叶梦熊看来，首先要注意整体作战，如果是"刚者骤进而不能相几，懦者退缩而不敢贾勇"，战场上自然会落败。而且，在平时要做好战争准备，并做好战争筹划："致胜虽在于临时，而筹划则定于平日。"④ 在指出这些总原则之后，叶梦熊接着结合历代战例，具体阐释了合战之术，总共有十目。

一是"佯北试敌"⑤。叶梦熊指出："两锋相值，将未知敌，必候敌家先动，变生其间，以计应之。"⑥ 也就是说，在不知敌情的情况下，切不可轻举妄动，必须等敌人先动起来，再对敌阵进行试探，还要采用佯装败逃等方式避敌锋芒，再伺机采取相应对策。

二是"严刑作气"。《尉缭子》主张通过严刑来提振士气，所以说"卒十而杀其三者，力加诸侯；十而杀其一者，令行三军"⑦，又说"卒畏将甚于敌者胜，卒畏敌甚于将者败"⑧。叶梦熊对此加以借用，强调使士卒产生畏惧心理，既是"严刑作气"的方法，同时也

---

① 《运筹纲目》卷二《料敌》。
② 《孙子兵法·作战篇》："兵闻拙速，未睹巧之久也。"
③ 《运筹纲目》卷二《料敌》。
④ 《运筹纲目》卷三《合战》。
⑤ 本条及以下各条标题中的引文均出自《运筹纲目》卷三《合战》。
⑥ 《运筹纲目》卷三《合战》。
⑦ 《尉缭子·兵令下》原文作："能杀其半者，威加海内；杀十三者，力加诸侯；杀十一者，令行士卒。"
⑧ 《尉缭子·兵令上》。

是战胜之道。当然，使用时也要注意时机，把握分寸。因为"卒未亲附而罚之，则不服，不服者生变"①，所以要想使用此法，务必先施以隆恩："必务先隆恩而后可。"②

三是"从傍横击"，也就是说，不与敌正面交锋，而是要从侧翼予以横向打击。叶梦熊说："古人尚横击者，盖敌人奋锐，前驱不虞，我兵傍至，所以无不胜也。然犹示弱以盛其气，伪遁以诱其逐，却右师以致其来，所谓能而示之不能。又必横击以精兵，夹攻以上军，横突以铁骑，所谓以全胜者。"③发起横击之时，还应通过示弱来诱敌深入，再择机对敌予以伏击，便可一击制敌。

四是"三面夹击"。孙子用兵，主张"十则围之，五则攻之"④，在取得局部优势的同时，也收取夹击的效果。叶梦熊指出，要想战胜敌军，不仅要前后夹击，必要时还要"三面夹击"。他指出："我众敌寡，当分其势，一正而二奇，所以无不胜也。"⑤在阐释"三面夹击"战法的同时，叶梦熊除引用历史上的战例之外，还指出明军用兵上的失误，主张使用此法击退胡虏，根除边祸。

五是"弱战强继"。叶梦熊力推孙膑"三驷之法"，也即田忌赛马之法，认为这是"古今兵家之要机"⑥。在他看来，"三驷之法"名为赛马，实为用兵，所以理应为兵家掌握。在叶梦熊看来，这就是"弱战强继"之法，通过各个作战单元之间的强弱变化，来寻找机会使用精兵击退敌军。

六是"前邀后击"。这种战法，其实也从孙子"近而示之远"⑦等诡道之法化出。叶梦熊指出："兵分者弱，心疑者北。故善攻者，

----

① 《运筹纲目》卷三《合战》。其中"卒未亲附而罚之，则不服"一语，出自《孙子兵法·行军篇》。
② 《运筹纲目》卷三《合战》。
③ 《运筹纲目》卷三《合战》。
④ 《孙子兵法·谋攻篇》。
⑤ 《运筹纲目》卷三《合战》。
⑥ 《运筹纲目》卷三《合战》。
⑦ 《孙子兵法·计篇》。

虽示形在此，而攻其彼；善守者，则攻东南，而备西北。敌虽发伏，我兵心安力舒。"① 假装攻打此处，实则攻击彼处，可以令敌军无法防备。

七是"多伏合围"。叶梦熊认为，"兵贵以律，尤贵有伏"②，使用多路合围战术，并通过伏兵制胜，是历代优秀军事家屡试不爽的招法。这也是孙子所说"必受敌而无败"③ 的道理。

八是"选锋锐进"。孙子曾提出"选锋"的主张，并且认为"兵无选锋，曰北"④。所谓"选锋"，即选拔精锐之卒担任先锋。叶梦熊对此表示高度赞同，指出："盖兵不拣选，则建懦不分而众无所劝。故杜伏威有上募五千而所向无敌，唐太宗有精锐千余而所向披靡，柴世宗汰拣精锐而所向皆捷。"⑤ 因此，两军交战，必须有"选锋"，通过"选锋锐进"来摧毁敌军。

九是"冲贼疲倦"。叶梦熊指出："大众未集，则营不坚。"⑥ 从这个角度来看，攻击敌阵也应冲击对方的虚弱之处。在他看来，孙子的夺气之说、诸葛亮的乘劳之论等，都是与此类似的高明之道。只有掌握了"冲贼疲倦"的道理，才掌握了作战的玄机。

十是"击敌衰惰"。孙子力主"避其锐气，击其惰归"⑦，《司马法》中也说"击其劳倦，避其闲宛"⑧。对此，叶梦熊总结道："惰归则气怠，劳倦则力沮，所当急击而勿疑也。"⑨ 这些其实也是孙子"避实击虚"之法的翻版。那些有勇无谋之人，往往是遇敌则急战，缺少坚忍之术，也便没有办法挫其锋锐，更无法取胜。

---

① 《运筹纲目》卷三《合战》。
② 《运筹纲目》卷三《合战》。
③ 《孙子兵法·势篇》。
④ 《孙子兵法·地形篇》。
⑤ 《运筹纲目》卷三《合战》。
⑥ 《运筹纲目》卷三《合战》。
⑦ 《孙子兵法·军争篇》。
⑧ 佚名：《司马法·严位》，《中国兵书集成》第一册。
⑨ 《运筹纲目》卷三《合战》。

在探讨"合战之法"时，拦腰进攻、三面夹攻等，都需要使用伏击之法，而设伏合围更是以伏击作为主题。但在叶梦熊看来，这些论述还不够透彻，所以又辟《伏兵》专论伏击之法。他说："古今伏兵取胜者十九，盖发于忽然，而出其意所不及也。近闻逆虏每以伏兵诱我，而我之边将不闻有用之者，可慨哉！"① 叶梦熊指出，古代有大量依靠伏兵取胜的案例，当时倭寇和胡虏经常使用狡诈之术诱我军冒进，再行伏击，然而明朝边将却不会用此术，这不能不令其感到愤慨。

在对古今著名伏击战进行总结和回顾后，叶梦熊对伏兵制胜提出了自己的认识。他将伏击之法分为两种，即"华伏破夷"和"夷伏破华"。② 也就是说，华夏与夷狄之间互设伏兵攻击对方是历史的常态。这种战法，既无关实力强弱，也无关文化传统，是战争历史发展的结果，明军将领也应使用此法御敌："御夷者，不可不用伏也。"③ 战争中，设伏和反伏击是一对孪生兄弟，所以叶梦熊在总结设伏之法时，也对反伏击之法有所揭示，共有八条：

一是"偃戈诱敌"④。叶梦熊引用《武经总要前集》中"不虞以击则谓之奇兵，匿形而发则谓之伏兵，其实则一也"⑤ 一语，说明"奇"和"伏"其实是一回事。伏兵制胜，其实就是用"奇法"，所以才可以实现"驰逐之际，伏兵忽发，不虞其至，所以无不胜"⑥的目标。而且，善于设伏之将，一定能够灵活运用，因地设伏，不必拘泥于常法："故苟可以伏，苇中可也，麻田可也，深嵩（蒿）可也，不必皆山林、坑谷之处。"⑦ 也就是说，只要能够有效隐藏兵卒，不露出丝毫形迹，那就可以随处设伏，随时对敌发起进攻，不

① 《运筹纲目》卷四《伏兵》。
② 《运筹纲目》卷四《伏兵》。
③ 《运筹纲目》卷四《伏兵》。
④ 本条及以下各条标题中的引文均出自《运筹纲目》卷四《伏兵》。
⑤ 曾公亮：《武经总要前集》卷三，中华书局，1959 年。
⑥ 《运筹纲目》卷四《伏兵》。
⑦ 《运筹纲目》卷四《伏兵》。

必计较是山林还是坑谷，也不必区分是芦苇丛还是麻田野地。

二是"诈降设伏"。叶梦熊对使用诈降术的常规之法进行了总结："投降之事，真伪未分，须加审察。苟不悟而按于计中，必致大败。然能先识其诈，亦足以就计而诱敌也。"① 投降存在着真伪之别，所以一旦看到敌人前来投降，就必须审察其真伪。如果因为不察而将诈降当成真降，就会被其诱骗，可能由此而招致大败。反之，如果预先对其予以明察，确定其为诈降，则可以将计就计地设下伏兵，再诱敌击之。所以，将帅能否练就火眼金睛就显得非常重要，否则就会因为"一受其欺"，而"悔之于其终"。②

三是"预伏待敌"。孙子说："凡先处战地而待敌者佚，后处战地而趋敌者劳。"③ 这充分说明战争中争夺主动权的重要性。叶梦熊据此指出："敌之未至而预先设以待之，有不取胜者哉！"④ 两军相争之时，如果在对方尚未到达战地之前就已预设埋伏，就一定可以夺取战争主动权，击败敌军。

四是"佯北掩击"。叶梦熊推崇孙子系统总结的诡道之法，对"利而诱之，乱而取之"⑤ 及"以利动之，以卒（本）待之"⑥ 尤其欣赏，据此进一步总结出佯装失败的使用方法："盖我兵既败，敢贪小利而逐之，不知我虽诈败而其实未尝败也。"⑦ 既然我方可以通过佯败来击敌，那么追击敌军时也要防止对方通过此法来设伏。"古之善观兵者，下观其辙乱，上观其旗靡，然后逐之。今之逐北者，可审察其佯败与否，而误中其掩击之谋耶！"⑧ 当敌军撤退时，如果以佯北之术诱我，则要进行认真观察，比如视敌车辙和战旗是否混乱

---

① 《运筹纲目》卷四《伏兵》。
② 《运筹纲目》卷四《伏兵》。
③ 《孙子兵法·虚实篇》。
④ 《运筹纲目》卷四《伏兵》。
⑤ 《孙子兵法·计篇》。
⑥ 《孙子兵法·势篇》。
⑦ 《运筹纲目》卷四《伏兵》。
⑧ 《运筹纲目》卷四《伏兵》。

等察其真伪，切不可误中埋伏。

五是"诈丧诱劫"。叶梦熊指出："乘丧劫营，情之常也。"① 俗话说，军中不可一日无主。既然如此，在战争中就经常会使用军中无主将作为诱饵，比如主将受重伤，或佯装战死等，来诱敌上当。破敌之法能否成功施行，就在于是否预先审察敌情，不能贸然发起进攻。

六是"据险败敌"。兵家大都主张居高临下，孙子也主张"先居高阳"②。就设伏而言，也要抢先占据高地，占领险要地形。在占据险要之后，则可以预设伏兵，伺机伏击对手。叶梦熊强调，各种伏击战法都要尽可能地充分结合地形，因为地形是"兵之助"③。如果战术合理，再辅以有利地形，有险可据，将帅的智谋才能得到充分发挥。

七是"料伏搜山"。叶梦熊根据《武经总要》中"军行至山林坑谷，当善防之"一语，及《孙子兵法》中"军行有险阻、潢井、葭苇、林木、蘙荟者，必谨覆索之，此伏奸之所处也"④ 一语，强调了对山林等敏感地形的重视，必须对这些地方加大搜索力度，防止被敌军伏击。

八是"诈藏疑房"。自从孙子提出"兵者诡道"的主张之后，行使诡诈之法已经成为兵家的不二之选。叶梦熊对此表示高度认同，指出："兵家之法，主于误敌，必多尚诡诈。"⑤ 多方使用诡诈之计，既可以误敌，令敌军做出错误判断，也可以保全自己，不会陷入敌方所设圈套。

在孙子诱敌之策的基础上，叶梦熊提出了预设伏兵袭击敌人的多种战法，比如前述"偃戈诱敌""诈降设伏""佯北掩击"等。这

---

① 《运筹纲目》卷四《伏兵》。
② 《孙子兵法·地形篇》。
③ 《孙子兵法·地形篇》。
④ 《孙子兵法·行军篇》。
⑤ 《运筹纲目》卷四《伏兵》。

些战法，可以总称为"出奇"。也许是觉得论述还不够透彻，叶梦熊再写《出奇》篇，进行更为具体的论述。另外，我方对敌使用诡诈之术，敌人也会对我使用类似手法。优秀的将帅不仅要善于诱敌深入，袭击对手，同时也要善于识别敌人的计谋，这便是"狙诈"。"出奇"和"狙诈"，其实都是诡道之法的具体运用，很好地诠释了孙子"兵者诡道"的论断。

叶梦熊首先对"奇"的含义进行揭示："兵以奇胜，自昔而然。但奇之名虽同，而奇之实则异。神出鬼没，变化无穷，凡致人而不致于人，使敌莫之能测者，皆奇也。"① 在叶梦熊看来，自古以来的战争都是依靠"出奇制胜"。而且，所谓"奇"，并没有特定含义。凡是能够使得作战行动神出鬼没并产生无穷变化的，或者能够战胜强敌而不为敌所知，都可当成是"奇"。

接下来，叶梦熊对"出奇之术"进行了总结，同样为十条，可见其不仅重视奇兵制胜，也对奇正理论有所发展。

一是"休士鼓气"②，即作战之前要让士卒得到充分休息，蓄养体力和气势。叶梦熊引用《尉缭子·授权》中"战在于治气"一语，说明"治气"的重要性。他指出："盖遇敌遽战则气馁力怯，抚养既久则气舒力宽。"③ 所以，在战争爆发之前，一定要让士卒得到充分休息，养精蓄锐，积攒精力和勇气。

二是"示缓进速"，即依照敌情，或缓或速地进兵，令敌军无从掌握。叶梦熊袭用孙子"近而示之远"④ 一语，强调"缓而示之速，速而示之缓"⑤ 的道理。如果做到这种虚实变化，就可以使得贼兵产生松懈之情，也就能找到机会击败对方。此外，所谓"示缓进速"，也要因敌而变，使敌军无从窥探我方行动。

---

① 《运筹纲目》卷七《出奇》。
② 本条及以下各条标题中的引文均出自《运筹纲目》卷七《出奇》。
③ 《运筹纲目》卷七《出奇》。
④ 《孙子兵法·计篇》。
⑤ 《运筹纲目》卷七《出奇》。

　　三是"变服诈敌"，即改变旗帜和服装，混入敌军之中，乘乱对敌发起袭击。《六韬》中说："谬号令与敌同服者，所以备走北也。"① 叶梦熊对此进行了阐释，指出："夫服同于敌，不能识别，所以惊溃而败走也。"② 尤其当北虏与我旗号服色皆有不同之时，就可以变换服装，巧行诈术。

　　四是"设计暗遁"，即发现敌方实力占优，便能巧妙设计而逃遁。叶梦熊引用孙子"少则能逃之，不若则能避之"③，说明及时摆脱强敌的重要性。他认为，逃避也要讲究方法："逃避之际，有计存焉。"④ 即便是逃避，也不宜让敌军察觉。如果敌不能测，我方则可以乘机取之。

　　五是"断饷败敌"，即切断敌军的后勤补给。孙子曾说"兵无辎重则亡，无粮食则亡，无委积则亡"⑤，强调了后勤补给对于战争的重要性。叶梦熊引用此语，并通过周亚夫、汉光武等人断敌军粮道而取胜的战例，再次对此予以强调，认为"因敌断己粮而成功"⑥始终是出奇之法和制胜妙计。

　　六是"虚粮诳众"，当己方无粮时，要示之有粮，用诳敌之法令敌军疑惑或畏惧。叶梦熊认为这是兵家"虚者实之，实者虚之"的常法，也即"有余而示之不足，不足而示之有余"。⑦ 这不仅可以诳敌、惑众，也可以鼓舞己方士气。

　　七是"增减军灶"，即利用增减军灶，隐藏兵力和强弱，诱敌中计。叶梦熊举出孙膑设计斩杀庞涓一战，说明了减灶的妙处，又用诸葛亮智斗司马懿的战例，说明了增灶的好处。总之，通过增减军灶，可以掩盖兵员多寡和军力强弱，从而诱敌中计。

---

① 《六韬·龙韬》。
② 《运筹纲目》卷七《出奇》。
③ 《孙子兵法·谋攻篇》。
④ 《运筹纲目》卷七《出奇》。
⑤ 《孙子兵法·军争篇》："军无辎重则亡，无粮食则亡，无委积则亡。"
⑥ 《运筹纲目》卷七《出奇》。
⑦ 《运筹纲目》卷七《出奇》。

八是"药毒酒食"，即设法在敌军酒食之中投毒，以此毙敌。叶梦熊说："酒食者，人之所必用也。以药毒之者，欲人之中毒也。"① 投毒固然是高招，但敌人也会有所防备，比如找人先期品尝："闻逆虏欲食我物，必令我人先之，恐中毒也。"② 所以，在酒食中投毒，必须针对狡猾的逆虏多做预案，不让对方发觉，不使敌军生疑。

九是"纵畜饵贼"，即以牛马等作为诱饵，诱惑敌军前行，再设伏击之。北虏入侵，多在掠夺牛马等财物，叶梦熊认为这便有了破敌之机："以牛马饵贼，而伏兵击之。"③

十是"扬尘助势"，即使用柴木扬起尘土，以助军势，欺骗敌军。这是《六韬》已指出的诱敌之计："令我老弱，曳柴扬尘，鼓呼而往来，……其将必劳，其卒必骇。"④ 通过曳柴扬尘，来欺骗敌人，也可以出奇制胜。我方使用此法，敌方也会用此法，"当亦有辨"，而且"必智高敌将"，才能不被敌方所误。

我方对敌方出奇，敌方也会对我使用诡诈之法。据此，叶梦熊指出，对于狡猾奸诈之敌，不仅要设伏攻之，还要使用"狙诈之术"。在他看来，战争就是孙子所云"诡道"，提倡的是"兵以诈立"。在《运筹纲目》中，叶梦熊对狙诈破敌的方法进行了较为细致的阐释，主要有以下这些内容。

一是"冒险破敌"⑤，即打破常规，使用险招。叶梦熊根据俗语"不入虎穴，焉得虎子"及"奇功由险得"，说明打破常规的重要性："盖功出于奇，若危而实安。无谋徒守，虽安而终危。"⑥ 对于那些狡猾的敌人，必须敢于冒险，敢于出奇制胜。如果谋略得当，条件允许，有些看似危险的招法，实则非常安全。那种无谋徒守之举，反倒会产生危险，所以要冒险破敌，敢于尝试各种奇法。

---

① 《运筹纲目》卷七《出奇》。
② 《运筹纲目》卷七《出奇》。
③ 《运筹纲目》卷七《出奇》。
④ 《六韬·虎韬》。
⑤ 本条及以下各条标题中的引文均出自《运筹纲目》卷九《狙诈》。
⑥ 《运筹纲目》卷九《狙诈》。

二是"设疑张势"，也即通过设置疑兵制胜。叶梦熊指出："疑兵之设，古人重之，为不待战焉耳。"① 在他看来，通过巧设疑兵虚张声势，可以吓跑敌军，从而实现不战而胜的目标。

三是"疑似惑众"，即使用形似之物迷惑敌军。叶梦熊说："形迹相类，则真伪难分。况兵者国之大事，疑似之际，敢径行而不虑乎?"② 比如，通过巧设木偶等手法迷惑敌军，使对手难辨真伪，就此退缩。

四是"假祀安众"，即使用阴阳术数来迷惑对手。叶梦熊指出，阴阳术数其实不可废，利用"人心危疑"，就可以"假鬼神以愚之"。③ 这也是孙子所提倡的"诡道之法"。

五是"据理破疑"，即辩证看待吉凶之道，并合理加以利用。这一方面可以疑惑敌军，另一方面也可以安定军心。

六是"伪退掩袭"，即通过假装撤退的方法来掩护袭击计划，给敌以致命一击。"攻坚则瑕者坚，乘瑕则坚者瑕"④，在战争中一定要善于寻找敌方虚弱之处发起攻击。如果敌军据险而守，无隙可乘，就应假装退却，再趁着对方防守松懈时，发起突然袭击。

七是"声东击西"，通过变化进攻方向，打乱对手的防守，进而获得胜机。叶梦熊指出："善用兵者，乘虚乘劳，乘其不虞，善之善者。又本欲乘劳，指言乘虚，则彼奔救之间，我得不虞而击也。"⑤ 在历史上，孙膑为了救赵而疾走大梁，曹操为了攻于毒而出兵西山，都是声东击西的经典战例。善于用兵之将，必须学会以实击虚、声东击西，使得对手不知我方进攻方向。

八是"诈降夜袭"，即通过诈降的手法迷惑敌军，等对方麻痹大意之时，再偷偷派遣精兵趁夜发起袭击。反过来看，对于投降之敌，

①　《运筹纲目》卷九《狙诈》。
②　《运筹纲目》卷九《狙诈》。
③　《运筹纲目》卷九《狙诈》。
④　《管子·制分》。
⑤　《运筹纲目》卷九《狙诈》。

一定要慎重考察，古人说"受降如受敌"①，对于那些诈降之敌一定要有准备措施。

九是"计用牛马"，即通过巧设牛马之阵，扬起沙尘迷惑对手，再乘隙攻击敌军。以种种战法欺骗、诱惑敌人，争取胜利。

十是"差迟更漏"，即利用打时间差的方法来袭击对手。比如与敌军约战之时，故意推迟决战时间，等对方迟疑退缩之时，再乘势发起进攻。

总之，《运筹纲目》立足于孙子的"诡道"之术，再结合历史上的典型战例，详论战争中种种使诈之法和防诈之术。叶梦熊将诡道之法与狙诈之术结合在一起进行论述，揭示了战争是敌我双方进行谋略对抗的真谛。

第三节　《车营叩答合编》

孙承宗（1563—1638），字稚绳，号恺阳，北直隶高阳（今属河北）人。面对大厦将倾的明末危局，孙承宗一度指望建设火器加战车的新型车营抵挡后金南下的步伐，因此主持撰写《车营叩答合编》（也称《车阵叩答合编》《车营百八叩答说合编》）。通过这部风格独特的兵书，不仅可以考察孙承宗的车战理念和战法设计，也可管窥明朝末期传统兵学试图完成转型的艰难历程。

一、《车营叩答合编》的问世

车战一度是西周和春秋时期的主要作战样式，到战国时期逐渐没落。② 到了明代，火器技术一度迎来快速发展，因为战车可以装

---

① 《运筹纲目》卷九《狙诈》。
② 孙机：《中国古代车战没落的原因》，《中国国家博物馆馆刊》2014 年第 11期。

载火器，车兵迎来复兴的机会。明代兵书《火龙神器阵法》中，已将装载火器的战车视为"以寡敌众，以逸待劳"之谋。① 在北方御敌战争中，明军也曾多次尝试使用车战并取得了一定的战果。② 到了明朝末期，随着内忧外患进一步加剧，设计新型战法成为现实而又急迫的课题，因此对新型车兵的呼唤也越来越强烈。面对以骑兵见长的后金军，孙承宗也将装载火器的战车视为击败对手、收复辽土的重要砝码，因此力主建设新型车兵，并积极研讨火器与车兵相结合的新战法。在他看来，战车不仅具有"不动如山"的抗击打能力，也可以利用火器快速打击敌军。当然，多兵种协同战术的关键是"火（器）以车习，车以火（器）用"③，二者之间密切配合，并充分发挥火器的威力。这种新型车战一定不只是火器技术和战车的简单结合，还需考虑多兵种之间的协同。骑兵、车兵、步兵、水兵等，都需达成最优配置，从而形成合力打击对手。孙承宗指出，其中核心还是看火器能否充分发挥作战效率："莫如用车，其用车在用火（器）。"④ 因此，为加快推进火器与车兵的融合，他倾注了几乎全部的心血并寄予厚望，曾留下"万方车骑拥雕栏"⑤ 的诗句。

为确保车营的顺利组建和新战法研讨的深入展开，孙承宗非常注意招揽人才。在督师蓟辽期间，他长期与鹿善继、茅元仪、杜应

---

① 佚名：《火龙神器阵法·隔河神捷火龙车》，《中国兵书集成》编委会编：《中国兵书集成》第十七册，解放军出版社、辽沈书社，1994 年。

② 韦占彬：《理论创新与实战局限：明代车战的历史考察》，《河北学刊》2008 年第 2 期。

③ 孙承宗：《车营叩答合编·车营百八叩·序》，《中国兵书集成》第三十七册。

④ 《车营叩答合编·车营百八叩·序》。

⑤ 孙承宗诗作《弹忠楼同鹿乾岳杜培亭宋园如程星海张起闲寘次田杜亦河有作》（其一）："高楼更上一层看，四望浑开大将坛。千里金汤横雉堞，万方车骑拥雕栏。真人气接尘先静，猛士云气胆亦寒。却忆中山徐太傅，独留兵法向平蛮。"见李红权辑录、点校：《孙承宗集》卷五，学苑出版社，2014 年。

芳等文武官员研讨破敌之策，推动新型车兵的战法研究。"以边才自许"① 的袁崇焕，也得到孙承宗的赏识。尽管孙承宗一度因权阉魏忠贤诬陷而去职，但抗金信念始终岿然不动。崇祯十一年（1638），清兵攻陷高阳后，他自缢身亡，表现了宁死不屈的气节。在意识到新型战车的战斗力之后，孙承宗曾主持撰写《车营图制》，就车营编组、兵器配备、兵种协同及后勤保障等，进行了较为深入的探讨。此后，为确保车营编制的合理化和相关战法研究水平的提升，孙承宗推出了有关车营战法的 108 个论题，即《车营百八叩》，同时还组织人力编写《车营百八答》和《车营百八叩说》，对所叩问内容进行解说，从而形成《车营叩答合编》一书。孙承宗相信，"大叩则大鸣，小叩则小鸣"②，希望是书能收到很好的反响，能对抗击后金军起到积极作用。

今人所见《车营叩答合编》共分四个部分，分别为《车营图制》《车营百八叩》《车营百八答》《车营百八叩说》。如前所述，该书主导思想与孙承宗密不可分，但它同时也是集体研究的成果。在孙承宗之外，还有鹿善继、茅元仪、杜应芳等人参与其中。主撰者之一鹿善继，学宗陆王，著述甚丰，所撰《前督师纪略》《后督师纪略》等，对当时抗击后金的战争有深刻体察和较为忠实的记录，因此被孙承宗邀请撰写《车营图制》，并协同茅元仪等撰成《车营百八答》。另一主撰人茅元仪曾刻苦地钻研历代兵典，曾撰成大型兵书《武备志》，故而以"知兵"之名受到孙承宗的重视，后因功被举荐为翰林院待诏，并追随孙承宗在宦海浮沉。茅元仪敏感地意识到明末兵学所处的特殊时代背景，所著《武备志》对传统兵学进行了多方总结。在此基础之上，他又对新型车战进行深入探讨，故而受到孙承宗的格外器重。除此之外，还有杜应芳。他曾追随孙承宗任武库主事，有管理火器的实际工作经验，因此也成为《车营叩答合编》的主撰人员。

---

① 《明史》卷二百五十九《袁崇焕传》。
② 《车营叩答合编·车营百八叩·序》。

虽说《车营叩答合编》的四个部分均于明末完成，但《明史·艺文志》只著录《车营百八叩》，其余三部分虽经多方搜寻，始终难觅踪迹，直到清同治年间才被发现并汇编成一部书。这是《车营叩答合编》最早的版本，今藏于军事科学院图书馆。光绪六年（1880），在鹿善继七世孙鹿传霖的推动之下，又有《车营叩答合编》重订活字本问世，孙承宗、鹿善继、茅元仪等人有关车战的种种韬略，得以被更多人知晓。

二、车营的建立："素练之师"

古往今来的战争都可以证明，打造一支训练有素的军队是战胜强敌最重要的基础。因此，建设纪律严明的新型车营，打造"素练之师"①，便成为孙承宗首要的追求目标。

虽说孙承宗重视车营建设是立足于特定的时代背景，本当努力求"新"，但他的治军之术并非一味出奇，反倒更多借鉴传统治军之术，对孙子等先贤有较多继承。一方面，他高度重视将帅管理能力的提高；另一方面，他也不忘全体车兵的能力建设，同时高度重视"选练乘乱之精卒"②。从中不难看出，孙承宗的首要目标就是建设"素练之师"。孙承宗所说"选练乘乱之精卒"，可简称为"选卒"，与孙子所谓"选锋"之意相仿佛。孙子指出，"兵无选锋，曰北"③，主张精选勇敢善战的士卒组织成先锋部队，完成摧城拔寨的任务。在车战中同样需要这样的先锋队，因此孙承宗高度重视"选卒"，并将其视为打造"素练之师"的第一步工作。

对于传统治军之术，孙承宗也注意在继承之外根据时势变化和车营建设需要加以改进。与孙子相比，孙承宗的"选卒"在内容上更加具体。他不仅根据地域的不同，将军队分成"主兵"和"客兵"进行甄别，而且强调"乘乱"而起，即根据战场实际情况临时

① 《车营叩答合编·车营百八叩说·其七十五》。
② 《车营叩答合编·车营百八叩说·其九十七》。
③ 《孙子兵法·地形篇》。

选拔具有强大战斗力的"先锋部队"。孙承宗认为，"客兵利速战，主兵利久守"①，因此必须区别兵卒所在地域，尤其要看他们是否符合车战之需要。相对于京城而言，秦、晋、川等地区地处偏远，士卒属于"客兵"，因此有"久守则必变"②的可能，因此在选拔守土将士时，也应重视选拔当地士卒，孙承宗据此而有"以辽人守辽土，以辽土养辽人"③之类提议。除此之外，孙承宗认为，车兵之外也要注意培养"乘乱之兵"，并打造善打硬仗的先锋部队。他指出："夫乘乱之兵，当选强卒健马，以猛将率之。"④这种"乘乱之兵"在队伍的组成、训练与指挥等方面，都有注意事项，孙承宗也进行了明确："选练乘乱之精卒，必拣士之枭雄者，骑二百人，步三百人，加其粮赏，时申训练，以有智略之偏裨领之，借捍武种种火器，骇乱敌军，而一鼓作气，必可以冲锋破垒，杀获无穷。"⑤从中可以看出，在孙承宗的设计中，这支队伍规模不大，骑、步兵加起来才五百人。所谓精锐之卒，一定是那些富有胆略的士中之枭雄。只有这样的精干队伍才能很好地辅助车兵完成战斗任务。与"选卒"思想相应，孙承宗还积极主张裁减军队员额，为此曾多次上书请求简汰官兵⑥，这一方面是为了节约开支，另一方面也是为了更好地组织训练，提高训练质量。将这些善战之士选拔出来之后，还要经常组织特殊训练，并给予必要的奖赏，同时还要选出富有智谋的偏裨之将率领，这才能组织他们冲锋陷阵，英勇杀敌。

就军事训练的主要内容，孙承宗总结重点为"五练"，即"练心、练耳目、练手足、练技艺、练阵势"。在这五者之中，他认为最重要的是"练心"："其要专在练心。"⑦"练心"之所以重要，是因

① 《孙承宗集》卷三十一《边计不宜异同疏》。
② 《孙承宗集》卷三十一《边计不宜异同疏》。
③ 《孙承宗集》卷三十一《边计不宜异同疏》。
④ 《车营叩答合编·车营百八答·第九十七答》。
⑤ 《车营叩答合编·车营百八叩说·其九十七》。
⑥ 《孙承宗集》卷三十六《简汰官兵以清粮饷疏》《再汰官兵疏》。
⑦ 《车营叩答合编·车营百八叩说·其七十五》。

为其与士卒作战的勇气密切相关，同时也是由车战的战争样式决定的。孙承宗尤其关注"心"与"地"的关系，并利用孙子有关"生地""死地"的概念对此展开论述："兵之所居，利生地而恶死地。而士卒顾家，即生地亦死地也。今举世怕进取，我矫众置之死地而能生，非素练之师不能有此决断也。"① 从中不难看出，孙承宗此番论断显然是受孙子启发，但也与孙子有所区别。孙子主张将士卒置之死地，利用特殊的战争环境最大程度地激发士卒的潜能，所谓"陷之死地然后生"②，但孙承宗认为军队一般情况下都是追求"利生地而恶死地"，在对"生地"和"死地"的理解上，与孙子略有差异。孙承宗还就"生地"与"死地"之间的辩证关系进行了辨析——"士卒顾家，即生地亦死地也"，也就是说，士卒太过临近家门，所以会贪生怕死，"生地"也便由此而立即变成"死地"。在孙承宗看来，明军当时的实际情形就是如此："今举世怕进取。"因此他号召明军拼命向前，认为只有指挥明军深入敌方腹地，才能逼迫其向死求生，拼尽力气与对手死战。孙承宗虽然有此积极主张，但也意识到当时明军的实力不济。要想达成这一目标，只能依靠平时的训练，所以才格外强调"非素练之师不能有此决断也"③。

相对士卒而言，将帅对于军队的意义显然更为重要。孙承宗指出，身为车营将帅，除了善于治军之外，还要懂布阵之法，尤其是车营阵法；不仅要有谋略有胆识，更要具备统兵作战的能力；不仅要熟习各种战阵之法，而且也要懂得变通之道。因此，他指出："凡战，非阵之难，使人人各能布阵为难，又云非知之难，行为难。今之诸将，或有布而不知，知而不能行者，颁以阵法，授以方略，使熟而习之，临时运用，其妙无穷。"④ 在孙承宗看来，布阵并非难事，难的是使得人人都能成为阵法中不可或缺的有机组成部分。而

---

① 《车营叩答合编·车营百八叩说·其七十五》。
② 《孙子兵法·九地篇》。
③ 《车营叩答合编·车营百八叩说·其七十五》。
④ 《车营叩答合编·车营百八答·第九十四答》。

且，要想懂得车战的阵法并不难，难的是在战场上的实际运用。针对明军诸将连基本阵法都不懂的现状，孙承宗提出了批评并格外予以重视，"当颁发车营练阵规条，使平时熟读之"①。不仅如此，他还强调各级将领注意督促和练习，必须做到"三日小操，五日合演，十日会哨，二十日大阅"②。在督促其加强练习时，还要充分结合训练情况实施必要的奖惩："熟练者加赏，否则罚。"③ 如果经过反复强调，将领仍然不懂阵法，就必须给予惩罚或者予以开除。只有造就真正能够领兵作战的将领，才能对明军的作战能力有所提升。

在阵法之外，孙承宗还要求将帅懂得治军之道，能够与士卒同甘共苦，能够很好地揑合军队，使之成为一个凛然不可侵犯的整体。他指出："其众可合而不可离，可用而不可疲。与之安，与之危，此非有联比之法，不能如古大禹之赏戮、成汤之威爱、周武之勖戮以及名将相如诸葛之八阵、李靖之六花、精忠之五诀，得其一俱可为师。"④ 在孙承宗看来，周武王等古代帝王以及李靖等古代名将，都是因为善于治军，才能保证所率军队都能做到人马充分发挥其力，实现"进不可当，退不可遏，左右而麾，前后有节"⑤ 的效果，进而达成"车行无犯，进止之节无失，饮食之时无绝"⑥ 的效果。这样的军队，必定是"合而不离，用而不疲"⑦，而其中的秘诀就在于将帅能够与士卒同甘共苦——"与之安，与之危"。车兵的管理，同样需要注意这些原则。只有这样才能使得全体将士"乐赏畏罚"，进而舍生忘死，并且始终"视主帅如心腹"，⑧ 确保整个车营成为凛然不可侵犯的整体，能够对抗那些如虎狼一般的敌军。

---

① 《车营叩答合编·车营百八叩说·其九十四》。
② 《车营叩答合编·车营百八叩说·其九十四》。
③ 《车营叩答合编·车营百八叩说·其九十四》。
④ 《车营叩答合编·车营百八答·第九十三答》。
⑤ 《车营叩答合编·车营百八叩说·其九十三》。
⑥ 《车营叩答合编·车营百八叩说·其九十三》。
⑦ 《车营叩答合编·车营百八叩说·其九十三》。
⑧ 《车营叩答合编·车营百八叩说·其九十三》。

三、车战中的"因敌而变"

著名军事家孙子认为用兵贵在变化，所谓"能因敌变化而取胜者，谓之神"①，此语道出了兵法的真谛，也得到历代军事家们的认可和践行。就车战的战法而言，这一用兵原则同样适用。因此，孙承宗在《车营叩答合编》中同样高度强调"因敌制变"。他指出："或抄其旁，或袭其后，或捣其老巢，因敌制变。"② 在孙承宗看来，车战的各种战术变化也都需要根据敌情的变化而展开，这便是"因敌制变"。只有跟踪敌情并善于变化战术，才能因敌制胜。孙子制定战术时，建立起一整套"分合为变"和"因敌制胜"的战法，将诡道视为核心内容，这一点也得到了孙承宗的继承。在《车营叩答合编》中，孙承宗在强调"因敌而制胜"的同时，更主张"因其计而出奇兵"③。这里的"因"，和《孙子兵法》的"因"相似，同样可作"因此"和"原因"，或"依靠"和"因循"解。所谓"因其计"，指的是根据敌方所设计的计策而采取相应对策。一方面是使得敌人无法从容施展计谋，另一方面则是"因敌制变"，进而寻觅获胜之机。

出于制定战术的需要，孙承宗围绕车战精心研讨各种"因敌"之术。除了前述"因敌""因计"之外，还有"因地""因时"，以及"因兵""因粮"，等等。

关于"因地"，孙承宗曾多次予以强调。他指出："车与敌遇，而所驻之地回渠迂涧，深峡隘口，草木蒙密，高下相乘，车虽不便，而因地制宜在我之善于用也。"④ 关于"因时"，孙承宗多强调结合地理条件而展开："今地险，正得因时制宜以效其法。"⑤ 至于"因

---

① 《孙子兵法·虚实篇》。
② 《车营叩答合编·车营百八叩说·其七十一》。
③ 《车营叩答合编·车营百八叩说·其五十四》。
④ 《车营叩答合编·车营百八叩说·其七十七》。
⑤ 《车营叩答合编·车营百八叩说·其三十一》。

兵"，孙承宗并未明确指出其内涵，而是与"因粮"联系在一起论述："车既临敌，人可因兵，地可因粮。"① 考察孙承宗的"因粮"主张，其内涵非常明确，明显是从孙子处得来，与孙子"因粮于敌"② 的主张一脉相承。针对当时辽东前线明军补给困难的现状，孙承宗提出与孙子相类似的主张，这就是"粮草之可因于敌"③，其实就是主张夺取"辽人之粮"。孙承宗认为，当时的辽人有不少都是为乱一方甚至是公然对抗明军。即便有些辽人没有直接参与对抗，也曾为叛贼提供粮草，变相地支持叛贼对抗朝廷。在这种情况下，明军要想实现千里杀敌的目标，首先必须切断其粮草供应，这便需要明军积极与敌展开抢夺。当然，孙承宗也承认，这种"因粮"之法虽不失为一种必要的补给之法，但也不可视为长久之计。因为辽东之地本来就不富庶，如果抢夺过甚就会招致祸乱。要想从根本上解决军需补给，就必须积极组织军队屯兵，主动作为，通过开垦荒地积极储备粮草。

　　既然强调"因敌"，就必须充分掌握敌情。孙承宗由此而高度强调情报工作的重要性。众所周知，孙子由"因"字出发，要求指挥员必须客观全面地把握敌情。孙子高度重视由"先知"而求"先胜"，是出于"因敌制胜"的需要。孙承宗的"因敌制变"，也高度注意结合情报工作展开。他指出："敌情于未合而当审之也。夫不能知敌之情，而浪与战者败；知而避之不可，战又不可，必谨持而应之，方能为胜。法曰'知己知彼，百战百胜'，是言当昧之。"④ 也就是说，在作战之前，指挥员必须详细审知敌情。在孙承宗看来，情报工作是战争决策的第一要务，也是车战必须遵循的战道。如果不知敌情而贸然作战，则只可称之为"浪战"，必然遭到失败。

---

① 《车营叩答合编·车营百八叩说·其五十一》。
② 《孙子兵法·作战篇》。
③ 《车营叩答合编·车营百八叩说·其百五》。
④ 《车营叩答合编·车营百八叩说·其七十》。其中"知己知彼，百战百胜"，《孙子兵法·谋攻篇》作"知彼知己者，百战不殆"。

　　就情报工作的重点内容，孙承宗也进行了若干总结。在他看来，战争发起之前主要需要搜集如下方面的情报：首先是探知敌人之虚实："行兵必先审敌之虚实而趋乘其危。"① 其次是敌方将领的主要情况及军队的上下团结情况："察其将帅之智愚，部落之离合。"② 再次，刺探对方某处具体情况及兵力部署等："某处之情形何如，敌中之布置何如，应我之计其得失可否又何如。"③ 此外，还需要更为具体的战术情报，如"车之列营结阵，观旗帜之动，审金鼓之音"④。孙承宗认为要想做到"因敌制变"，就必须全面掌握重要情报。

　　对具体的战术行动，孙承宗也有情报方面的要求。比如就袭击敌营来说，他既强调全面掌握敌我双方情况，同时也指出了搜集地理情报的重要性："车临敌，议暗袭敌营，而地有险易，道有远近，兵有马步，将有钝敏。且古人劫寨之马，必选迅快不鸣嘶者。然或险易，或远近，或马步，或钝敏，俱可因时制宜量才而用。法曰'知己知彼，百战百胜'，马可衔枚疾走，而夜袭以迅快不鸣者为良。"⑤ 之所以要全面掌握敌我双方情报及地理情报，就是为了实现"因敌制变"和"因地制宜"，从而获得偷袭敌军的筹码，力争一击制敌。

　　孙承宗论情报，数次引用"知己知彼，百战百胜"，这句话在《孙子兵法·谋攻篇》本作"知彼知己者，百战不殆"，虽说词句稍有出入，但也明显可以看出他忠实继承了孙子的大情报观，也就是说，始终将"彼"与"己"结合在一起进行分析。在战争中，我方既然对敌方展开情报工作，敌方也会努力搜集我方情报。为防止军情泄露，除了组织有效的反情报工作之外，也要善于利用敌间，努

① 《车营叩答合编·车营百八叩说·其九十一》。
② 《车营叩答合编·车营百八叩说·其三十四》。
③ 《车营叩答合编·车营百八叩说·其七十二》。
④ 《车营叩答合编·车营百八叩说·其七十九》。
⑤ 《车营叩答合编·车营百八叩说·其五十三》。

力对其进行策反和拉拢："更假为敌之来投者，面讦为奸，法当置以死。而我偏爱其才，亟请于朝而赦之，至是无论其非间也，即间亦为我用。"① 一旦遇到敌营中忽然来了陌生人，并且主动透露敌方情报的情况，那就必须慎重进行考察，防止被对方欺骗。孙承宗指出具体的考察办法是："当优礼以待之，而察其言，观其色，伺其动静，复期以事而探其心，醉以酒而察其隐，有过暂恕之，有功即赏之。"② 两军对阵，必须时时小心，处处谨慎，切不可中了敌方奸计。

孙承宗认为，车战中同样存在战争欺骗行动，因此不仅要严防敌方间谍刺探情报，避免为敌方奸计所伤，同时还要主动使用欺骗之术欺敌诱敌，借机离间和分化敌军。这既是主动进攻的情报欺骗之术，也是军事家经常使用的制胜战术。孙承宗以唐朝大将裴行俭诈为粮车诱惑突厥并一举败之的战例，说明欺骗术是行之有效的制敌之术："设计而诱之，此亦料敌之术也。"③ 行使欺骗之术时，必须根据敌我双方的不同情况出发，使得欺骗之术更加具有针对性。尤其是要根据敌情出发，充分了解"敌之多寡、强弱、虚实、离合、智愚"④，同时还需要耐心等待时机，通过静观其变来捕捉最佳战机。这正是"因敌制变"的战术需要。孙承宗指出，如果我方车营已经临近敌军，敌方固守不出，而我方又有粮草供给之类的隐患，就可以"声言食乏，设作回军之势"⑤，以此诱惑敌军主动进攻，再寻找机会破敌。如果"敌恃其饱，而欺我之饥"⑥，则可以设计"料彼必中吾之计"，合理地布阵迎敌，再适时实施围剿战术，一鼓作气击败敌军。总之，一旦敌方坚守不出，试图以拖待变，就必须巧妙使用各种战术邀敌，诱惑敌军或激怒敌军，令其出兵与我决战。这

① 《车营叩答合编·车营百八叩说·其七十三》。
② 《车营叩答合编·车营百八叩说·其七十三》。
③ 《车营叩答合编·车营百八叩说·其七》。
④ 《车营叩答合编·车营百八叩说·其九十》。
⑤ 《车营叩答合编·车营百八叩说·其二十八》。
⑥ 《车营叩答合编·车营百八叩说·其二十八》。

其实也是"因敌而变"的高明战法。

四、车战中的"奇正"与"常格"

"奇正"是古代军事家永恒关注的主题，孙承宗对此也有所探讨，并主张在车战中大力推行。前述"因敌制变"战术，多结合敌情而展开，多方运用欺诈之术，因此可视为战术之"奇"。在此基础之上，孙承宗还结合车战战术，对"奇正"的内涵进行充分探讨。

在撰写《车营百八叩》"序言"时，孙承宗已经高度强调"奇正"问题，花费很多笔墨予以论述："兵，用水用陆，遂用舟用车。其舟车，用步用骑；其骑步，用众用寡，用正用奇。凡兵皆守，动则战，凡战皆众而有寡，凡战皆正而有奇。一两之卒，用伍为寡，余为众；用伍为奇，余为正；或用余为奇，伍仍为正，有我正而敌为奇，有我奇而敌为正。余欲用车为正，用舟为奇，而车自有奇，舟自有正。"这段文字不长，但对战术变化中可能出现的情况几乎都有提及。在孙承宗看来，所有的战术设计都无法离开奇正，因此车战和舟战中同样存在奇正之术。如果是车战与舟战的结合，则车战为正，舟战为奇。即便是单独使用车战或舟战，其中仍然存在奇正。因为无论是陆战水战，还是车战舟战，其中都必然地要牵涉到诸如攻守和众寡等论题，而它们又和奇正紧密相连。因此，研究车营之法必须深入研究奇正，可以借此来极大地丰富战术手段。

《车营百八答》第一答继续围绕车战，就奇正这一论题进行深入探究。作者指出："兵有奇有正，有以奇为正，以正为奇，更有以奇为奇"，因此用兵贵在"相机而动，待时而行"，这才能做到"循环无端，其妙难测"。① 接下来，他回顾战争历史，指出奇正始终是车战在内的各种战法的永恒主题。无论是周、秦之时专用车乘的时代，或是卫青使用武纲车的时代，甚或是车战与步战、骑战与步战结合的时代，都需要根据战场情况不断地变化奇正之术。孙承宗指出：

---

① 《车营叩答合编·车营百八答·第一答》。

"用步为正，用骑为奇，而又不拘于步骑之奇正，更有出正于正，出奇于奇。"① 在作者看来，当初杨素之所以不用车营，是因为担心将士知守而不知战，这其实也是巧妙运用奇正之法。因此，只有懂得奇正之法，善于运用"出奇于正，用正为奇"等变化，才可以探讨车战之法："知此始可以用车。"②

车战中的奇正，同样需要根据战场实际情况灵活加以运用。作为指挥员，必须善于变通，切不可拘泥，更不可死守其中一法。对此，孙承宗指出："临阵或用正为奇，或用奇为正，常法原不必拘。"③ 他进一步举出曹操为例，对此进行论证说明："曹操始为战骑、陷骑、游骑，且云车徒常教以正，骑队常教以奇，是步为正而马为奇。乃骑队出仗之时，而步队或掩两旁，或直当中道。至有骑队反为正兵，步队反为奇兵，是又奇正相生矣。"④ 从曹操一生的用兵实践来看，他不仅深谙用兵之道，也很懂得变化奇正之术，善于借用步、骑之兵，不断地转换正兵、奇兵，因此才能成为一代枭雄，成功地统一北方。但是，即便是曹操这样善于用兵之人，仍然会因为关键一战的失误而招致兵败，由此更可见灵活用兵和懂得变通的重要性。

虽说奇正之道贵在变化，使用奇正之术也贵在变通，但这并不意味着其始终处于变化之中，毫无规律可循，只凭感觉乱战。在孙承宗看来，奇正之术也存有常法，指挥员必须善于学习这些常法——孙承宗称之为"常格"，并且一定要能灵活加以运用。为了说明这个问题，孙承宗以李靖征讨突厥的战例进行论证。李靖在征伐突厥时，越险数千里而营制不改，一直坚守奇正之"常格"，同样取得了成功。对此孙承宗总结道："李靖讨突厥，越数千里营制不改。有跳荡奇兵，有战锋队，步骑相半，有驻队兼车乘而出，今之奇正尽之。然跳荡为奇兵，战锋为战兵，驻队为助兵，此奇正之常格也。

---

① 《车营叩答合编·车营百八答·第一答》。
② 《车营叩答合编·车营百八叩说·其一》。
③ 《车营叩答合编·车营百八叩说·其三》。
④ 《车营叩答合编·车营百八答·第三答》。

而易常为变，其用更神乎其神。"① 据此出发，孙承宗认为用兵作战存在"奇正之常格"，比如像李靖这样，奇兵、战兵和助兵的固定搭配，就是一种"常格"。学习并掌握这些"常格"，是将帅的重要职责。如果做到不拘"常格"，甚至懂得"易常为变"，比如"车外之奇兵仍为车也，又有奇外之奇，使其骇如天降"②，那就能够竭尽奇正之妙，达到那种神妙境界。

孙承宗不仅指出奇正之中存在所谓"常格"，还进一步探讨和总结了"常格"的内容，尤其是车战的"奇正之常格"，要求前线将帅加强学习并深入领会。在他看来，"车营自有奇正"③。如果能够利用好车营，便能发挥阻击敌军和策应己方军队的作用，也能调动敌人和攻击敌军。以进攻之道为例，一般可分为正兵、奇兵、伏兵三种，这其实就是"常格"。对此，孙承宗总结道："攻有三道：曰正，曰奇，曰伏。昔李愬自文城疾驰而蔡灭，邓艾自阴平逾岭而蜀降，此一奇胜，一伏胜也。今奇、伏而用于车，平旷之地无论已。如遇山川险阻，当环车营于要隘，而奇、伏始可以行。"④ 使用车营攻击敌军，一般都是分为正兵、奇兵、伏兵三种，这样便可以做到前后呼应或左右呼应，收取夹击之效和伏击之效。

孙承宗还结合既往战争史，更为具体地探讨"常格"。比如，他借刘裕等古代名将的经典战例对此进行总结。孙承宗指出："今以车用，或张翼以分敌势，或抱河以御敌冲，或在前以击其前驱，或在后以防其后袭，左击右掩中军，列三层屹如山立，此大胜之势也。"⑤ 这里强调的是分敌之势和前后呼应，在保证中军屹立不倒的同时，也善于出奇，形成三叠之阵，便可取得胜势。不仅如此，孙承宗还就车营的行进之法及相应注意事项，都进行了总结，比如车行泥沼之地、车行大水之地等，都有常规的应对之策。

———————————

① 《车营叩答合编·车营百八叩说·其八》。
② 《车营叩答合编·车营百八叩说·其六十四》。
③ 《车营叩答合编·车营百八叩说·其九十九》。
④ 《车营叩答合编·车营百八叩说·其百一》。
⑤ 《车营叩答合编·车营百八叩说·其五》。

就防守和伏击之法，孙承宗也总结了若干"常格"，指出："车行我纵直有余而敌横击之，张两翼以抄我旁，我横摆有余而敌直击之。伏两翼以要我胁，欲应而防之，当拨游兵分数起以扰其中军。其横击也，我以前后两军应之；其直击也，我以左右两军应之；而中军指挥发纵出奇以防其变，庶可无差。"① 也就是说，要想做好防守，更应注意正兵、奇兵、伏兵并用，才能对敌实施前后夹击。敌人无论是从哪里发起袭击，不论是直击，还是横击，我方都能应付自如，不会发生任何差失。

对于"奇正之常格"，孙承宗希望指挥员善加领会，所以不厌其烦地加以总结探讨和阐释。就打破"常格"的时机而言，孙承宗认为主要是依据敌情及地形，也即"因敌制变"和"临时相视地形"。高明的战术设计，始终能做到相机而动："用活得其实效者，在相机而行。"② 孙承宗还对各种具体的变化之术进行了总结："方、圆、曲、直、锐，每阵五变，而得二十五。或以为花阵也临阵无所用，然一营固可以为五行矣，约之而冲、而衡、而乘，莫不可以为五行也。悟其理者，惟相邱陵、林壑、平陆、斥泽之不同，高下、险易、生死、支挂之各异，而因以制骑步多寡、疏密、轻重、分合之所宜。"③ 总之，当车兵临阵之时，同样需要紧密关注敌情，根据敌情和地形情况巧妙变化战法并采用恰当的阵法，切不可固执地以为某阵有用或无用。只要善于变化，指挥得当，使用古代的阵法反倒可以收到出奇制胜的效果。

通观《车营叩答合编》，孙承宗关于新型战法的讨论，显然受到了传统兵学的深刻影响，尤其是"选卒"等主张都可以看出孙子的影子。即便是讨论车战的奇正，也未能在总体上跳出传统论述范式。当然，他也曾试图结合装备发展与时代特征有所创新和改变，对车战的临阵之法进行了多方探讨，以便更好地发扬火器的威力。就古

---

① 《车营叩答合编·车营百八叩说·其十四》。
② 《车营叩答合编·车营百八答·第八十六答》。
③ 《车营叩答合编·车营百八叩说·其八十六》。

典兵学的发展而言，这一点显得难能可贵。我国传统兵学研究因为受到军事科技发展缓慢等因素制约，长期徘徊于冷兵器时代而难求一振。明代茅元仪指出："前《孙子》者，《孙子》不遗；后《孙子》者，不能遗《孙子》。"[①] 此语道出了我国传统兵学受《孙子兵法》深刻影响的真实情况，也点出了其长期停滞不前的真切窘迫。在明代中晚期，随着火器技术的进步，上述停滞局面一度迎来改观，新型车兵渐受重视，战略地位越发突出。因为孙承宗等人的努力，明末对新型车战和新型战法的探讨也有日渐深入之势，传统兵学也就此迎来转型的良机，《车营叩答合编》成为这种努力的最佳注脚。令人遗憾的是，明朝末年混乱的朝纲和特殊的内外环境等，随即打断了这一转型历程，孙承宗等人的种种努力也都最终付诸东流。这不仅仅是孙承宗个人的悲剧，同时也是整个时代的悲剧。

第四节　《孙子兵法》注疏作品

明代还产生了不少《孙子兵法》注疏作品。明代孙子研究取得了不少成果，这类作品是其代表。明代学者在孙子文献学方面，于疏解、校正和考据等均有深入研究。在孙子兵学理论的运用方面，也不乏成功案例。此外，《投笔肤谈》等兵书对孙子兵学思想也有继承和发展，并能间或提出富有洞见的批评之声。因为此类兵书中有不少内容是围绕孙子而展开，故笔者视之为注疏类作品附带提及。

一、文献学研究的进展

明代《孙子兵法》研究在校勘和整理方面有不俗的成绩，主要表现在对词句的校正和对文本结构的探讨这两方面。

第一类是对词句的校正。疏解类著作对这类问题都会有或多或

---

① 《武备志》卷一《兵诀评》。

少的探讨。比如对《作战篇》"故兵贵胜，不贵久"一句，赵本学《孙子书校解引类》、何守法《校音点注孙子》都指出："一本'胜'上有'速'字，非是。"不少注家均训"胜"为"速"，所谓"贵胜"即为"贵速"，如果另外再增"速"字，则明显重复。再如《势篇》的"以利动之，以卒待之"一句，"卒"当作"本"字，赵本学《孙子书校解引类》、何守法《校音点注孙子》等，均对此加以校正。再如《九地篇》中"投之无所往，死且不北，死焉不得，士人尽力"一句，一直颇令人费解。赵本学《孙子书校解引类》指出"死焉不得"四字当为衍文，这便为人们理解该句提供了新的思路。再如《火攻篇》"昼风久，夜风止"一句的"久"字，《方山先生孙子说》认为是"从"字之误。《武备志》和《兵镜》也持同样观点，说明这种说法也有一定道理。另外，《用间篇》"故用间有五：有因间，有内间，有反间，有死间，有生间"一句的"因间"，当作"乡间"，刘寅《孙武子直解》、赵本学《孙子书校解引类》等书，均能对此进行校正。

《孙子兵法》流传千年，版本众多，亥豕鲁鱼，难以厘定的情况很多，注家有时也只能存而不论，无法深究。比如针对《作战篇》"其用战也，胜"一句，赵本学《孙子书校解引类》所作校语为："'胜'上疑脱一'贵'字。"就个别词句提出类似疑问的还有很多。有些注解类作品无意于考据，却也为人们留存了异说，传递了部分古本信息，对考察《孙子兵法》各本的流传情况有着重要参考价值。比如《谋攻篇》中"破人之国"，刘寅《孙武子直解》及《古今图书集成》本《孙子兵法》等均作"毁人之国"，可能也是有来历和值得重视的异文。

第二类是对文本结构的探讨。尤其是围绕《九变篇》，明代研究专家曾有深入研究。这个时期的研究专家试图找出《九变篇》和《九地篇》的关系，并对《孙子兵法》中的错简现象进行分析，提出了值得重视的观点。

《九变篇》是十三篇中字数最少的一篇，集中论述的是用兵的变法。该篇虽题为"九变"，但孙子在文中自"圮地无舍"至"君命有所不受"却一共列举了"十变",这便给人们带来一个很大的困惑:《九变篇》是否存在着内容或结构上的问题,所谓"九变"到底是指哪九条变术。元明之前,已有不少学者注意到《九变篇》的结构问题,曹操、王晳和张预都曾做出过解释。从有关注本可以看出,曹操还曾对"治兵不知九变之术"所作"校语"说:"九变,一云五变"。①

元代学者张贲关于《九变篇》及《孙子兵法》结构的意见依靠明代刘寅的转述而得以保存。根据刘寅的《孙武子直解》,张贲将《军争篇》从"高陵勿向"到"穷寇勿追"八句视为错简,认为它们应当在《九变篇》"合军聚众"之下,合"绝地无留"一句而成"九变"。刘寅本人完全接受张贲的意见,称赞《孙子兵法》的"简编错乱"现象,"惟张贲已能改而正之",②所以印象特别深刻,故而在经历四十余年之后还能清楚地记得。除了支持张贲挪动《军争篇》的句子凑成"九变"的主张之外,刘寅还认为,《九变篇》中的"圮地无舍,衢地合交,围地则谋,死地则战"四句也是错简,它们本应是《九地篇》中的文字。因为《九地篇》中"九地之变"只说了"六地之变",其中应有部分文字错简到了《九变篇》。

刘寅和张贲这些改动版本的主张,得到了明代另一位重要注家赵本学的支持。赵本学说:"及获见刘寅《直解》,知有张贲之书,直以'圮地无舍、衢地合交、围地则谋、死地则战'四句为衍文。"③从中我们可以得知,本来在刘寅看来是错简的"圮地无舍"四句,赵本学已经将其定性为衍文。不仅如此,赵本学甚至认为《九变》开头一句——"将受命于君,合军聚众"也属多余:"亦误

①　《十一家注孙子校理》卷中。经查,武经各本和曹注本(清平津馆刊顾千里摹本)都没有这一句。
②　刘寅:《孙武子直解·九变》,谢祥浩、刘申宁辑:《孙子集成》第二册,齐鲁书社,1993 年。
③　赵本学:《孙子书校解引类·九变》,《中国兵书集成》编委会编:《中国兵书集成》第十二册,解放军出版社、辽沈书社,1990 年。

因上篇之文而重出也。"① 在赵本学看来，如果将《九变篇》"将受命于君合军聚众"九字归诸《军争篇》，其下四句归诸《九地篇》，则《孙子兵法》全篇更为简净，甚至"孙子之书无一言之不足，亦无一言之有余矣"。②

很显然，从张贲到刘寅，再到赵本学，所做的改动越来越大，渐超出《九变篇》的范围，不仅牵扯到《军争篇》，还联系上《九地篇》。他们的这种改动一度受到不少追捧，但到清代已经鲜见，可知他们的影响力终究还是有限。刘寅、赵本学注本在做出改动时都一一注明原委，并附有原版孙子文句，但有些追随者不再注明出处，直接对文本进行改动，比如《武学经传·孙子》（明嘉靖癸丑刊本）、《方山先生孙子说》（明嘉靖丙辰刊本）。这种做法多少有些贻害后世。

与张、刘、赵等人意见相左，何守法在校注《孙子兵法》时，明确地对当时一度盛行的"错简说"提出了质疑："刘寅《直解》谓'高陵勿向'八句曾见张贲注云乃《九变篇》脱简。愚因可疑，特详正于后。"③ 接下来，何守法针锋相对地对"错简说"予以批驳。他指出："《九变》之变者，用兵之变法有九，不专在地也。《九地》者，遇九地而处之有变法也，二篇意各不同。乃谓'九变'即'九地之变'亦非也。"④ 何守法坚决反对张、刘、赵等人割裂《孙子兵法》原文、拼凑出"九变"的做法。因此他指出："用上篇八句并'绝地'一句，固为九矣，恐难免移易割破之弊。"⑤ 在何守法看来，东拼西凑固然可以凑足数，却不是善法，还会影响十三篇的文气，给人以"移易割破"的感觉。

茅元仪对"九地"即"九地之变"的说法提出了明确的反对意

① 《孙子书校解引类·九变篇》。
② 《孙子书校解引类·九变篇》。
③ 何守法：《校音点注孙子·九变篇》，《孙子集成》第九册。
④ 《校音点注孙子·九变篇》。
⑤ 《校音点注孙子·九变篇》。

见。他认为，《九变》讨论的是用兵之变法："此论变，非论地也。"① 他在写《武备志·兵诀评》的时候坚持保留《孙子兵法》传本的固有模样，此外他对《九变篇》篇名提出了自己的看法："'五地'及五'有所不'共'十变'也，大略举数曰九。"② 不知是否因为何守法等人的这种极力反对起到了效果，明代天启、崇祯年间所出《孙子兵法》版本，已基本不再追随张、刘、赵，并没有再出现类似他们的这种妄改，比如《新镌武经七书·孙子》（明天启元年刊本，王守仁手批本）、王世贞《孙子评释》（明天启元年刊本）、黄榜《武书考注·孙子》（明运筹堂刊本）、《武备志·兵诀评·孙子》（明天启元年刊本）、《武经七书合笺·孙子》（沈际飞，明崇祯九年刊本）、《武经七书会通·孙子》（沈际飞，明崇祯九年刊本）、《孙子明解》（郑二阳，明崇祯四年刊本）、《新镌武经七书类注·孙子》（明崇祯金阊吴氏刊本）等。

反对张、刘、赵这种改动版本的风气，一直延续到清代。清代康熙年间著名学者汪绂在评论《九变篇》时说："上篇始言地利而篇末已微露变通之意，此篇遂极言变通之道，盖恐人泥于地形而不知变通之道也，故略举九者而言之，以见其例，究之无处不通变而后为可，不止于九者……"③ 针对张、刘、赵等人批评《九变篇》错简，汪绂非常明确地提出反对意见："旧解多误。"④ 而且，在汪绂眼里，《九变篇》"通篇只一气起结"⑤，并不像张、刘、赵等人认为的那样杂乱。

黎观五等《武经汇解·孙子》（清康熙己酉刊本）收集旧注甚夥，却只字不提张贲等人的"错简说"，是未曾见到，还是一种漠视

---

① 《武备志》卷一《兵诀评》。
② 《武备志》卷一《兵诀评》。
③ 汪绂：《戊笈谈兵》卷七《司马吴孙·孙子》。本书载于《中国兵书集成》编委会编：《中国兵书集成》第四十四至四十五册，解放军出版社、辽沈书社，1990 年。
④ 《戊笈谈兵》卷七《司马吴孙·孙子》。
⑤ 《戊笈谈兵》卷七《司马吴孙·孙子》。

呢？答案显然是后者，因为该书曾经数次引用了刘寅《孙武子直解》。众所周知，刘寅《孙武子直解》正是因为转述了张贲有关《九变篇》的"错简说"而名噪天下，而黎观五等人对这种说法却只字不提，一方面，可能是因为所谓"错简说"在当时已经不再时髦，另一方面，可能在他们眼里，这个说法显得太过幼稚，已经不值一驳。

张贲、刘寅、赵本学等人"错简说"产生的根源，是他们太过拘泥于"九"这个数字，又误将"九变"当成是"九地之变"。当他们看到其数难合的时候，便会从上下文找出那些有"不"和"勿"字样的句子，去勉强凑齐。这种研究貌似深入，其实是走进了一条死胡同。比如，他们在凑齐"九"这个数字的时候，只看到"绝地无留"，对"圮地无舍"等则视而不见，只能尴尬地选择避开。这种现象很能说明，这种立说本来就没有什么根基，故此才会受到无情的批驳，直至被人们放弃。①

二、对孙子兵学思想的研究与运用

明代对孙子兵学思想的研究和运用也有值得总结之处。不仅军事家有过较为深入的研究，文人学者也能提出独到见解。

尽管有短暂的元朝阻隔，宋代研习兵书和《孙子兵法》的热潮，还是在明朝得到了恢复和延续，各种研究著作层出不穷。明代留下的兵学著作非常多，仅就存目兵书来看，几乎占历代兵书总和的三分之一。明代诞生的千余部兵书中，有关《孙子兵法》的兵书就有200多部。② 当然，其中也有很多书籍是满足武人将佐参加武举考试所用的层次较浅、内容较为简单的教科书。

明太祖朱元璋的用兵思想与孙子兵学时有暗合，证明他有研习兵典的经历。明太祖朱元璋曾数次和大臣共同讨论孙子兵学的要义。

---

① 以上论述详见熊剑平：《〈孙子·九变〉再考察——兼与李零先生商榷》，《军事历史》2013年第5期。
② 于汝波主编：《孙子兵法研究史》，军事科学出版社，2001年，第134页。

重视"先知"和"以奇胜"，成为朱元璋击败各路诸侯、统一天下的重要法宝。至正二十三年（1363），朱元璋打败陈友谅后，曾和部下谈论兵法，指出"伐谋而制胜"的道理，认为"以正应，以奇变"和"奇正之用合宜"才是百战百胜的用兵之道。① 在与句容儒士戎简会谈的时候，朱元璋又引用《九变篇》中"穷寇勿迫"一语，解释了不对陈氏集团穷追猛打的道理："兵法曰：'穷寇勿迫。'若乘胜急迫，彼必死斗，杀伤必多，吾故纵之，遣偏师缀其后，恐其奔逸。料彼创残之余，人各偷生，喘息不暇，岂复敢战？我以大军临之，故全城降服。一者我师不伤，二者生灵获全，三者保全智勇，所得不亦多乎？"② 从中可以看出，朱元璋不仅善于借鉴和使用孙子兵学谋略，还深深懂得其中要义。就"穷寇勿迫"而言，朱元璋总结其有三条好处："我师不伤""生灵获全"和"保全智勇"，可见其对孙子兵学有着深刻领悟。在指示名将徐达如何处置降卒时，朱元璋也曾以孙子"不战而屈人之兵"作为要求："能不战而屈之，乃为上智尔。"③

　　朱元璋的重视，为《孙子兵法》在明代的传播打下了基础。洪武三十年（1397），明朝政府曾令兵部复刻元版《武经七书》，供将帅学习之用。到了建文帝初立武举，英宗皇帝正式推行武举，有关武举的各项制度逐步走向规范化。张居正主政期间，也曾亲自增订《武经直解·孙武子直解》，试图为武举提供较为准确的教科书，充分反映出他对武举的重视程度。因为朝廷希望通过规范的武举考试来选拔军事人才，《武经七书》本《孙子兵法》由此而得到更为广泛的流传。明代有关《孙子兵法》的书籍非常多，重要作品一直流传至今，与朝廷的重视不无关系。

　　相比宋代，明代的武学科考更加规范和制度化，为应付策试而刊印的标题讲章之类，也在明代逐渐发展起来。刘寅的《武经直解》

---

① 《明太祖实录》卷十三。
② 《明太祖实录》卷十四。
③ 《明太祖实录》卷八十六。

甚至被官方钦点为教材，成为法定的军事教科书，取得了无可替代的崇高地位，这多少也对《孙子兵法》的流传和普及起到了一些作用。刘氏此书，连同赵本学的《孙子书校解引类》等，至今仍是人们研究《孙子兵法》的重要参考书。除此之外，郑灵、陈天策、曹允儒、黄献臣、李贽、何守法等人的注本，也曾影响一时，对于研习《孙子兵法》同样不乏参考价值。

朱元璋虽说对史籍所载的孙子事迹表示过怀疑，甚至批评过孙子的诡诈之术，但在实际用兵过程中非常重视孙子的情报先行原则，同时也善于使用火攻战法挫败对手，很好地诠释了孙子的用兵要义。在与陈友谅的鄱阳湖决战中，面对武器装备和战船都处于优势的强大对手，朱元璋借鉴孙子的火攻战法，成功击败强敌，取得了一场酣畅淋漓的大胜，也就此在群雄逐鹿的格局中取得优势。随着军事科技的发展，明代的火器研发取得了飞速发展，孙子所提倡的火攻之法，由此得到朝廷和将领的更多重视。明代产生了《火攻备要》《火攻挈要》等系统论述火攻战法的兵书，在祖述《孙子兵法·火攻篇》的同时，也非常注意吸收西方先进的火器战法，学习和借鉴西方的火攻理论。很显然，这对明代战术的丰富和战法的变革，都起到了难以估量的作用。《孙子兵法》的兵学理论在军事科技飞速发展的明代，其实际应用价值不仅没有褪色，反而得到了更大程度的发挥，地位更加凸显。

明代著名抗倭将领胡宗宪、俞大猷、戚继光等人将研习《孙子兵法》与自己长期抗倭的军事斗争实践结合起来，对孙子兵学思想既有继承也有发展。其中最为著名的要数戚继光。从他所留下的《纪效新书》《练兵实纪》等军事著作中，我们可以看到其系统研读《孙子兵法》，并受到深刻影响的痕迹。戚继光将作战类型分为"算定战""舍命战"和"糊涂战"三种。他不仅反对与敌人硬拼的"舍命战"，更反对"不知彼不知己"的"糊涂战"，只提倡充分掌握情报并经过周密分析和筹划的"算定战"。这种"算定战"首先要求"先知彼"，继而强调"谋算"，即分析彼此实力，计算出"得算多少"，从而判断能否作战。这显然是对孙子"庙算"理论的继承。包括戚继光的"海战相敌二十法",既是从实战中总结得来的经验之谈,也能看到受孙子"相敌之法"影响的痕迹。此外,戚继光的治军思想及用兵谋略等,也都可以从《孙子兵法》这里找到源头。

明代文人中,有不少都喜欢研习兵书,王守仁、李贽等都曾深入研究《孙子兵法》。王守仁是明代著名思想家和军事家,从他的军事活动实践和著述中,都可以看出他对《孙子兵法》有着深入研究,而且善于在战争实践中加以运用。在《武经七书评》中,王守仁对《孙子兵法》和《吴子》等兵经都有要言不烦的评点。比如对《孙子兵法·军争篇》,王守仁点评道:"善战不战,故于军争之中,寓不争之妙。"① 这是巧妙运用了《老子》的"不争之术"对《孙子兵法》的"军争之法"进行的解读,更突出和强调了"不争"的作用。王守仁曾对《孙子兵法》和《吴子》这两部兵学经典进行总结,认为《吴子》相对于《孙子兵法》而言,更加趋于实用,是一部立足于实战的兵法。

李贽注释《孙子兵法》的作品名曰《孙子参同》,至今仍然是研究《孙子兵法》的重要参考书。明代兵书中,有不少出自文人之手,体现出宋代文人论兵传统的延续之风。较为著名者,要数何守法模仿《孙子兵法》著述的《投笔肤谈》。是书结合历代战例阐发孙子兵学思想,不失为一部有思想和有价值的兵书。何守法特地将篇数凑成十三篇,甚至每一篇的篇名都以《孙子兵法》作为参照,受《孙子兵法》影响的痕迹非常明显。就这一点而言,《投笔肤谈》和其他许多兵学著作一样,同样会陷入"不能遗《孙子》"② 的路数。当然,作者对于谍报工作的认识显然要高出孙子。对于用间,何守法认为,使用间谍时也存在着"传伪于我"和"泄情于彼"这两种风险:"凡间谍之人,或望敌之风,而传伪于我,或被敌之虐,

---

① 王守仁:《武经七书评·孙子》,束景南、查明昊辑编:《王阳明全集补编》,上海古籍出版社,2016年。
② 《武备志·兵诀评·序》:"前《孙子》者,《孙子》不遗,后《孙子》者,不能遗《孙子》。"

而泄情于彼，此皆覆败之所关也。"① 因此，他主张对间谍必须做到"可用而不可恃"。

　　除此之外，还有一些兵书也与《孙子兵法》有紧密联系。《草庐经略》被清末将领宋庆誉为谈兵者不可缺少之书，对于《孙子兵法》也有所继承和补充。比如其对"奇正"的研究就很有心得，既对常法有所总结，也对变法有所揭示，并指出奇正的相互转化之术。就孙子的"谋攻十二法"②，《草庐经略》在卷九、卷十展开讨论，设计了更为详细的动敌之法，内容包含误敌、怒敌、饵敌、疑敌等十三条，对《孙子兵法》也有所发展。《运筹纲目》则立足于孙子的"诡道"之术，结合历史上的典型战例，详论如何在战争中发挥诡诈之术，堪称独具特色。孙子将奇兵制胜奉为圭臬，叶梦熊在"出奇之纲"中则将其总结为十条，论述得更加详细完备，也对孙子的奇正理论有所发展。明代出现了不少综合性大型兵书，有的只是完成了对包括《孙子兵法》在内的著名兵书的辑录和注解，如《兵钤内外录》等；有的则是结合当时战争形势和军事科技的发展，力图为武将提供百科全书式的工具书，比如《续武经总要》和《武备志》等，多多少少也烙下了孙子的印记。《武备志》是明代茅元仪所辑录的一部大型的军事学类书，对《孙子兵法》做过如下评价："先秦言兵者六家，前孙子者，孙子不遗，后孙子者，不能遗孙子。谓五家为孙子注疏可也。"在这一段话中，茅元仪将包括《司马法》《六韬》在内的其他五种先秦兵书，都当成《孙子兵法》的注疏文字，早于《孙子兵法》的，《孙子兵法》充分进行了吸收，晚于《孙子兵法》的，则都无法逃出《孙子兵法》的藩篱。仅就中国古代兵学思想的发展而言，用这几句话进行概括和总结，未尝不是一句允当之语。

---

① 《投笔肤谈·谍间》。
② 也称"诡道十二法"，详见《孙子兵法·计篇》："故能而示之不能，用而示之不用，近而示之远，远而示之近。利而诱之，乱而取之，实而备之，强而避之，怒而挠之，卑而骄之，佚而劳之，亲而离之。"其总原则为"攻其无备，出其不意"。

三、对孙子兵学的批评

自《孙子兵法》问世之后，中国古代不少兵书大抵沿着"祖述孙子"和"批评孙子"这两条道路前进。考察明代孙子兵学研究，也可明显看出这一特点。当然，有的批评尚且在理，有的批评则属隔靴搔痒，不着边际。

众所周知，《孙子兵法》是一部探讨战争谋略之书，但它也重视力量，并以坚强的实力作为施展谋略的基础。可惜的是，很多人往往只是看到孙子重视谋略的一面，完全忽视了孙子重视实力、以实力为基础的一面，这其实是对《孙子兵法》的误读和曲解。明代闵振声等学者在论及孙子兵学缺陷时也有过类似评判。闵振声借引《纬略》斥孙子"舍正而凿奇"。闵氏所谓"正"，是重视实力，或者重视培植军事实力，而"凿奇"之论，则是批评孙子过于倚重谋略。

在明代，批评《孙子兵法》"尚诈而轻义"的声音仍不绝于耳。明太祖朱元璋就曾对孙子的"诡诈之术"提出过批评。在与近臣讨论《孙子兵法》时，朱元璋有这样的评论："以朕观之，武之书杂出于古之权书，特未纯耳。其曰'不仁之至，非胜之主'，此说极是。若虚实变诈之说，则浅矣。苟君如汤武，用兵行师，不待虚实变诈而自无不胜。虚实变诈之所以取胜者，特一时诡遇之术，非王者之师也。然其术终亦穷耳。盖用仁者无敌，恃术者必亡。观武之言，与其术亦有相悖。武之书，必有所授，而武之术则不能尽如其书也。"[①] 从中可以看出，朱元璋对孙子的用兵之术颇有微词，认为这"非王者之师也，然其术亦终穷耳"，更赞成使用仁者之师。此时朱元璋完全是以胜利者的姿态指点江山，当然更赞成儒家的学说，并忘记自己当初争夺天下时的种种诡诈。

众所周知，孙子重视用间，但对用间可能带来的危害估计不足并缺少探讨。就这一点而言，已经有《唐太宗李卫公问对》等兵书

_____

① 《明太祖实录》卷六十八。

对其提出批评。宋代学者苏洵赞同孙子"上智为间"的观点，但也认为孙子的五间之术终究属于诡诈之术，所谓"五间之用，其归于诈"①，而且用间术也是有成有败，所谓"能以间胜者，亦或以间败"②。苏洵对于用间的态度受到儒家学说影响，多少存有偏见，但他能对用间采取一分为二的看法，则客观而辩证。明代学者继承了这一观点，对孙子的用间术提出批评。《草庐经略》对《唐太宗李卫公问对》中"或用间以成功，或凭间以倾败"③的认识极为欣赏，所以提出了与此类似的主张，认为用间"可用而不可恃"。作者一针见血地指出，作为将帅，不应该将胜负的筹码全部寄托在用间上，否则就可能会带来灾难性后果。明代兵书《投笔肤谈》也指出，间谍固然重要，但也存在着"传伪于我"和"泄情于彼"两种风险："凡间谍之人，或望敌之风，而传伪于我，或被敌之虐，而泄情于彼，此皆覆败之所关也。"④对孙子的用间术并非一味盲从，而是客观指出其中不足，明代研究者可谓独具卓识。

---

① 苏洵：《权书·明间》，《中国兵书集成》编委会编：《中国兵书集成》第七册，解放军出版社、辽沈书社，1992 年。
② 《权书·明间》。
③ 见《唐太宗李卫公问对》卷中。
④ 《投笔肤谈·谍间》。

第四章　明代著名思想家的兵学思想

明代部分学者继承了宋代文人论兵的传统，继续深入钻研兵学，并且不乏真知灼见。王守仁、李贽、吕坤等，堪称其中的杰出代表。王守仁不仅精研儒学，也对兵学深有钻研，而且还在指挥作战中有很好的运用。被统治者视为"异端"的著名思想家李贽，也借《孙子参同》等著作，阐释了自己对于军事问题的认识。吕坤所著《呻吟语》《安民实务》《救命书》等，都对兵学问题有深入而独到的思考。

第一节　王守仁的兵学思想

王守仁（1472—1529），字伯安，浙江余姚人，是明代著名思想家。因为他曾经隐居会稽阳明洞，又创办了阳明书院，故人们习惯称其为"阳明先生"。他所建立的学说，世称"心学"或"王学"，对当时及晚明具有非常深远的影响。王守仁不仅在儒学上富有建树，同时还是一位善于领兵作战的军事家，在镇压江西南部农民起义（起义农民被明廷称为"盗贼"）和平定宁王朱宸濠的叛乱中，都率领明军取得胜利。王守仁曾自称"不习军旅"① 和"将略平生非所

---

① 王守仁著，王晓昕、赵平略点校：《王阳明集》卷十四《辞免重任乞恩养病疏》，中华书局，2016 年。

长"①，这显然是自谦之词。作为"揭知行合一之说"②的思想家，王守仁不仅对包括《孙子兵法》在内的古典兵学理论有过深入研究，而且善于将用兵理论运用到战争实践中。当然，王守仁将起义农民视为"盗贼""贼寇"，我们今天应持批判眼光。

一、"求善"与"去患"：对传统战争观的继承

从传世史籍中可以看出，王守仁曾对古代兵学经典有过深入研究，对"求善"与"去患"等传统战争观，有较为忠实的继承。

王守仁学习古代兵典的心得，集中体现于《武经七书评》。在这本书中，王守仁对《孙子》《吴子》等兵经作了要言不烦的评点，从中尤其可见他研习古典兵略的功力。例如，对《孙子》的《火攻篇》，王守仁点评道："火攻亦兵法中之一端耳，用兵者不可不知，实不可轻发。"③这样的点评，显然与孙子"非危不战"非常契合。相对于这种忠实的解读，王守仁也有自己的发挥之处，比如对《军争篇》，王守仁点评道："善战不战，故于军争之中，寓不争之妙。"④这是巧妙运用了《老子》的"不争之术"对《孙子》的"军争之法"进行解读，更突出和强调了"不争"的作用。

对于几部著名的兵学经典，王守仁也注意进行比较分析。对于《孙子》《吴子》这两部兵典，王守仁论述了其中区别："《吴子》握机揣情，确有成画，俱实实可见之行事。故始用于鲁而破齐，纵入于魏而破秦，晚入于楚而楚霸。身试之，颇有成效。彼《孙子兵法》较《吴》岂不深远，而实用则难言矣。想孙子特有意于著书成名，而吴子第就行事言之，故其效如此。"⑤在王守仁看来，《吴子》比《孙子》更趋于实用，是一部立足于实战的兵法，而且在战场上也有实际功效。至于《孙子》，虽立意更深，却不如《吴子》实用，所

① 《王阳明集》卷二十《丁丑二月征漳寇进兵长汀道中有感》。
② 《王阳明集》卷八《书林司训卷》。
③ 《武经七书评·孙子》。
④ 《武经七书评·孙子》。
⑤ 《武经七书评·吴子》。

以就实用性来说，《吴子》更胜一筹。这一认识显然与很多人不同，体现出王守仁的独到见解。至于《尉缭子》《唐太宗李卫公问对》这些兵书，王守仁认为，它们的价值要比《孙子》《吴子》等而下之，所以在选择品评之时，他只选择那些在他看来有一定价值的篇章。就《唐太宗李卫公问对》而言，王守仁认为它只能算是《孙子》《吴子》的注解而已："李靖一书，总之祖《孙》《吴》而未尽其妙，然以当《孙》《吴》注脚亦可。"① 从这些评语和态度可以看出，王守仁对古代兵学经典并不是一味地盲从，而是有着自己独立的思考和独到的见解。将《唐太宗李卫公问对》等当作《孙子》的注解，稍晚时期的茅元仪也有这样的认识，不知是否从王守仁这里受到启发。

王守仁一度将讲学宗旨定位为"致良知"。在平定叛乱之后，更是将他的全部思想凝练为"致良知"三字。② 这其实是基于"人性皆善"③ 的认知。他的"求善""去患"的战争观也与此密切相关，而且也与传统战争观有着密切联系，从传统中继承较多，而且论述更加具体化。王守仁始终将战争视为"凶器"或"危物"，这是对老子和墨子等先哲的继承。他一直认为战争是迫不得已才能使用的手段。在《平茶寮碑》中，他指出："兵惟凶器，不得已而后用。"④ "不得已而后用"体现了他对战争的基本态度，王守仁此后还在一篇祭文中再次提到这一观点，说明他对战争的态度是一贯的。在这篇祭文中，他出于感伤，再次强调了战争的残酷性："古者不得已而后用兵，先王不忍一夫不获其所，况忍群驱无辜之赤子而填之于沟壑？且兵之为患，非独锋镝死伤之酷而已也。所过之地，皆为荆棘；所住之处，遂成涂炭。民之毒苦，伤心惨目，可尽言乎？迩者思、田之役，予所以必欲招抚之者，非但以思、田之人无可剿之罪，于义

① 《武经七书评·李卫公问答》。
② 张学智：《中国儒学史·明代卷》，北京大学出版社，2011 年，第 180 页。
③ 《王阳明集》卷一《传习录上》。
④ 《王阳明集》卷二十五《平茶寮碑》。

在所当抚，亦正不欲无故而驱尔等于兵刃之下也……"① 既然是迫不得已才发起战争，王守仁更希望通过政治手段来平息纷争。比如就叛乱而言，他更主张安抚，而不是立即发起征讨。在嘉靖七年（1528）二月的一份奏疏中，王守仁详细论述了征讨战争的"十患"与政治安抚的"十善"。很显然，"十善"与"十患"形成了鲜明对比，可以立即看出他对战争的态度，那就是"求善"和"去患"。

什么叫"十患"呢？王守仁总结为这样十条："伤伐天地之和，亏损好生之德"；"兵连不息，而财匮粮绝"；"溃散逃亡，追捕斩杀而不能禁"；"百姓饥寒切身，群起而为盗"；"益狂诞而无所忌"；"惨毒可忧，尤有甚于饥寒之民"；"百姓连年兵疲，困苦已极"；"重失三省土人之心，其间伏忧隐祸，殆难尽言"；"为边夷拓土开疆"；"变乱随生，反覆相寻，祸将焉极"。②

既然发起征伐战争有此"十患"，所以在他看来，"今日之举，莫善于罢兵而行抚"③，更何况安抚之举存有"十善"。"十善"的具体内容，王守仁总结如下：

> 活数万无辜之死命，以明昭皇上好生之仁，同符虞舜有苗之征，使远夷荒服无不感恩怀德，培国家元气，以贻燕翼之谋，其善一也。息财省费，得节缩赢余以备他虞，百姓无椎脂刻髓之苦，其善二也。久戍之兵得遂其思归之愿，而免于疾病死亡，脱锋镝之惨，无土崩瓦解之患，其善三也。又得及时耕种，不废农作，虽在困穷之际，然皆获顾其家室，亦各渐有回生之望，不致转徙自弃而为盗，其善四也。罢散土官之兵，各归守其境土，使知朝廷自有神武不杀之威，而无所恃赖于彼，阴消其桀骜之气，而沮慑其僭妄之心，反侧之奸自息，其善五也。远近之兵，各归旧守，穷边沿海，咸得修复其备御，盗贼有所惮而

---

① 《王阳明集》卷二十五《祭永顺宝靖土兵文》。
② 《王阳明集》卷十四《奏报田州思恩平复疏》。
③ 《王阳明集》卷十四《奏报田州思恩平复疏》。

不敢肆，城郭乡村免于惊扰劫掠，无虚内事外，顾此失彼之患，其善六也。息馈运之劳，省夫马之役，贫民解于倒悬，得以稍稍苏复，起呻吟于沟壑之中，其善七也。土民释兔死狐悲之憾，土官无唇亡齿寒之危，湖兵遂全师早归之愿，莫不安心定志，涵育深仁，而感慕德化，其善八也。思、田遗民得还旧土，招集散亡，复其家室，因其土俗，仍置酋长，彼将各保其境土而人自为守，内制瑶、僮，外防边夷，中土得以安枕无事，其善九也。土民既皆诚心悦服，不须复以兵守，省调发之费，岁以数千。官军免踣顿道途之苦，居民无往来骚屑之患，商旅通行，农安其业，近悦远来，德威覃被，其善十也。[1]

王守仁在详细论述发起征伐战争的"十患"之后，又总结出推行安抚政策、避免陷入战争的"十善"，这两者形成了鲜明对比，究竟应该如何取舍，已经一目了然。

在对战争的危害性进行深入分析之后，王守仁担心仍然无法说服皇帝，于是继续基于利害关系对其进行深度剖析。他指出，之所以有人积极主张发起征讨战争，是因为他们心存"二幸四毁"之念。所谓"二幸四毁"，王守仁总结为："下之人幸有数级之获，以要将来之赏；上之人幸成一时之捷，以盖日前之愆。是谓二幸。始谋请兵而终鲜成效，则有轻举妄动之毁。顿兵竭饷而得不偿失，则有浪费财力之毁；聚数万之众，而竟无一战之克，则有退缩畏避之毁。循土夷之情，而拂士夫之议，则有形迹嫌疑之毁。是谓四毁。"[2] 在王守仁看来，由于存在"二幸蔽于其中，而四毁惕于其外"，所以很多人"宁犯十患而不顾，弃十善而不为"。[3] 这当然会造成令人痛心疾首的局面出现，理应努力避免。

王守仁之所以力排众议，坚决反对无端发起战争，是因为他切

---

① 《王阳明集》卷十四《奏报田州思恩平复疏》。
② 《王阳明集》卷十四《奏报田州思恩平复疏》。
③ 《王阳明集》卷十四《奏报田州思恩平复疏》。

身经历了战争，目睹了战争的危害。在他看来，战争是否发起，要进行得失衡量，要进行利害比较。如果可以通过招抚等手段实现"不战而屈人之兵"①，那就一定努力争取，切不可将百姓推入战争的火海之中。也就是说，战争一定是最后的手段，而不是最佳的手段，只有到了迫不得已之时才能使用。

二、"严守乘弊"的备边思想

王守仁所处的时代，大明王朝已经在拖着日益沉重的步伐缓慢步入衰落期。此时的明政权处于风雨飘摇之中，可谓内忧外困。作为忧国忧民的儒者，王守仁深入思考对策。他认为，第一要务是"备边"，消除边陲之患。所以他上书朝廷《陈言边务疏》，积极为整饬边务建言献策。

至于"备边"的主要措施，在他看来共有八条："一曰蓄材以备急，二曰舍短以用长，三曰简师以省费，四曰屯田以足食，五曰行法以振威，六曰敷恩以激怒，七曰捐小以全大，八曰严守以乘弊。"② 这表面看是八条建议，实则是从四个方面出发，全面阐述了备边主张，阐发了消除边患的措施和策略。

第一是人才队伍建设，即"蓄材以备急"和"舍短以用长"。这就是说，不仅要重用人才，而且要做到用人之所长。所谓"蓄材以备急"，就是强调加强人才储备。王守仁认为，"三军之所恃以动，得其人则克以胜，非其人则败以亡"③，能不能得到足够多的人才，能不能重用人才，是胜败的关键。他接着以南宋为例，说明人才的重要性。当时南宋偏安江南，既有宗泽、岳飞、韩世忠这些武将，也有李纲等人为相，尚且不能制止金人南下，大明王朝一统天下，疆域更加辽阔，如果不能做好人才储备，万一遇到虏寇长驱而入，则无以御敌。那么，如何选拔人才，选拔什么样的人才呢？王守仁

---

① 《孙子兵法·谋攻篇》。

② 《王阳明集》卷九《陈言边务疏》。

③ 《王阳明集》卷九《陈言边务疏》。

也有自己的见解。他认为，当务之急是选拔"文武兼济之才"，因为武举仅可以得到"骑射搏系（击）之士"，得不到那些"韬略统驭之才"。那些公侯之家培养出来的读书人，也不过是虚应故事，无所裨益。所以，他建议改革选拔人才的制度，把那些"文武兼济之才"选拔出来，既"习之以书史骑射"，也"授之以韬略谋猷"；至于兵部官员，自尚书以下，包括侍郎在内，都要每年更迭，派出去巡边，了解边情，"使之得以周知道里之远近，边关之要害，虏情之虚实，事势之缓急，无不深谙熟察于平日"①。王守仁认为，只有在平时做好人才储备，发生紧急情况时，才可以从容应对。有了人才，还要注意使用方法，尤其要做到"舍短以用长"。王守仁认为，人非圣贤，有所长必有所短，有所明必有所蔽。他还以吴起、陈平等名人为例，说明这个问题。所以，在使用人才时，一定要做到用人之长，这就是"使功不如使过"的道理。

第二是军备物资的储备和保障，即"简师以省费"和"屯田以给食"。所谓"简师以省费"，就是实行精兵政策，减少军费开支。孙子指出："日费千金，然后十万之师举矣。"② 用兵作战，耗费巨大，如果在北部边境与敌军作战，则消耗更大。所以，王守仁认为只有"简师一事，犹可以省虚费而得实用"③，这正是"兵贵精不贵多"的道理。在王守仁看来，按照当时的规模计算，一万人之内，"取精健足用者三分之一"即可，只此便可省减大量开支。除了精简部队之外，王守仁积极主张"屯田以给食"，他借"兵以食为主"的道理指出，边境戍边需要"边关转输，水陆千里"，④ 这正是孙子所说的"国之贫于师者远输"⑤。要想减少军费开支，更好地解决边境官兵的吃饭问题，就要让那些没有戍边任务的非战斗部队积极参

---

① 《王阳明集》卷九《陈言边务疏》。
② 《孙子兵法·作战篇》。
③ 《王阳明集》卷九《陈言边务疏》。
④ 《王阳明集》卷九《陈言边务疏》。
⑤ 《孙子兵法·作战篇》。

加屯田。在王守仁看来，虽然这未必能彻底解决边境部队的补给问题，但也至少可以降低军费开支，是万全之长策。

第三是加强军队的管理，也即"行法以振威"和"敷恩以激怒"。在王守仁看来，当时的明军在部队管理方面出现了问题，以至于"朝丧师于东陲，暮调守于西鄙，罚无所加，兵因纵弛"。王守仁列举李光弼、狄青等名将治军的例证，说明从严治军的重要性。所以，他建议皇帝，必须对那些坐失战机之人从严治罪，以严格的军法服众，如此则"士卒奋励，军威振肃"。王守仁主张，在加大惩处力度的同时，也要提高对士卒的奖赏，多关心边关将士的疾苦，此即"敷恩以激怒"。① 他从引用《孙子兵法》"杀敌者，怒也"② 一句入手，认为明军前方失利、士气消沮之际，尤其要注意激发军队的士气。至于如何激发部队的士气，则需要真正关心士卒的疾苦，包括其父母子弟的疾苦，对于死难将士，也要加强抚恤，这样便既可以让"死者皆无怨尤"，也可以让"生者自宜感动"。在此基础上，再挑选强壮之士，"宣以国恩，喻以虏仇，明以天伦，激以大义"，进一步做好赏罚，就可以让士卒牢记父兄之仇，以报朝廷恩德。③

第四是战略战术，即"捐小以全大"和"严守以乘弊"。什么叫"捐小以全大"呢？王守仁引用《老子》的名言"将欲取之，必固与之"④ 和《孙子兵法》的名言"佯北勿从，锐卒勿攻，饵兵勿食"⑤，说明"捐小全大"的道理。他指出，当今敌寇势力强大，所以一定要探清虚实，不要轻易上当，对方挑逗或诱惑时，不要轻易盲动。对方或捐弃牛马而伪逃，或掩匿精悍以示弱，或诈溃而埋伏，或潜军而请和，这都是诱我以利。如果每次都慌张应对，那就会造

① 《王阳明集》卷九《陈言边务疏》。
② 《孙子兵法·作战篇》。
③ 《王阳明集》卷九《陈言边务疏》。
④ 《老子》第三十六章《治国》。
⑤ 《孙子兵法·军争篇》。

成部队的疲劳，让对方的阴谋得逞。所以，战与不战，都应该以我为主，牢牢把握主动权，一旦出现战机，那就要乘势发起致命一击。

至于"严守以乘弊"，说的还是战略战术问题。王守仁借用《孙子兵法》"昔之善战者，先为不可胜，以待敌之可胜"[①] 一句，说明加强战备、增加防守实力的重要性。王守仁分析认为，"中国工于自守，而胡虏长于野战"。为了扬长避短，就要加强防守，一面做好敌情侦察工作——"远斥候以防奸，勤间谍以谋虏"，一面加强部队的训练工作——"熟训练以用长，严号令以肃惰"，与此同时加强奖赏力度，提振士气——"频加犒享，使皆畜力养锐"。只有这样多管齐下，才可以使得己方立于不败之地，再抓住战机，"一战而破强胡"。王守仁希望达成的效果是："我食既足，我威既盛，我怒既深，我师既逸，我守既坚，我气既锐"，如此则是"周悉万全"，真正的所谓"不可胜者"。而且这会带来此长彼消的效益："我足，则虏日以匮；我盛，则虏日以衰；我怒，则虏日以曲；我逸，则虏日以劳；我坚，则虏日以虚；我锐，则虏日以钝。"这样一来，就不必担心敌寇不除，就可以达成"胜于万全，立于不败之地，而不失敌之败者"的效果。[②]

王守仁在《陈言边务疏》中所总结的八条，按照今天的标准可以归纳为四点，其主旨则集中为"戍边"。其中自然更强调"严守"，主要是为了应对北方游牧民族的入侵。其中所谈用兵之理，虽然如他自谦的那样，是"兵家之常谈"和"为将者之所共见"，但大都直陈时弊，道出了明军症结所在，所以具有极强的现实意义，同时也反映出他对古典兵略的熟悉程度。

三、兵民结合的作战方略

明朝发展至中期以后，已经身处内忧外患的激荡旋涡之中。所以，王守仁虽然极力反对战争，但他本人却多次被动地卷入战争之

① 《孙子兵法·形篇》。
② 《王阳明集》卷九《陈言边务疏》。

中，被迫多次在战争舞台上展示自己的军事才华，俨然成为一名"救火队员"。当时，因为南方各地相继爆发战事，王守仁的很多精力都花在了军务上，他的后半生在南方各地指挥接踵而至的战争，并就此形成丰富的战略和战术思想。总结其方略，其中最主要的有如下五方面。

第一，兵民结合，重用民兵。

王守仁针对明朝官兵战斗力低下的弊端，主张大胆地选用民兵，甚至是实现"家家皆兵，人人皆兵"①，以此推进兵制的改革。如果无法做到这些，也要尽量在民众之中选拔士兵，以此加强军队的战斗力。在征召到彪悍的民众之后，就需要立即教会他们掌握战斗技能，再推到战争前线。嘉靖期间的抗倭斗争，已经转而大量招募民兵，其实也与王守仁的创始之功有关。就实际效果而言，大量吸纳民兵进入军队，无疑为当时战斗力已经羸弱不堪的明军补充了新鲜血液，是一项非常具有针对性与可操作性的新举措。

王守仁对明军的战斗力一度深感失望。他十分清楚，明朝官府之兵已经积重难返，无法满足作战的需要。他对南赣地区明军的评语是四个字："有名无实。"② 每当遇到火灾或盗窃等案件，急需这些人执行任务的时候，他们都是坐视观望的态度，并不能按照约定时间和地点予以策应。不仅如此，他们中间还有一些人不守法律，私自接受贿赂，对百姓威逼利诱，套取利益。有时候捕获一两个"盗贼"，也是巧行诈骗之事，乘机勒索财物。有的则是每年定期进行敲诈，稍有不从，则百般罗织罪名，甚至对"盗贼"采取纵容和隐瞒的态度，私下分赃。这些官兵腐败而且狡猾，想去捉拿追责，却苦于找不到实际罪证。

在王守仁看来，那些卫所的军丁因为故籍分散各处，对当地的情况了解不多，并且无法做到勠力同心。领导他们的府县机构等，也缺少御寇之方，就此造成指挥领导的乏术。使用这些人作战，其

---

① 《王阳明集》卷十八《批岭东道额编民壮呈》。
② 《王阳明集》卷三十《行岭北道裁革军职巡捕牌》。

实就是"以羸卒而当强寇，犹驱群羊而攻猛虎"①，必然缺少胜算。何况在"盗贼"猖獗之时，请示调拨军队颇费时日，军队在往返的路途中也会耽搁很多时间，甚至经年不见救兵，这样自然会丧失征讨的最佳时机。何况在这征调军队的过程中，所耗费的军费过于庞大，动辄逾万。姑且不论这些远道赶来的军队战斗力不济，难以取得战果，即使军队有战斗力，但"盗贼"听说官兵杀到，也会早早遁迹山林，无从寻觅。一旦等到这些军队撤走，那些"盗贼"又故态复萌，甚至比之前更加猖獗。这样做的结果便是："群盗习知其然，愈肆无惮。百姓谓莫可恃，竟亦从非。"②

对于巡捕军职官员的腐败和卫所官兵的无能，王守仁都洞若观火，所以指挥作战时并不完全指望他们。他除了积极主张对这些腐败分子采取"就便裁革"③的措施之外，还建议大胆选用民兵，作为军力的补充。在当地百姓中选拔一些勇武之士，对他们组织必要的军事训练，令其掌握必备的作战技能，再逐步充实到作战队伍之中。在没有战事的和平时期，可以利用这些人做好防卫工作，一旦遇到战乱，就可以及时对其进行征调，投入战斗之中。这样就可以实现王守仁所追求的效果："各县屯戍之兵，既足以护防守截，而兵备募召之士，又可以应变出奇。"④

王守仁之所以积极主张选用民兵，除了看到官兵的腐败和无能之外，也看到了民兵在实战中的各种好处。他指出，山地作战环境非常复杂，往往有深谷险隘、茂深林木，而且这些险隘之地，多被"盗贼"占据。他们占据有利地形，往往乘间劫掠，造成了极大的危害。如果选用民兵，将战争与当地百姓的直接利益挂钩，就能够激发他们的战斗力。而且，作为当地百姓，一定更加熟悉当地的地形条件，可以充当向导，协助作战行动的展开。何况选调本地民兵，

---

① 《王阳明集》卷十六《选拣民兵》。
② 《王阳明集》卷十六《选拣民兵》。
③ 《王阳明集》卷三十《行岭北道裁革军职巡捕牌》。
④ 《王阳明集》卷十六《选拣民兵》。

还可以极大地节约军费开支，从根本上解决"财用耗竭，兵力脆寡"① 等问题。

对于选调民兵的具体实施办法，王守仁也进行了深入探讨。

首先是保证足够数量的人员，尤其注意在民间选拔那些勇猛健壮之人，充实到军队中来。王守仁指出，首先是精心挑选："为此案仰四省各兵备官，于各属弩手、打手、机快等项，挑选骁勇绝群，胆力出众之士，每县多或十余人，少或八九辈；务求魁杰异材，缺则悬赏召募。大约江西、福建二兵备，各以五六百名为率；广东、湖广二兵备，各以四五百名为率。中间若有力能扛鼎、勇敌千人者，优其廪饩，署为将领。"② 不仅如此，还要注意合理编排："为此仰抄案回道，通将所属向化义民人等悉行查出，照依先行定去分数，行令各选部下骁勇之士，多者二三百人，少者一百人，或五十人，顺从其便，分定班次。"③ 除此之外，还要找到合适的统领人员："所募精兵，专随各兵备官屯札，别选素有胆略属官员分队统押。"④

其次是做好日常的训练和管理，使得士卒掌握必备的作战技能，听从指挥，服从调遣。对此，王守仁强调："教习之方，随材异技；器械之备，因地异宜；日逐操演，听候征调。各官常加考校，以核其进止金鼓之节。本院间一调遣，以习其往来道途之勤。资装素具，遇警即发，声东击西，举动由己，运机设伏，呼吸从心。"⑤ 不仅要抓好训练，还要加强管理："除耕种之月，放令归农，其余农隙，俱要轮班上操。仍于教场起盖营房，使各有栖息之地；人给口粮，使皆无供馈之劳；效有功勤者，厚加犒赏；违犯约束者，时与惩戒。如此则号令素习，自然如身臂手指之便；恩义素行，自然兴父兄弟之爱。居则有礼，动则有威，以是征诛，将无不可矣。"⑥ 王守仁

① 《王阳明集》卷十六《选拣民兵》。
② 《王阳明集》卷十六《选拣民兵》。
③ 《王阳明集》卷十六《预整操练》。
④ 《王阳明集》卷十六《选拣民兵》。
⑤ 《王阳明集》卷十六《选拣民兵》。
⑥ 《王阳明集》卷十六《预整操练》。

重视民兵的做法，可以在先秦时期找到久远的源头——它非常接近于管仲"寓兵于农"之术，也与法家"耕战"思想大抵相仿。这不仅是针对当时的现状所采取的权宜之计，也是能够长期推行的戍边之策。可贵的是，王守仁不仅如此主张，同时也将这些理论积极付诸实践，取得了很好的效果。

第二，攻治结合，攻心为上。

长期熟读兵书战策的王守仁，对于指挥作战很有一番心得。但他深知，用兵作战绝非易事，所谓"兵难遥度，不可预料"①，尤其是在战争中遇到狡猾凶狠、难以捉摸的对手时，更要讲究策略。他分析敌情指出，贼寇联络多省，横跨千里，势力已经非常强大。他们一面是"占据居民田土数千万顷，杀虏人民，尤难数计；攻围城池，敌杀官兵，焚烧屋庐，奸污妻女；其为荼毒，有不忍言"，一面是据守"深山茂林，东奔西窜"，"强者设险以拒敌，黠者挟类而深逃"，② 确实很难对付，更加难以根治。行踪不定的贼寇，经常让明军束手无策。对此，王守仁主张采取"攻治结合"的方法，在加大军队讨伐力度的同时，更讲究"攻心战"，尤其主张以"攻心为上"。他将这些设想和方略写进了《攻治盗贼二策疏》《赴任谢恩遂陈肤见疏》等奏疏之中。

面对"盗贼"起事，一般人都会首先想到"攻"，立即发兵攻打。但是这样做付出的代价太大，战争成本太高，并非上策。王守仁首先也提及这个"攻"。他认为，由于明军兵少，而且供给不足，要想通过进攻战来对贼寇形成威慑，必须付出巨大努力才行。所以王守仁希望皇帝给予他执行赏罚之重权，使得他有"便宜行事"的机会，而且不以时日为限，给他足够的训练兵众的时间，给他"伸缩自由，相机而动"的空间，"一寨可攻则攻一寨，一巢可扑则扑一巢"，积小胜为大胜，便可以在"省供馈之费，无征调之扰"的情

---

① 《王阳明集》卷四《寄薛尚谦》。
② 《王阳明集》卷九《攻治盗贼二策疏》。

况下，最终实现"日剪月削，使之渐尽灰灭"的战略目标。①

王守仁既希望皇帝征调确具战斗力的军队与"盗贼"决战，同时又希望做好后勤物资的补给，给予充足的保障。基于常规的战争逻辑，如果将"贼兵"预计为两万，则明军需要出兵十万，只有"南调两广之狼达，西调湖湘之土兵，四路并进，一鼓成擒"，才可以达成"庶几数十年之大患可除，千万人之积冤可雪"的目标。②本着除"贼"务求彻底的原则，征调大军攻打是首选良方。但是，依照当时的条件，姑且不说无法迅速征调，即便是征调到足够数量的军队，如何保障粮草也是一个难题。战争毕竟"日费千金"，"积粟料财，数月而事始集"，而且"转输之苦，重困于民"。③四境之民，已经非常疲困，如果再加以大兵，民众将何以堪命？所以，在他看来，四处征调大军，"大举夹攻，诚可以分咎而薄责，然臣不敢以身谋而废国议"④。因此，征调大军围剿"贼寇"，劳师远征，并非上佳选择。"大兵之后继以重役，窃恐民或不堪"，更非"御盗安民之长策"。⑤

王守仁认为，所谓"攻治结合"，才是最佳方案。这种"攻治结合"，以"攻"为本，但更求"攻心"，尤以"攻心为上"。这一层意思，他在《赴任谢恩遂陈肤见疏》中有着较为系统的阐述。

当时，岑猛父子为祸西南，王守仁虽然重病缠身，但还是被朝廷委以平叛的重任。王守仁认为，"夫所可愤怒者，岑猛父子及其党恶数人而已，其下万余之众，固皆无罪之人也"，如果因为这些人而付出沉重代价，"不顾万余之命，竭两省之财，动三省之兵，使民男不得耕，女不得织"，就显得得不偿失。所以他主张释放那些"无罪之民"，即被胁迫的众多无辜百姓，以此收买人心。不仅如此，他还积极建议就此释放岑猛父子，不再继续追责，放弃大兵追剿："宜释

---

① 《王阳明集》卷九《攻治盗贼二策疏》。
② 《王阳明集》卷九《攻治盗贼二策疏》。
③ 《王阳明集》卷九《攻治盗贼二策疏》。
④ 《王阳明集》卷九《攻治盗贼二策疏》。
⑤ 《王阳明集》卷九《添设清平县治疏》。

此二酋者之罪，开其自新之路"，努力通过攻心战来使得"蛮夷悦服"。① 在王守仁看来，这是收买人心之举，可在一定程度上分化和瓦解叛军。在实行一番安抚之后，如果遇到少数叛贼继续顽抗，则再发重兵予以讨伐，有针对性地打击那些顽固分子。

王守仁之所以立足于"攻心"，是因为他对当时前线的战局非常了解，也是一种不得已的选择。当时，平叛大军将叛贼四面围困，却无法占据优势，就此陷入困境。面对如此局面，王守仁忧心忡忡。他分析指出，因为叛军"坚其必死之志以抗我师"，所以形成了"我兵之所以虽众而势日以懈，贼虽寡而志日以合，备日密而气日以锐者也"的局面。② 官兵已经成为强弩之末，其势不能穿鲁缟，即便继续坚持下去，也会造成重大伤亡。既然是因为无法攻克叛贼巢穴而忽然宣布释放他们，是否会就此造成纪纲不振，王守仁认为完全不必有此顾虑。因为古代的圣人，都曾用这种方法赢得民心，而使得"万世称圣"。何况这种"多调军兵，多伤士卒，多杀无罪，多费粮饷"的行为，也不足以振扬威武，信服诸夷，所以不能因为杀戮二酋的激愤之情，而忘记或牺牲两省之民的利益。如果太过于急功近利，陷百姓于水火，那就一定不是"国家之福，生民之庇"。③

第三，设官定编，分而治之。

在完成田州一带的平叛任务之后，如何防止叛贼卷土重来，也是一件棘手之事。王守仁认为，必须在设官和用人上花点心思。他力主攻心为上，也就是这个原因。他认为除了在战争中做好攻心战之外，更要注意在平时做好安抚工作，从而力争从根本上解决人心向背的问题。其中的关键，就是用人，选对干部，并且放在合适的岗位上。所以他陈书朝廷，写出《地方紧急用人疏》《地方急缺官员疏》《处置平复地方以图久安疏》等奏疏，建议立即加大地方官

---

① 《王阳明集》卷十四《赴任谢恩遂陈肤见疏》。
② 《王阳明集》卷十四《赴任谢恩遂陈肤见疏》。
③ 《王阳明集》卷十四《赴任谢恩遂陈肤见疏》。

员的选拔和使用力度。王守仁根据自己长期在一线指挥平叛的经验，建立了他的选人标准。这个标准如果简单概括，就是十六个字——"夷情土俗，备能谙悉"和"谋勇才能，足当一面"。① 从中可见，王守仁格外强调官员们对于"夷情土俗"的掌握程度。在他看来，只有尊重地方民俗，尊重少数民族的风俗习惯，才能做到"是以顺其情不违其俗，循其故不异其宜"②，保证民众各安其所，并力争实现"目前既可以得抚定绥柔之益，而日后又可以免困顿烦劳之扰"③的目标。

对此，王守仁撰写《处置平复地方以图久安疏》，提出了多条富有针对性的建议。首先是"设流官知府，以制土官之势"。他认为，如果保留土官，也许只能保持数年太平，并不是长久之策。十余年后，"其众日聚，其力日强，则其志日广，亦将渐有纵肆并兼之患"，所以必须设流官知府对其加以节制。其次是"仍立土官知州，以顺土夷之情"。即便是在叛首岑猛被杀之后，王守仁仍然建议保留设立土官。之所以如此设官，主要是看到"岑氏世有田州，其系恋之私恩久结于人心"，所以要顺应各夷之情，而且希望取得连锁效应，令别处土官保持安定："即此一举，而四方之土官莫不畏威怀德，心悦诚服，信义昭布，而蛮夷自此大定矣。"再次是"分设土官巡检，以散各夷之党"。在一定的时间段保留土官，只是权宜之计，要想求得根治，必须抓住时机对各大小头目进行分化和瓦解，分解他们的权力。至于分解的办法，就是在"州"之外设"甲"，每三甲或二甲设立一个巡检司，归属流官知府。同时也可以分立若干土巡检司，听任其土俗自治，但这些土巡检司同样归属流官知府。王守仁认为，只有这样分而治之，才能根治匪患，并且"足以散土夷之党，而土俗之治，复可以顺远人之情，一举而两得"。④

---

① 《王阳明集》卷十四《地方急缺官员疏》。
② 《王阳明集》卷十四《处置平复地方以图久安疏》。
③ 《王阳明集》卷十四《地方紧急用人疏》。
④ 《王阳明集》卷十四《处置平复地方以图久安疏》。

在长期的战争中，王守仁不仅对战争问题有了深入思考，也对如何御民进行了研究。他深知，社会动荡、人心思变的根本原因，是出自社会治理，为此他积极倡导并大力推行"十家牌法"，试图借此来加强社会管制。

对于"十家牌法"，王守仁在《案行各分巡道督编十家牌》中有非常详细的总结："仍编十家为一牌，开列各户姓名，背写本院告谕，日轮一家，沿门按牌审察动静，但有面目生疏之人，踪迹可疑之事，即行报官究理。或有隐匿，十家连罪，如此，庶居民不敢纵恶，而奸伪无所潜形。为此仰抄案回道，即行各属府县，著落各掌印官，照依颁去牌式，沿街逐巷，挨次编排，务在一月之内了事。该道亦要严加督察，期于著实施行，毋使虚应故事。仍令各将编置过人户姓名造册缴院，以凭查考，非但因事以别勤惰，且将旌罚以示劝惩。"① 由此可见，"十家牌法"的根本目的，是希望能够对百姓实行定位管理，再通过连坐之法加以严格约束，有点类于管仲等人推行的"什伍之法"。一旦出现来历不明之人，或者妄行狡伪欺窃之事，乃至私通"贼寇"、传递情报、窝藏奸宄等，都可以及时被发觉，也更容易为官府所查考和追责。

与"十家牌法"相配套的还有保长制。他要求"于各乡村推选才行为众信服者一人为保长，专一防御盗贼"②。为了促使保长在防御"盗贼"方面发挥积极作用，王守仁加大了对保长的问责力度，具体策略则是："但遇盗警，即仰保长统率各甲设谋截捕。其城郭坊巷乡村，各于要地置鼓一面，若乡村相去稍远者，仍起高楼，置鼓其上，遇警即登楼击鼓。一巷击鼓，各巷应之，一村击鼓，各村应之。但闻鼓声，各甲各执器械齐出应援，俱听保长调度，或设伏把隘，或并力夹击，但有后期不出者，保长公同各甲举告官司，重加罚治。若乡村各家皆置鼓一面，一家有警击鼓，各家应之，尤为快便。此则各随才力为之，不在牌例之内，俱仰督令各县即行推选增

---

① 《王阳明集》卷十六《案行各分巡道督编十家牌》。
② 《王阳明集》卷十七《申谕十家牌法增立保长》。

置，仍告谕远近，使各知悉。各府仍要不时稽察，务臻实效，毋得虚文搪塞，查访得出，定行究治不贷。"① 王守仁对自己设计的这一"息盗安民"之策颇为自信，认为其可以实现"见善互相劝勉，有恶互相惩戒，务兴礼让之风，以成敦厚之俗"② 的目标，于是不遗余力地在各州各县大力推行，颁发《十家牌法告谕各府父老子弟》《行廉州府清查十家牌法》《申谕十家牌法》《申谕十家牌法增立保长》等，将其作为一项新政极力在各地推行。很显然，这"十家牌法"，已被他视为安定地方的一剂良方。

第四，赏罚有据，从严治军。

王守仁深知，要想赢得战争的胜利，除了约束百姓、加大奖惩力度之外，更要对军队从严治理。在平叛前线，他尤其注意通过加大赏罚力度来提振士气，提高部队的战斗力。根据江西按察司整饬兵备带管分巡岭北道副使杨璋等人的奏呈，王守仁"寻诸官僚，访诸父老，采诸道路，验诸田野"③，积极寻找平叛良策。他认为，治理失当和约束不严，是导致匪患日益严重的根本原因。在《申明赏罚以励人心疏》中，王守仁指出："盗贼之日滋，由于招抚之太滥；招抚之太滥，由于兵力之不足；兵力之不足，由于赏罚之不行。"④所以，在他看来，江西一带之所以叛乱连连，并且难以根除，根子正是出在管理上。不仅是百姓的治理出现了问题，就连官府的征剿大军也纪律松散，所以导致匪寇越剿越多。因此，王守仁多次强调应该加大奖惩力度、从严治军。

当时，明军普遍存在骄惰之气。王守仁在经过实际调查之后指出："南、赣之兵素不练养，类皆脆弱骄惰，每遇征发，追呼拒摄，旬日而始集，约束赏遣，又旬日而始至，则贼已稛载归巢矣。或犹

---

① 《王阳明集》卷十七《申谕十家牌法增立保长》。
② 《王阳明集》卷十六《十家牌法告谕各府父老子弟》。
③ 《王阳明集》卷九《申明赏罚以励人心疏》。
④ 《王阳明集》卷九《申明赏罚以励人心疏》。

遇其未退，望贼尘而先奔，不及交锋而已败。"① 这种现状令王守仁痛心不已。使用这样的军队来抵御"贼寇"，正如"驱群羊而攻猛虎"，根本不可能取得战争的胜利，也一定无法达成招抚的目标。本着宁缺毋滥的原则，王守仁一面反对"招抚之太滥"，一面着手整饬队伍，加大对明军的管理力度，更加大奖惩力度。他指出："古之善用兵者，驱市人而使战，收散亡之卒以抗强虏。今南、赣之兵尚足以及数千，岂尽无可用乎？然而金之不止，鼓之不进，未见敌而亡，不待战而北。何者？进而效死，无爵赏之劝；退而奔逃，无诛戮之及。则进有必死而退有幸生也，何苦而求必死乎？吴起有云：'法令不明，赏罚不信，虽有百万，何益于用？凡兵之情，畏我则不畏敌，畏敌则不畏我。'今南、赣之兵，皆畏敌而不畏我，欲求其用，安可得乎！故曰'兵力之不足，由于赏罚之不行'者，此也。"② 在王守仁看来，明廷包括《大明律》在内的各种法典已经足够详细，却没有得到贯彻和执行："今朝廷赏罚之典固未尝不具，但未申明而举行耳。"就奖惩制度而言，他尤其讲究"赏不逾时，罚不后事"，必须做到秋毫无犯，否则就无法达到"齐一人心而作兴士气"的作用。正是由于制度落实不严，尤其是奖惩执行不力，局面才异常被动。那些已经被招抚的"盗贼"，因为没有得到预期的奖赏，所以并不甘心接受招安。就在叛乱得到短暂平息之后，等到官府大军一班师，他们就会卷土重来，于是山林之间就会重新出现"盗贼"呼啸成群的局面。至于那些参与平叛的部队，也早已习惯这种局面，往往瞒报军情，邀功求赏，导致局面无法收拾。所以，必须加大对这种行为的惩处力度。如果胆敢"有迟延隐匿，巡抚巡按三司官即便参问，依律罢职充军等项发落"。③ 总之，只有对那些渎职官员从重处罚，才能从根本上杜绝各种乱象的发生。

王守仁一贯主张从严治军，始终强调申明赏罚，以励人心，并

---

① 《王阳明集》卷九《申明赏罚以励人心疏》。
② 《王阳明集》卷九《申明赏罚以励人心疏》。
③ 《王阳明集》卷九《申明赏罚以励人心疏》。

非只在战时才给予重视。例如，在《万松书院记》中，王守仁说："譬之兵事，当玩弛偷惰之余，则必选将阅伍，更其号令旌旗，悬非格之赏以倡敢勇，然后士气可得而振也。"① 再如《预整操练》中，他主张："效有功勤者，厚加犒赏；违犯约束者，时与惩戒。"② 总之，在主张从严治军、严格执行各种奖惩纪律方面，王守仁与众多军事家的观点是完全一致的。《明史》评论王守仁"提弱卒，从诸书生扫积年逋寇，平定孽藩"③，他之所以能以弱卒战胜强敌，除了富有战争谋略之外，铁腕治军也是一件重要法宝。

第五，巧用谋略，诡道胜敌。

王守仁不仅对包括《孙子兵法》在内的古典兵学理论有过深入研究，而且善于将用兵理论运用到战争实践，并立下赫赫战功，由此也传递给后人以儒者文武兼备、足智多谋的新形象。④

正德十一年（1516），由兵部尚书王琼的大力举荐，王守仁被提拔为右佥都御史，巡抚南赣。面对"盗贼蜂起"⑤ 的局面，王守仁大胆地改革部队的编制，⑥ 将前线带兵将领都改为临时委派，而不再由朝廷直接任命，并强调了逐级追责，加强了对副将以下将士的管理。与此同时，他从清除内奸着手，仔细排查奸细，为进剿行动打下了基础。此后，王守仁命令部队佯退，再出其不意发动攻击，一举攻破"盗贼"。虽说"盗贼"势力强大，但被王守仁率领不多的文职官吏和偏裨军校迅速击败，"自是境内大定"⑦。

———————

① 《王阳明集》卷七《万松书院记》。
② 《王阳明集》卷十六《预整操练》。
③ 《明史》卷一百九十五《王守仁传》。
④ 钱明：《王阳明兵学著作考述》，《江西师范大学学报》（哲学社会科学版）2019 年第 2 期。
⑤ 《明史》卷一百九十五《王守仁传》。
⑥ 具体措施在《明史》卷一百九十五《王守仁传》中有记录："二十五人为伍，伍有小甲；二伍为队，队有总甲；四队为哨，哨有长，协哨二佐之；二哨为营，营有官，参谋二佐之；三营为阵，阵有偏将；二阵为军，军有副将。皆临事委，不命于朝；副将以下，得递相罚治。"
⑦ 《明史》卷一百九十五《王守仁传》。

当宁王朱宸濠起兵谋反之后，王守仁再次成为"救火队员"。他一面紧急征调兵马粮草，一面火速传檄各处，通知守军勤王。他又以朝廷的名义向各府县传递声讨朱宸濠的檄文，实则是为了巧妙隐藏己方的行动计划。檄文中谎称"直捣南昌"①，实则是为了敲山震虎，使得朱宸濠不敢轻举妄动。等到朱宸濠率军袭击南京时，王守仁召集各路兵马攻打南昌。此后，王守仁派兵沿途设伏，静等朱宸濠回兵。叛军由此而大败，朱宸濠在逃跑过程中被活捉。这次叛乱仅持续三十五天就被平定。当初，京城内外都得知叛乱的消息，朝臣大多都感到震惊和恐惧，只王琼胸有成竹地说道："王伯安居南昌上游，必擒贼。"② 没过多久果然收到胜利的消息。

从平叛战争可以看出王守仁善于用兵，且计谋堪称精妙，有着过人的文韬武略。虽说熟读儒家经典，但王守仁却并没有受到儒家仁义道德的束缚。看到情势紧急，王守仁不拘一格地大胆运用伪造檄文的办法来威慑对手，体现出他出众的胆识，也反映出他灵活务实的一面。精研《孙子兵法》的王守仁，用兵多用诡诈之术。得知敌我双方兵力上存在差距，他便巧妙地通过"形人"③ 之术，即时用欺骗手法来稳住对手。在得知叛军围攻安庆之后，王守仁指挥军队攻打南昌，则是巧妙运用了孙子"以迂为直"④ 的策略，也与孙膑"围魏救赵"之策相仿佛。王守仁对于情报的重视，巧妙使用间谍等，也与孙子的用兵方略颇有相似之处。由此可见，王守仁身上体现了明显的兵儒合流的特征。更为可贵的是，王守仁不仅下大力气精研古代兵典，同时也善于在战场上灵活地加以运用。确如一贯主张的"知行合一"那样，王守仁将兵家的用兵谋略与儒家的治国安邦之策很好地结合起来，并通过用兵理论与战争实践的结合，就

---

① 《明史》卷一百九十五《王守仁传》。
② 《明史》卷一百九十五《王守仁传》。
③ 《孙子兵法·虚实篇》。
④ 《孙子兵法·军争篇》。

此推动了兵学与儒学的融通。①

第二节　李贽的兵学思想

李贽（1527—1602），原名载贽，后改名贽。号卓吾，又号百泉居士、温陵居士等，福建晋江人。明代李贽是"我国历史上最具有代表性的狂狷之士"②。对于这位充满叛逆精神的斗士，历史上一直是"爱之者与恶之者皆持极端"③。自称"不受管束"④的李贽，非常热衷于谈兵。他与明代理学代表人物耿定向等人，有过多次激烈交锋，也曾向对手坦言自己的论战之法来源于兵学："如大将用兵，直先擒王，以故用力少而奏功大。"⑤不仅如此，李贽还留下了《孙子参同》⑥等军事学著作。《焚书》里面也有不少篇幅论及军事问题。考察李贽的军事哲学思想，无疑可从一个侧面更好地体察这位斗士的精神世界和斗争哲学。

一、注重整体实力的"武备论"

在《孙子参同·序》中，李贽借张鏊为《武经七书》所作序文中"文事武备，士君子分内事也"，阐发了重视武备的主张。李贽指出，"此言固知武事之为重矣"，由此出发，他批评孔子对军旅之事

①　丁涛、钟少异：《试论王阳明军事思想的学术价值与影响》，《贵州文史丛刊》2018 年第 1 期。
②　张建业：《李贽评传》，福建人民出版社，1992 年，第 4 页。
③　黄云眉：《史学杂稿存订》，商务印书馆，2018 年，第 153 页。
④　李贽：《焚书》卷四《豫约》，明刻本。
⑤　《焚书》卷一《答耿司寇》。
⑥　《孙子参同》是他为《孙子兵法》所作评注，既有本人研究心得，也适当选抄《武经七书》中另外六部兵书的有关内容，以便与《孙子兵法》进行对照和参考，故曰"参同"。

的不重视："孔子似未可以谋军旅之事也。"① 针对不少人主张"治世尚文，而乱世用武"，将武事只视为乱世之用，李贽也对此进行了批评。在他看来，如果平时没有做好武备，一旦遇到外敌进犯，则只能束手就擒。

李贽以人的身体为喻，说明这一道理："故予尝譬之人身然。夫人身有手有足，盖皆所以奉卫此身者也。"② 在李贽看来，身体的各部分需成为协调的整体，但首先要看到手足的作用："故凡目之所欲视，耳之所欲听，舌之所欲尝，身之所欲安，非手足，则无从而致也……一旦有外侮，或欲我跌也，度不能敌，则足自能走；度能敌，则足自能与之交。或欲我搏也，度不能敌，则自能举手以相蔽；度能敌，则自能反手而推击之，是武用也，此亦手与足也，非他物也。"③ 因此，武备对于国家的意义，正如同手足之于人体，不仅仅是保证日常生活之需，还要起到保卫安全的作用，一旦紧急之事发生，则需"手抵而足踢"，担负重任："伸之则为掌，可以恭敬而奉将，捏之则成拳，可以敌忾而御侮。虽手足亦不自知其孰为文用，而孰为武用者。"④ 李贽据此进一步指出，武事对于国家而言，始终不可或缺。一旦有所缺失，则如同手足患病之人，必然会产生诸多不便："唯是痿痹不仁之者，则文武皆废。"⑤ 本着这一原则，李贽批评那些以不懂武事而自矜的儒生："然则儒者自谓能文而不能武，有是理耶？既不能武，又岂复有能文之理耶？"⑥ 这些儒生，正像身患痿痹之病而不自知，需要别人侍奉才能保证起居饮食，却对"武事"表示出不屑的态度，因此只能深以为恨。有感于此，李贽表现出与其他儒家根本不同的态度。他积极研究军事问题，并著述《孙

---

① 李贽:《孙子参同·序》,《中国兵书集成》第十二册。
② 《孙子参同·序》。
③ 《孙子参同·序》。
④ 《孙子参同·序》。
⑤ 《孙子参同·序》。
⑥ 《孙子参同·序》。

子参同》，力图"以教天下万世"①。

李贽论兵，经常与治国相联系，始终将文事与武备视为一途，认为二者并不矛盾。不仅如此，他还坚决反对将二者"判为两途"。因此他号召儒生认真研读孙武的兵书，将《孙子兵法》奉为"至圣至神"，乃至"天下万世无以复加焉者也"。② 令他痛心的则是，朝廷取士并不看重这本兵书，儒生就此弃置不读，甚至就此将文武之事判为两途，虽说"别为武经"，但始终"右文而左武"③，对武事也没有给予足够的重视。在这种重文轻武的风气之下，文武判然分为两途，这才导致弊端丛生，招来贼寇不断袭扰。

与这种重视武事的思想相一致，李贽重视挖掘和阐发孔子"足食足兵"的主张。就这一点而言，似与他在《孙子参同·序》对孔子颇有微词的立场相左，也较符合其尊孔又反孔的摇摆立场。④ 关于武备，孔子曾有一句名言："足食足兵，民信之矣。"⑤ 这是子贡向孔子请教治国之法时孔子的回答。子贡追问，如果迫不得已去掉一项，该先去掉哪一项，孔子回答说"去兵"，接着又发出了一番"民无信不立"的感慨。对此，李贽认为，孔子主张之所以"去食"或"去兵"，完全都是因为迫不得已。为此，他强调了武备的重要性："其曰'去食''去兵'，非欲去也，不得已也。势既出于不得已，则为下者自不忍以其不得已之故，而遂不信于其上。而儒者反谓'信'重于'兵''食'，则亦不达圣人立言之旨矣。"⑥ 在李贽看来，很多儒者叫嚷着"去兵"，是完全误会了孔子的本意，"兵"其实根本去不得。不仅如此，"兵"与"食"之间也无法截然分开。如果无"兵"，"食"则不可得。遗憾的是，"兵"在儒家文化占据

① 《孙子参同·序》。
② 《孙子参同》卷一《始计》。
③ 《孙子参同》卷一《始计》。
④ 王宝峰：《李贽尊孔与反孔问题的诠释学意义》，《同济大学学报》（社会科学版）2019 年第 5 期。
⑤ 《论语·颜渊》。
⑥ 《焚书》卷三《兵食》。

主导的传统语境之下，一度长期身背恶名。但是，如果国家无"兵"，自卫尚且困难，更谈不上别的念想。因此，从表面上看"兵"的名声可恶，但考察其实质，则多美。普通人对此不察，充分说明"美者难见，而恶则非其所欲闻"①，也因此令众多主张"去兵"的儒生感到困惑。

在李贽看来，"兵"不仅去不得，反倒应加倍重视，甚至要在平时注意加强武备，也即"无事而教之兵"②。李贽指出，"有事而调之兵，则谓时方多事，而奈何其杀我也"③，如果民众面临死亡之类危险，还妄谈仁义，那完全是"矫诬之语，不过欲以粉饰王道耳"④。这样的人完全不懂得"王者以道化民"的道理，更无法体味"圣人笃恭不显之至德"。⑤ 李贽进一步举出黄帝统一华夏等历史典故说明"兵"的地位和作用。他指出，在上古时期，黄帝尚且经过七十战才能拥有天下，在经历了涿鹿之战、阪泉之战等著名大战之后，才能成功地统一华夏族，由此更可见"兵"之不可或缺。武事必须和文事受到同等重视，才能在做好养民和生民的同时，也实现保民的目标。

既然武事如此重要，那么应该从哪些方面着手建设呢？对此李贽也提出了自己的方法和主张。李贽认为，无论是治国还是治军，都如同治病一样，要注意内外兼治，在治标的同时，更要注重治本。为了说明治军与治病之道的相通之处，他以魏文侯与扁鹊探讨医术为例，对此加以论证。扁鹊认为，自己的两位兄长治病，或专注于"视神"，或专在"毫毛"，所以效果不是很好，也没什么名气，但他本人在给人治病时既刺血脉，又投毒药，既深入内里，又敷疗外伤，始终能够做到内外兼治，所以才能够名闻于各国诸侯。李贽借

① 《焚书》卷三《兵食》。
② 《焚书》卷三《兵食》。
③ 《焚书》卷三《兵食》。
④ 《焚书》卷三《兵食》。
⑤ 《焚书》卷三《兵食》。

此引申道："君侯将相理国治兵，要不出此矣。"① 在他看来，从治病过程中不仅能够看出治军之理，而且治病与治军之理道理完全相通。

李贽非常欣赏孙子"五事七计"的"庙算"理论。在《孙子兵法·计篇》中，孙子将"五事七计"作为战争胜负的决定性因素，全面、辩证地看待战争问题，并非片面地以谋略定胜负，更重视"以力胜人"，尤其强调整体实力。其中的所谓"五事"，包括"道、天、地、将、法"。在进行战争决策时，将这几个重要因素叠加在一起进行考量，体现了孙子对于综合实力的重视。从"五事"出发，孙子再依照"七计"的模式，分析和计算敌我双方中影响战争胜负的诸多因素，论述最高统治集团如何结合战略情报进行评估和决策。这一"庙算"模式，较为科学和明晰地构建了战略分析的基本模式，也得到历代军事家的认同。李贽对此也予以强调，视之为"兵家常法"："唯有五事七计，兵家常法，当预算于先耳。故曰始计。始计者，豫算也。君能豫算，将能豫算，则胜算常在我矣。以是用兵，则临时遇敌，有不能因利而制权势者乎?"② 从中可以看出，对于"庙算"，李贽更强调的是"豫"和"先"。"豫"同"预"，只有预先做好"庙算"，才能掌握更多胜算，才可以在战争中充分掌握主动权。因为心中有数，有了先期谋划，即便是突然遭遇不测，也可以因势利导，找到解决问题的最佳办法。

对于"五事七计"的具体内涵，李贽也进行了较为详尽的挖掘和阐释。他说："七计即五事，其曰兵众孰强等，总不出五事中将与法二者而已。言以此五事，计算校量于廊庙之上，则彼我胜负之情，自可索而得之矣。将能听吾计，即为能将，自能于常法之外，为之势以佐之矣。"③ 可见，在李贽看来，"五事"和"七计"其实是一回事，只是在条贯和总结的方法上有所不同而已。不仅如此，李贽

---

① 李贽：《初潭集》卷九《兄弟上》，中华书局，1974 年。
② 《孙子参同》卷一《始计》。
③ 《孙子参同》卷一《始计》。

还将"五事"和"七计"的主要内容概括为"将"与"法",有着独到的理解。

对于"五事"中的子项目,李贽也有较为深入的阐释,比如对"五事"的第一条——"道",他结合孔孟之道对其进行了解读,指出:

> 一曰"道",孙子已自注得明白矣。曰:"道者,令民与上同意,可与之死,可与之生,而不畏危是也。"夫民而可与之同死生也,则手足捍头目,子弟卫父兄,不啻过矣。孔子所谓"民信",孟子所谓"得民心"是也。此始计之本谋,用兵之第一义。①

在李贽看来,孙子所谓"道",意义非常明确,即重视民众对于战争所产生的影响力,因此他将孙子之"道"与孔子所谓"民信"、孟子所谓"得民心"联系在一起。其实孙子所谓"道",只从"令"字出发,便可看出其立场在"上"而不在"民"。他关心"道",是希望使得民众和君主的意愿保持一致,固然也是力争上下同心,但和孔孟之道仍然存在差别。李贽作如此解读,应当是对孙子的误解,其中折射出的则是他本人的民本思想。

战争发起之后,整体实力的强弱在很大程度上左右着战争的胜负。尤其是战争,物资消耗巨大,更是对国家整体实力的检验。有感于此,李贽既赞同孙子的"速决战"思想,也积极认同孙子"因粮于敌"的主张。李贽指出:"国家困于师旅者,必其粮之远输也。粮既远输,则百姓贫乏。"② 既然战争消耗巨大,那就必须速战速决,为此李贽借评注《作战篇》进一步申论孙子的"速决战"思想:"国贫于远输,财竭于贵卖,不可也。如此则中原内虚,私家之费,十去其七;公家之费,十去其六,不可也。唯有因粮于敌,务

---

① 《孙子参同》卷一《始计》。
② 《孙子参同》卷二《作战》。

食于敌，乃可耳。然亦不可以久也，故至于不得已而战，宁速毋久，宁拙毋巧，但能速胜，虽拙可也。非爱拙也，以言速胜为巧之至而人不知也。故未见有巧而久者，则凡久于师者，是谓真拙矣。其慎重于战何如哉？故终之以贵胜，不贵久。"① 由于耗费巨大，后勤保障非常困难，即便是采用了"因粮于敌"等手段，也难以维持长久。因此，要想真正解决战争消耗和战争补给等问题，就必须采取孙子的主张，积极寻求速胜之法。

二、以求变为核心的"奇正论"

《孙子兵法》崇尚诡道用兵，被古往今来的军事家们奉为圭臬，也为李贽所激赏。对于孙子的"谋攻"之道，李贽有着清醒的体察，认为"全胜"是一种理想境界，固然是"上策"，需要指挥员孜孜以求，却不一定能够达成。作为指挥员，往往需要积极谋划所谓"破胜"。这虽说必然会损失一定的人、财、物，但也是指挥员必须面对的现实，需要其立足敌情我情，进行积极谋划，积极寻找应变之策，在"奇正""形势""虚实"等方面下功夫。以"求变"为核心的"奇正论"，不仅是孙子所关注的主要内容，也是李贽的重点评注对象。孙子强调"兵者诡道"，更多集中体现在对"奇正之变"，尤其对"奇"的重视上。就这一点而言，孙子对历代兵家都造成了深远影响，甚至对文学作品的创作产生一定程度的影响。晚明时期文学理论重视"常中出奇"②，未尝不是兵家"奇正之变"的化用。因为从中尤其能看出指挥员的谋略水准和战争谋划之道，所以李贽对于"奇正"也给予了高度重视。

李贽指出，正兵和奇兵的作用各有不同："正兵合战，奇兵出其不意，以取胜。"③ 这些内容尚且只是用兵之常道，也是孙子对于

---

① 《孙子参同》卷二《作战》。
② 陈刚：《晚明"常中出奇"的观念成因考论》，《文艺理论研究》2019 年第6 期。
③ 《孙子参同》卷三《兵势》。

"奇正"作用的最基本阐发。接下来,他借助于《唐太宗李卫公问对》"善用兵者,无不正,无不奇,使敌莫测"① 一语,重新解释了"奇正"的内涵,指出: "兵体万变,无不是正,无不是奇。我之正,使敌视之为奇;我之奇,使敌视之为正。"② 从中可以看出,在李贽眼中,奇正的核心在于一个"变"字。孙子强调的"奇正相生",重视的是其中产生的无穷变化,因此便不必拘泥于何为"正"何为"奇"。作为指挥员,一定要认真跟踪敌情变化,充分做到因敌变化。在李贽看来,"奇正"不仅"无一定之势",同时也"无一定之用",所以一定不可拘泥。③ 指挥员只有善于变化奇正,才能做到"无不正,无不奇",才能利用奇正变化战胜敌人。

接下来,李贽继续结合《势篇》"以本(卒)待之"和"以利动之"等立论,对"奇正"进行更为深入的探讨: "故奇兵之势,亦因敌而变化也。无正不成奇,无奇不成正,谓奇正之相为用可也。无有奇而不正者,亦无有正而不奇者,谓奇正之合为一,又可也。奇正之变化,其势又乌能定乎?"④ 在这里,李贽除了继续强调"奇正"的变化之外,更将"奇正"视为一个不可分割的整体,也视为不断变化的对立,所谓既对立又统一。对于奇与正的各自作用,李贽也尝试进行了总结: "故凡可以诱敌者,皆奇也,是权势也,是诡道也。凡所以待敌者,皆正也,皆本也,所谓以本待之也。是故以利动之,以形示之,以乱与之,使敌人但见吾之为怯,而闻吾之为弱也,此奇也。"⑤ 在李贽看来,那些以诡道之术为核心的诱敌之策,更多属于"奇"法。当然,所谓奇,随时也会变身为正: "然已使敌人皆见而闻之矣,则虽奇亦正。"⑥ 也就是说,奇与正之间,并没有截然之界限,一切围绕变术展开,而且始终存在变数。这些

---

① 《唐太宗李卫公问对》卷上。
② 《孙子参同》卷三《兵势》。
③ 《孙子参同》卷三《兵势》。
④ 《孙子参同》卷三《兵势》。
⑤ 《孙子参同》卷三《兵势》。
⑥ 《孙子参同》卷三《兵势》。

认识无疑较《唐太宗李卫公问对》又前进了一步，并赋予了"奇正"全新内涵。

承接上述思路，李贽将"乱生于治，怯生于勇，弱生于强"等，也都视为用兵之"正"术，指出："夫乱实生于治也，怯实生于勇也，弱实生于强也，此正也。"① 这种"正"，因为敌人并不充分了解，那就可以巧妙地加以利用，从而使之变为"奇"："然吾之实治，实勇，实强，夫谁则知之? 唯其不可知，则虽正亦奇。"② 也就是说，指挥员一旦学会了这种换位思考的方法，就可以收取无穷的"奇正之变"，从而能够充分运用灵活多变的战术打败敌军。因为奇正变化无穷，所以善用兵者一定是"教正不教奇"③。这不仅是因为"正者，节制之兵也"，所有的变化都是从这种"节制之兵"而来，更是因为所谓"奇术"，更多的是依靠指挥员去领悟，并不能通过口耳相传等方式进行传授："虽正而奇自在，唯知兵者自悟之耳。"④

奇正之术的展开，之所以格外强调求变，也是因为战场形势始终会不停地发生变化。也就是说，奇正与形势也有密切联系。在《孙子兵法》中，"形"和"势"是一对非常重要的兵学范畴，孙子非常看重，因此辟有《军形篇》《兵势篇》两篇进行专题讨论。孙子在《军形篇》《兵势篇》两篇大量探讨奇正之术，想必也有这方面原因。因此，对于"形"和"势"这一对范畴，李贽也重点进行了阐释。

李贽借孙子有关"军形"的论述继续加以申论，指出"军形"即"两军胜败之形"。⑤ 李贽认为，在战争中，指挥员首先必须努力追求必胜之形，具体方法则是："修为不可胜之道，而保吾必可胜之法，能为胜负之政者。"⑥ 在李贽看来，追求这种必胜之形还有若干

---

① 《孙子参同》卷三《兵势》。
② 《孙子参同》卷三《兵势》。
③ 《孙子参同》卷三《兵势》。
④ 《孙子参同》卷三《兵势》。
⑤ 《孙子参同》卷二《军形》。
⑥ 《孙子参同》卷二《军形》。

注意事项，尤其不能多费财力，否则就与孙子追求"全胜"的本旨发生背离。就此，李贽指出："大凡有其名者，必然多费其力；多费其力者，必然多费其财；多费其财者，必然多损其兵，便非全军保胜、爱国安民、以全争于天下之道矣。"① 战争发起之后，双方的军形都会不停地发生变化，这就是所谓"兵无常形"。因此，面对瞬息万变的战场形势，指挥员必须懂得以变应变。指挥员只有做到善于求变，才能充分掌握战争主动权，实现"制胜之权常在我矣"②。要想做到这些，就必须耐心地等待战机出现，也即等待对手"形见势露，而卒为我所致，为我所虚"③，而且一定不能让敌人知晓己方的战争计划和作战意图等。这也正是孙子所说的"人皆知我所以胜之形，而莫知吾所以制胜之形"④。

对于"兵势"，李贽重点强调了其中的不确定性，也由此而强调指挥员的"求变"和"应变"能力。他指出："势者，权势也。兵无定势，所谓诡道奇谋。此则临时因利而后制，不可以先传也。"⑤ 围绕"变"，李贽继续论述道："兵无一定之势，故奇正之兵，亦无一定之用。势者，因利而制权，故奇兵之势，亦因敌而变化也。"⑥ "势"所具有的这一特点，要求指挥员必须懂得权变之道，这才能胜敌一筹。当指挥员发现敌军实力强盛时，就可以采取"且以避之"⑦的策略，当出现有利战机时，便"当乘势如摧枯拉朽"⑧，迅速对敌发起攻击。

可贵的是，李贽对奇正无穷之变的探讨，并未止步于《军形》《兵势》两篇。在注评《虚实》《九变》等篇时，他仍在继续对此进

① 《孙子参同》卷二《军形》。
② 《孙子参同》卷四《虚实》。
③ 《孙子参同》卷二《军形》。
④ 《孙子参同》卷四《虚实》。
⑤ 《孙子参同》卷一《始计》。
⑥ 《孙子参同》卷三《兵势》。
⑦ 《孙子参同》卷一《始计》。
⑧ 《孙子参同》卷二《谋攻》。

行探讨，始终将治变之法和应变之法与奇正之术联系在一起，将"虚实之术""九变之术"等与"奇正之变"紧密地结合起来考察，因此指出"九变之中，又自有奇正也"①。"九"为极多之意，"九变"即"多变"之意。既然如此，李贽在评注《九变篇》时仍然不忘奇正这一主题并留意加以阐发，也在情理之中。总之，孙子强调变化之中显现出奇正，奇正之中显现出变化，二者其实是紧密联系的一个整体。李贽则基于"求变"的理念，将"奇正"与"形势"等兵学范畴更加紧密地联系在一起，很好地把握了重要兵学范畴之间的相互关系，对孙子兵学思想进行了精彩阐发，并有所突破和发展。

三、着眼于主动权的"虚实论"

在李贽看来，"虚实"与"奇正"之间同样存在着密切联系。他指出："势虽神妙，总不过奇正，奇正虽变，总不出虚实。"②"奇正"与"虚实"之间之所以会存在密切联系，在李贽看来是因为它们同属"兵家之势"："夫虚实之端，奇正之术，此兵家之势，不可先传者也。"③秉持这一理念，李贽在讨论奇正无穷变术之后，便开始深入讨论虚实问题，对孙子兵学理论中"避实击虚"等原则进行了重点阐述。

考察"奇正"与"虚实"的内涵就不难发现，"奇正"的核心要义就是变化，"虚实"也是如此，同样强调了变化。也就是说，虚实的实现需要依靠无穷的变术来达成。为此，李贽指出："兵无常形，未战则以实待虚，亦无常势，将战则避实击虚而已。"④从"无常形"和"无常势"这两种主要特征出发，李贽强调虚实的核心要义也在于求变，而且这应为所有将帅必须知晓的常识。这种虚实的

---

① 《孙子参同》卷四《九变》。
② 《孙子参同》卷三《兵势》。
③ 《孙子参同》卷三《兵势》。
④ 《孙子参同》卷四《虚实》。

变化，李贽有时称为"虚虚之术"——"虚虚之术，致人之巧，至于形声俱无矣"①，有时则称之为"虚虚实实"——"所以虚虚实实者，亦已极矣。故虚实之端，制胜之将，司敌之命也"②。表述虽然有所不同，但都强调了无穷变化这一主要特征。

对具体的虚实之法，李贽也进行了深入探讨，其中最主要的方法就是通过"示形之术"调动敌人。李贽指出："若夫敌佚而能使之劳，敌饱而能使之饥，敌安而能使之动，敌众而能使之寡，敌不必备而能使之无所不备，敌不欲战而能使之不得不战。"③ 这些手法达成的效果就是"敌虽众，可使无斗；敌虽强，可使不敢恃；敌虽近，而左右前后可使不得相救"④。至于最终目标则是"冲其虚"，也即找到对手的虚弱之处并展开攻击："不欲战而能使敌必不敢战，则不但以待其虚，冲其虚而已矣。盖敌人虽实，我能虚之，而敌人之命，皆悬于吾矣。"⑤ 由此可见，李贽其实是依照孙子的逻辑，将"示形之术"与"虚实之术"紧密联系在一起，揭示虚实的具体变化之法，并指出虚实的核心是夺取战争主动权，找到对手的虚弱之处实施打击。对照孙子的《虚实篇》，我们可以看出李贽受前者影响的痕迹。孙子写作《虚实篇》，主要目标是达成"致人而不致于人"，努力争夺战场主动权。就这一写作主旨，《唐太宗李卫公问对》中就已经明确。⑥ 李贽与孙子的观点非常相似，认为掌握战场主动权的要诀，就在于巧妙地运用这些虚实变化之术。指挥员一定要努力找到敌方的虚弱之处，寻机发起致命一击，这才能确保克敌

---

① 《孙子参同》卷四《虚实》。
② 《孙子参同》卷四《虚实》。
③ 《孙子参同》卷四《虚实》。
④ 《孙子参同》卷四《虚实》。
⑤ 《孙子参同》卷四《虚实》。
⑥ 据《唐太宗李卫公问对》卷中，《虚实篇》被唐太宗和李靖认定为十三篇中最好的一篇。不仅如此，他们还在这最好的一篇中，找到了最好的一句："致人而不致于人。"在《唐太宗李卫公问对》中，唐太宗说："朕观诸兵书，无出孙武；孙武十三篇，无出虚实。"而李靖则说："千章万句，不出乎'致人而不致于人'而已。"

制胜。

历代的军事家之所以投入地研究孙子的虚实之术，是因为他们知道战胜敌人的要诀正在于此。李贽很好地把握了孙子兵学的精髓，认为虚实之术的目的并不只是为了争夺战争主动权，最终目标还是为了战争获胜。在李贽看来，所有的"示形之术"，都是为了达成"致胜之形"。在评注《虚实篇》时，李贽指出，所有的"虚实之术"都和"致人之巧""致胜之妙"一样，都是围绕战胜敌人这一根本目标而展开。① 既然是将战胜敌人作为虚实的终极目标，那么只有那些能掌握"虚实之术"的将帅，才能称得上是"制胜之将"，才能说是"敌之司命"。②

借助虚实之术这一论题，李贽也对《虚实篇》与《军形篇》等篇的相互关系进行了探讨，认为它们是围绕着"战胜"这个中心目标展开。《作战篇》是研究战争物资等准备工作，《军形篇》是研究军事力量的生成，故在李贽看来，这些最多只是停留在"能为不可胜，而不能使敌之必可胜"③ 的阶段。到了《虚实篇》，因为有了力量的运用妙法，才可以做到"能为敌之必可胜也"④。也就是说，《作战篇》和《军形篇》，乃至《兵势篇》，都只是《虚实篇》的铺垫而已。因为有了战争实力的充分准备，才能谈得上力量的运用，才能在《虚实篇》将战胜和必胜作为追求的目标。

为了对虚实的内涵进行深入挖掘，李贽还写了《虚实说》，收录于《焚书》中。这篇专论本是论学问之道，却大量运用了兵学术语，揭示了虚实的内涵，在虚与实的关系及运用等方面都有不同程度的涉及。比如，就虚实的内涵，李贽认为虚实之间可以随时完成转换："虚而实，实而虚，真虚真实，真实真虚。"⑤ 在李贽看来，虚和实

---

① 《孙子参同》卷四《虚实》。
② 《孙子参同》卷四《虚实》。
③ 《孙子参同》卷四《虚实》。
④ 《孙子参同》卷四《虚实》。
⑤ 《焚书》卷三《虚实说》。

之间并没有截然分明的界限。如果虚和实之间能够巧妙地完成互换，就可以达成意想不到的效果，这其实正是兵家的"出奇"之法。就虚实之术的运用而言，李贽认为其中要领有二：第一是要学会识别虚实，尤其是要注意那些"有似虚而其中真不虚者，有似不虚而其中乃至虚者"①。事实上，普通人与君子因为眼界上存在差别，对于虚实的认识也便存在着根本差别。那些"众人皆信以为至虚"，君子却"独不谓之虚"，那些"众人皆信以为实"，君子"独不谓之实"。② 因此，区别好虚与实便成为关键。第二则是区别情况使用虚实。虚实之法并不应单一地贯穿于终始，而是要在适当时机完成虚实之间的巧妙转换，概括起来就是两种："有始虚而终实，始实而终虚者。"③ 接下来，李贽还就"始虚而终实"和"始实而终虚"的各自运用之法进行了更进一步的揭示。他指出，所谓"始虚而终实"，就如同"人没在大海之中，所望一救援耳"④。在这种情况下，舵师因为心生怜悯之情而救出他。然而其人实则处于虚态，舵师只得告诫他"此去尚有大海，须还上船"等实法，其人才会径往直前，"始虚而终实"的方法就此得以施行。在这之后，李贽也对"始实而终虚"的运用方法进行揭示。他以宋代张载的讲学之道，对此进行说明。张载听说二程论《易》，便立刻将讲学之席撤掉，"遂不复坐"⑤。这其实就是"始实而终虚"，遇到力量大的对手，不得不做出调整。为学之道如此，用兵之道同样如此，必须根据形势的变化及时进行调整。

四、探知胜败之形的"先知论"

李贽强调"求变"，其实是依据敌情"求变"。贯穿其中的，正

---

① 《焚书》卷三《虚实说》。
② 《焚书》卷三《虚实说》。
③ 《焚书》卷三《虚实说》。
④ 《焚书》卷三《虚实说》。
⑤ 《焚书》卷三《虚实说》。

是孙子"因敌而制胜"① 的理念。与孙子相似，李贽同样高度重视"先知"，强调情报工作的重要性。

李贽指出，情报工作从"识形"开始，重在打探"胜败之形"。由此出发，才能进一步追求"应形于无穷"和"因形而错胜"。② 李贽借评注孙子名言指出："夫两军胜败之形，虽未战而其形已见矣。然非真聪明神智之主则不能知。故曰：'见胜不过众人之所知，非善之善也。'知之，则谓知己而知彼，虽百战而不殆矣。夫惟其能知彼己胜败之形，于众人之所不能知也。是以因利制胜，以应形于无穷，虽鬼神亦莫得而测之也。盖形虽不可知，而犹可见。若任势，则无形而不可见，况可知耶？"③ 在李贽看来，指挥员只有充分认识并掌握两军胜败之形，才能有机会谋划和找出必胜之法，也能够在未战之前就预知战争胜负。

孙子论情报，有一句经典名言早已为人们所熟知，这就是："知彼知己者，百战不殆。"④ 孙子此语表明的是一种大情报观，始终将彼己双方的情况联系在一起进行分析和考察。李贽对此也积极认同并予以强调。他指出，掌握彼己之情，是谋划进攻之道的基础："将而知彼己也，谋攻可也。"⑤ 情报工作和战争行为一样，都是集中展现敌我双方斗智斗勇的领域，尤其考验指挥员的智慧和谋略。为了充分掌握彼己之情，孙子强调"形人而我无形"，一方面是积极通过欺骗之术调动敌人，套取对方的情报，一方面是努力做好反情报，确保己方之形不被对手察知。李贽较好地领会了孙子的精神，也始终将探取对方情报的"形人"之术和确保己方不被察知的"无形"联系在一起。他引用孙子之语指出："故曰：形兵之极，至于无形。又曰：微乎，微乎！至于无形。神乎，神乎！至于无声。然则非变

---

① 《孙子兵法·虚实篇》："水因地而制流，兵因敌而制胜。"
② 《孙子参同》卷三《兵势》。
③ 《孙子参同》卷三《兵势》。
④ 《孙子兵法·谋攻篇》。
⑤ 《孙子参同》卷二《谋攻》。

易无方之神人，又安能运变化无穷之神势也。"① 做好关于敌方的情报工作，也确保己方的情报不被泄露，孙子的"形人而我无形"对情报工作提出了极高要求，但这并非无法企及。李贽将达成这种目标的将帅称为"变易无方之神人"，并且多次使用"微乎""神乎"这种感叹词，其实也是为了表达对这种境界的欣赏之情。

李贽突出强调了保护己方之情的重要性。他说："人皆知我所以胜之形，而莫知吾所以制胜之形。故一胜不复再胜，以吾之所以应形而制胜者，其妙未有穷极也。制胜之妙，虚虚之术，致人之巧，至于形声俱无矣。又孰能致我乎？故形人而我无形，致人而人不能致我。"② 在李贽看来，做好反情报，确保己方制胜之形不为敌方所察，才可以"应形而制胜"，才可以避免"一胜不复再胜"的局面。因为战争行为始终是敌我双方军事实力和将帅智力的对抗，一旦己方之情被敌方掌握，就难免会带来覆军杀将的悲惨局面。为此，李贽又特别强调指出："制胜之权，是岂敌人之所能知乎？非唯敌人不得知，吾之因形而措胜者，即以此众耳，而众人亦安能知吾之所以胜乎？"③

其实，除了彼己之情之外，孙子还重视对于天地之情的掌握，指出："知彼知己，胜乃不殆；知天知地，胜乃不穷。"④ 基于这一点，我们更可以确信孙子的情报观为大情报观。当然，相对于天、地之情而言，彼己之情显得更为重要。尤其是彼情，更应为将者所重点掌握，所以孙子对如何"知彼"花费了更多笔墨。李贽同样认识到察知地理情报的重要性，指出："行军之道，察地形，识敌情，服士卒而已。"⑤ 他又指出："夫地形无不知，然后运兵计谋为不可测，无所往而不得地之利也，宜矣。"⑥ 指挥员只是察知地形尚嫌不

① 《孙子参同》卷三《兵势》。
② 《孙子参同》卷四《虚实》。
③ 《孙子参同》卷四《虚实》。
④ 《孙子兵法·地形篇》。
⑤ 《孙子参同》卷四《行军》。
⑥ 《孙子参同》卷五《地形》。

够，还需要通晓"九变之利"才能确保全胜。李贽指出："地形为兵之助。唯料敌致胜之上将，自能计远近险厄，而用战必胜。而终之以知彼知己知天知地焉。知吾卒之可胜，知敌之可以胜，知彼知己也；知卒之可胜，知敌之可以胜，又知吾地形之可以战，知天知地也。将而知天知地也，则其胜全矣。"① 在这里，李贽同样是将"知彼知己"与"知天知地"作为一个整体进行考察，对孙子的大情报观有较为忠实的继承。李贽指出，察知地形的要点，不仅要懂得"地形之利"，也要知晓"地形之害"，由此而能去害取利，力争全胜。对于"九地"所论利与害，李贽更为重视。在他看来，如果想深察"九地之利"，就需要一方面充分利用"九地之利"，另一方面陷众于"九地之害"，从而最大程度地激发士卒的作战潜能。即便身处死地，也能战胜敌军。这其实也是孙子在《九地篇》中"陷之死地而后生"的战法。

与"知地""知天""知己"相比，李贽更加重视"知彼"，更加重视对敌情的掌握。他指出："其实必以先知彼己为急也，苟知己而不知彼，又何以胜敌而制其命乎？故用间要矣。"② 本着这一思想，李贽对《用间篇》进行了重点评注。孙子为了说明用间的重要性，特地举出伊尹和吕尚二人行间的史实，说明"明君贤将，能以上智为间者，必成大功"③ 的道理。李贽则继续进行申论，指出："夫伊、吕以大圣而为殷、周用。殷、周天下，一六百载，一八百载，谁之力欤？"④ 在高度强调用间的重要性之外，李贽也对李靖"用间最为下策"及"用间为不得已"等观点予以驳斥："说出用间事，十分郑重，言不如此，则是视民如粪壤，以安危为儿戏矣。安得不先知敌人而为之间乎？然李卫公反以用间为不得已，何哉？"⑤

---

① 《孙子参同》卷五《地形》。
② 《孙子参同》卷五《用间》。
③ 《孙子兵法·用间篇》。
④ 《孙子参同》卷五《用间》。
⑤ 《孙子参同》卷五《用间》。

因为对情报工作高度重视，所以孙子格外强调"先知"，同时指出做好"先知"需要坚持"三不可"："不可取于鬼神，不可象于事，不可验于度。"① 李贽对这"三不可"一一进行了解释，指出："取于鬼神者，祭祀祈祷也；象于事者，事类推求也；验于度者，卜筮占验也。"② 也就是说，要想做好"先知"，必须发挥人的主观能动性——"必取于人"，而不是依靠鬼神或占卜等。他非常赞赏孙子的唯物精神，但也认为鬼神之道是可以利用的奇谋："彼鬼神等，不过诡道奇谋，因以便于使贪使愚云耳。"③

对于孙子的"五间俱起"之术，李贽也结合历史上众多经典谍战案例进行评注，并有进一步申论。这种结合史实进行的评注，已经是一种传统。李贽的高明之处在于，他对各种类型的间谍在使用要领上有简明扼要的总结，在案例选择上也有独到之处。比如对于"因间"，李贽评注道："因间者，虽敌之人，而于我有乡里故旧之亲，如魏武之于韩遂，亦其一例也。"④ 在这里，李贽重点点出利用乡情和故旧之情行间的奥秘，也用魏武帝曹操离间马超的经典案例进行说明，因此非常具有说服力。

总之，李贽的兵学研究成就，集中于《孙子参同》，并得到孙子"变诈之术"的精髓，"奇正之术"与"虚实之术"都是围绕变术而展开。与此同时，李贽也强调整体论和先知论，以之作为军事哲学思想的两翼。虽说无法像王守仁那样将平生所学用于战争实践，甚或被统治者视为"异端"而屡遭打压，但他所著《孙子参同》等兵学著作，很好地阐释了自己对于军事问题的独到认识，历来受到重视。也许正是因为缺少用武之地，李贽有关兵学的研究心得，只能更多地向尺牍倾注。在与论敌的交锋过程中，在与旧友的交流过程中，他都会在有意无意之中略加申论。在《复麻城人书》中，李贽

---

① 《孙子兵法·用间篇》。

② 《孙子参同》卷五《用间》。

③ 《孙子参同》卷五《用间》。

④ 《孙子参同》卷五《用间》。其中"因"，当作"乡"。

一面称赞高阳酒徒之可敬，一面流露出对国事的关心，发自肺腑地呼唤那种能抵挡"数千万雄兵猛将"的真正的高阳酒徒，认为郦食其这样胆略俱佳之人，才可以迅速剿灭当时已然尾大不掉的宁夏叛兵。① 这种积极的济世情怀，不仅是李贽始终保持昂扬斗志的原动力，也是他努力探研兵学的原动力。李贽身上所体现的这种积极的斗争哲学，不一定全是他自称"趋利避害"② 的那种"来自私欲的动力人格"③ 的产物。

第三节　吕坤的兵学思想

吕坤（1536—1618），初字顺叔，后改字叔简，号新吾、心吾等，别号抱独居士，河南宁陵人，明朝万历年间著名思想家和政治家。吕坤的著作由其长子吕知畏整理汇编为《去伪斋文集》，共十卷，其代表作为《呻吟语》《实政录》等，也有传世兵书《安民实务》《救命书》等。

一、戍边安民的战备观

吕坤从儒家的传统民本思想出发，充分肯定民众的地位和作用，直陈君主执政为民的道理，同时也将国家安危与百姓命运紧密联系在一起。他不仅认为"君民一体，休戚相关"，也认为"君身之安危，社稷之存亡，百姓操其权故耳"，④ 只有百姓才是国家的根本。因此，国君如果不重视百姓福祉，失去民心，那就会带来安全隐患，

① 指发生于万历二十年（1592）的宁夏兵变。
② 《焚书》卷一《答邓明府》。
③ 赵宏志：《中国明清之际动力人格思想初探》，《学术交流》2016 年第 5 期。
④ 吕坤：《去伪斋文集》卷一《忧危疏》，清康熙三十三年（1694）吕慎多刻本。

甚至酿成政权覆亡的大祸："夫民怀敢怒之心，畏不敢犯之法，以待可乘之衅，众心已离，而上之人且恣其虐以甚之，此桀、纣之所以亡也。"①

因此，吕坤积极呼吁国君应懂得并执行"顺天应人"和"合乎民心"的为政之道，懂得立政为民的道理，而不是只为自己敛财、纵欲，甚至因此不择手段而贻害百姓。针对当朝万历皇帝的贪婪敛财及荒淫豪奢，吕坤写下《忧危疏》，对其进行建议和警告。在奏疏中，吕坤写出了当时朝野的真实情况是"今禁城之内不乐有君，天下之民不乐有生，怨讟之声，愁叹之语，甚不堪闻"②，所以建议皇帝思考治乱问题和安危问题："陛下试观其时，治乎，乱乎？其君，安乎，危乎？"③ 他甚至不客气地指出当下之势已经"如坐漏船，水未湿身；如卧积薪，火未及体"，所以希望"陛下之速登涯而急起卧"，从而呼吁万历皇帝实施仁政，立即改变现状。④

在吕坤看来，不仅国君施政需要依靠民众，戍边御敌也需要仰仗万民同心。也就是说，民心向背始终关系到国家命脉的畅通与否。战争对民众的生命财产等造成极大伤害，所以始终是凶危之事："兵，凶器也；战，危事也。"⑤ 故此，他认为即便是发起抗击外敌入侵的战争，也必须推行"安民实务"，将安民保民放在第一位。万历二十年（1592），吕坤出任山西巡抚，曾目睹"虏情日以骄恣，我兵日以怠废"⑥，为此而忧心忡忡，于是奋笔写下《安民实务》一书。从书名足可见吕坤写作此书的出发点就是安民和保民，从"实务"二字，则可看出吕坤追求的是实效，而且力避无用的花架子。

吕坤对当时危机四伏的边情进行了总结，指出："虏轻中国久

---

① 吕坤：《呻吟语》卷五《治道》，明万历二十一年（1593）刻本。
② 《去伪斋文集》卷一《忧危疏》。
③ 《去伪斋文集》卷一《忧危疏》。
④ 《去伪斋文集》卷一《忧危疏》。
⑤ 吕坤：《实政录》卷一《明职》，明万历二十六年（1598）赵文炳刻本。
⑥ 《实政录》卷八《督抚约》。

矣，中国之惧虏亦久矣。"① 之所以造成这种困境，就是因为明廷治边策略失当，战将无能，军纪松弛。他对当时边务衰败的具体表现做了进一步总结，指出："以积衰之气，用不学之将，率不精之兵，操不试之器，乘不习之马，守不戒之边，以当敢死之胡，逞长驱之势，恣杀掠之暴，不待筹策而胜败之数可知矣。今之为将者，每曰我寡彼众，我弱彼强，何敢与战！不过排营结阵，遥望于五七十里百里间，任其屠劫，饱则自去，待彼出边，徐尾其后，如斯而已。"② 明廷长期戍边乏力，故而只能寄望于和谈和纳贡等方式来换取短暂的安宁。但在吕坤看来，亲朋之间尚且有可能失掉一时之欢，夷夏之间更不可能出现百年之好。长久的和平局面，不仅会给己方带来麻痹思想，也会养虎遗患，使得胡虏更加轻视中国。对比敌我双方的气势，胡虏是"轻者"，明廷则是"惧者"。按照"轻者之心必勇，惧者之气常衰"的道理，明廷已经处于劣势，何况是"以积衰之气，用不学之将，率不精之兵，操不试之器，乘不习之马，守不戒之边"。③ 双方的胜败，也由此而判然可知。

面对边境将骄兵惰、"胡虏"步步紧逼、边民饱受欺侮的局面，吕坤决心戍边安民，整顿军队，提振士气，为此而制定种种具体的治边安民之策。在《安民实务》中，他将这些御戎之策总结为 12 大项 146 款。具体为：养将材，7 款；募勇略，8 款；简军实，6 款；造战具，8 款；演武艺，10 款；倡勇敢，10 款；体下情，19 款；严马政，10 款；密间谍，8 款；慎修筑，17 款；教军士，25 款；计兵费，18 款。从以上所列纲目可以看出，该书对士卒的招募和训练、将帅的选拔和任用、军队的管理和教育、兵器的制造和使用、军马的购买和养护、间谍的使用和管理等各个方面都有具体规定。

在亲临边关掌握边情的基础上，吕坤努力寻找守边之策，由此而撰写《救命书》，专门查找当时明军城防之疏失，并研究制定具体

① 《实政录》卷八《督抚约》。
② 《实政录》卷八《督抚约》。
③ 《实政录》卷八《督抚约》。

的对策。在他看来，守城就是救命，救民众之性命，故将书名定为
《救命书》。吕坤安民保民的战备思想，在该书的《自序》中也彰显
无遗。

在吕坤看来，人生之急，没有更急于性命者，所以人事之重，
也没有重于救性命者。但是，救人性命也要讲究方法。如果"使千
百年常常享太平，千万家人人有遁术，则高城深池，劳民伤财，已
为病狂丧心矣"①，因为这样一来就耽误了农事，仍然在很大程度上
影响民生。如果统治者再不顾民意而肆意扩充武备，就更会失去民
心。因此，真正的救民之术，是在做到御敌的同时也"重农时"：
"自古圣帝明王，最重农时，兴作则曰至冬乃役，讲武则于四时农
隙，虽春夏万物繁昌，不免千人田猎，万马追逐。"②虽说"民之死
于兵刃，甚于苦以饥寒"③，想要救民，就需要充分体察百姓的所怨
所恨。那种一味追求高墙深池的做法，反而会劳民伤财，徒生民怨。

是以，御敌要讲究方法，尤其要懂得守备之法："倘不讲守备
法，委成败之运，任死生之数，虽有城堤，与无城堤同。王公设险
要、建重门之谓何？岂为太平壮观美哉！倘为贼所破，满城性命，
何待余言？"④写出《救命书》后，吕坤相信已为明军找到了更好的
守备之法，可以确保边民的安全。对于此书，吕坤非常自负，在自
序中有这样的评价："是书也，信之则为活人，忽之则为死鬼。"⑤
不管这是否为夸大之词，其中都反映出吕坤积极救世、安民保民的
战备观念。

吕坤既认为战备的目的是保民安民，也主张战备必须依靠民众，
因而对古代"寓兵于农"的制度极为推崇。他指出："寓兵于农，
三代圣王行之甚好，家家知耕，人人知战，无论即戎，亦可弭盗，

---

① 吕坤：《救命书·序》，《中国兵书集成》第二十六册。
② 《救命书·序》。
③ 《救命书·序》。
④ 《救命书·序》。
⑤ 《救命书·序》。

且经数十百年不用兵。"① 因为推行了这种制度，三代时期天下无事："天下所以享兵农未分之利。"② 但是，在春秋以后，"诸侯日寻干戈，农胥变而为兵"，兵农已然分开，圣王之治也因此而不复出现。③ 为此，吕坤主张模仿古代兵农合一的体制，建立乡甲约，其实也即"保甲制度"。这种制度起初的目的是"为申明乡约保甲，以善风俗，以防奸盗事"④。因为"百井结为一体，千民联属成家"，就可以有效地利用连坐制度对百姓加以治理："如恶有显迹，四邻知而不报者，甲长举之罪，坐四邻。四邻举之而甲长不报者，罪坐甲长……一有过恶，则彼此诘责。白莲妖术，奸宄凶民，何所容其身？出境为贼，在家窝盗，何所遁其迹？"⑤ 此举更深的目的则在于"兵"，即"练乡甲之兵"。吕坤指出其组织结构为："十家为甲，家有兵，十甲为保，保有警，各备防守器械等物。"⑥ 官府在平时要组织这些人展开训练："若于各保之中，不分主客户，但系久住者二十以上、五十以下，除佣作者、贫无衣食者、有占役者不用外，其余尽属保正副统之。十月纳禾之后，三月未农之前，将各壮丁在城分为四面，在乡分为八聚，官募各艺教师十二人，各给工食使习之。"⑦ 在吕坤看来，如果在平时就能组织好训练好兵，就能达成"处处有武备"而且"人人知兵"的效果，在保证平时盗贼无从匿迹的同时，也可在战时发挥御敌作用。

二、救民性命的守城术

本着救民性命的目的，吕坤在《救命书》中条列"城守事宜"二十项、"遇事事宜"四项、"预防事宜"十一项，对守城之法进行

---

①　《呻吟语》卷五《治道》。
②　《呻吟语》卷五《治道》。
③　《呻吟语》卷五《治道》。
④　《实政录》卷五《乡甲约》。
⑤　《实政录》卷五《乡甲约》。
⑥　《实政录》卷六《风宪约》。
⑦　《实政录》卷六《风宪约》。

了较为系统的研究和总结。先秦时期，墨子学派注重防守，对守城之术有很多总结。① 吕坤在某些方面的探讨，比如严查奸细、充分发动民众等，显然要比墨子学派更为深入。

所谓"城守事宜"，是指日常的城守注意事项。其中包括对城内居民的组织管理、粮食等物资的准备等，尤其提醒人们注意严防奸细，另外也对贼人入侵的特点进行了总结。

就如何严防奸细来说，吕坤有较为详备的论述。在他看来，敌人攻城之前，必定会想方设法刺探城内情报，因此必定会选派奸细潜入城内，既打探我方城防情况，也乘机作为内应。既然如此，我方就应该做好针对性措施，除了严守城门之外，还应认真排查、仔细搜索，不让敌方奸细混进城内。在吕坤看来，这是守城的"第一紧要"之事，必须慎之又慎。他总结了如下注意事项："城门将闭之时，守门官将城中流来闲人，仔细搜索。除各家正身及有力家仆深信同心者不妨留用外，其余三年内寄住佣工仆及老幼，不堪费人养活，应逐出者，尽数逐出。盖贼欲攻城，每每先托心腹之人，与佣工仆探听消息，默观道路，预备开门，发火放监。师伍之陷归德，可鉴已。贼无内应，虽开门不敢径入，此守城第一紧要者，慎之慎之！"② 为了确保守城无虞，排查奸细尤其注意在城门将要关闭之时展开。为防止奸细混入，官府必须在关键时刻对来往闲杂人员进行仔细排查。守城官吏必须对来往人员的身份牌信息等进行严格审查，妇女只验双足即可。如果遇到面生之人，身份牌与年貌对不上，就需要立即送去做专门审查，严防敌军奸细混入城内成为内应。

另外要注意的是，做好城内的物资准备和粮食储备，而且必须以"宽绰"作为标准，这样就可以保证即便遇到凶年"人不至相

---

① 先秦时期，墨子学派基于"非攻"的战争观，积极研究防御之法和守城之术，对于守城的方法和原则等有着较为系统的总结，详见《备城门》《备梯》等篇。

② 《救命书·城守事宜》。

食"。① 尤其重要的是，要确保城内饮水充足："城中寺庙空闲之地，或有甜水之泉，务须添井三五十眼，以备城上城中缓急之用。"②

贼兵攻城也有规律可循，吕坤总结为"七乘"，即："乘我之倦，如日夜劳苦，神疲力竭之类；乘我之怠，如日久心安，官不戒训，民不恐惧之类；乘我之忽，如风雨雪夜，贼远贼稀，思想不到之类；乘我之无备，如兵刃不利，矢石不足，火炮缺乏之类；乘我之疏，如城有单薄，地有平陂，外有攻冲之资，内有不备不具之类；乘我之缓，如往日迟心怠意，一时招架不及，手忙脚乱之类。"③ 既然如此，守城官兵就必须做好针对性措施。

对于击破城外贼兵之法，吕坤也进行了探讨。在他看来，守城者一旦发现贼人露出破绽，就需要抓住时机对其发动攻击。在平时，需要有意识地"练就敢死士三五百人"，在夜半三更之时，派这些敢死之士打扮成敌军模样，"乘其困倦，密砍其营"。④ 如果贼兵已经有所防备，就可以使用炻炮、鸟铳、佛郎机等火器继续对敌发起进攻，一旦看到贼兵聚集一处，则"乘顺风用油薪纵火焚之"⑤。如此三番五次地发起冲击，贼兵只能散去。

除了做好伺机袭击敌军的准备之外，守城者必须坚持既定政策，不要轻易被城外敌军的佯动迷惑，更不可由此而擅自改变作战方针。吕坤指出："兵贵如山，千摇不动，百震不惊。庶乎贼智自穷，我守可固。"⑥ 无论敌人使用何种计策诱惑我方出击，守城者都要保持镇定，而且要及时制止各种谣言的散布，避免为各种谣言所误。各处守城将士要始终坚守岗位，对自己所专守的方向负责，全力做好防守。与此同时，还要布置适当的机动兵力，要求他们听从军令调动，保证各处守军之间的互相呼应。

---

① 《救命书·城守事宜》。
② 《救命书·城守事宜》。
③ 《救命书·城守事宜》。按：原文只列举了"六乘"。
④ 《救命书·城守事宜》。
⑤ 《救命书·城守事宜》。
⑥ 《救命书·城守事宜》。

在"遇变事宜"中，吕坤重点探讨了贼兵入城之后的处置措施。吕坤指出，贼兵若尽数入城，可能会先抢劫仓库所存财物，其次是释放狱囚，然后才是抢劫居民财物，所以必须安排居民做好防范，比如身带五六日干粮，寻找机会出城避难，找到烧残小院人家暂且寄身，或者向其他州县逃命等。与此同时，也要依托城内各种设施对入城敌军实施打击。其做法是，"督催各家将桌椅、床凳诸物塞满街衢"①，阻碍贼兵前行，然后乘机使用枪炮打击敌兵，或者是"以火焚路，陆续添薪"，令贼兵不得前行。此外也有更为积极的应变措施，即充分利用住宅之间的巷道，与敌展开格斗，通过狭窄的隘口阻击敌兵，拼死与其搏斗。这个时候也要注意做好城内居民的动员工作，告诉他们已经没有所谓"苟活之计"，只能拼死与敌决战："士君子素患难，自有道理，死则死耳，决不卑污乞命也。"②

在"预防事宜"中，吕坤就平时预防贼兵入侵的注意事项进行了总结。比如，城中城外居民修盖房屋时如何烧制砖块，何处取土。在取土烧制砖块的过程中，也可以同时完成护城池的修建："务令数年之间，池深及泉。"③ 这就可以一举两得。有了护城河，遇到阴雨天，则可以乘机蓄水，令"城内之水，尽令入海壕中，虽旱不干，方为长计"④。包括城池内外栽种草木等，吕坤都详加规定："城根边土宜栽盘根诸草以固土，近里宜栽酸枣枸橘以拒贼，其壕外百步之内，切不可栽树，遮城上望眼，藏城外贼身。若堤上栽柳，则不妨矣。"⑤ 在完成城池修建之后，要指定专人巡视和护理。树木栽种之后，也需要有人看护，一旦发现损毁，就需要及时进行修补。为防止人们私自砍伐树木，吕坤也制定了相应的处罚措施："但有盗伐及私自折损者，除十倍加罚外，仍重责枷号。"⑥ 最为紧要的就是护

---

① 《救命书·遇变事宜》。
② 《救命书·遇变事宜》。
③ 《救命书·预防事宜》。
④ 《救命书·预防事宜》。
⑤ 《救命书·预防事宜》。
⑥ 《救命书·预防事宜》。

城池的修建，吕坤对此有详细规定："城下池中须有暗深暗浅之处，浅不过及腰，阔可一丈；深则池中掘为土井，口阔一丈，深须及泉以陷贼。浅处用暗识表道，以救缓急出城之人，插杖可过，此最万分紧要者。"① 在这期间，同时要注意"盘诘奸细"②，严防贼兵派出奸细入城刺探情报。

　　针对"方今天下无真兵，人人不知兵"③ 的局面，吕坤认为，关键还是因为没有很好地组织民众，没有充分发动民众的力量。在他看来，要想真正守好城池，就需要充分发动民众，组织民众进行必要的训练。对此，吕坤也有详细规定："除六十以上，十五以下，残疾衰病之人外，每一保甲，务选强壮百人，或长枪、火枪、镖斧、骨朵、眉齐棍、弓矢、腰刀、火铳、绳鞭、铁稍之类，各认一件。每日清晨晚上，拿喊鸣锣，彼此配对，习学敌斗。"④ 为了搞好平时的训练工作，必须抓住一切可以利用的时机，就连平时的酒席宴请等场合也可以融入训练元素，比如组织大家进行投壶比赛，熟悉各种武艺等。官府在平时应多组织讲武活动，如遇到武艺精通能为领袖者，则选拔为官，也可以颁发"免帖"一二张，一旦有犯罪行为，可以"纳帖准免"⑤。在吕坤看来，只要做好平时的训练工作，"纵使流贼攻城抢寨，亦知此处兵强人练，不敢生心。就来临城，亦自胆怯，不敢持久而去矣"⑥。只有依托全民皆兵的模式，才可以拒敌于千里之外，这与前述吕坤依靠民众组织战备的理念保持一致。

三、贵"谋"的治军之术和用兵方略

　　在主张发动民众、依靠民众的同时，吕坤也看到军民之间存在的差异，认为在管理方法上也应有所区别。也就是说，治军与治民

---

① 《救命书·预防事宜》。
② 《救命书·预防事宜》。
③ 《救命书·预防事宜》。
④ 《救命书·预防事宜》。
⑤ 《救命书·预防事宜》。
⑥ 《救命书·预防事宜》。

应采取不同的方法和政策。吕坤指出："治道尚阳，兵道尚阴；治道尚方，兵道尚圆。"① 在他看来，由于"治道"和"兵道"的本质属性不同，所以研究军事问题需要遵循"阴"的方法，更需要圆通甚至圆滑。因此，所谓"治道尚阳"是说治民之道更需要"阳谋"，需要公开、透明，也要做到言必行、行必果，不可过度使用隐瞒和欺骗等方法；所谓"兵道尚阴"，则是说治军之道更需要多使用"阴谋"，不仅是隐蔽其手法，还要隐秘其目的，更多地使用诡诈之术。无论是面对己方士卒，还是面对敌军，都必须有变化多端的手法，懂得圆通和权变的道理，这就是"兵道尚圆"的意思。治民与治兵，各循其道，手法有别，不可混淆。

不仅如此，治军和治民在目标上也有不同。治军的目标是使全体将士"轻生"，能够在战场上舍生忘死，奋勇杀敌。治民则与之相反，需要使百姓懂得"重生"的道理。吕坤指出："三军要他轻生，万姓要他重生。不轻生不能戡乱，不重生易于为乱。"② 所以，为政之道与御兵之道存在本质差异。对此，吕坤也进行了深入分析："兵以死使人者也。用众怒，用义怒，用恩怒。众怒仇在万姓也，汤武之师是已。义怒以直攻曲也，三军缟素是已。恩怒感激思奋也，李牧犒三军，吴起同甘苦是已。此三者，用人之心，可以死人之身，非是皆强驱之也。猛虎在前，利兵在后，以死殴死，不战安之？然而取胜者幸也，败与溃者十九。"③ 吕坤认为，"凡战之道，贪生者死，忘死者生，狃胜者败，耻败者胜"④，因此治军的目标就是为了在战场上击败敌军，所以必须通过"用众怒，用义怒，用恩怒"等手法，激发士卒必死的信念。在吕坤看来，李牧和吴起等人使用"恩"的手法激发士卒的必死之心，目的仍然是要"以死使人"。这无疑是一种更为高明的御军之术。

---

① 《呻吟语》卷五《治道》。
② 《呻吟语》卷五《治道》。
③ 《呻吟语》卷五《治道》。
④ 《呻吟语》卷五《治道》。

　　吕坤研究御戎之法，多少基于儒家的立场而抱有德化之念。他指出："御戎之道，上焉者德化心孚，其次讲信修睦，其次远驾长驱，其次坚壁清野，其次阴符智运，其次接刃交锋，其下叩关开市，又其下纳币和亲。"① 但是，一旦刀兵相见，吕坤仍然会积极主张"阴谋"。他指出："兵，阴物也；用兵，阴道也，故贵谋。不好谋不成。我之动定敌人不闻，敌之动定尽在我心，此万全之计也。"② 在他看来，"阴"与"谋"恰好形成因果关系，这也许正是从"阴谋"一词的本义出发所获得的启示。

　　在吕坤看来，一旦动用兵革，则已经预示着"德化之衰"，而且夷狄既然已经毫无恩信可结，那就只能针锋相对，使用武力手段予以征伐。所以他指出："兵革之用，德化之衰也。自古圣人亦甚盛德，即不过化存神，亦能久道成孚，使彼此相安于无事。岂有四夷不可讲信修睦作邻国邪？何至高城深池以为卫，坚甲利兵以崇诛，侈万乘之师，靡数百万之财以困民，涂百万生灵之肝脑以角力，圣人之智术而止于是邪？将至愚极拙者谋之，其计岂出此下哉？若曰无可奈何不得不尔，无为贵圣人矣。将干羽苗格、因垒崇降，尽虚语矣乎？夫无德化可恃，无恩信可结，而曰去兵，则外夷交侵，内寇啸聚，何以应敌？不知所以使之不侵不聚者，亦有道否也？"③ 在吕坤看来，"兵革"不仅始终不可废弃，而且要更加重视。作为将帅，必须善于谋划，通过权衡利弊和分析敌情，积极研究破敌之法，主动运用各种谋略战胜敌军。这不仅是由战争"阴物"和"阴道"的本质所决定，更是避免"外夷交侵"的必备之需和万全之计。

　　根据战争的多变特性，吕坤主张根据不同的敌人，采取不同的策略和战法，所以要懂得"相机"："相机者务使鬼神不可知，养气者务使身家不肯顾，此百胜之道也。"④ 这种"相机"，很大程度上

---

① 《呻吟语》卷五《治道》。
② 《呻吟语》卷五《治道》。
③ 《呻吟语》卷五《治道》。
④ 《呻吟语》卷五《治道》。

是依据敌情顺势而为。吕坤高度重视情报工作，对孙子"知彼知己"的主张表示出激赏。在他看来，"知彼知己"不只是战场胜敌的基础，也可以运用到战场之外的其他场合，包括处人处事都可以用到："知彼知我，不独是兵法，处人处事一些少不得底。"①

在吕坤看来，情报工作的重点是考察敌我双方力量对比和虚实情况，只是他没有继续沿用孙子"虚实""形势"等概念，而是使用了"两精两备，两勇两智，两愚两意"这样的范畴，但最终还是回到兵力的"多寡强弱"："两精两备，两勇两智，两愚两意，则多寡强弱在所必较。"② 一旦指挥员对敌我双方"精""备""勇""智"等情况有所掌握，那就可以"以精乘杂，以备乘疏，以勇乘怯，以智乘愚，以有余乘不足，以有意乘不意，以决乘二三，以合德乘离心，以锐乘疲，以慎乘怠"③，从而能够掌握战场主动权，择机击败对手。

众所周知，春秋末期的军事家孙子基于"兵者，诡道"的认识，总结了著名的"诡道十二法"："能而示之不能，用而示之不用，近而示之远，远而示之近，利而诱之，乱而取之，实而备之，强而避之，怒而挠之，卑而骄之，佚而劳之，亲而离之。"④ 这其实是主张实施全方位、多层次的军事欺骗，用假象迷惑对手，从而把握战争的主动权。吕坤模仿孙子，也总结了一套战胜之道："故战之胜负无他，得其所乘与为人所乘，其得失不啻百也。实精也，而示之以杂；实备也，而示之以疏；实勇也，而示之以怯；实智也，而示之以愚；实有余也，而示之以不足；实有意也，而示之以不意；实有决也，而示之以二三；实合德也，而示之以离心；实锐也，而示之以疲；实慎也，而示之以怠，则多寡强弱亦非所论矣。故乘之可否无他，知其所示，知其无所示，其得失亦不啻百也。故不藏其所示，凶也。

① 《呻吟语》卷五《治道》。
② 《呻吟语》卷五《治道》。
③ 《呻吟语》卷五《治道》。
④ 《孙子兵法·计篇》。

误中于所示，凶也。此将家之所务审也。"① 从这段话中尤其可以看出吕坤崇尚谋略的主张。他深知，两军对垒其实就是敌我双方，尤其是主将之间智谋与勇气的较量。要想在这种对抗中战胜敌人保存自己，指挥员就必须大胆采取各种欺骗之术，通过各种假象来迷惑敌军，调动对手，寻找可乘之机打击敌人。这种欺敌误敌的手法，孙子曾有系统总结，概括起来就是"示形"。比较吕坤和孙子所论，二者有很大的相似性。

除了在"示形"时需要足够的智谋之外，审时度势也需要足够的智谋。与前述"相机"呼应的是，吕坤也重视"时"的概念，指出："时者，成事之期也。机有可乘，会有可际，不先不后，则其道易行。"② 这种"时"，其实也与"机"的概念相仿，"时机"一词正说明二者的密切联系。吕坤既然重视"相机"，当然也会重视"审时"。他指出，如果不善于把握时机，那就相当于将种子投放于坚冰之上，永远等不到发芽之时："不达于时，譬投种于坚冻之候也。"③

与此同时，吕坤也非常看重"势"的作用，指出："夫势，智者之所借以成功，愚者之所逆以取败者也。"④ 由此出发，吕坤认为谋划战争尤其要注意谋势。在他看来，"势"是决定战争成败的关键因素，而且任何人都无法违抗："是故贵审势。势者，成事之借也。登高而招，顺风而呼，不劳不费而其功易就，不审于势，譬行舟于平陆之地也。"⑤ 既然"势"的作用如此重要，高明的指挥员必须善于审势，懂得乘势而为的道理，学会借势发力，夺取胜利之机。

---

① 《呻吟语》卷五《治道》。
② 《呻吟语》卷三《应务》。
③ 《呻吟语》卷三《应务》。
④ 《呻吟语》卷三《应务》。
⑤ 《呻吟语》卷三《应务》。

第五章 明代中后期兵学新面貌

明代中晚期，随着海上威胁逐渐增多，海防形势发生了很大变化，逼迫明军发展水军，提升海防能力，投入研究海防战略及海战战法。名将戚继光在抗倭战争中，不仅对传统治军思想有所继承和发展，还设计运用鸳鸯阵等，对传统战术思想形成补充。火器的发展和大量运用，也对兵学理论研究产生新的刺激，因此出现了《火攻挈要》《火龙神器阵法》等研究火器战法的著作。军事地理学也于此时取得飞速发展，《读史方舆纪要》是其中的杰出代表。兵学巨著《武备志》的出现，则完成了对古典兵学的总结任务。

第一节 海防新局面对兵学的影响

清末名将左宗棠在总结中国历史上的边患时指出："伊古以来，中国边患，西北恒剧于东南。盖东南以大海为界，形格势禁，尚易为功；西北则广漠无垠，专恃兵力为强弱，兵少固启戎心，兵多又耗国用。"① 这段话确实点明了我国边疆的特点，在东南方因为有海洋作为天然防线，较少受到袭扰。到了明代，这一切已经发生了改变。伴随着世界范围航海技术的迅猛发展，明廷面临的海上威胁逐渐增多，倭寇长期袭扰我国东南部海疆，就此引起海防形势发生急

---

① 左宗棠：《遵旨统筹全局折》，左宗棠撰，刘泱泱等校点：《左宗棠全集·奏稿六》，岳麓书社，2014年。

剧的变化。由于不堪袭扰，明朝统治者不得不在国防战略上进行若干调整，重新整合防卫力量，致力于发展水军，提升海防能力，由此而形成了较为完整的海防战略和较为系统的海战战法。

一、倭患的起伏与海防形势的变化

中国西部边陲多崇山峻岭，东边则有着漫长的海岸线。茫茫的深海大洋俨然一道天然屏障，日夜守护着华夏民族，东部沿海地区鲜见外族袭扰，中国自然便成为"有海疆，无海防"① 的国家。在元朝，倭寇已经开始在东部沿海地区展开掠夺，明初则更加猖獗。洪武四年（1371），朱元璋下令实施海禁政策，不仅"海民不得私出海"，海道因为"可通外邦"，也被禁止往来。② 这些禁令在短期内也曾收到一定成效，对加强海防和抵御倭寇袭扰起到了些许作用，但正所谓物极必反，极端封闭的禁海政策，为明代中后期倭患更大规模地爆发埋下了祸根。日本学者也认为，嘉靖时期严重的倭患，实则由"朱纨严行海禁开始"③。

从世界范围来看，其时正经过航海家冒险探索海洋的"探索时代"，逐步迎来西班牙、葡萄牙、荷兰等国在海外开拓领土的"帝国时代"。④ 郑和多次远下西洋，证明中国人较早开始拥抱海洋，至少起步并不算晚。但由于此后统治者长期推行闭关锁国政策，我国就此失去了与西方列强分庭抗礼的机会。西方海洋大国凭借着先进的航海技术和锐利的火器，先后远道而来，寻求经商和通航的便利，都被统治者拒之门外，甚至被当成夷狄而加以驱逐。长期的封闭政策，必然会导致明朝军事和经济的落伍，而且也会使得沿海居民的生活变得更加贫困和拮据。在这种情况下，渔民为了求得生路，反

---

① 茅元仪说："海之有防，自本朝始。"（《武备志》卷二百九《占度载》）
② 《明太祖实录》卷七十。
③ ［日］田中健夫著，杨翰球译：《倭寇——海上历史》，社会科学文献出版社，2015年，第98页。
④ 《征服海洋：探险、战争、贸易的4000年航海史》，第118页。

而会铤而走险，尝试与倭寇联系，进而违反禁令下海。这就是顾炎武所总结的"穷民往往入海从盗，啸聚亡命"①。对于倭寇产生的原因，学界已有很多讨论，有说来自日本，有说来自中国内部，也有说源自内外勾结。② 实则倭寇为患，各个时期各有不同特点，似不可一概而论。胡宗宪的一份奏疏称活动于松江柘林一带的倭寇，"沿海奸民实居其半"③。人们所熟悉的著名倭首如汪直、陈东、徐海等，大多是汉人。因为对内地地形及沿海守卫情况非常熟悉，汉人一旦成为倭寇的帮凶，就会对明军抗倭行动形成极大威胁。倭寇也因为有众多汉人和沿海居民的接应与参与，声势变得更加浩大，为害更烈。

明代洪武至永乐年间，倭寇袭扰事件不断发生。有专家统计，这期间倭寇袭扰事件以针对浙江的最多，共 16 起，其次则为山东 9 起，南直隶 6 起，福建 5 起。④ 这些袭扰事件中，有不少其实都是真倭，但已有汉人假冒倭寇劫掠民众的现象出现。明代中期之后，尤其是嘉靖年间，倭寇不仅危害巨大，而且倭寇中汉人参与的比例已在增加，以至于《明世宗实录》记载："盖江南海警，倭居十三，而中国叛逆居十七也。"⑤ 此说可能存有夸张成分（因为当时抗倭所抓捕的寇贼中，有不少确系真倭），但也从一个侧面反映出当时的抗倭形势发生很大变化：不少汉人或迫于生活压力，或受到利益驱使，已经开始大量接济倭寇，或是直接参与其中，甚至伙同倭寇攻城拔寨，残害边民，抢劫财物。有的倭首本为汉人，但他们长期雇佣倭

---

① 顾炎武撰，黄珅等校点：《天下郡国利病书》卷二十六，上海古籍出版社，2012 年。

② 白寿彝总主编，王毓铨主编：《中国通史》第九卷《中古时代·明时期》，上海人民出版社、江西教育出版社，2015 年，第 137 页。

③ 胡宗宪：《题为献恩忠以图安攘事疏》，陈子龙等辑：《明经世文编》卷二百六十六。

④ 宋烜：《明代浙江海防研究》，社会科学文献出版社，2013 年，第 333 页。

⑤ 《明世宗实录》卷四百三，上海书店，1982 年。

贼，与明廷对抗，这便形成了海盗与倭寇的合流。① 海盗之所以会与倭寇形成合流之势，不仅是因为有共同的利益，也是因为有共同的敌人。他们共同的敌人，则为明军。据《明史》记载："日本海贾往来自如，海上奸豪与之交通，法禁无所施，转为寇贼。"② 王直③由商而盗，由此而集海商首领与海盗首领于一身，最终成为啸聚海上的倭首。对此，《筹海图编》也有记录："许二、王直辈通番渡海，常防劫夺，募岛夷之骁悍而善战者，蓄于舟中。"④

倭寇的猖獗与海防的颓败直接相联系。由于嘉靖中期之后，沿海的防御体系颓坏，倭寇不间断的袭扰已经给沿海各地造成严重损害。明代初期，虽然沿海地区也曾不间断地受到倭寇袭扰，但是因为朱元璋重视海防并施行了严厉的海禁政策，加上海防卫所及巡海会哨制度都能起到作用，倭患尚且在可控范围之内。永乐年间，明代水军力量空前发展，郑和多次远下西洋便是海洋实力空前提升的极好明证。至于永乐十七年（1419）的望海埚大捷更基本肃清了沿海边患，确保明廷拥有较为安宁的东部海疆。但到了明代中期之后，由于承平已久，巡海会哨制度基本遭到废止，海防卫所也大量颓坏，甚至出现大量军士逃亡的现象，倭寇则抓住时机崛起，在东部沿海地区烧杀抢掠，无恶不作。倭患变得日益突出，严重危及海防安全，迫使执政者思考对策。在嘉靖、隆庆年间，明廷痛定思痛，大幅度整饬军务，加强海防建设，并适时发动大规模决战，这才彻底解决了长期困扰东部沿海的倭患问题。

———————————

① 上海中国航海博物馆编著：《新编中国海盗史》，中国大百科全书出版社，2014 年，第 146 页。

② 《明史》卷八十一《食货志五》。

③ 王直是南直隶歙县（今属安徽）人，一度称"徽王"。《明世宗实录》等书作"王直"，《明史》等书作"汪直"。

④ 郑若曾：《筹海图编》卷十一《经略一·叙寇原》。本书载于《中国兵书集成》编委会编：《中国兵书集成》第十五、十六册，解放军出版社、辽沈书社，1990 年。

二、海防力量的加强

纵观有明一代，海防几乎都因倭患而设。倭患严重与否，除了与明朝国运直接相联系之外，还与统治者对海防的重视程度直接相关，同时也与海防策略是否得力有着密切联系。

明朝建立之初就面临着倭寇的袭扰。当时朱元璋拥有强大的陆军和水军，足以抵御侵扰，但他并不将一切都寄望于武力。除积极建设海防之外，朱元璋也注意展开外交手段，与日本积极交涉，并在建国当年就派遣使者出使日本。只是他的努力一再失败，不得不转而推行海禁政策。与此同时，他也下令建立严密的防御体系，在沿海地区设立卫所，并建设与之配套的城寨、巡检司、烽堠关台等。据统计，洪武一朝在沿海各地（包括长江下游）共设立五十九卫八十九所，两百处左右的巡检司和九百处左右的烽堠。① 绵延不断、大小相间的军事设施，在沿海地区形成了一道严密的防线。与此同时，朱元璋下令加强水军建设，大力发展造船业。在明代，见诸文献的战船种类就有三十多种②，仅大型战船就有楼船、蒙冲、走舸、斗舰等许多种类。不仅如此，水军配置的武器，也是当时最为先进的兵器，既有大量的冷兵器，也有各种先进火器。火器之中，既有先进的管形火器，也有火箭、火砖等燃烧性火器和震天雷等爆炸性火器。由于统治者的重视，明代初期的沿海防卫体系较为完善，海防形势较为稳定。永乐年间，郑和成功地七下西洋，成为明代初期水军建设取得卓越成就的最好注脚。

永乐年间，朱棣还派出大量使者，与东南沿海诸国建立联系。从永乐三年（1405）至宣德八年（1433），三宝太监郑和率领强大的舟师先后七次远航西洋，书写了中国航海史上辉煌壮丽的一页。郑和曾长期跟随军队出战，富有军事才能，他率领的舟师则完全仿照军事组织编队，战舰先进，装备精良，队伍素质也高，故能出色

---

① 杨金森、范中义：《中国海防史》上册，海洋出版社，2005 年，第 91 页。

② 张铁牛、高晓星：《中国古代海军史》，八一出版社，1993 年，第 155 页。

地完成永乐皇帝所布置的远洋出使任务。宝船成为明廷和郑和船队的标志，威尼斯商人形容它们"就像大宅子一样"①。朱棣积极发展水军，重视海防建设，也收到了很好的回报。永乐十七年（1419），明军在望海堝大捷中，一举斩杀倭寇千余人，声威大震，抗倭形势就此得到改变，至少使得倭寇在很长时间之内都不敢再窥伺辽东。《明史》也记载了此次大捷所达成的效果："百余年间，海上无大侵。"② 遗憾的是，永乐年间发展海洋大国的这种积极态势并没有得到很好的延续，"并没有使中国摆脱中世纪走向近代，因而辉煌中充满了迷惘"③，明朝也自此失去了拥抱海洋的机会。由于政策失当，治术欠缺，倭患在嘉靖年间重新爆发，并在嘉靖三十年（1551）之后变得更加严重。面对日益严重的倭患，朝廷不得不及时调整兵力，筹集战船，加强海防力量，研究御倭措施。

为加强组织领导，朝廷任命朱纨为提督军务，负责浙、闽海防事务，结束了上述二省长期各自为战的松散状态。朱纨到任之后，按照朝廷的旨意，严格执行海禁制度，加强士兵训练，结合整顿里甲制度布置严密纠察，并且缉捕私通海盗的富商巨贾，试图以此来断绝倭寇在沿海和内地的内援。朱纨勇于任事，在他的努力下，倭寇不断袭扰的态势得到了有效遏制，但没想到不久之后他遭到群小陷害，并因此愤懑自杀。因为朝廷政策的左右摇摆，倭寇更加猖獗。在这种情况下，王忬于嘉靖三十一年（1552）提督军务，巡抚浙江，俞大猷、汤克宽受到王忬重用，因为朱纨案受到牵连的卢镗等人也得到重新任用。

为了提高指挥效率，在受到倭寇重点袭扰的东南沿海地区建立起统一的军政机构，明廷决定在浙江设立总兵、副总兵、参将等武职官员，就此推进兵制的改革。刘远、俞大猷、卢镗、戚继光、刘显、汤克宽等人，被任命为总兵或副总兵。嘉靖三十三年（1554），

---

① 《征服海洋：探险、战争、贸易的4000年航海史》，第48页。
② 《明史》卷九十一《兵志三》。
③ 樊树志：《明史讲稿》，中华书局，2012年，第218页。

张经被任命为总督，不久又改任右都御史兼兵部右侍郎。张经鉴于
卫所士兵普遍存在畏战情绪，决定调外地士兵前来东南沿海，并且
加强士卒的训练。虽说张经任职时间不长，次年即被逮捕下狱，但
他的有些做法得到了继任者的继承。胡宗宪在总督任上时间较长，
因此他的御倭方略得到了较好的贯彻执行。著名抗倭将领戚继光，
因为有胡宗宪的支持，得以自主招募兵员。戚继光主持军事训练，
不仅要求严格，而且非常得法，不仅强调练心、练胆，也强调练耳
目、练军阵，就此打造出令倭寇闻风丧胆的戚家军。戚继光率领这
支精锐之师从浙江打到福建，再从福建打到广东，为抗击倭寇做出
了重要贡献。

　　装备建设是抗击倭寇的必备保证，因此也需朝廷早定决心，早
做谋划。在抗倭的准备中，最重要的是战船，其次则是火器。在抵
御倭寇的过程中，坚船利炮当然是战胜倭寇的首选，明军对其格外
重视。与此同时，于冷兵器方面，明军也有创造发明，比如戚家军
所用之狼筅等。除此之外，明军还有学习日本的痕迹。① 到了明代，
日式兵器更受瞩目。周纬《中国兵器史稿》写道："明代倭患至烈，
中国兵器不能抵，于是乃参用日本式兵器。"② 其实，中国兵器并非
完全不能抵，先进的火器实则在抗倭战争中起到了更为重要的作用，
给予倭寇更多杀伤。因此，所"不能抵者"，应该是指近身搏斗的冷
兵器。日式战刀不仅形制独特，材质也有过人之处，受到瞩目并不
奇怪。因为倭寇肆虐，明军不仅下力气研究日本政治、地理，还对
日本军刀进行过专门研究。比如明代海洋地理著作《筹海图编》中，
除大量收录有关日本的基本情况——集中于《日本国论》《日本纪
略》《倭船》等篇，还另外辟有《倭刀》一篇，专门介绍日本军刀。

---

① 欧阳修曾留有诗作《日本刀歌》，诗云："昆夷道远不复通，世传切玉谁能
　　穷？宝刀近出日本国，越贾得之沧海东……"（施培毅选注：《欧阳修诗
　　选》，安徽人民出版社，1982 年）由此可见，宋代就已经对日本战刀留有
　　深刻印象。日本战刀不知何时已经锻造成为先进武器，锋芒渐露，就此漂
　　洋过海来到中国。
② 周纬：《中国兵器史稿》，中华书局，2018 年，第 272 页。

　　当时，明军所拥有的日式军刀的来源大概有三：第一，从倭寇手中夺取；第二，由日本制造输入；第三，明军模仿制作。据史料记载，日本不仅将军刀进献建文帝，还曾将金漆鞘大刀和黑漆鞘大刀等进献明成祖。此后，包括宣宗、英宗等在内，明朝皇室都得到此类馈赠。两国王室之间既然有如此交流，军队之中理应也有引进日式军刀。至于民间贸易，海上走私等，自然也不会轻易放过此等盈利良机，明代所拥有的日式军刀自然不会在少数。

　　由于明廷有意推动，日式军刀的仿造量非常大。当时明军步兵中，有一种叫砍兵，随身佩戴的长刀或腰刀，都是"先代所无"[1]，也能明显看出模仿日式砍刀的痕迹。当时明军所用长刀，有不少在形制上都保持着长长的弯月状，都明显受到日本影响。等到后来，军官所配之短刀也都完全采用日式。明代的兵书，如戚继光《纪效新书》，或茅元仪《武备志》，其中所绘长刀基本都已成弯月形制。[2]

　　明初造船业已经非常发达，水军不仅拥有大小战舰，而且性能非常优良。廖永忠率兵攻打明昇，不仅"水军皆以铁裹船头"，而且"置火器而前"[3]，水军不仅配置装甲，还配置了火器。但到了嘉靖中期，沿海各地的水军战船破损现象已经非常严重："浙、闽海防久隳，战船、哨船十存一二。"[4] 这显然无法满足战争需求。面对困境，朱纨等人只得大量征集和购买民用船只，经过一番简单改造之后便立即投往战场。为了提振士气和壮大军威，明军有时不得不花高价购买南海大船，充当军舰或旗舰。俞大猷和王忬等人主张出海作战，这无疑对战船的数量和质量有了更高的要求。明廷只得继续大量征调民船和兵夫，并开始建造大型战船和各种适合近海作战的舰船。所谓亡羊补牢为时未晚，明廷及时建造的这些舰船，很好地

———————————

[1]　《中国兵器史稿》，第 276 页。

[2]　有意思的是，明军将帅中始终有不少人保持佩剑的传统风气，但受到流行之风的影响，佩戴日式砍刀者，也不在少数。不知不觉之中，佩刀者竟然已经超过佩剑者。参见《中国兵器史稿》，第 279 页。

[3]　《明史》卷一百二十九《廖永忠传》。

[4]　《明史》卷二百五《朱纨传》。

构筑起满足攻防需求的舰船体系，对最终成功击败倭寇起到了关键作用。

嘉靖时期，明政府已经开始领教到西方火器的先进，并开始学习西方的佛郎机和鸟铳技术，对管形火器进行了较大幅度的改进，使其射程更远，威力更大，同时也改良了燃烧性火器和抛射性火器等使其作战性能得到大幅度提升。当时竹管藏火技术已问世，通过设计竹管来保护燃烧的火药引线不被风吹灭、不被水浇灭，这样便可以避免炸药较早被发现，同时也能有效保证炸药的质量，适当提升爆炸威力。

三、海防战略的制定

有明一代，倭患时起时伏，甚至在一段时间之内对边境安全构成了严重的威胁，但在朝野上下共同努力和顽强抗击之下，东南沿海的倭患最终得到了有效解决。在军事实力非常强劲的明朝初期，抗倭尚且不足以成为难事，取胜属于情理之中的事情。在国力和军力都已日趋衰退的明朝中晚期，抗倭能够取得完全成功，则显得非常难得。除构建海防体系和发展武器装备之外，明代海防战略构想及海战战法设计都有可取之处。海防战略思想在抗倭战争中逐渐得到完善，也反过来对抗倭战争起到指导作用。严重的倭患逼迫人们深入研究海防理论，探讨海战之法。嘉靖以后，很多军事理论家都开始深入探讨海防理论。据统计，在明代后期的百年间，专门论述海防地理、设施和方略的著述就多达 100 多种。[①] 其中以郑若曾《筹海图编》《海防图论》《江南经略》，以及邓钟《筹海重编》、王在晋《海防纂要》等最为著名。在经过多次论争并经战争实践检验之后，嘉靖年间明廷关于海防的战略思想已经渐趋完整，其要点有三：一是海陆并重，二是攻防结合，三是军民一体。

（一）海陆并重

---

① 秦天、霍小勇编著：《悠悠深蓝：中华海权史》，新华出版社，2013 年，第 86 页。

所谓海陆并重，其实是将决战海外及近海布防与海岸布防很好地结合在一起。明代立国之初，方鸣谦就曾建议将防御阵地拓展到海外："倭海上来，则海上御之耳。"① 方鸣谦此论受到了朱元璋的重视，此后汤和奉命在东南沿海建立卫所、构筑海上防线，但如果联系明廷此后大规模实施海禁等情况，可知海外御敌的思想在当时并没有得到完全贯彻。到了永乐年间，朱棣大力发展水师，派遣郑和远下西洋，并且适当解除海禁，所贯彻的恰是"海上御倭"的构想。明代中后期，尤其是嘉靖年间，随着倭寇袭扰力度的加大，到底是海上御敌，还是固守海岸，重新成为军事家们亟待研究的论题。

俞大猷积极主张在海上御敌，他说："倭贼之来必由海，海舟防之于海，其首务也。"② 胡宗宪也主张"制寇于海洋"，并且极力主张恢复"巡海会哨"制度。唐顺之指出："御贼上策，当截之海外。"③ 他们的这些主张得到了总督王忬的大力支持，并赢得兵部尚书杨博等一帮朝臣的高度认同。明廷此后大规模建造船只，大力加强水军建设，多少与这些前线御倭将领的诉求有关。经过一番努力之后，虽说并不能实现俞大猷所希望的"水兵常居十七"④ 的目标，却也在一定程度上改变了此前军备松弛、装备颓坏的局面，并奠定了御敌于海上和固守重要海口的基础。

以当时明军的水师实力，海上御敌其实存有不少困难，不仅是战船损毁严重，难以满足出海作战的要求，而且大多数官兵缺少航海经验，甚至根本没有海战经验，与一贯在风浪里出没的倭寇相比，确实不占优势。故此，谭纶、戚继光等人主张放弃海上御敌，干脆退守陆地。事实上，戚继光抗倭的主要战绩，有不少都发生在陆地，与他的方略保持一致。朱纨、张经等，则主张二者的统一，也即海

① 《明史》卷一百二十六《汤和传》。
② 俞大猷：《正气堂集》卷七《议水陆战备事宜》，厦门博物馆、集美图书馆，1991 年。
③ 《明史》卷二百五《唐顺之传》。
④ 《正气堂集》卷十六《恳乞天恩亟赐大举以靖大患以光中兴大业疏》。

陆一体，以陆防配合海防，建设立体式防御体系。朱纨指出："不革渡船则海道不可清，不严保甲则海防不可复。"① 基于这一理念，朱纨主张大量建造战船，并建立严密的保甲制度，使得海防与陆防很好地融为一体。如果短期之内战船无法满足海上作战的需求，则暂时以陆地布防为主，但也应积极建造大型舰船，逐步由近海再推进至远洋，最终实现出海决战。这样便可以既御敌于海洋，也固守于海岸，既坚守重要海港，又死守重要内河，实现彻底消灭倭患的目标。御海作战与固守陆防两种理论，其实也是特定时期的产物，都可在特定历史时期产生作用，因而很难断定孰是孰非。这种争论和分歧同样存在于现代海军理论，马汉曾专门讨论海岸设伏与海军战略的关系，认为海岸要塞"并非为了防御，而是为了进攻"②。考察明军抗倭历史，不难看出这个关系在当时已于战略层面有过深入讨论，相比马汉的《海军战略》毫不逊色。通过多个回合的争论，明军已注意将陆防和海防结合在一起，而非偏执于一端，海防战略理论也显得相对完整。

（二）攻守结合

所谓攻守结合，是强调进攻和防守的有机结合，既寓守于攻，也寓攻于守。无论是岸防，还是海防，都不可一味死守，而应抓住时机果断出击，积极主动地消灭敌人。

明代有关海禁的争论，其实质仍是攻守问题。就海防建设而言，长期实施海禁其实是一种相对保守的退守策略。明朝初期的海禁对海防曾起到了一定作用，但随着时间推移渐渐显出弊端。由于海禁阻断了明王朝与海洋的联系，明王朝失去了走向世界的机会，并逼迫沿海居民铤而走险，违禁下海，甚至大胆地接济倭寇。就抗倭而言，明军只能阻止倭寇靠近海岸，并不能消灭倭寇的有生力量，也因此而无法从根本上消除倭患。永乐年间，朝廷部分解除海禁，并

① 《明史》卷二百五《朱纨传》。
② ［美］艾·塞·马汉著，蔡鸿幹、田常吉译：《海军战略》，商务印书馆，1994 年，第 407 页。

且派出船队扬帆出海，在体现积极进取的开拓精神的同时，也很好地宣扬了军事实力，宣示了海洋主权。这种积极开放的态度，正好实现了以攻代守。这是水军实力得到极大张扬的时期，倭寇自然不足为患。到了明朝中后期，海禁同样与抗倭紧紧捆绑在一起，这也是看重其对于防守的意义。王忬、俞大猷等人极力主张"严海禁"，但遭到了谭纶等人的强烈反对。谭纶认为，只有解除海禁才可以收拢沿海居民的民心，消除倭寇在陆地的根据地，进而赢得抗倭主动权。也就是说，表面上的若干松动，反而会增强海防的伸缩性和张力，使得各种防守策略可以更好地贯彻下去。

现代海战理论强调攻与守的结合，马汉就将海战的军事力量分为"攻势力量"和"守势力量"，强调要区别场合使用。① 明代海防战略同样强调攻与守的结合，但这似乎是借鉴和发展了孙子的战争理论。郑若曾分析海防的攻守之道指出："攻之中有守，守之中有攻。攻而无守，则为无根；守而无攻，则为无干。"② 在这里，郑若曾以树木的根和干作为比喻，巧妙地论述了"攻"与"守"须臾不可分离的辩证关系。这些论述形象而又生动，得到了孙子的真传。郑若曾接着以守城为例继续进行讨论，指出守城存在的缺陷："一城之中，不下数万家，若定守之而不外攻，围困日久，食尽兵罢，寇虽不攻而我亦自溃矣。"③ 就守城而言，即便是城墙非常坚固，足以确保不被攻破，也应适当发起反攻。毕竟城中粮草有限，如果一味死守，全面放弃进攻，迟早会迎来溃败的一天。因此，正确的防守之术是在强调固守的同时，不忘适时组织反击。即便兵力明显处于劣势，也要派出精锐之师对敌实施袭扰，使其无法专心攻城，进而寻找突破和反击的良机。明代著名的抗倭战例，诸如剿灭徐海、擒拿汪直、舟山大捷和台州大捷等，都因为很好地处理了攻守关系而取得胜利。明军只有先做好防守，再抓住时机组织反击，并果断地

---

① 《海军战略》，第 127 页。
② 《筹海图编》卷十二《经略二·严城守》。
③ 《筹海图编》卷十二《经略二·严城守》。

与倭寇展开海上决战、岛礁决战，才能够更好地发挥出明军在战船和兵力上的优势，找到消灭敌军的机会；只有将攻守问题解决好，坚决果断地发起进攻战，才能消灭倭寇的有生力量，并彻底消除倭患。

（三）聚揽民心

所谓军民协同，是指军队和民众密切协同，联合完成抗击倭寇的任务。孙子认为影响战略决策的重要因素一共有五个：道、天、地、将、法，合称为"五事"①。这"五事"中，"道"位列第一。"道"强调的是政治清明和赢得民心的重要性，这是孙子战略思想的重要内容。明代海防起初并未关注"道"的因素，因而屡遭失败。后期则吸取教训，强调军民协同和聚揽民心，才在抗倭战争中赢得转机。

明中期以后，政治愈加腐败，军备日益废弛，尤其是长期的海禁，更是引发了沿海居民对政府的强烈不满。大量沿海居民迫于生计，纷纷依附倭寇。这也是明朝中晚期倭患愈演愈烈的重要原因。郑若曾在分析倭寇成分时指出："今之海寇，动计数万，皆托言倭奴，而其实出于日本者不下数千，其余则皆中国之赤子无赖者入而附之耳。"② 由此可见，在政治晦暗的时期，政府因失"道"而成为孤家寡人，民众不仅不支持政府的号召，反而逐步走到其对立面，教训可谓深刻。要想改变这种不利形势，使用有效的政治手段和经济手段抚慰民众与收揽民心，便显得非常迫切。此后，明廷开始减免赋税，力争使得百姓能够安居乐业，而不用依附于倭寇求生。海禁政策虽仍在延续，但是渔民在近海捕鱼则不完全被禁止。此外，明廷还加大了惩处贪官污吏的力度，选用良吏，体察民情，笼络民心。总之，政府花了很多力气"示宽大，布恩信，问疾苦，时拊循"③，致力于改变政府形象，最大程度抚慰民众，至少不会再逼迫

---

① 《孙子兵法·计篇》。
② 《筹海图编》卷十一《经略一·叙寇原》。
③ 《明世宗实录》卷四百十三。

沿海居民转而加入倭寇队伍。为了赢得民心和缓解矛盾，政府规定对于那些已经加入倭寇的民众，如能及时归降则一律既往不咎，从而也对倭寇形成了分化和瓦解。

在抗击倭寇的关键时刻，明政府非常注意利用倭寇造成的危害，号召沿海居民团结起来保家卫国。他们将沿海地区的民众组织在一起，加强训练，与官军协同配合。当时，针对沿海卫所军队战斗力较弱的情况，政府一面征调客兵，特别是来自广西的狼兵和湖广的土家兵，一面则是在沿海地区大量招募乡勇，调动他们的积极性，号召他们组成乡兵，力争各保其乡。戚继光和俞大猷意识到卫所之兵缺乏战斗力，客兵战斗力强却难以驾驭，于是大量招募当地民众，组建成戚家军和俞家军。戚继光说："堂堂全浙，岂无材勇？诚得浙士三千，亲行训练，比及三年，足堪御敌。"① 当他提出这一想法时，身边不少人都无法理解，甚至会对此进行嘲讽。但事实证明，戚继光的眼光非常独到，他的这些主张也慢慢地为上司和同僚所接受。沿海居民在经过严格的训练之后，在抗倭战争中发挥了积极作用。嘉靖以后，募兵制越来越受重视，成为世军制的重要补充，这与戚继光等人募兵抗倭的成功实践不无关系。

大量征调民船也是抗倭的保证，征调之所以能够顺利展开，也是因为依靠政策手段和广泛发动民众，赢得了民众的鼎力支持。当时明军所拥有的战船大多年久失修，损毁严重，短期之内又来不及建造新的战船，因此只得大量征调民船，如果无法得到渔民支持，一切便成为空谈。由于出台了切实可行的政策，有些渔民愿意根据政府的折价将渔船献给明军作抗倭之用，有些渔民还主动充当兵夫，发挥他们熟悉近海地形和天候的优势，尽其所能地协助明军。

四、海战战术的发展

明代抗倭战争，既有陆地作战，也有海洋作战。对于陆地作战之术，国人并不陌生，春秋末期已有《孙子兵法》这一详论陆地战

---

① 戚祚国：《戚少保年谱耆编》卷一，清道光刻本。

术的著作诞生。但是海洋作战，祖先未传其法，需要在实战中加以总结。明代之前曾积累不少水师作战经验，但这些经验仍与海战存有较大差别。随着抗倭战争的发展和深入，明军有关海战的战术不断得到丰富和发展，其中部分内容可与陆战战术及内陆湖泊作战之术相通，部分内容则体现着鲜明的海战特色。

（一）重视情报工作，建立较为严密的海防情报体系

关于情报与战争的关系，孙子有句名言："知彼知己，胜乃不殆；知天知地，胜乃不穷。"① 陆地作战需要重视情报，海战同样如此，也应充分掌握敌情，认真分析和研判敌我双方的力量对比。也就是说，孙子的名言对于海战而言同样适用。在海战中，指挥员除了要对敌情、我情进行分析和比较之外，还要充分掌握天候、地形等与战争有关的各类情报。与陆战不同，海战有关"地"的内涵会发生一些变化，主要是指有关海洋的基本情况，如潮汐、水深及水流走向等水文情报。

《筹海图编》论海防情报，既强调战略层面，也重视战术层面，达到了新的高度。郑若曾指出："不按图籍不可以知厄塞，不审形势不可以施经略"②，主张海防设置必须"因地定策"，因此格外重视海防地理情报。围绕这一点，郑若曾采用"图以志形胜，编以记经略"的体例，详细记载中日两国有关情况，申述海防战略思想。全书共绘图 174 幅，其中明代沿海地形和郡县图 112 幅，战船、兵器图 59 幅，日本国图 2 幅，倭寇入侵图 1 幅，不仅保存了许多极具价值的地理资料，而且标志着军事地理已成为海防情报搜集的重要内容。

谭纶、俞大猷、胡宗宪等都充分意识到海防情报的重要性。胡宗宪主持抗倭时，一直非常注意加强舰船的巡逻力度，提升海防警戒水平，同时注意搜集海洋情报，注意使用熟悉海情的乡兵驾驶舟船，担任向导。内阁首辅张居正同样十分重视海防情报，亲自参与

---

① 《孙子兵法·地形篇》。

② 《筹海图编·凡例》。

重要情报的分析和研判，命戚继光等人必须高度重视探听倭情，并要求他"凡机密重务，许以不时奏闻"①。在这一指导思想之下，各地都建立了严密的巡哨制度，多层设防，并连接成线。对于担任巡哨任务的情报人员也有严格的选拔标准：一是熟悉敌情，知晓当地情况；二是能说一口流利的外语；三是熟识敌方人员，会交朋友。

对于研判海上敌情，明军也总结了一些方法。其中最著名的莫过于戚继光的"海上相敌二十法"②。这些相敌之法，并非对孙子三十余种"相敌之法"③的简单模仿，而是从实战中总结出来的经验之谈，对于冷兵器时代海上敌情研判具有很强的指导作用。这些相敌之法充分总结了倭寇海上战斗的行动规律，其中同样蕴涵着"去粗取精、去伪存真、由此及彼、由表及里"的情报分析方法，是我国古典情报理论的宝贵遗产，甚至对当今打击海盗和保障海上战略交通要道畅通的情报工作等，都有一定启示意义。

倭寇其实也非常注意情报工作，而且行动隐蔽，行踪难定。他们熟悉天气潮汐情况，能够做到随机应变，而且非常善于化装，巧行欺骗之术，加之又有不少奸细担任其内应，导致明朝官兵难以设防。在这种情况下，反情报工作显得尤为重要。为做好防奸保密工作，戚继光等人曾亲自制定《伏路条约》，命令三军共同遵守。当发现敌情时，伏路军官必须火速报告并迅速处置。明军的海防情报体系在抗倭军事行动中逐渐得到完善，也对抗倭起到了积极作用。

（二）战术设计充分结合装备和地形

倭寇在东部沿海地区虽然为祸甚烈，令百姓损失惨重，使官府不堪其扰，但是当明军上下真正引起重视，下定决心与其进行决战，取胜也并非难事。由于明军在舰船吨位和火器性能上都能超过倭寇，自然会在海上交战中占据上风。换句话说，正因为是在海上作战，

① 张居正：《张太岳集》卷三十《答蓟镇总兵戚南塘计边事》，上海古籍出版社，1984年。
② 《纪效新书》（十八卷本）卷十八《治水兵篇》。
③ 具体内容详见《孙子兵法·行军篇》。

战舰和火器的优势才能得到发挥。孙子说："地形者，兵之助也。"①明军与倭寇交战的战术设计既需结合装备，更要围绕地形。只有当战术与地形得到充分结合，明军的优势地位才会更加凸显。

在摸清倭寇底细之后，明军一面加强重要位置的防守，一面抓住时机主动发起进攻。明军战船吨位较大，吃水也深，对于作战环境和海洋地形有着特殊要求，需要将帅对航道和水文情况多做深入了解，并对作战地点进行认真选择。在海面战船形成对抗之时，明军所贯彻的战法主要有两种：一是当我方船只比对方船只大时，就使用战船直接冲向对手，将对方船只撞沉；二是当我方船只比对方船只小时，需要形成数量优势，包围对手，并尽量利用先进的火器袭击对方。俞大猷对这种战法进行过简单总结："盖海上之战无他术。大船胜小船，大铳胜小铳，多船胜寡船，多铳胜寡铳而已。"②

明军利用火器优势，积极展开进攻。戚继光说："水战，火为第一。"③ 这里所说的"火"，既可以指火器，也可以指以火器发起火攻。与倭寇海上对峙时，明军注意利用火器击毁对方船只，毙伤敌方人员。当双方战船距离较远时，使用火器压制对方，令敌不敢轻易将身体暴露在甲板之上。这时明军就可以趁机抵近，组织士兵攀缘敌船，再结合冷兵器袭击对手。由于战船和火器拥有明显优势，明军有意在海上或岛屿之间寻找决战时机。海上决战，除了能发挥自身优势之外，多少也借鉴了孙子的"死地"作战理论。孙子认为，"投之亡地然后存，陷之死地然后生"④。士卒一旦没有退路，就会迸发出惊人的战斗力。四面都是茫茫大海，双方都处于毫无退路的"死地"，只能拼死作战。此时明军在兵员数量上占据优势，武器性能又胜敌一筹，对提升军队的士气很有帮助。

沿海明军的军种是水军和陆军，军种之间的合同战术自然非常重要。如果是在海岸作战，陆军主要担负冲击任务，水军则在沿海

---

① 《孙子兵法·地形篇》。
② 《正气堂集》卷五《议以福建楼船击倭》。
③ 《纪效新书》（十四卷本）卷十二《舟师篇》。
④ 《孙子兵法·九地篇》。

布置防御，打击逃窜之敌。如果是在海上作战，水军主要担负冲击敌阵的任务，陆军则在海岸布置防御阵地，阻击逃窜陆地的倭寇。在舟山大捷和台州大捷等几场著名战役中，明军都是充分利用水、陆两个军种的密切配合，将倭寇击退。嘉靖四十年（1561）的台州之战中，戚继光率军在长沙（当地地名）阻击倭寇。他用陆军组成一头两翼的冲锋部队，将陆地倭寇击溃，同时又组织水军打击海上倭寇船队，就此实现全歼倭寇的目标。

无论是海面作战，还是陆地作战，明军都非常注意加强阵法研究。戚继光的"鸳鸯阵"和俞大猷的"三叠势"，都是其中较为著名者。在"鸳鸯阵"的设计中，位列最前的是队长，后排则是二人手执长牌和藤牌掩护，再后排则是士兵手持狼筅和长短兵器，利用各种长短兵器杀伤敌人，掩护队伍向前。"鸳鸯阵"的设计理念，是尽量求得矛与盾、长与短等各种兵器的密切配合，在充分发挥各种兵器效能的同时，也有效地将士卒捏合在一起，使之成为更加牢固的整体，能够像鸳鸯那样生死相依。这种阵法在强调队伍整体性的同时，也能充分发挥各种兵器的优长，并能根据不同地形及时地进行调整变化（可变换成"两仪阵"或"三才阵"等），从而实现兵器和士卒的完美结合，进则可击敌，退则可自保。在台州大捷中，戚继光就曾使用"鸳鸯阵"①成功挫败倭寇，使得戚家军从此声威大震，也令这一阵法渐为人们所熟知。

（三）重视练兵，尤其重视练胆气

明朝中后期，随着海防体系的逐渐颓坏，明军已经无法有效抵御倭寇。虽然有时军队数量占据优势，却仍然屡遭败绩，这其实是因为部队缺乏训练，战斗力衰弱。军队缺少战斗力，遇到倭寇便会心生胆怯，甚至拒不出战。在这种恐惧心理的支配下，求胜自然成为一种奢谈。张居正、俞大猷等人意识到问题的严重性，认为加强训练，提高军队战斗力已经刻不容缓。针对当时军备废弛的现状，

---

① 《明史》卷九十一《兵志三》。

张居正奏请穆宗行大阅之礼，以"整饬戎务，振扬威武"①。俞大猷曾撰写《广西选锋兵操法》，对训练士卒颇有心得。他长期与倭寇交战，亲眼看到卫所之兵战斗力较差，便另外招募士兵组建水师，并严格加强训练。为了让士卒学好武术和剑术，他甚至亲自向少林寺僧人学习。郑若曾《筹海图编》则重视从选材上着眼，主张将那些"乡野老实之人"和"艺高胆大之人"选到抗倭队伍中来，教给他们杀敌本领。② 当明军纪律松弛、训练颓坏之时，倭寇占有战场优势，但在面对训练有素的明军时，倭寇便经常处于下风。明军因为充分结合实战加强训练，并及时补充新鲜血液，逐渐改变了羸弱不堪的局面，由此取得抗倭的胜利。

　　针对军队普遍怯战的状况，俞大猷、戚继光等人尤其注意在训练中培养士卒的胆气。戚继光认为，战斗胜负在很大程度上取决于部队的士气高低，因此在平时训练中一直将练胆气视为练兵的根本："练胆气乃练之本也。"③ 为帮助士兵练好胆气，戚继光非常注重向士兵宣传忠义之理，教育士兵"爱民守土"，逐渐树立与倭寇拼死奋战的决心。戚继光认为，"恩爱蓄于平时，奋气发于临用"④，由此而在"恩爱"和"奋气"之间建立逻辑关系，因此在平时非常注意通过言传身教的方式教育士兵，以赤诚之心来感召士兵，教育他们刻苦训练，激励他们奋勇杀敌。

　　俞大猷等人主张的"练胆"，又与戚继光有所不同，主张将训练士兵掌握杀敌本领放在第一位，给士兵在战场杀敌以更充足的底气。俞大猷指出，"胆壮则兵强也"，但壮胆也有技巧："练胆必先教技，技精则胆壮。"⑤ 应该承认这一论断很有道理，掌握实战技能的士兵多了生存的本领，自然会在战场上更加自信，更有胆气。何良臣的

---

① 《张太岳集》卷三十六《再乞酌议大阅典礼以明治体疏》。
② 《筹海图编》卷十一《经略一·选士卒》。
③ 《纪效新书》（十四卷本）卷十一《胆气篇》。
④ 《纪效新书》（十四卷本）卷十一《胆气篇》。
⑤ 《正气堂集》卷十一《大同镇兵车操法》。

见解与俞大猷非常相似，认为"武艺为胆气之元臣"①，同样主张从练习武艺和技艺入手提高士兵的自信心。与戚继光相比，他们在方法和手段上有所不同，但目标非常一致，都是设法提升士兵的精神力量，寻求人与武器的最佳组合。

五、海防建设得失探讨

迫于倭寇连连进逼的形势，明廷大力发展水军，建设海防，并积极研究海防战略战术，这无疑极大丰富了我国古典兵学思想的宝库，对此后的兵学发展也具有借鉴意义。

第一，海防体系建设，无论何时都不容忽视，须臾不可松懈。明朝初期，由于建立了较为严密的海防体系，再配合以严厉的海禁政策，辅之以实力强劲的水师，故能成功抵御倭寇的袭扰。但是，面对大好局面，明廷不仅没有及时确立"走向海洋的大战略"②，反而推行消极的海防战略，于是就此走向衰落。到了明代中后期，尤其是嘉靖后期，海防体系几近崩溃，士卒久疏战阵，作战武器严重缺乏，战船大多颓坏难用，倭患遂成尾大不掉之势。在惨痛的教训面前，朝廷终于意识到原有海防体系已不足敷用，故而及时改革兵制，大胆弃用卫所旧有兵将，抽调富有战斗力的新军组成新的防卫体系。虽说经过一番艰苦努力之后，倭患最终得到解除，但举国上下为此付出了惨痛代价，其中教训非常深刻。

第二，海禁政策不仅不是躲避外患的最佳良策，甚至会因为影响沿海居民的生活生计而激化社会矛盾，成为抗倭的掣肘。明代长期推行海禁政策，虽然朝野上下对于海禁一直存有争论，但是政府不愿做出反悔之举。部分有识之士逐渐意识到，海禁政策至少应随着形势变化而做适当调整。遗憾的是，这种意见只在极少数情况下受到重视，更多是遭到无视。这一局面在朱纨死后变得更加严重：

---

① 《阵纪》卷一《教练》。
② 杨金森：《海洋强国兴衰史略》（第二版），海洋出版社，2014年，第318页。

"自纨死，罢巡视大臣不设，中外摇手不敢言海禁事。"① 由于长期推行海禁政策，明军一味强调防守，不仅将沿海岛屿拱手让给倭寇，也给了倭寇从容发展、继续坐大的良机。沿海居民的生存权利受到严重影响，与官府的矛盾日趋激化，就此将抗倭的主要辅助力量拱手推给对手。到了嘉靖后期，为收买民心，也为抗倭需要，明廷开始策略性地部分解除海禁。事实证明，此举在赢得民心的同时，并未对海防体系造成实质性伤害。

第三，讨论或争论虽说是一种必要，但过于烦琐地纠缠也会错失良机。明代中后期关于海防的讨论规模大，范围广，既有战略层面，也有战术层面，既有政策层面，也有制度层面，由此而推动海防战略思想和战术思想的日益完备，其中很多讨论至今仍不乏启示意义。但这期间也出现了不少无谓的争论，有的争论纯属各利益集团之间的纠葛，有的争论则受到晦暗不明的政治斗争影响，有的争论则是朝廷决策层的犹豫不决所致。无谓的争论一旦多起来，不仅会耽误抗倭行动的发起时机，也会给倭寇发展势力提供机会。倭寇一旦从朝廷的摇摆不定中发现有机可乘，便会对沿海居民发起更加凶狠的劫掠。沿海居民接济倭寇的行为，也会因为这种摇摆而变得更加枝蔓难图。部分抗倭主将，如朱纨、张经等皆受政治斗争牵连而丢掉性命，更对抗倭产生致命影响。朱纨死后不久，"未几，海寇大作，毒东南者十余年"②。在张经死后，"代经者应城周珫、衡水杨宜，节制不行，狼土兵肆焚掠"③，都是由这种内耗造成。

第四，加强装备建设始终是增强军队战斗力的基本保证，但也必须围绕装备和地形设计合理的战术，这才能使得先进装备真正成为战胜倭寇的利器。明朝至永乐年间，远洋战船的修建水平已经非常之高，但是随着闭关自守政策的长期推行，明朝海洋大国的地位就此丢失，甚至已经无法为水军配置必备的战船。在与倭寇的交战

① 《明史》卷二百五《朱纨传》。
② 《明史》卷二百五《朱纨传》。
③ 《明史》卷二百五《张经传》。

过程中，明军发现坚船利炮仍然是战胜倭寇的不二法宝，因此格外加以重视。明军的努力并未止步于此，而是围绕战船和火器设计战术与阵型。明代的抗倭实践证明，只有装备建设和战术设计协同推进，才能最大程度发挥武器装备的性能，否则装备便沦为摆设。

第二节　戚继光的兵学思想

明代中后期，倭寇的袭扰和严重的边患，逼迫政治家和军事家们深入研究对策，关注和探讨军事问题，戚继光就是这期间诞生的杰出军事家。他曾精心研习《孙子兵法》等古代兵典，并将其与自己长期的抗倭实践结合起来，对古典兵学思想既有继承也有发展。比如"算定战"和攻守之道等，明显受到古典兵学的深刻影响，在治军方面则对传统兵学有所突破和发展。从戚继光的兵学理论中，也可明显看出明代兵学趋于实用的特征。戚继光对传统兵学的贡献，则更多集中于战术方面。

一、家世：对传统兵学的长期浸淫

戚继光（1528—1588），字元敬，号南塘，晚号孟诸，山东登州（今山东蓬莱）人。《明史》评价戚继光"在南方战功特盛"①，对他在抗击倭寇过程中所取得的佳绩给予了充分肯定。戚继光也曾长期守御北疆，同样卓有贡献，使得"边备修饬，蓟门宴然"②。一生戎马倥偬的戚继光始终不忘研读兵学理论，并对自己的军旅生涯及时进行总结，所撰《纪效新书》《练兵实纪》等军事著作影响深远，以至于"谈兵者遵用焉"③。《纪效新书》通行本为18卷本，系戚继

---

① 《明史》卷二百十二《戚继光传》。
② 《明史》卷二百十二《戚继光传》。
③ 《明史》卷二百十二《戚继光传》。

光于嘉靖三十九年（1560）前后在浙江任参将时所作。此外还有 14 卷本，系万历十二年（1584）在广东任总兵时在前书的基础上删改而成。从思想内容来看，《练兵实纪》可视为《纪效新书》的姊妹篇，因为它们都是将军事训练作为最重要的论题，重点讨论的是抗击倭寇的治军之术和训练之术，对阵法训练也有所探讨，此外还结合火器探研实战之法。

戚继光系统而深刻的兵学思想，与他出身于兵学世家、自幼受到良好的熏陶不无关系，更与他长期研读兵典、善于学习和借鉴传统兵学密不可分，同时也是他善于总结战争，不断从战争中学习战争的结果。戚继光出身将门之家，其祖辈负责山东的防卫，并世袭军职。父亲戚景通曾担任登州卫指挥佥事、都指挥，也曾在北京担任过专习火器的神机营副将。戚景通不仅热爱习武，而且熟读兵书，潜心钻研军事理论，颇有心得，自然会对戚继光产生重要影响。山东总兵沈有容称赞戚继光"世胄起家，得读父书，所谓将门出将，故师出以律"①，充分肯定了戚继光的家学渊源。

从戚继光的著作中可以看出，他平时非常注意加强对古代兵典的学习。不仅是自己学习，而且要求部下学习。在他看来，古来论兵都以孙、吴为宗，当然，他尊奉兵典，也强调学习过程中应重在"师其意"，而且做到"不泥其迹"。②他曾从《武经七书》中寻章摘句，结集成册，将其作为教科书，与部下共同探讨。古代兵典中，他对《孙子兵法》尤为熟悉和重视。在奏疏、信件中，戚继光曾多次引用孙子的经典名言。从《止止堂集·愚愚稿上》可以看出，他曾对《孙子兵法·计篇》进行过详细注解，也对《唐太宗李卫公问对》等其他兵书有过深入探讨。

在戚继光的时代，明朝正逐步走向没落，内忧外患渐显。相对而言，边患比内忧更加严重。东南沿海是倭寇袭扰，北部边境则是

① 《戚少保年谱耆编·序》。
② 戚继光：《练兵实纪》卷九《练将·习兵法》，《中国兵书集成》编委会编：《中国兵书集成》第十九册，解放军出版社、辽沈书社，1994 年。

蒙古人进逼，国家安全受到严重威胁。家国遭遇不幸，却正好给了一代名将戚继光施展才华和抱负的舞台。在长期转战南北的军旅生涯中，他非常注意及时总结经验教训，及时调整战略战术，改进治军方法，改善武器装备。与此同时，戚继光也非常注意学习当时优秀军事家如谭纶、俞大猷、胡宗宪等人的军事思想，对内阁首辅张居正的政略思想也有所借鉴。俞大猷有关水军建设的思想及多兵种协同的战术思想等，对戚继光启发尤多。正是因为这种兼容并蓄，戚继光的兵学思想才显得气象万千，既体现出传统兵学的特点，又体现出鲜明的时代特征。

二、对《孙子兵法》等兵典的继承

因为有长期学习古代兵学经典的背景，戚继光对于以《孙子兵法》为代表的传统兵学，在各个方面都有所继承。相对而言，从战略战术等就战略筹划和攻守战术等方面继承更多。

（一）对孙子"庙算"的继承：算定战

孙子的"庙算"，堪称古代战略分析的经典范式，得到中国古代众多军事家的继承。戚继光也不例外。只不过他所使用的词语发生了变化，改成了"算定战"。戚继光在给部下讲授军事理论课时，提出了"算定战"的主张，并与舍命战、糊涂战进行了比较："夫大战之道有三：有算定战，有舍命战，有糊涂战。何谓算定战？得算多得算少是也。何谓舍命战？但云我破着一腔血报朝廷，贼来只是向前便了，却将行伍等项，平日通不知整饬是也。何谓糊涂战？不知彼不知己是也。"① 在这里，戚继光运用非常通俗易懂的语言，将战争决策类型分为"算定战""舍命战""糊涂战"三种。这三者之中，他不仅反对仅凭热情和勇敢与敌人进行硬拼式的"舍命战"，更反对"不知彼不知己"的"糊涂战"，只提倡在充分掌握情报，并经过周密分析和筹划之后的"算定战"。戚继光主张"算定而战"，并且要求"件件算个全胜"："须是未战以前，件件算个全胜，使他

---

① 《练兵实纪·杂集》卷四《登坛口授》。

寸刃不得伤我，一交手便讨他些便益，乃为用众之道。"① 可见戚继光所主张的"算定战"，要求在未战之前将影响战争胜负的重要因素和关于敌我双方的重要情况都调查清楚，由此知道己方"得算多少"，是否能达到"全胜"的战略目标，然后再决定战或不战。

如果与孙子的"庙算"理论进行对比，就不难看出戚继光"算定战"的理论源头。与孙子的"庙算"非常相似，戚继光同样要求战前对敌我双方的实力进行综合比较，对敌情有充分把握，在此基础上再继续详细"谋算"，分析彼此实力，计算出"得算多少"，从而判断能否作战。这些理论其实是对孙子"庙算"② 理论的继承和发扬。依照孙子的"庙算"理论，凡遇战事，都要首先经过庙堂之上的集体分析研判，而且由高层决策人士展开，根据己方所得算筹多少进行战略决策，只有当手中握有充足的获胜筹码，才能发起战争。所以，戚继光的"算定战"明显是本于孙子，以"算定"二字替换孙子的"庙算"，这可能是因为时势变迁，也可能是语言表达需要，为了使部下更明白。范中义指出："戚继光不仅仅把'庙算'作为判断未来战争胜负的一种手段，而更重要的是把它作为谋划战争胜负的一种手段。通过'庙算'知道自己哪些方面还没有对敌占有绝对优势，从而尽力改变自己的薄弱之处，直至对敌占有绝对优势，达到对敌作战时能获全胜"。③ 如果说孙子"庙算"理论是科学可行的战略研判、战略决策理论的话，戚继光不仅在内容上对其进行了拓展，也将有关理论运用到战争实践中去，证明了孙子的"庙算"理论对于战争实践具有很好的指导意义。

（二）注重"大战之术"的攻守之策

进攻与防守，始终是战争的基本形式。故此，《孙子兵法》等兵学经典，对攻守之道都有很多论述。

从戚继光的论著中，可以看出他同样非常重视攻守之策。戚继

---

① 《练兵实纪·杂集》卷四《登坛口授》。
② 详见《孙子兵法·计篇》。
③ 范中义：《戚继光传》，中华书局，2003 年，第 494 页。

光强调"攻守结合"和"攻守适宜",也就是该攻则攻,当守则守。戚继光的"大战之术",明显更强调进攻。他指出,一旦发现有利战机,就要迅速集中兵力,果断地打击和消灭敌人,这便是他所说的"大战之术"。戚继光还对此有更为具体的论述:"大战之术,只是万人一心,数万人共为一死夫,务使胡虏大创。彼一败后,便有十数年安,十数年生养受用,日后我们军士皆过太平日子。"① 由此可见,戚继光所说"大战之术",其实是战略决战和战略进攻。在他看来,通过适时组织发起这种"大战",就可以使得敌人"一战而心寒胆裂"②,可以收长久之功。

在戚继光看来,所谓御戎之策都会归结于攻与守。如果发起进攻,就一定要做到战而胜之,如果决意防守,就一定要守得固若金汤。无论是进攻,还是防守,都可以夺取战争主动权。戚继光指出:"兵法:'攻是守之机,守是攻之策。'自古防寇,未有专言战而不言守者,亦未有专言守而不言战者,二事难以偏举。"③ 从上述这段话可以看出,戚继光强调的是攻守并重,明确反对"偏举",但其用意是呼吁加强防守战术的研究。这其实是针对当时明朝面临外寇大肆掠夺的现状而提出,非常具有针对性。戚继光非常清楚当时边务弛懈的情况,他说:"当承平久,外寇以掠为务而弗力攻,故多讲战,腹里尤绝不言守,卒然有变,何以应之?"④ 当时,无论是北边的蒙古,还是南边的倭寇,有不少袭击都是深入腹地,大肆抢掠一番便撤走。在这种来去匆匆、飘忽不定的袭击面前,扎实有效的防守显得更为重要。如果疏于防范,不做好防备措施,就只能坐等敌寇侵犯。戚继光论防守,非常看重依靠山川之险和修筑炮台,认为"恃险固守"既可以事半功倍地御敌,也可以在防守中找到反攻机会,打击来犯之敌。

---

① 《练兵实纪·杂集》卷四《登坛口授》。
② 《戚少保年谱耆编》卷七。
③ 《纪效新书》(十四卷本)卷十三《守哨篇》。
④ 《纪效新书》(十四卷本)卷十三《守哨篇》。

（三）结合众寡之用的奇正之术

至于围绕攻守衍生的重要范畴——奇正，戚继光对于传统继承更多。

"奇正"是中国古典兵学的一对重要范畴，包括孙子在内的很多古代兵家都对其有深入的研究和论述。一般认为，"正"是指常规的战法，"奇"是指非常规的战法。在战争之前，分别"奇正"，确定用兵谋略和进攻方向，是进行战略决策的一个重要内容，所以《管子·幼官》中说"定依（正）奇胜"，意思是说在战前能正确地确定正奇战法的就会在战争中取得胜利。

在历代军事理论家的努力下，"奇正"理论的内涵不断丰富，甚至有超越军事领域之势。比如，正面进攻为正，侧翼偷袭为奇；正常守备为正，机动偷袭为奇；先发为正，后发为奇；主力为正，替补为奇；等等。

与前人相比，戚继光对于奇正的论述创新无多，并未超出传统范畴。戚继光说："用兵之法，不过众与寡。众寡之用，不过奇与正。众则正用，寡则奇用，固定法也。然成列而鼓，用正之经也，将废奇可欤？出其不意，用奇之权也，将废正可欤？"① 在戚继光看来，两军交战，就兵力运用而言，不过是众寡之用，而众寡和奇正相伴相生。结合众寡谈奇正，其实是奇正之术的一种。所以戚继光的奇正理论，是从传统中来，逃不出孙子的藩篱。戚继光认为，运用奇正之术一定不能拘泥，应根据战场的实际情形灵活展开，往往既需要使用正兵，也需要同时使用奇兵，将二者很好地结合起来。这些理论多从《唐太宗李卫公问对》中化出。在《唐太宗李卫公问对》中，作者指出："凡将正而无奇，则守将也；奇而无正，则斗将也；奇正皆得，国之辅也。"② 如果与该书有关论述进行对比，可以立即找到戚继光所论奇正之术的理论源头。实际用兵中，戚继光主

---

① 戚继光撰，王熹校释：《止止堂集·〈愚愚稿〉上·策问》，中华书局，2001 年。
② 《唐太宗李卫公问对》卷上。

张"正兵见奇兵"①，这既受到孙子"奇正相生"之术的启示，也是对《唐太宗李卫公问对》等古代兵典的忠实继承。《唐太宗李卫公问对》中说"善用兵者，无不正，无不奇"②，又说"以奇为正，以正为奇，变化莫测"③，这些论述将奇正理论发展到极致，也对戚继光有所启发。

因此，戚继光的奇正之术，整体内容仍是对传统兵学的忠实继承。虽说戚继光善于灵活用兵，善于将奇正相生的理论运用到战争实践中，但他却较少有创见，更多沿袭《孙子兵法》《唐太宗李卫公问对》等兵典。

三、《纪效新书》《练兵实纪》的兵学创新

戚继光在学习和继承传统兵学之外，也结合自己的军事斗争实践有所创新和发展。尤其是包括"练将"在内的治军理论，结合火器而设计的战术思想等，都值得我们关注。这些内容主要集中于《纪效新书》和《练兵实纪》，此外也散见于若干奏议。对于《纪效新书》的"新"字，即"所以明其出于法而不泥于法，合时措之宜也"④。从中可以看出戚继光锐意创新的写作主旨。

（一）战略思想

如前所述，戚继光对于孙子的"庙算"理论有着较为忠实的继承，但也有若干拓展。比如对实施"庙算"的时机和地点等，他提出了自己独到的见解："尝闻'未战而庙算胜者，得算多也'。夫所谓庙算胜者，非必庙堂之算，盖凡未出军之前，预筹于辕门者，皆算也。亦尝聚将士群坐而筹之曰：'今日与众人共计，即是庙算。'"⑤ 在戚继光看来，对于"庙算"切不可拘泥地去理解，不能

---

① 《纪效新书》（十四卷本）卷七《营阵篇》。
② 《唐太宗李卫公问对》卷上。
③ 《唐太宗李卫公问对》卷上。
④ 《戚少保年谱耆编》卷一。
⑤ 戚继光撰，张德信校释：《戚少保奏议》卷四《上军政事宜》，中华书局，2001 年。

仅仅局限于"庙堂之算",而应体现在战争决策的整个过程之中:凡是未出兵之前,辕门之内的运筹和预算,都可视为庙算;不光是君臣与将帅在庙堂之上的筹算,主将与将士,对战争进行筹划和商议等,都可视为"庙算"。表面上看,戚继光似乎只论及"庙算"之地点,对地点有所拓展,其实他对"庙算"的参与人员和时机把握等,都有所拓展。在戚继光这里,"庙算"已经有所泛化,不再单指战略决策层面,而且在战役战术层面及更为具体的作战指挥中明确为"庙算"这一步骤。也就是说,在战争进行的每一个阶段,其实都需要有决策和分析,这些论述显然对孙子的"庙算"理论有所拓展。

就兵民关系而言,孙子将"令民与上同意"① 称为"道",视为影响战争胜负的五个战略要素之首,也将"唯人是保"② 作为战争的追求目标,这体现了进步的民本思想。戚继光的抗倭战争则正是因为很好地发起民众,真正将民众的利益作为战争目标,继承了孙子重视"道"的传统,才能最大程度地调动军队的积极性。戚继光抗倭之初,发现明军懦弱而畏战,金华一带受到倭寇严重袭扰,便开始着手在当地百姓中招募壮士,组织训练,充实队伍。据《明史》记载,戚继光得知金华义乌民风剽悍,于是"请召募三千人,教以击刺法,长短兵迭用……戚家军名闻天下。"③ 这些人渐成为戚家军的骨干力量,在抗倭战争中发挥了重要作用。由于和当地百姓利益休戚相关,戚继光组建的新军实现了"令民与上同意",已经无须多做战争动员工作。士兵利益即民众利益,二者真切地捆绑在一起,保家就是卫国,卫国也是保家,部队战斗热情空前高涨。

为了激励士气,戚继光曾这样教育士兵:"兵是杀贼的东西,贼是杀百姓的东西,百姓们岂是不要你们去杀贼?……设使你们果肯

① 《孙子兵法·计篇》。
② 《孙子兵法·地形篇》。
③ 《明史》卷二百一十二《戚继光传》。

杀贼，守军法，不扰害地方，百姓如何不奉承，官府如何不爱重。"① 除了在当地招募士卒，戚家军中还有相当一部分士兵是从沿海居民中招募而来，戚继光注意将保卫当地百姓的利益视为己任，自然会受到民众的拥护，士卒也会爆发更强的战斗力。戚继光通过特殊的募兵制将孙子所提倡之"道"落实到战争实践之中，将兵民关系更为紧密地结合在一起，从而更好地激发军队的士气。

（二）战术思想

戚继光的作战对手，要么是游弋海上的倭寇海盗，要么是游猎草原的骑兵队伍。他们都具有灵活机动的特点，都以掳掠财货和人口为基本战争目标。一旦战争目的实现，他们就会迅速撤出战场，消失在茫茫的大海或无垠的草原，踪迹难寻。与这样的对手作战，戚继光认为必须相应提高部队战术素养，并对传统战术进行必要的改革。

戚继光战术思想的主要特点体现在两个方面：第一，充分发挥武器装备方面的优势。当时明军已经拥有火炮、火铳等较为先进的热兵器，无论是对付蒙古骑兵，还是对付倭寇，都占有一定的优势。就海上作战来说，明军的舰船也相对先进。为了对付骑兵，明军还专门研制了狼筅、大棒等特殊兵器，结合快枪鸟铳等远射火器杀伤敌人。戚继光战术改革的核心问题，就在于如何充分发挥武器方面的优势。第二，寻求人与武器的最佳结合。合理的战术编组和扎实训练，可以让士兵和武器之间，各种武器装备之间，形成良好的配合，尤其是冷热兵器有机结合在一起，发挥出最大的战斗力。

戚继光的战术编组和排兵布阵中也贯穿着战术思想，最大限度地发挥个体的战斗力。《明史》记载了戚继光组织车营战术："车一辆用四人推挽，战则结方阵，而马步军处其中。又制拒马，体轻便利，遏寇骑冲突。寇至，火器先发，稍近则步军持拒马器排列而前，间以长枪、筤筅。寇奔，则骑军逐北。"② 这种战斗阵型的组

① 《练兵实纪》卷二《练胆气》。
② 《明史》卷二百十二《戚继光传》。

织，讲究多种武器性能的结合，可以最大程度地发挥军队的战斗力。按照戚继光的设计，年纪稍长的士兵手持防御性兵器，年轻而又力气未稳的手持藤牌，年轻力壮且斗志旺盛的手持狼筅等进攻性武器。一方面注意冷热兵器的结合，另一方面则追求长短兵器的结合，这便可使得单个作战单元的战斗力得到大大加强，既能对远近不同距离的敌人造成杀伤，同时还能做好必要的防御措施。除了武器准备上的考虑之外，戚继光的战术改革也寻求车兵、骑兵、步兵和水师等多兵种之间的协同作战。戚继光将车兵、骑兵和步兵合而成为一营，通过合理编组和严格训练，令骑兵、车兵和步兵形成合力，而且只能紧密相依、步调一致，并且保证不会发生"车前马后，马前车后之误"①。三者之中，以车兵为正兵，车上多配各种火器，车与车之间有步兵护卫，车兵和步兵，车兵和骑兵，骑兵和步兵之间互相形成支援。这种战术编组也强调变化，在遇到复杂地形时，骑兵可以前出列阵，防止整个战队遭到敌人伏击。另外，地形不同，作战的主力也会发生变化。平坦开阔地带则以车兵为主力，山林地带则以步兵为主力。

　　从战术史的角度来考察，戚继光所进行的战术变革具有非同寻常的意义。与先秦时期的《六韬》或唐宋时期《唐太宗李卫公问对》等相比，戚继光时期的兵种合同战术，无论是在参与兵种的门类方面，还是在战术变化的样式方面，都取得了新发展。为寻求战术的变化，戚继光大胆变革阵法，从而设计出鸳鸯阵法。这种阵法，由 12 名武艺娴熟的士兵组成一队，左右对称排列，因此而命名为"鸳鸯阵"。设计目的是最大程度地挖掘士兵的作战潜能，充分发挥各种长短武器的效能。阵型中的士兵必须密切协同，巧妙配合。比如，配置在右边的持方形藤牌的士兵，需要稳住本队阵脚，并做好护卫。左边持圆形藤牌的士兵适时掷出标枪，并设法引诱敌兵。如果引诱成功，排在后面的两个士兵则迅速用狼筅将敌人击倒，手持长枪的同伴则一跃而上，将敌人刺死。最后两个士兵除了负责保护

---

① 《练兵实纪》卷一《练伍法》。

本队后方之外，还要随时支援前面的士兵。这种战斗模式，实则和今天的班排战术类似，强调的是士兵之间的团结协作。这种精心设计的班排战术，经过实战考验，表现出灵活多变、攻防兼备的特点，对戚继光抗倭起到了很好的作用，也是戚继光对战术史所做出的杰出贡献。

戚继光的战术变革卓有成效，但并非完美无缺。他虽然高度重视火器发展，在他的军队中火器配置的比例也有大幅度提高，但并没有真正促成冷兵器向热兵器的完全转变。其战术设计受客观条件所限制，依赖于冷兵器的成分仍然较多，所以最终"没有发展出一套以火器技术和装备为中心的作战方式"①。也就是说，戚继光并没有真正提出以火器为中心的新型战术。这或许不仅仅是戚继光个人的遗憾。

（三）海上相敌法

无论是疆防，还是海防，戚继光都非常重视情报工作。为了搞好海防情报，他还模仿孙子的相敌之法②，提出了内容新颖的"海上相敌二十法"，具体内容如下："小舟数往来者，谋议也。迟而审顾者，疑我也。欲进而复退者，探我也。既退而卒进者，袭我也。鼓噪而矢石不下者，兵器少也。却而顾者，欲复来也。先急而复缓者，整备也。促鼓而不战者，惧我也。泊而扬帆者，欲出不意也。既退而不速者，谋也。火夜明而呼噪者，恐我袭彼也。掷缆而即起者，欲择其利也。火数明而无声者，备器也。夜泊而趋于涯浃者，乡道欲往也。促缆而不呼者，急欲逝也。促缆及流悬灯于途者，夜逸而溃也。久而不动者，偶人也。鼓而无韵者，伪响也。近岸连村而不登劫者，怯也。不久困请和投降者，诈也。"③ 这些有关海战的相敌之法，基本都是戚继光从实战中总结出来的经验之谈，对于冷

① 李建明：《戚继光"有限发展"火器技术问题初探》，《自然辩证法研究》2009 年第 7 期。

② 详见《孙子兵法·行军篇》。

③ 《纪效新书》（十八卷本）卷十八《治水兵篇》。

兵器时代的海上敌情研判，具有很强的指导作用。负责海防情报的侦察人员根据所观察的情况，对比戚继光的经验总结，便可迅速进行分析判断，进而为决策部门提供及时可靠的情报。敌人何时对我发动袭击，作战规模如何，在哪里发动袭击，以及何时准备撤退，在何种情形下表现出求和迹象等，戚继光都为侦察人员提供了可资借鉴的判断方法。这二十法，显然不是对孙子的简单继承和模拟，而是根据作战样式的历史性变化，对海上侦察所做出的创新和发展，反映出海上战斗的一般规律，是海防情报和海战情报的宝贵遗产。这些相敌之法的背后同样蕴涵着"去粗取精、去伪存真、由此及彼、由表及里"① 的逻辑思维和辩证思维。

对"海防情报"的重视，对海上侦察之法的总结，是戚继光超越前人的亮点，同样反映出戚继光的开明思想和超人见识。经过与倭寇的多次作战，戚继光逐渐意识到，要想及早掌握敌人动向就必须密切关注海上形势变化，如果希望"躬案海上形势"，就必须"缮亭邮，谨烽堠，稽尺籍，除戎器，具舟师，置间谍，严号令，广询谋"②。本着这一理念，戚继光在海岸大量建设瞭望台，于近海则派出水师日夜巡逻。显然，对海防情报的高度重视，是戚家军能够多次击败倭寇的重要原因之一。

自古至今，海上流寇和海盗问题始终是一个影响海防和海上交通安全的客观存在。制止和打击海盗行径，有别于一般的陆地战争，其情报保障也与传统战争有别。就如何加强这方面的情报工作，戚继光为我们提供了可资借鉴的经验。

（四）练兵理论

戚继光对于治军尤其具有心得，《练兵实纪》《纪效新书》等兵书系统总结和阐发了一系列治军理论，对于选兵、练兵、练将等问题都有较为详细的论述，并且随处可见独到见解，堪称中国古代治军理论的典范之作。

---

① 《毛泽东选集》第一卷，人民出版社，1991 年，第 180 页。
② 《戚少保年谱耆编》卷一。

第一，练兵之前，首先要精心选兵。

明朝中晚期，军队腐败严重，纪律松弛，卫所之兵根本不能满足抗倭斗争的需要。针对这种困局，朝廷只得改革兵制，依靠募兵来组建新军。但是如何募兵，其实也是一门学问。戚继光的"选兵"理论，既包括挑选兵员，也包括军队的编伍。他长期身处抗倭第一线，对于募兵有着深刻体察。

在《纪效新书》第一卷，戚继光对"选兵"的基本原则和方法等集中进行了论述："第一不可用城市油滑之人，但看面目光白，形动伶便者是也；第二不可用奸巧之人，神色不定，见官府藐然无忌者是也。第一可用只是乡野老实之人。所谓乡野老实之人者，黑大粗壮辛苦，手面皮肉坚实，有土作之色是也。第二可用乃惯战之人，曾见贼无功之人。"① 在这段话中，戚继光明确了选兵的原则，即"两可"与"两不可"。在他看来，只有乡野老实之人和惯战之人，才是用兵之首选。这就是"两可"。至于城市中的那些面色白净的油滑之徒和奸邪之人，则不能选用。这就是"两不可"。戚继光选兵，尤其注重胆气。他批驳了以往的选人标准，"或专取于丰伟，或专取于武艺，或专取于力大，或专取于伶俐，此不可以为准"②，都有不少弊端。在戚继光看来，士兵即便武艺精深，如果胆气不足，依然难堪大任。武艺不够高强但胆气足够坚强的，反倒可以通过加强训练予以弥补。所以，选人的标准，第一便是"以精神为主"③。

戚继光选兵的眼光非常独到，但其中也不乏唯心之论，比如他主张选兵之时"兼用相法"，通过术士来观察"凶死之形"和"福气之相"，并认为如此则可"尽选人之妙"④，这便多少流于荒诞。

第二，训练贴近实战，杜绝花架子。

兵学著作《练兵实纪》之所以命名为"实纪"，按照《四库全

---

① 《纪效新书》（十四卷本）卷一《束伍篇》。
② 《纪效新书》（十八卷本）卷一《束伍篇·原选兵》。
③ 《纪效新书》（十八卷本）卷一《束伍篇·原选兵》。
④ 《纪效新书》（十八卷本）卷一《束伍篇·原选兵》。

书总目提要》的说法，就是为了实用。戚继光种种练兵主张，都是为了追求实用，《练兵实纪》所载皆为实用之法，强调贴近实战，故而能为后世兵家所推重。

在戚继光看来，平时的"练武艺""比武艺""校武艺"，都必须充分贴近实战。戚家军练习武艺，是模仿实战的真练，而不是玩花活，摆架子，演习虚假的套路。既然贴近实战，那就不必在意训练得好看与否。必须坚持的原则是：战时用到什么，平时就训练什么；战时怎么打，平时就怎么练。戚继光指出："夫金鼓号令，行伍营阵，皆战事也，必曰'实战'，谓何？只缘往时场操习成虚套，号令金鼓，走阵下营，别是一样家数。及至临战，却又全然不同。平日所习器技舞打使跳之术，都是图面前好看花法之类，及至临阵，全用不对，却要真正搏击，近肉分枪，如何得胜?"① 从上面这段话可以看出，戚继光对以往训练中过于追求好看的花架子的情况，表达了强烈的不满。因为这些花架子一旦到了战场，就完全派不上用场。战场杀敌，士卒需要与敌军真正展开搏击，需要的是真本领。因此平时训练就需要做到"件件都是对大敌实用之物"②。戚继光平时经常警告士卒，要想在战场上求生，就必须有效杀伤敌人，要想实现杀敌求生的目标，就必须刻苦训练，努力学习武艺："学则便熟，不学便生。学的便会杀贼，保得自己性命，立得功；不学便被贼杀。"③

戚继光一贯强调训练贴近实战，也是由于痛感明军平时训练多流于形式，士卒所熟悉的，都是一些中看不中用的花活。为此，他在《手足篇》专门写了《忌花法》一节，再次强调"练为战"。戚继光说："开大阵，对大敌，比场中较艺，擒捕小贼不同……（长枪）所谓单舞者，此是花法，不可学也……钩镰，叉钯，如转身跳

---

① 《练兵实纪》卷八《练营阵》。
② 《练兵实纪》卷八《练营阵》。
③ 《练兵实纪》卷八《练营阵》。

打之类，皆是花法，不惟无益，且学熟误人第一。"① 戚继光平时训诫士卒，所使用的语言都非常浅显易懂，却非常具有震撼力。比如，他对士兵说道："你武艺高，决杀了贼，贼如何又会杀你？你若武艺不如他，他决杀了你。若不学武艺，是不要性命也。"② 戚继光在平时的教育和训练中，非常注意以理服人，士卒刻苦学武，努力掌握杀敌技能，蔚然成风。戚家军在战场上特别具有战斗力，令倭寇闻风丧胆，与平时扎实的训练有着直接联系。

第三，练兵讲究循序渐进，胆气并重。

戚继光深知，军事训练是一个系统工程，讲究循序渐进，所以要尊重科学规律，不能蛮干。《练兵实纪》从卷一至卷八，全是论述如何练兵，但是篇目安排很有讲究，各卷的顺序安排，其实就是依据练兵的次序而排列。③ 该书的卷一之所以论述"练伍法"，是因为在戚继光看来，有关内容是"此开练第一首务也"④，全部将士都必须先期掌握。其实《纪效新书》也是基本遵循这种顺序写成的。全书除总序外，按照《束伍》《耳目》《手足》《比较》《营阵》《行营》《札野营》《实战》等逐个展开。⑤ 众所周知，士兵在入伍之初，必须先了解行伍纪律，然后才能逐步展开单兵的技战术训练，接下来就该学习营阵等初步的合成战术，等这些内容都掌握之后，才能展开接近实战的各种训练科目。戚继光练兵强调向实战靠拢，但也遵循"先纪律后战术，先单兵后合成"的顺序而有序展开，并不急于求成。

戚继光练兵的内容是多方面的，追求的是提高士卒的全面素质。举凡号令、纪律、技术、战术等，都是规定必须完成的训练科目。从戚继光所规定的训练内容看，诸如练令、练艺等训练内容，相当

---

① 《纪效新书》（十四卷本）卷五《手足篇·忌花法》。
② 《练兵实纪》卷四《练手足》。
③ 姜国柱：《中国军事思想通史》（明代卷），中国社会科学出版社，2006 年，第 193 页。
④ 《练兵实纪·凡例》。
⑤ 《纪效新书》十四卷本。

于"习手足"等兵技巧训练，一直为历史上众多军事家视为传统科目。但是戚继光的"练兵"明显地超出这些范畴。在上述内容之外，戚继光还特别重视"练胆""练气"等，从而为"练兵"注入了新内容。在他看来，只有做好练胆和练心，才能培养士卒的勇气和斗志，才能从气势上压倒敌人，使得全军上下齐心协力地英勇杀敌。在《纪效新书》中，戚继光也专门开辟有《胆气篇》，详论练胆和练气之术。戚继光指出："练胆气乃练之本也"，又说，"出于气者为真勇矣"，所以对练胆和练气格外重视，主张将这些训练内容作为练兵的关键和要点。①

（五）练将理论

戚继光的练将思想也非常具有创见，为传统治军思想贡献了新内容。

第一，对将帅地位和作用的再认识。

关于将帅的地位和作用，孙子有一段著名论述："知兵之将，生民之司命，国家安危之主也。"② 这段话长期被人们引用，一直为世人所赞许，但戚继光对此表达出不同意见。《纪效新书》中，他对将帅的作用和地位重新进行了一番定位。戚继光认为，在上古时期，兵农未分，文武一途，所以将帅的地位和作用显得更加重要，堪称国家安危的主宰者。但在秦汉之后，直至明朝时期，文臣武将早已各司其职，作用和地位自然会有所变化，至少不像孙子时代那么崇高。

由于戚继光对将帅的地位和作用有重新定位，将帅便不再是高高在上，而是要与士兵平等地参与到训练中来，因此才能贯彻他的"练将"主张。戚继光认为，相比孙子的时代，虽说将帅的地位有所削弱，作用也有所下降，但将帅仍然非常重要。戚继光说："借以今日论之，万一有剧盗起，城或不守，野被荼毒，使有善将兵者一鼓

---

① 《纪效新书》（十四卷本）卷十一《胆气篇》。
② 《孙子兵法·作战篇》。

歼之，出生灵于水火中，所系岂小小哉！"① 戚继光既反对过度拔高将帅的地位，显得非常客观务实，又反对贬低将帅，更显得实事求是。俗话说，千军易得，一将难求。将帅的战略眼光和战术素养等，对于军队至关重要。所以，在戚继光看来，将帅也必须接受训练，而且就军事训练而言，必须以"练将为重，而练兵次之。夫有得彀之将，而后有入彀之兵。练将譬如治本，本乱而末治者，未之有也"②。

　　将帅担负着保卫国家、建设军队的重任，是军队建设主要组成部分，所以戚继光将"练将"视为军事训练的"本"，是决定军队战斗力的基础。戚继光不仅一贯如此主张，也对如何练将提出了具体建议和实施方法。

　　第二，对将帅素质提出了新要求，形成新型将帅观。

　　戚继光的将帅观承接孙子，但也与孙子有所不同。孙子的将帅观强调"五德"，要求在"智、信、仁、勇、严"这五个重要方面超人一等。戚继光继承了孙子的将帅观，而且借用儒家经典《大学》对"五德"进行新的阐释，并提醒人们注意其弊："夫信、仁、勇、严，非智不能辨其弊。信之弊也执，仁之弊也姑息，勇之弊也暴，严之弊也刻，皆不得其当矣。"③ 这一点与孙子所言"五危"④ 有相同点，也有不同之处。在品评和阐释孙子将帅观的过程中，戚继光渐渐形成了自己独特的将帅观。在《练兵实纪·练将篇》中，戚继光指出，将帅必须做到的共计有 26 条：第一，正心术；第二，立志向；第三，明死生；第四，辨利害；第五，做好人；第六，坚操守；第七，宽度量；第八，声色害；第九，货利害；第十，刚愎害；第十一，胜人害；第十二，逢迎害；第十三，委靡害；第十四，功名

---

① 《纪效新书》（十四卷本）卷十四《练将篇》。
② 《纪效新书》（十四卷本）卷十四《练将篇》。
③ 《止止堂集·〈愚愚稿〉上·大学经解》。
④ 《孙子兵法·九变篇》："将有五危：必死，可杀也；必生，可虏也；忿速，可侮也；廉洁，可辱也；爱民，可烦也。凡此五者，将之过也，用兵之灾也。"

害；第十五，尚谦德；第十六，惜官箴；第十七，勤职业；第十八，辨效法；第十九，习兵法；第二十，习武艺；第二十一，正名分；第二十二，爱士卒；第二十三，教士卒；第二十四，明恩威；第二十五，严节制；第二十六，明保障。从中可以看出，戚继光是要为将帅编写一本职责手册，所以纲举目张，不避繁复。将帅需要具备哪些基本品德，注意防止哪些缺陷，养成哪些基本素质，从以上所列纲目中便可以很容易地看出。如果与孙子以"五德"为中心的将帅观进行对比，我们可以明显地看出：孙子所论简洁而又明了，其失在于粗率；戚继光行文细腻而又系统，其失在于烦琐。其中，有关将帅品德的探讨，戚继光列举纲目虽夥，但仍未跳出孙子的藩篱。但他有关"练将"的论述，确实言孙子所未言，为古代治军理论增添了新内容。戚继光的将帅观因而显得更加完整，更加具有历史和现实意义。

第三，对将帅的培养和使用等，提出了较为系统而又明确的主张。

从《练将篇》可以看出戚继光有着明确的"练将"主张。在戚继光看来，选用将领，既要看品德，也要看才能和学识，力争将品德好、武艺高的"全材"选拔出来。他的"练将"理论也围绕这几个方面展开。

首先是积将德。戚继光论"练将"，首先强调正心术，要求先教会将帅明白事理和利害，必须做到"明其忠义，足以塞于天地之间"[①]。戚继光指出，选将之时要注意选出那些心术端正之人，非常注重考察将帅的思想品德。对于那些没有德行之人，即便是具备张良、陈平那样的智谋和韬略，也不可委以重任。戚继光要求在平时就注意加强对将帅的教育，正将帅心术。并且，这种"正心术"的行动贵在长期坚持，不能追求一蹴而就，只有长期坚持才能见成效："坚持积久，久则大，大则通，通则化幽，可以感动天地，转移

① 《纪效新书》（十四卷本）卷十四《练将篇》。

鬼神。"①

其次是广才学。戚继光主张培养文武全才之类的将帅，告诫将帅既要学习文韬武略，也要研读经史子集。在戚继光看来，这些人文阅读，既可以端正身行，提高修养，也可以增加学识，增广见闻。而且，戚继光所指学识并非仅指书本知识，他将实践之学看得同样重要。最好的结果是将所学知识，"置诸战阵之后，将实境以试之"②，也即理论和实践相结合。如果认真学习文韬武略和经史子集，有了足够的理论知识武装，再很好地运用到战争实践中去，那就可以提高实战技能，也能培养出他所看重的具有真才实学的"真将"。

最后是习武艺。除了上述心术端正、精通兵法、学识广博之外，戚继光认为，将帅同样也要练习武艺。在很多人眼里，将领的职责是指挥军队打仗，只要会战术、懂指挥即可，不必再练习武艺。戚继光坚决反对这种观点。他认为，作为将领，如果不学好武艺，那就无法分辨手下的士卒到底是在练什么，练的是花法还是实招，并且无法辨别他们武艺的高低，也无法将武艺高强的士卒安排到关键位置。戚继光强调指出："身无精艺，己胆不充。"③ 身为将帅，如果能够率先垂范，带头习武，就可以起到引领风气的作用，能更好地促进士卒刻苦练习武艺，从而带动整个队伍训练水平的提高。

第三节　火器技术对兵学的促进

火药是中国的一项古老发明。从唐代末年起，人们已经有意将火药运用到军事领域。④ 北宋时期是我国火药火器发展的初始阶段。

---

① 《练兵实纪》卷九《练将》。
② 《纪效新书·总叙》（十八卷本）。
③ 《纪效新书》（十四卷本）卷十四《练将篇》。
④ 刘旭：《中国古代火药火器史》，大象出版社，2004年，第13页。

宋代以后，火器技术不断得到发展，宋军甚至已将火箭、火炮当成常备武器。到了明代，火器技术更是获得大幅度提升，火器种类不断增加，运用也日渐广泛。明军设置了专门的火器部队，在战争中也会围绕火器制定战术，战术思想和军事学术等由此而发生转变，传统兵学自此出现新的面貌。

一、火器技术的进步与战法研究的跟进

在宋代，火药和火器技术已经取得迅猛发展。北宋初期，人们主要利用的尚且是火药的燃烧性能。宋代的燃烧性火器已经有霹雳炮、铁火炮、震天雷等很多种。宋代曾公亮等著《武经总要》，不仅记载了数种火药配方，也对当时诸如火箭、火炮、引火球等火器的制作使用等情况予以记载。到了南宋时期，管形火器，尤其是火枪和突火枪的相继出现，标志着火器技术进入新阶段，人们对火药的利用也开始进入新纪元。[1] 到了 14 世纪初，元代工匠在宋人的基础上，进一步研制成功金属管形火器。这种金属管形火器，不仅较难损毁，可以连续使用，也能承受更大的膛压，从而使得射程更远，射击威力更大。在 14 世纪中叶推翻元朝统治的战争中，农民军已经开始广泛使用金属管形火器。这是火器发展史上的一件大事，标志着火器技术的突飞猛进，已具备近代枪炮的雏形。

随着明太祖朱元璋统一大业的完成，火器技术的发展迎来了新局面。社会经济的繁荣，钢铁冶炼业的进步，手工业的发达，以及对外交流的拓展，尤其是外敌的入侵和科学技术的进步等，都为火器技术的进一步发展创造了良好条件。明代的火药品种已经非常丰富，军用火药品种及其配方达 90 多种。[2] 相对于宋元时期，明代火药成分的配置更加合理，火药质量进一步提高，燃烧性能与爆炸威力等也达到了较高水平。明代火药理论研究是我国古典兵学的一笔

---

[1]　世界上现存的最早管形火器即为我国元代出现，约为 1287 年制造。参见魏国忠：《黑龙江阿城县半拉城子出土的铜火铳》，《文物》1973 年第 11 期。

[2]　《中国古代火药火器史》，第 60 页。

宝贵遗产。从明代的兵书和史籍可以看出，当时的研究专家对火药配方的认识和配制技术已有很大提高。《武备志·制火器法》中详细记载了爆炸、喷射火药等品种的配方情况。《兵录·火攻药性》中就记载有火药配方数百种，说明我国明代科学家已经很好地掌握了火药的组配规律。茅元仪《武备志·火药赋》、唐顺之《武编·火》、焦勖《火攻挈要》等都指出了火药具有硝性"竖"（或"直"）、硫性"横"的特点，对不同品种的火药在性能和功用等方面的差别，研究得非常清楚。何汝宾在《兵录》中指出："性直者主远击，硝九而硫一；性横者主爆击，硝七而硫三。"① 从这段话可以看出，当时的研究专家已经非常善于利用火药的特性，一直在努力寻找最优的火药配置方案，最大程度地发挥火药和火器的攻击效能。明代火药制造技术有很大提高，火药质量比宋元有明显提升，正是研究专家们反复探索的结果。

为了加强对火药和火器的管理，明代初年就在应天府（今江苏南京）成立了专门的火器制造机构，火器制造的规格和产量等，都受到严格控制。而且，为了王朝的稳定和安全需要，明朝政府制定了严厉的政策防止技术和人才外流，除非得到特别允许，边镇和卫所一律不得私自制造火药和火器。

明代的火器种类进一步增多，初步形成了多个火器品种群。比如枪支类，既有单管枪，也有多管枪。单管枪分无敌手铳、快枪、连子铳、剑枪、千里铳等；多管枪则从双管、三管、四管，直至数十管。再如火炮，可分为轻型火炮和重型火炮。轻型火炮也分为虎蹲炮、旋风炮、飞礳炮等；重型火炮则分为大将军炮、威远炮、攻戎炮、千子雷炮、灭虏炮等。火箭分单发火箭和多发火箭，其中单发火箭又分大筒火箭和单飞神火箭等；多发火箭则分神机箭、火弩流星箭、七筒箭、百虎齐奔箭等。爆炸性火器也有多个品种，可分为万人敌、慢炮、地雷、水雷等，而地雷类爆炸物则有万弹地雷炮、无敌地雷炮、伏地冲天雷炮等。水雷类爆炸物，也开发出水底龙王

---

① 何汝宾：《兵录》卷十一《火攻总说》，明崇祯刻本。

炮、混江龙、既济雷等多个种类。

　　嘉靖年间佛郎机与火绳枪的传入，也促进了火器制造业的进步，尤其是带动了枪支研发水平的提高。无论是仿制西方先进火器，还是改制传统制造工艺，各种火器的科技含量大大增加，品种得到丰富，军队的装备也随之得到更新。明代中期的火箭，既有利用弓弩发射的火药箭，也有利用火药燃气反冲力推进的火箭，后者因为发射装置已经非常先进，可称现代火箭的先导。① 明代的管形火器，与近代枪炮越来越靠近，在性能上已有极大提高。有的火器品种不仅能够逐步改进成连发，也有瞄准装置设计，并且安装有效防止后坐力的装置。爆炸性火器也有了长足发展，已经形成水、陆等多个门类。水雷在防止渗水和引爆上有很多改进，炸弹则已经有了定时引爆的功能设计。明代研究力度相对偏弱的火器大概要数燃烧性火器，但也涌现出很多新品种。

　　明代火器技术之所以能够取得快速发展，与宋元时期所积累的基础密不可分，也是明代科学家刻苦钻研的结果。有学者指出："明代人所用之火器，如枪炮及各种爆炸器，均系明人根据科学技术自行制造者，并未受有西洋之影响，且其初并不亚于西洋之器。"② 明代科学家对诸如钢铁冶炼、火药配制、火器制造等，都下功夫进行了深入研究。从明代开始，火器制作和作战理论的研究都更加系统化。明代兵书中有关火器火药的论著为数甚多，流传至今的尚且有十多种。明代末期，随着内忧外患的加剧，火器制造技术已经被西方超越，于是开始有西洋大炮的引进。当时有关火器的著作也有直接从西方翻译得来者，注意对西方科技理论的模仿。③ 这些著作难称完善，正如当时人所总结的那样，"其中法则规制，悉皆西洋正

---

① 王兆春：《中国军事科技通史》，解放军出版社，2010 年，第 193 页。
② 《中国兵器史稿》，第 286 页。
③ 《中西文化交流史》，第 374 页。

传，然以事干军机，多有慎密，不详载不明言者，以致不获兹技之大观"①。利玛窦、汤若望、南怀仁等传教士都曾留有关于制炮技术的著作。品种各异、主题多样的火器类著作随着中国科学家的努力而陆续涌现。这些论著，或研究火器的制造与使用，或探讨操作与训练，或总结战术与阵法，极大地改变了明代兵学著作的面貌。在明代火器制造与使用的理论著作中，影响深远的专著有《火龙神器阵法》《火攻挈要》《神器谱》《西法神机》等。此外，《武编》《纪效新书》《练兵实纪》《武备志》《大明会典》《兵录》《筹海图编》等兵书也都从不同的角度出发，对火器的制造与使用原则等进行了较为系统的阐述。

《火龙神器阵法》初步判定为焦玉所撰。② 该书对利用火器发起进攻的方法、火器的制造以及火药的性能等都有较为详细的记载。明代刘应瑞撰有同名兵书，现存北京大学图书馆。《火攻挈要》为焦勖根据汤若望传授的技术所撰，集中记载了当时火器技术的成就，大量吸收了西方造炮技术的先进成果，作者自称该书得"名书之要旨，师友之秘传，及苦心之偶得"③，从中可以看出作者自视甚高，但并非都为虚言。《神器谱》也是一部火器类专著，其中对火绳枪的制造与使用有详细记录，反映出明代中期单兵枪的研制和使用水平。《西法神机》则是我国较早全面介绍西方火器技术的专著，反映出明末学习和引进西方先进科技的情况。

相比专门著述，一些分类严密的综合性兵书，同样不容忽视。比如《纪效新书》《练兵实纪》对嘉靖时期所创制的虎蹲炮、地雷等新式火器，均有较为详细的记录；《筹海图编》则重点介绍了明军的海战武器及其使用方法等；《兵录》记录了明朝吸收、借鉴西方国家火炮制造和使用方法等情况。被称为古代军事百科全书的兵学巨

---

① 焦勖：《火攻挈要·自序》，《中国兵书集成》编委会编：《中国兵书集成》第四十册，解放军出版社、辽沈书社，1994 年。
② 该书有种抄本卷前序题"东宁焦玉自序"，可以判断该书"可能由焦玉草创"，参见佚名：《火龙神器阵法》，《中国兵书集成》第十七册，第 1 页。
③ 《火攻挈要·自序》。

著《武备志》，更是用了不少篇幅，全面记载了共计一百余种火器，不仅记录了各类火器的形制和构造，也简要说明了其使用方法，对我国古代火器发展的光辉成就有着全面而又翔实的记录。

二、建军思想和军事训练的变革

随着火药火器技术的迅速发展，建军思想也发生急速的转变。明代已开始组建专门的火器部队——大量装备火器的神机营。与此同时，军队开始大面积配置火器，体制编制由此发生很大改变，军事训练也相应发生转变。

明太祖朱元璋很早就意识到火器对于战争的作用。他在与陈友谅的战争中就已经大量使用火器。在鄱阳湖水战中，朱元璋组建了专门的火器队伍。当时陈友谅不仅在军队数量上占据明显优势，战船也远比朱军高大和先进。为了改变颓势，朱元璋最终决定采用火攻战法，临时组建的火器队伍起到了关键作用。朱元璋对水军重新编队，由火器队伍先期发起进攻，"敢死士操七舟，实火药芦苇中，纵火焚友谅舟"①。朱元璋之所以能够取得鄱阳湖决战的胜利，与火攻战术的成功运用密不可分，这为此后成立专门的火器队伍打下了基础。永乐年间，朱棣正式下令在京师组建神机营。他将驻扎京城的军队分为三大营，即五军营、三千营和神机营。《明史》记载了当时组建神机营的基本情况："又因得都督谭广马五千匹，置营名五千下，掌操演火器及随驾护卫马队官军。坐营内臣、武臣各一，其下四司，各把司官二。此神机营之部分也。居常，五军肄营阵，三千肄巡哨，神机肄火器。"② 从中可以看出，神机营设提督内臣、武臣和掌号头官各两名，下辖中军、左掖、右掖、左哨、右哨五军，军以下设司。除此之外，还有五千下营，主要掌管火器操练和随驾护卫马队。所谓"神机肄火器"，神机营大量配备了当时最为先进的火器，诸如盏口炮、将军炮、手把铳、神枪、快枪、单飞神火箭、神

---

① 《明史》卷一《太祖本纪》。
② 《明史》卷八十九《兵志一》。

机箭等。在当时，神机营被视为一支战略打击部队，受皇帝的直接指挥和调遣，可在重大战争中发挥重要作用。

除了配备火器之外，神机营也配备各种长短冷兵器。这似乎是得自正统年间顾兴祖的建议。当时顾兴祖管理神机营，认为火器会受到雨雪天气等意外因素的影响，所以也会有无济于事的时候。如果部队只配备火器，一旦在恶劣的气候条件下遭遇敌军，那就很有可能会造成"枪铳火器仓卒难用，无他兵器可以拒抗"的困局，故此他请求"每队前后添设刀牌"。① 明英宗同意了顾兴祖的请求。从此之后，神机营的装备更讲究冷热搭配，但仍以各种火器作为主战武器。

神机营也确实曾在战场上发挥过重要作用。永乐八年（1410），朱棣亲征漠北，神机营就奉命随队出征，并在蒙古战场上对敌军造成大量杀伤。永乐二十年（1422）三月，朱棣指挥第三次漠北之战，神机营的突然出击，也令蒙古军"大溃，死伤不可数计"②。因为建立了卓著的战功，神机营此后越发受到重视。在军队建设中，神机营起到了一个示范和标杆的作用，推动了军队更加普遍地装备火器。水兵、骑兵等各个兵种，都开始配置火器，寻求冷兵器和火器的最佳配置。明代战船也已经大量配备火器。郑和下西洋的战船就已经大量配置火器用以防身，而且渐渐发展成为一种趋势。随着抗倭形势的发展，战船配置的火器，无论是数量还是质量，都不断得到加强。这种结合，以戚继光的军队最具代表性。③

戚继光的步兵营以"队"为基本作战单元，其中配置了大量的鸟铳手，如果再加上火箭手，使用火器的士兵已占编制总数的一半左右。骑兵营以"旗"为基本作战单元，各种鸟铳手、快枪手、火箭手相加，也达到接近一半的比例。水兵营中，火器的配置比例更高，超过50%。战船上，除了配置冷兵器之外，更是大量配置发熕、

<hr>

① 《明英宗实录》卷三百五十五，上海书店，1982年。
② 《明太宗实录》卷二百五十。
③ 《中国军事科技通史》，第201页。

佛郎机、鸟铳等各型火器。至于车营，更可视为专业的火器部队，是对明代前期神机营的发展。火器的迅速发展，也让车兵呈现重新崛起之势。车兵盛行于我国商周时期，但在秦汉时期慢慢退出历史舞台，逐渐为骑兵、步兵和水师等兵种所替代，但这一状况在明代得到了改变。戚继光的车营以"战车"为基本作战单元，配有炮车128 辆，佛郎机 256 门。除去这些机动性强的炮车之外，车营还配有鸟铳手、佛郎机手。可以看出，火器手的人数也占据了车营的一半以上，其他的则为军官和必备的勤杂人员。①

在火器技术快速发展的明代，有识之士先后建议朝廷恢复车兵。正统十二年（1447），总兵官朱冕建议"用火车备战，自是言车战者相继"②。其中所谓"火车"，实则是配置了火器的战车。因此明代最新设计的战车，可视为现代装甲车的鼻祖，至少已与先秦时期的战车存在着很大不同。景泰元年（1450）郭登继续建议政府建造战车。他提倡建造的战车名叫"偏箱车"，所希望达到的效果则是："遇贼来攻，势有可乘，则开壁出战；势或未便，则坚壁固守。外用常车，载大小各样将军铳……"③ 从这种设计理念来看，它显然是要达到现代装甲车的作战效果，不仅将车身当成护卫工具和运载工具，还要装载必备的火器，适时打击敌人。此外，在战车上还要装载一些必要的冷兵器，但主要配备的是火器，力求实现各种装备的完美结合，从而力助这种"装甲车"最大程度地发挥战斗力。不同用途和式样的战车被大量制造出来并装备明军。④ 我们可以看出，火器的进步已经带来建军思想的巨大变化，并且已经深刻地改变了明军的编制体制。

火器的发展，还促使军事训练发生变革。神机营的成立、火器大量配置军队，战法和阵法都随之改变，但要想真正发挥火器的效

---

① 有关数据多依据戚继光《纪效新书》《练兵实纪》。
② 《明史》卷九十二《兵志四》。
③ 郭登：《上偏箱车式疏》，陈子龙等辑：《明经世文编》卷五十七。
④ 《中国古代火药火器史》，第 140 页。

能，最大程度地生成战斗力，首先还是要从训练抓起。

戚继光尤其注意结合火器加强军事技术训练，可称明军训练改革的代表。从《练兵实纪》《纪效新书》等书可以看出，戚继光的单兵训练、营阵训练以及部队的综合性训练，都加强了对鸟铳、将军炮等各类火器的操作训练，并力求火器与冷兵器相结合，训练与实战相结合。火器的威力在于较远距离打击敌人，而车营的威力在于佛郎机、火炮和鸟铳。为了追求射击准度，令士卒对阵法更加熟悉，戚继光经常按照实战要求，将队伍拉到荒郊野外，进行大规模的野营训练。至于水师训练，则要开进到有条件的海域进行。很显然，由于火器的大量出现，军队对训练场地的要求已经明显有别于冷兵器时代。戚继光主张军事训练要循序渐进地展开：先单兵，后营阵；先技术，后战法。也就是说，先训练单个士兵掌握火器的能力，再熟悉各种阵形变换和冷热兵器的配合。如果翻看《练兵实纪》就可以看出，当时的戚家军对于鸟铳手和各种炮手的训练和考核科目，都有内容和程序的严格要求。如果他们完成不了规定的训练内容，达不到应有的训练要求，就会受到相应的处罚措施。

单兵训练结束后，就会适时组织编队训练，主要是进行阵法训练。以步兵营为例，组织士兵以12人组成作战队形，训练鸳鸯阵法。鸳鸯阵法要求冷热兵器的充分结合：距离敌人百步左右，强调用鸟铳袭击敌人；距离较近时，则采用长柄快枪打击对手；更近时则在使用盾牌保护自己的同时，也使用狼筅等冷兵器打击敌人。所以整队士卒之间需要熟练配合。如果平时没有进行扎实的训练，到战场上就会发生混乱，更别指望着战胜强敌。在完成编队训练之后，再继续进行单营乃至几个营的合练，以适应各种规模的战争。合练过程中，既要操练各种阵型演变，寻求各个作战单位的默契配合，更要充分发扬火力，让火器发挥出最大的杀伤力。不仅同一兵种之间需要进行合练，不同兵种之间也要进行合练，比如骑兵和车兵、步兵和水兵等，都要组织协同训练。

总之，火器技术的发展，各种先进火器的陆续发明，已经深刻影响了建军思想，加快推动军队编制体制的调整，并促进军事训练的转型。不仅训练内容发生了改变，训练模式和场地等，也都发生了深刻变化。这种训练方式在戚继光《纪效新书》和《练兵实纪·杂集》中，都有详细的记载和探讨。在戚继光等人的积极探索下，逐渐找到了火器与冷兵器联合作战较为合理的作战样式。

三、"以器制胜"的战争观

随着火器的发展，军事理论和军事学术也发生了相应变化，"以器制胜"的战争观逐渐形成。

中国古代科技一度深受儒家思想影响。《礼记·王制》轻视科技研究，甚至加以贬斥，中国古代社会由此而渐渐形成"重道轻器"的思想。到了南宋时期，朱熹开始为科技正名，强调"小道不是异端"[1]，这固然是一个不错的开端，但也从一个侧面说明了当时农业和医药等科技人员长期受到排挤和轻视的事实。这些观念同样对古代战争观造成重要影响。这种状况一直到了明代，随着火器的出现才发生若干改变。在明代，火器的迅速发展和大量使用，终于为传统战争观增添了新的内容，这就是"以器制胜"的战争观。

先秦时期，已有军事家认识到武器装备对战争的重要影响力，如《管子》说"凡兵有大论，必先论其器"[2]，强调武器装备务求精良，战争筹备必须"求天下之精材，论百工之锐器"[3]。在火器发挥更多作用的时代，武器装备更被视为士兵的第二生命。在火器时代，古语"长一寸兵器，长一分胆"似有必要修改为"多一种火器，长一分胆"。如果缺少精良的火器，还要与对手进行战争，无异于飞蛾扑火。反之，如果己方拥有先进火器，就可以大量杀伤敌人，极大提升士气，从而在战争中一举破敌。火炮这种可以远距离对敌造成大面积杀伤的武器，也可以对敌人起到震慑作用，瓦解对方的作战决心。明末宁远之战，明军在袁崇焕的组织下，用红夷炮大量杀伤

---

① 朱熹著，黎靖德编：《朱子语类》卷四十九，中华书局，1986 年。
② 《管子·参患》。
③ 《管子·幼官》。

后金军，令努尔哈赤不得不撤军。

古代兵家虽对武器的作用有所认识，但认识的高度尚嫌不足，较少与胜利直接建立联系。到了明代，火器发挥出前所未有的超强杀伤力，推动了"以器制胜"战争观的形成。明代军事家充分注意到火器对战争的巨大影响力。戚继光指出："五兵之中，惟火最烈。古今水陆之战，以火成功最多……是火器之利于战阵久矣。"①　在《纪效新书》中，戚继光对于各种火器的使用之法都有详细解说，演练阵法也都注意充分考虑火器的作战效率。焦玉认为火攻的效果与火器的精良与否密不可分，火器与火攻是"三军之存亡所关"②，将帅必须对火攻战法予以充分重视。焦勖目睹西方先进火器的威猛，极力称赞其"精工坚利，命中致远，猛烈无敌"③，并且强烈呼吁朝廷仿效西法，改进火器，并大量配置于军队，以提高军队战斗力。

作为晚明积极倡导科技和中西文化交流的士大夫学者，徐光启更是将"以器制胜"观发展到了极致。他大力宣扬《管子》的"器胜"理论，高度重视发展火器，认为"火器者今之时务也"④，至于西洋大炮，更被他看作是"至猛至烈，无有他器可以逾之"⑤，因此敦促朝廷投入力气加以仿制，以作为抗倭和抗金的利器。先秦典籍《管子》中有所谓"八无敌"理论，将武器装备视为影响战争胜负

---

① 《纪效新书》（十四卷本）卷三《手足篇·神器解》。
② 《火龙神器阵法授受序》。
③ 《火攻挈要·概论火攻总原》。
④ 徐光启著，王重民辑校：《徐光启集》卷四《略陈台铳事宜并申愚见疏》，上海古籍出版社，1984 年。
⑤ 《徐光启集》卷六《钦奉明旨敷陈愚见疏》。

的主要因素。① 可惜的是，这些理论在漫长的封建时代较少被人注意。一直到了明末，重视科技的徐光启才借助这种"八无敌"理论，阐述了"以器制胜"的主张。基于"以器制胜"的战争观，徐光启非常重视武器装备的制造，尤其关心火炮的制造。他不仅大力呼吁引进西方火炮技术，在军营大量配置先进火炮，同时也积极探索火炮的实际使用方法，对火器与城防、火器与骑兵、火器与攻城等具体战法也有深入研究。② 从中可以看出，徐光启不仅是"以器制胜"战争观念的倡导者，也是一位亲力亲为的躬行者。因为有他的大力坚持和积极呼吁，明代后期火器的发展才有了一个良好局面。

徐光启固然主张"器胜"，但也非常重视人的作用，认为"有神器而无精甲利兵，终不可战"③，明白地指出"有器无人，则器反为敌有矣"④。因此，徐光启非常重视对士兵的训练，亲自撰写《选练百字诀》《选练条格》《练艺条格》等一批关于士卒训练的条令和法典，系统阐述他的练兵思想。焦玉不仅鼓吹火器之利，同时也强调利器、精兵及阵法的完美结合。只有士卒与利器充分结合在一起，才能产生强大的战斗力。焦勖也指出："根本至要，盖在智谋良将，平日博选壮士。"⑤ 所以，明代末期以徐光启、焦勖等人为代表的"以器制胜"战争观并不偏执于武器，同时也强调人和武器的结合。这种新型战争观，是对传统战争观的重要补充。

火器既可以用弹药杀伤敌人，也可以用引发对方营帐起火的方

---

① 《管子·七法》中曾有一段总结影响战争胜负主要因素的论述："存乎聚财而财无敌，存乎论工而工无敌，存乎制器而器无敌，存乎选士而士无敌，存乎政教而政教无敌，存乎服习而服习无敌，存乎遍知天下而遍知天下无敌，存乎明于机数而明于机数无敌。"这段话总结影响战争结局的要素为八个，分别为：材料、工艺、武器、选兵、军队的政教素质、练兵、情报、指挥。在《管子》作者看来，这八个要素都做得足够好的话，就可以做到天下无敌，后人遂将这一套理论简称为"八无敌"。

② 《徐光启集》卷一《器胜策》。

③ 《徐光启集》卷三《辽左陷危已甚疏》。

④ 《徐光启集》卷六《处不得不战之势宜求必战必胜之策疏》。

⑤ 《火攻挈要·火攻根本总说》。

式伤及敌军,所以成为发起火攻的一种重要装备。众所周知,火攻因为存在巨大杀伤性,所以发起时需要慎重,主张火攻制敌的孙子对于火攻持谨慎态度——"明君慎之,良将警之"①。火器的巨大杀伤性同样引发人们对战争的深入思考,有的学者不仅对战争持有敬畏之情,也对火器持辩证态度。其中最具代表性的是焦玉。他论述了火器的神勇,同时也指出其杀戮太重的特点,尤其是毒火药,更要慎重使用,因为"此药一石,杀兵百万,非至难破之敌,不可轻用"②。包括其他杀伤过强的火器,都必须控制使用,必须"以天地生物之心、好生之德律之"③。这充分体现出焦玉的人文精神。他非常珍视人的生命价值,因而对火器的作用和使用都做到辩证对待。就火器的使用,焦玉提出了八条戒律,规定不能损伤名胜古迹,不能伤害无辜居民和已经投降的敌军,不得破坏环境等。④ 这同样体现出人文精神,也展示了焦玉战争观进步性的一面。

火器的发展也带来了国防观念的变化,制造先进火器被视为保卫边境、巩固国防的重要砝码。不少人开始呼吁重新修筑长城和城堡,依托于先进的火器构筑更为严密的防御体系。这其实也是"以器制胜"战争观的延续。为解决边患问题,除了在防御体系和制度建设上的努力之外,不少官员都提倡加大火器的研制力度。他们纷纷从国防战略的高度出发,积极提倡火器的制造和发展。戚继光指出"守险全恃火器",又强调"大炮似可当虏聚冲"⑤。赵常吉奏请朝廷发展火器,称制造火器是"国家万世之利"⑥。这些积极的呼吁对火器的稳定发展起到了重要作用。此后,火器大量投入使用,在戍边战争中发挥了不可替代的作用。戚继光无论是在东南沿海地区抗倭,还是到北部边境戍边,都非常注意火器的配置和使用,始终

---

① 《孙子兵法·火攻篇》。
② 《火龙神器阵法·毒龙无敌神火药法配诀歌》。
③ 《火龙神器阵法·火龙万胜神药》。
④ 详见《火龙神器阵法·火攻兵戒》。
⑤ 《戚少保年谱耆编》卷八。
⑥ 赵常吉:《神器谱》卷一,日本文化五年(1808)坊刊本。

将火器看成是守边御敌的重要筹码。先进火器的杀伤作用和震慑作用，显然都是冷兵器所无法比拟的。

明代在沿海和边境构筑的烽堠台，已经非常注意配置火器装备。至于重要关口和城池，更是大量配置先进火器。这种趋势在晚明时期得到进一步加强。隆庆元年（1567），为加强北京的城防，广渠、东便、朝阳、东直、安定、德胜等城门，除了原有的火器连珠炮、快枪、夹把枪等火器之外，又增设佛郎机 20 门、一窝蜂炮 6 门、快枪 40 支。[①] 这种改变的出现，既是当时明朝北部边患日渐严重的直接产物，也是"以器制胜"战争观落到实处的具体体现。以若干先进火器保卫国土、捍卫政权的观念，已经深入人心，渐为执政者所广泛接受，甚而被视为拯救腐朽政权的一根救命稻草。

四、火器时代的战法

随着火器的大量配置和运用，战法必然会发生改变。火器的大量使用，使得战法变得更加多样化，兵种之间的合同战术达到了一个新水平，火攻战法也有了极大的提升，攻城和守城战术以及作战的阵法更加多变。与此相应的是，战争对各级指挥员战术素养的要求也变得更高。

第一，火器的发展使作战兵种增加，战法更加丰富，战术手段更加多样化。

随着火器在战场上所发挥的作用越来越强和火器技术的飞速发展，明朝组建了专业的火器队伍——神机营，车兵也因为可以装载火器而就此重现。加上原有的步兵、骑兵和水师，明朝军队的兵种变得更加多元化。在戚继光的队伍中，就有步兵、骑兵、车兵等多个兵种。兵种的增加，武器装备的增多，可以使得将帅在指挥作战时多一些选择。如果是具备较高战术素养的优秀将帅，则可以将兵力配置更加优化，并设计出更加多样的战法。嘉靖四十年（1561）五月初四日，2000 余名倭寇袭击台州。戚继光得知这一消息后，立

———————————

① 《中国军事科技通史》，第 205 页。

即率领1000余人在上峰岭选择有利地形设下埋伏。虽说敌众我寡，但戚家军依仗鸟铳、火箭等先进火器先机打击敌军，很快便使得倭寇溃不成军。在这场战争中，火器和地形一样，成为戚继光设计伏击战术的关键因素。

火器的出现改变了各兵种之间的优劣对比。在冷兵器时代，骑兵因为拥有机动速度较快的特点，能够较好地压制住步兵。自从汉武帝大规模组建骑兵部队之后，骑兵在历朝都受到广泛重视。在唐代，骑兵更是成为主战兵种，被大规模投放到战场上。到了明代，步兵却因为拥有火器而得到重新崛起的机会。掌控了火器的步兵可以利用手中射击距离较远的先进火器，有效地抵御骑兵部队的冲击。人坐马匹之上，火器反倒难以掌控和发射，在没有发明轻便火器之前，骑兵便转而成为劣势一方。在特殊的历史时期，骑兵的威力忽然迅速降低，在军队和战争中的地位也随之下降。

不仅是步兵，车兵这种此前稍显笨拙的兵种，因为能够满足装载大量火器的需要而重新受到重视，战略地位越来越突出，渐而取代骑兵的地位。围绕车兵的特点和需要设计战术也成为兵学研究的新课题。赵常吉积极主张车铳结合，用战车自卫，用火炮杀敌。他指出："一经用车用铳，虏人不得恃其勇敢，虏马不得恣其驰骋，弓矢无所施其劲疾，刀甲无所用其坚利，是虏人长技尽为我车铳所掩。"① 孙承宗对于车战很有信心，把装载火器的战车视为取胜后金、收复辽土的重要砝码，并围绕新型车兵精心研究战术。在他看来，战车不仅具有"不动如山"的抗击打能力，也可以在完成车兵和其他兵种的战术协同方面有所作为，其中的关键则是"火（器）以车习，车以火（器）用"②。

随着兵种的增多，兵种之间的协同也成为迫切需要面对的课题。火器的发展和战争实践，极大促进了多兵种合同战术水平的提高。无论是在草原作战，还是在东南沿海御倭，一般都需要骑兵、车兵、

① 《神器谱》卷五。
② 《车营叩答合编·车营百八叩·序》。

步兵等多个兵种的互相配合。在俞大猷、戚继光等人的努力下，明军在东南沿海的抗倭中，就成功地将步兵、骑兵、车兵和水军的合同战术发展到一个新水平。景泰元年（1450），明将董兴在与广东农民起义军的交战中，也曾使用水陆并进的战法取得胜利。当时比较常见的协同方式有三种：一是步兵从陆地利用火器远距离攻击敌人，水军则适时封锁海面，切断敌军退路；二是引诱部分敌军上岸，步兵利用地形发挥火器的威力消灭对手，水师也在海面对敌发起攻击；三是待敌军完全登岸，步兵和水军同时对陆地敌人构成夹击之势。孙承宗指出，是否能够有效完成多兵种协同作战，其核心是看是否能使车兵和火器充分发挥效率：　“莫如用车，其用车在用火（器）。”①

　　第二，借助于先进火器，火攻战法受到特别重视，与之相关的研究论著日渐增多。

　　先秦兵典《孙子兵法》设有《火攻篇》讨论火攻，《六韬》中也有《火战》专门讨论火攻战法，说明先秦时期的火攻战法已经相当成熟。古代战争史中的经典战例，如官渡之战、赤壁之战等，都因为以少胜多而名垂青史，其实胜利方都有火攻助力。朱元璋也非常善于火攻战法，在和陈友谅的鄱阳湖决战中就曾使用火攻挫败强敌。随着火器技术的发展，火攻战法在明代更受重视，已出现专门的研究论著，这标志着古代火攻战法的研究进入了新阶段。

　　《火龙神器阵法》全书1万余字，附图47幅，是一部结合火器发展深入研究火攻战法的代表作。书中不仅记载了各种火器的制造和使用、各种火药的配置方法和性能，更对火攻的方法和原则进行了深入探讨。仅就火药配置而言，《火龙神器阵法》也较《武经总要》所载配方更加合理和先进。作者指出，先进火器可以发挥多种用途，既可以直接杀伤单个敌人，也可以引发大火，对敌造成大面积杀伤。至于发起火攻的时机，则一定要“上应天时，下因地

---

① 《车营叩答合编·车营百八叩·序》。

利"①，既要抢先占据上风口，同时也要充分发挥各类火器的自身性能，并且注意与冷兵器充分结合。由此可知，该书不仅是专门研究火器制造的兵书，同时也是探讨火攻战法的兵书，在古代军事史上占据着重要地位。

《火攻挈要》成书相对前者较晚，记录火器、讨论火攻战术则较前书更进一步。该书题"汤若望授"，对当时西方的先进火器技术也有所吸收。全书共3卷，上卷概论火器的制造原则，中卷介绍火药的制造工艺，下卷介绍火器的使用方法和火攻的原则等。其中既有对当时火器技术的忠实记载，更有作者对明军使用火器作战的经验教训总结。作者借此再提出自己对于火攻的认识，具有独到见解。作者指出，火器固然是破敌利器，但必须使用得法，尤其需要智谋良将来指挥，否则便是"空有其器，空存其法，而付托不得其人"②。他还总结了明军虽有利器却不能以火攻破敌的主要原因，如将疲兵骄、铸铳无法、造药无法和装放无法等，也提出了具有针对性的解决办法，力争去弊存利。焦勖指出，火攻虽烈，却不能专恃，对于火攻的效能一定要辩证看待。在战争中，指挥员还要注意各种兵器的互相配合，结合具体的阵法灵活运用，即兵器与火器互相协助，而不能用火器伤及自身。明代研究火攻的著作还有《火龙经》《火攻阵法》等，这些兵书不仅记载了当时火器技术的发展情况，也保存了明代结合火器对于火攻战法的深入探讨，反映出其时火攻战术迅速发展的面貌，因而具有重要的军事学术价值和史料价值。

第三，攻城和守城都相应提升了战术难度，城塞的防御作用需作重新认识。

火器时代的攻城与守城，其实仍然遵守"道高一尺，魔高一丈"的规则。守城一方如果拥有先进的火器，可以增加防守的厚度；攻城一方如果拥有锐利的火器，可以较为容易地摧毁对方的防御阵地。当然，火器的出现，尤其是杀伤力更大的火炮大量投入使用，也明

---

① 《火龙神器阵法·火攻地利》。
② 《火攻挈要·火攻根本总说》。

显地会令城塞的攻与守都增加不确定因素，逼迫城塞的攻守战术都要有水涨船高式的提高。在火器时代，城防体系的构建技术，包括城墙的修建技术，都被迫跟着提高，城塞的防御作用也需要进行重新认识。冷兵器时代，兵器对于城寨的破坏能力非常有限，攻城时在采取围困战术之外，只能仰仗奇袭。除了费时费力之外，士卒生命损失也大，这就是孙子所坚决反对的"杀士三分之一而城不拔者"①的攻城之战。先进火器显然可以帮助部队提升攻城能力，摧城拔寨变得相对容易。高墙深沟固然能阻挡步兵冲击，却无法抵挡火器的攻击。如果能够有效利用火器，不仅攻城的战术水平得到提高，也可以有效杀伤敌军保存自己。攻城部队可以用火炮直接轰击城墙和城门，一旦打开缺口，步兵就可以迅速冲入城内；也可以悄悄挖通地道至城墙之下，再大量充填火药，通过引爆火药炸塌城墙。永乐四年（1406），明军进攻安南多邦城，遇到顽强抵抗。安南军依托坚固的城墙和深深的壕沟，多次瓦解明军攻势。明将张辅一面派遣小分队趁着黑夜潜入城内，一面"翼以神机火器"②，使用神机铳大量杀伤敌军，一举击溃对手。

天启六年（1626）的宁远之战中，努尔哈赤的十多万大军被袁崇焕用红夷炮击退。这场攻城战中，努尔哈赤因为对明军的守城决心和火炮威力认识不足，故而惨败。他所擅长的传统攻城战术已经无法得到施展。而袁崇焕对如何结合城墙构筑火炮阵地富有心得，将守城战术提高到一个新层次。在随后的宁锦之战中，袁崇焕的防御战术又有所变化。为了对攻城的后金军进行牵制和打击，袁崇焕一面在城外布置一支机动能力较强的骑兵部队，"绕出大军后决战"③，一面则依托坚固的城墙和先进的火炮，不时地对后金军的攻城部队展开袭击和骚扰。此举使得后金军无法集中精力攻城，攻城战术也无法得到施展。宁锦之战体现出袁崇焕守城战术的进步和变

① 《孙子兵法·谋攻篇》。
② 《明史》卷一百五十四《张辅传》。
③ 《明史》卷二百五十九《袁崇焕传》。

化战术的能力。因为战术得当，袁崇焕率领明军成功地击退了皇太极率领的后金军。

在火器时代，对于守城之术、围城之术、围城打援之术，乃至于后勤补给之法等，都需要重新认识和重新设计。城塞设施在火药面前变得脆弱起来，其防守作用和存在价值，也就此引发人们的争论。明朝万历年间的进士尹耕，针对当时渐渐弥漫的城塞无益论，特地著作《城塞》一篇，呼吁朝廷继续加大城塞建设，认为"城塞以止驱，犹服药以已疾"①。徐光启也主张大力构筑城台："建立附城敌台，以台护铳，以铳护城，以城护民。"② 配合火器的城塞建设，即便面对争议，仍然得到迅猛发展。明王朝曾经多次对长城进行修建与改建，尤其注意结合重要关隘构筑坚固的城堡来抵御北方游牧民族的入侵。在东南沿海，明军也非常注意结合大江大河和重要入海口构筑城池，修建具有独立作战能力的城寨。在城寨之内和重要关隘都大量配置先进火器，以此构建抵御侵略的基础防线。就城市防御作战而言，"依城护炮，依炮护城"也是火器时代非常不错的战术选择。袁崇焕能够相继打退努尔哈赤与皇太极的进攻，取得宁远之战与宁锦之战的胜利，其实也在很大程度上得益于用心构筑的坚固城墙。

第四，火器的发展促进了阵法的研究，也对指挥员的战术素养提出了更高的要求。

火器技术的发展和火器的大量使用，也要求战场的阵法做相应的变革。从战斗队形到作战指挥等，都会随之发生很大改变。在明代，研究阵法的著作逐渐增多。焦玉的《火龙神器阵法》、何良臣的《阵纪》等，其中都有不少有关阵法的探讨。《火龙神器阵法》中说："选以精兵，练以阵法。……器贵利而不贵重，兵贵精而不贵多，将贵谋而不贵勇。"③ 在焦玉眼中，阵法与火器、精兵一起构成

---

① 尹耕：《塞语·城塞》，《中国兵书集成》第四十册。

② 《徐光启集》卷四《谨申一得以保万全疏》。

③ 《火龙神器阵法·火攻器制》。

战胜对方的不可或缺的重要因素。只有三者紧密地结合在一起，才能真正产生克敌制胜的效果。

由于火器的杀伤力比冷兵器的杀伤力更为强大，作战双方都要更加合理地排兵布阵，力求找出最优的兵力组合，更加充分地发挥火器的作用，更加注意保存己方的兵力。无论是进攻还是防守，首先都需要注意"化整为零"，小分队式的作战方式更加受到重视。也就是说，战斗阵型由大趋小，兵力分布由密集趋于疏散。戚继光的"鸳鸯阵"正是以 12 人组成一个基本战斗阵型，在战场上发挥了重要作用。其次，阵型设计更需要灵活求变，不再像冷兵器时代，强调阵型的严整和规模。在开战之前，指挥员就需要根据地形变化合理部署火炮，组织强大的火力网，力求先以火器阻击对手和杀伤敌军。在战斗发起之后，指挥员也要善于根据战场情况，及时地调整阵型，牢牢占据战场主动权。再次，阵型设计要求能够有效地避开对方的直接杀伤，尤其是要躲开对方威力大、射程远的火炮，不再强调硬碰硬的直接对决，而是巧妙地隐蔽主力，等待合适的时机再利用各种火器压制对手，歼灭敌人。

火器的大量使用使得战场面貌发生深刻变化，作战样式更加复杂，需要指挥员善于根据战场形势及时做出调整。火器在引起战术和阵法不断变化的同时，也极大地改变了战争指挥方式，这无疑对指挥员的战术素养提出了更高的要求，不再追求冷兵器时代那种只能挥舞丈八蛇矛的猛张飞。这就是焦玉所说"将贵谋而不贵勇"①的道理。在冷兵器时代，一次战斗乃至一场战争的胜负经常取决于战争双方的短兵搏杀，指挥员往往需要亲临战场，甚至带头搏杀。但在火器时代，远距离作战已经成为可能，不再单纯追求那种"万人敌"的猛将，而是更需要运筹帷幄的善谋之将。作战节奏的加快，火器种类的增加，都需要指挥员更加博学，不仅要懂搏杀，还要懂军事科技；不仅要善于作战，还要善于指挥。身为将帅，其主要职责不再是带领士兵冲锋陷阵，而是善于根据情报果断做出决策，具

---

① 《火龙神器阵法·火攻器制》。

备快速应变的能力，善于根据战场上的情况变化及时调整决策。为了解决信息不畅、指挥不力等问题，指挥员还应组织成立高效的团队，大量吸收参谋人员的智慧。

总之，明代火器技术取得飞速发展，火器技术与战场的结合也较宋元时期有较大进步。遗憾的是，这种良好发展的势头并没能够继续保持下去。日渐腐朽的明朝统治者即便是拥有先进火器，也最终没能抵挡八旗铁骑的强行入关。清廷入主中原之后，火器技术和军事科技的良好发展势头就此戛然而止。在清代，火器技术一度呈现出明显下滑的态势，甚至一直持续到清朝灭亡。晚清时期中国火器技术与西方已经形成巨大差距，落后面貌与明朝火器技术快速发展状况形成鲜明对比，不免让人产生扼腕之叹。

第四节　军事地理学的发展

自先秦时期开始，军事地理学便已经成为古典兵学的重要内容之一。《孙子兵法》已将"地"作为影响战争胜负的五个重要因素之一。① 十三篇兵法中，既有专门结合地形讨论战术思想的《地形篇》，也有论述作战环境和兵要地理的《九地篇》。此外，《六韬》《孙膑兵法》等兵书也充分结合地形研究战术。我国古代军事家很早就已注意到地理因素对于战争的影响，研究军事地理也已成为我国古典兵学的重要内容和优良传统。明代军事家同样非常重视军事地理学的研究。万历年间，伴随着古典兵学的研究热潮兴起，军事地理学更加受人瞩目，《广志绎》等著作的出现是其标志，《武备志》中也有大量讨论军事地理的内容。在《武备志》中，茅元仪提出了边防、海防、江防并重的战略思想，以多卷篇幅详细记载了明代地理形势、关塞险要、海陆敌情等情况，从军事学角度考察明代地理

---

① 孙子将"道、天、地、将、法"统称"五事"。见《孙子兵法·计篇》。

形势，也为后人留下了不少重要的军事资料。其中"战略考"非常注意从战略高度考察地理条件，分析天下兴亡。《筹海图编》等书对海洋地理有深入讨论，还注意结合海岸地形条件，探讨海防战略，总结海战战法等。这种研究军事地理的热潮一直延续到清代。明末清初的军事地理研究已经发展到高峰期，系统论述军事地理的著作《读史方舆纪要》便于此时诞生。

一、地理学向政治、军事方向的拓展

洪武三年（1370），魏俊民等按照《大元大一统志》的体例，编纂而成《大明志书》。在这个基础上，天顺五年（1461），李贤、彭时等编纂《大明一统志》，完成了这部 90 卷本的官修明代地理总志，比较系统而集中地保存了明代各个政区的重要地理资料。明前期的地理志书较少，所以这部书虽因纪事简略或张冠李戴等问题而遭受到广泛批评，但它也为明代后期军事地理学研究的兴起打下了一定的基础。此后，在经过诸如倭寇入侵这样特殊的外部环境刺激后，之前那种单纯的地理志书开始改而向军事学方向大幅度迈进，于是有了明末清初军事地理学研究的高潮出现。

研究军事地理，既需要精通军事理论，也需要钻研军事历史，更需要不辞辛劳地游历名山大川，向各种复杂的地理环境讨要学问。因此，军事地理学同时也是一门实践之学，需要于山水之间花费大量时间。这种实践之学，与王守仁所倡导的一度风靡的心学，有着本质上的不同。明朝末期，心学虽然高度发达，但也逐渐流于空疏，已导致不少问题出现。顾炎武等人甚至将明朝的灭亡，归于这种空疏之学的发达："以明心见性之空言，代修己治人之实学，股肱惰而万事荒，爪牙亡而四国乱。"① 到了明朝晚期，一些睿智的知识分子已经逐渐认识到这一问题，于是万历之后的学风也在悄然发生转变，

---

① 顾炎武：《日知录》卷七《夫子之言性与天道》，清乾隆刻本。

这种转变情形正如周振鹤所总结的那样："从空谈性理转入经世务实。"① 地理学和军事地理学的兴起，与当时学风的转变有着直接联系。从王士性到郑若曾，从顾炎武到顾祖禹，可以明显地看出这个时期军事地理学研究越来越走向深入。

王士性，万历年间进士，著有《五岳游草》《广游志》《广志绎》等地理学著作。这些著作不只是关注人文地理，而且或多或少地都对军事地理有所关注，从而为后人留下了不少极富价值的地理资料。王士性的地理学著作，基本都是他亲身游历的记录。借助到各地为官的机会，他遍游各地山川。比如万历十六年（1588），王士性被朝廷派往四川短暂任职。在此期间，他虽然饱尝"蜀道难"的滋味，但也因此对一路的山川险阻有了直观感受。王士性的地理学著作和几种游记作品，基本都是由此而得来。他的部分游记作品与传统游记已经有所不同。他早期的《五岳游草》基本上属于纯粹的游记作品，基本和李白抒发游历山水感受的诗歌、徐霞客记载游览风景的游记属于同一性质，只是偶尔才会结合历史和现实等发出若干感慨。有一次，他在游玩潼关时，面对险峻的关隘，会情不自禁地感叹当年的金戈铁马。在《五岳游草》中，这样的笔调和风格尚且少见。宣告王士性写作风格发生根本改变的是《广志绎》。《广志绎》不仅是写作风格与《五岳游草》有着很大的不同，而且在实质性内容上也有很大区别。《广志绎》的诞生，标志着王士性地理思想和军事地理思想的完全成熟。

事实上，《广志绎》的写作也是对作者另一本游记作品《广游志》的自我否定。相对于《广游志》的过于简略，《广志绎》无论是记游还是议论，都要更为深入。作者本人似乎并不认可《广游志》，但该书也并非完全一无是处。这部薄薄的小册子中，也不乏精彩之论。比如在《形胜》中，王士性要言不烦地介绍中国山川地理的区域性特点，探讨了如何结合地形特点分省建制，其中的很多论

---

① 王士性撰，周振鹤点校：《五岳游草·广志绎》，中华书局，2006年，前言第1页。

述都很有见地。在《广志绎》中，王士性已经较为系统地展示了自己成熟的地理思想。《广志绎》的第一卷是《方舆崖略》，这一篇总括性的文字，在作者看来是"举其及而识其大"。作者花费了很大心思，通过对历史的简要总结，分析各处险要的重要性和战略地位，探讨"天下山河之象"①，研究天下兴亡之理。比如，对于东南一带，作者通过孙吴立国的经验，分析此地对于王朝兴衰的意义；对于潼关等关隘，着重通过重要战争，总结其战略地位和防守价值；对于四川，重点讨论该地对于完成战略物资储备的重要性……

在总论之后，王士性选择几处在他看来比较重要的省份进行更为细致和深入的探讨，比如"两都""江北四省""江南诸省""西南诸省"。由于有着长期而深入的考察的积累，王士性的总结和分析，都要言不烦而又切中要害。比如他对大江南北土地特点的总结就非常简明扼要："江南泥土，江北沙土；南土湿，北土燥；南宜稻，北宜黍……"② 在这段话中，王士性不仅简明扼要分析了南北各地的土壤特点，也总结了各自适合种植的庄稼。在论述山西东胜、偏关、宁武几处要塞的重要性时，作者一针见血地指出，以往的种种防守战术之所以不得要领、屡遭失败，就是因为没有看到三者之间互相依存的关系。在王士性看来，这三处要塞，"偏、老为边，而宁为腹"③，三者之间需要互相配合、彼此相依，才能构筑较为完整的防御体系。如果看不到这些地理特点，遇到战事就会盲目设防，结果只能是步步退缩，直至完全失守。

从总体上来看，王士性的军事地理研究也存有明显的缺陷。比如就深度而言，其探讨尚嫌不足；就内容而论，也失之偏颇。总体内容偏于战略层面，因而较多空疏议论，对战役战术等内容几乎没有涉及。这就导致其分析部分大多停留于感性层面，更多结合人文

---

① 王士性撰，吕景琳点校：《广志绎》卷一《方舆崖略》，中华书局，1981年。
② 《广志绎》卷二《两都》。
③ 《广志绎》卷三《江北四省》。

历史，缺少科学理性精神。虽然存在缺陷，但王士性从地理条件和地形特点出发，探讨其对于军事活动的价值，在明代是开风气之举，对于明清之际的军事地理学起到了引导作用。后来的学者，如顾炎武和顾祖禹等人，对于军事地理的研究越来越深入，逐步使得地理学摆脱了历史学的附庸地位，逐渐成为一门独立的学科。

王士性的游历可分为两种，除了对地理学和军事地理学的探讨之外，其中还有不少纯粹属于寄情山水，游目骋怀，发幽古之情而已。偏于军事风格被著名学者顾炎武等人发展，另一种风格则被著名旅行家徐霞客等继承。徐霞客比王士性晚生四十年，同样酷爱游历。他曾花费三十余年遍游各地山川名迹，留下了大量关于名山大川的地理笔记，后人将这些游记作品整理为《徐霞客游记》。游记大量记录了各地有关山川地形、水文地理、地质地貌以及土壤植被等方面的情况，为后人留下了大量珍贵的地理资料，所以这本书的地理学价值并不亚于其文学价值。但从总体上来看，徐霞客的地理学著作较少从军事学视角看待问题，虽说也有一定的军事学价值，但毕竟非常有限。

因此，我们更应关注的是顾炎武的军事地理思想。有学者指出，顾炎武的地理学著作，如《天下郡国利病书》《肇域志》《山东肇域记》《历代宅京记》等，几乎"都打上王士性影响的印记"①。顾炎武著述丰富，其中最为人熟知的是《日知录》。这属于杂集，集中体现了顾炎武治学的渊博，其中也有关于舆地之学的内容，但不占主流。至于《天下郡国利病书》《肇域志》《山东肇域记》《历代宅京记》等，则是主题鲜明的地理学著作。这几种地理学著作，在内容设置和记述方式上，都各有特点。《天下郡国利病书》偏重经济地理，《肇域志》偏重政治地理，《山东肇域记》则是专叙某一特定地区的地理，《历代宅京记》则是专叙古代重要都城，包括其建置、迁徙及沿革等。

《肇域志》的写作时间跨度很长，据说在顾炎武年轻时就已经展

---

① 《五岳游草·广志绎》，前言第 8 页。

开，到康熙初年才大致完成并收束成稿。① 看该书体裁就可知道，这部书有点类似于读书札记，并不是体系完整的论著。然而，这样的著述却具有相当重要的史料价值。作者广征博采，按照明代两京十三布政司的分区，对全国各地的山川险要、地理沿革、风景名胜等，进行了详细记载。有些内容虽说取材于明代《一统志》等史料，但作者大多进行考订核实，可谓一边钩沉史籍，一边实地考察。事实上，顾炎武的著述一直强调与实践充分结合，所以他格外辛苦，也格外可贵。顾炎武晚年大概是意识到自己的时间已经不够用，所以只能勉力将其中与山东有关的内容亲手修订成稿，成为《山东肇域记》。《天下郡国利病书》堪称《肇域志》的姐妹篇。顾炎武曾在《肇域志》的序言中说："本行不尽，则注之旁，旁又不尽，则别为一集，曰《备录》。"② 这个《备录》，就是《天下郡国利病书》。与《肇域志》相比，二书在内容上各有侧重。《天下郡国利病书》侧重于辑录经济地理及军事得失等方面内容，对各地的物产、赋役、水利、漕运、屯田、边防、关隘等，均有详细记录。《历代宅京记》又名《历代帝王宅京记》，集中记载历代建都之制，为后人留下了一部关于古代都城历史资料的专门之书，从中探讨朝代更迭和兴亡得失之理。以上三书，都是顾炎武关于地理学研究的代表著作，在为后人留下不少珍贵史料的同时，也可以从中窥见其地理学和军事地理学的思想体系与著述理想。

顾炎武著述《历代宅京记》时曾说："必有体国经野之心，而后可以登山临水；必有济世安民之识，而后可以考古论今。"③ 考察顾炎武的著述和治学，其中也充分贯穿了这一思想。他之所以下大力气研究地理学，其实也是源于家国之恨，希望能通过这种实学来

---

① 也有不少学者认为它只是一个草稿，这可能与该书工程量过于庞大有关，写作工作实则没有结束，"留待处理的痕迹随处可见"。参见朱惠荣：《评〈肇域志〉》，《史学史研究》2001 年第 1 期。

② 《肇域志·自序》，顾炎武撰，谭其骧、王文楚等点校：《肇域志》，上海古籍出版社，2004 年。

③ 徐元文：《序》，顾炎武：《历代宅京记》，中华书局，1984 年。

为反清复明提供切实可用的武器，因此顾炎武的地理学，已经非常留意于军事。对此，全祖望有过非常简要的总结和评价："凡先生之游，以二马二骡，载书自随。所至厄塞，即呼老兵退卒询其曲折；或与平日所闻不合，则即坊肆中发书而对勘之。"① 从这段记录可以看出，顾炎武每到一处险要之地，便与老兵一起探讨当地的地理形势，又与旧籍仔细进行对照，努力进行核实。这种经世致用的地理学研究，明显深含心机，一直在为复明大业进行着准备，带有强烈的现实意义和鲜明的军事色彩。因此我们可以说，顾炎武所研究的地理学，其实正是军事地理学。

《日知录》是顾炎武自视甚高的代表性学术论著。这本书名为稽古，形同札记，却集中寄托了作者明道、救世的学术理想。书中所含内容除了经义、史学之外，还包含有舆地之学，可或多或少地窥见顾炎武的军事地理思想。比如在《长城》一条，作者除了简要总结长城构筑的历史之外，也重点分析了长城在特殊年代的防守价值和地位作用等。在作者看来，长城在战国时期出现，与田制及兵种的发展变化密不可分，是当时"井田始废"和"车变为骑"的自然结果。② 这些文字，既简明扼要地抓住了历史的关节点，也很好地总结了长城的历史地位，分析了其战略地理价值等。

顾炎武对于军事地理学的贡献体现在多个方面。除了前面所述著作之外，顾炎武对于地理考据和历史文献的考订也有不少重要贡献，比如他解释了历代疆域中的"四海""九州"概念，解决了一些地名用字、读音方面的问题，对于异地同名和方位地名进行了辨析等等。③ 限于篇幅，这方面内容笔者这里不再详细述及。

作为一部百科全书式的军事学著作，同时也是对古典兵学具有

① 全祖望：《鲒埼亭集》卷十二《亭林先生神道表》，《四部丛刊》景清刻姚江借树山房本。
② 《日知录》卷三十一《长城》。
③ 华林甫：《顾炎武地理考据得失论：纪念顾炎武诞辰四百周年》，《中国历史地理论丛》2013 年第 4 期。

总结性质的兵学巨著，《武备志》必然也对军事地理学有所涉及。这些论述，集中收录在《武备志·占度载》。《占度载》的内容非常驳杂，所总结和收录的基本是兵阴阳学的内容。依照古代的传统，舆地学与阴阳学之间的关系非常密切，因此茅元仪在《占度载》中为军事地理学留下了不菲的卷帙，也就可以理解了。茅元仪花费了大量笔墨讨论"方舆"，主要探讨的正是军事地理学。

在《方舆篇》的开篇，茅元仪就强调了研究军事地理学的重要意义："古之纵横家，欲以明通窾要执人主之契，必先熟形势始。"[①] 这里所谓"形势"，指的就是地理形势。古代的那些纵横捭阖、叱咤风云的纵横家，首先都是胸怀丘壑的战略家，对各国的地理形势和战略得失都谙熟于心，这才能结合时势及时地拿出切实可行的战略方案，才能在和国君对坐之时成功地说服对方。由此可见，军事地理学是古今战略家首先需要掌握的基础知识。诸如天下户口众寡、兵甲强弱的情形等，一直是影响战争决策的重要因素。要想真正掌握这些内容，只有依靠扎实的军事地理学研究。因此，茅元仪要花费大量笔墨讨论舆地之学，也即他所谓"度地之学"。

茅元仪以王将军（姓名不详）为例，指出当时的军事地理学研究过于注重地理沿革的考证和山川地理情况的简单记载，缺少对地形特点的分析，尤其是主要关隘地形和地理形势特点的探讨，所以在内容上存有重大缺失，因而也不足以言"武备"，对研究军事问题和战争决策没有什么实际参考价值。由于亲眼看见了这些不足之处，茅元仪对"方舆"的探讨更详于内地，更多围绕每处要塞的战略得失而展开。不仅如此，在边疆、海防、江防、属国、航海等其他方面，茅元仪也有程度不同的探讨。在他看来，这些内容同样应属于军事地理学的研究范畴："六者，皆兵力之所可及也。"[②] 就军事地理学的研究主体而言，茅元仪从陆地拓展到海洋，甚至也对属国的地理形势进行过研究。

---

① 《武备志》卷一百八十九《占度载》。
② 《武备志》卷一百八十九《占度载》。

《武备志》各个部分的写作特点各有不同，比如《兵诀评》多为议论和品评，《战略考》则结合战争历史而展开，《占度载》中有关军事地理学的内容则严密结合各处地理形势而展开，而且依照行政区划进行了认真条贯，结构严谨而又脉络清楚。例如就"方舆"部分而言，作者依照两直隶、十三布政司的架构而依次展开。对于每个具体的行政区划，茅元仪先是采摘先贤对有关地域的定评，再配以形势图给人以直观感受，接着辅以各个郡县的分图，再将有关户口、钱粮、疆界以及山川险要等情况一一予以介绍，力求在内容上逐层深入，为"武备"提供可具参考价值的报告。

从《武备志》的整体著述特点和编排结构都可以看出，舆地学在茅元仪这里尚且只是兵阴阳学的附庸。这应该是特定时代的产物，说明茅元仪并没有能够摆脱传统兵学思维定式的束缚。将舆地学从兵阴阳中剥离出来，并且发展成为真正独立的军事地理学，需要留给顾祖禹这样更为杰出的英才。尽管如此，茅元仪在《武备志》中的探讨仍然具有重要价值。结合军事学对各地山川地理和险要地势的分析与探讨，既对先贤的研究心得完成了历史性总结，也很好地启示了后来者，顾炎武和顾祖禹都可从中受益。顾祖禹《读史方舆纪要》能够最终完成，也离不开《武备志》的铺垫作用。

二、海洋地理渐受重视

明代政府对于海洋的态度曾几经变化。郑和七下西洋，是明朝前期远洋航行能力的直接体现，同时也是推行积极开放政策的必然结果。马欢随郑和远下西洋，已经非常注意随行记录和保存，对"诸国人物之丑美，壤俗之同异，与夫土产之别，疆域之制"[1] 等留下记录，因此留下《瀛涯胜览》一书。费信的《星槎胜览》、巩珍的《西洋番国志》则为同类性质的作品。此外，还有一份重要的地理文献《郑和航海图》经《武备志》收录而得以长期保存。[2] 明朝

---

① 　马欢：《瀛涯胜览·序》，中国旅游出版社，2016 年。

② 　《武备志》卷二百四十《占度载》。

中后期的长期海禁，不但没有带来朝廷所盼望的海洋秩序，反倒导致中华海权的萎缩。倭寇的长期袭扰，以及西方海洋强国的远道侵袭，与这种退守政策的施行不无关联。当然，倭寇的侵袭行为也引起了人们对于海洋地理的重视，不仅《武备志》这种大型类书会关注海洋地理，同时也有《筹海图编》这种专论海防地理的著作诞生。该书虽曰"图编"，实则图、论结合，探讨和总结"海防之制"①，为明军抗倭提供帮助。

如前所述，茅元仪的军事地理学除了关注有关内地的"方舆"之外，更关注边疆、海防、江防、属国、航海等内容，军事地理学的体系更加完整。从陆地拓展到海洋，高度关注海洋地理，是茅元仪对军事地理学的一个突出贡献。茅元仪自称："海之有防，自本朝始也。"② 地理学到了明代，因为有了海洋地理的讨论而变得更加丰满起来。茅元仪认为，要想求得百岁之安，关键要点就在于"拒之于海"③，为了避免海上敌人来犯，一定要了解和掌握海防特点，根据海岸线的地理特点和海洋地理特点进行布防。在《武备志》中，茅元仪先是就海防地理的特点绘出海防形势总图，尤其突出介绍日本人从海上来犯的形势图，再依照由南至北的顺序，从广东到浙江，再到山东、辽阳，依次介绍各处海防要塞和布防要点。大到散布海洋的海岛，小到依山傍水设置的水寨，举凡沿海各处的防守要点，他都详细绘出地图，同时也用"诸家论记"这样的既定之说来进行现身说法和补充论证，使得所论极具针对性、现实性和说服力，可以为海防将士防范倭寇的袭击提供重要参考资料。

明朝后期，随着海防形势的变化，诞生了一大批讨论海防的著述，比如《筹海图编》《万里海防图论》《江南经略》《筹海重编》《皇明海防纂要》《海防图议》《虔台倭纂》《御倭军事条款》《倭志》《温处海防图略》《两浙海防类考》《两浙海防类考续编》等。

① 《筹海图编》卷十二《经略二·御海洋》。
② 《武备志》卷二百九《占度载》。
③ 《武备志》卷二百九《占度载》。

这些著作的主题都是讨论海防问题，其中不少内容都结合海洋地理
而展开，所以对于东部沿海地区的海洋地理情况都会有或多或少的
涉及。其中不少著作都配有较为直观的海防地图，对沿海的地形特
点、防守要塞等，予以配图说明。这些著作的纷纷面世，固然是抗
击倭寇的军事斗争形势使然，但也充分反映出当时军事家们对海洋
地理的重视。

明代有关海洋地理的著作中，需要重点关注的是《筹海图编》。
是书共 13 卷，由郑若曾、邵芳负责撰写和绘图，抗倭名将胡宗宪亲
自审定。仅从书名就可看出，《筹海图编》的最大特点就是最大程度
地结合地图来记载和分析海洋地理形势以及抗倭形势，立意全在海
防。因此，《筹海图编》对涉及海防的各方面内容均有不同程度的探
讨。除重点介绍海洋地理和山川险要之外，作者对海防战略、治军
思想、海战战术及海战兵器等都有所论及。

全书第一部分是《舆地全图》，作者花费大量笔墨记述广东、福
建、浙江、直隶、登莱五省的海防地理形势，至于体例则同样是借
助于地图（《沿海郡县图》），此外也结合海洋地理和海防形势探讨
海防事宜。其次则是大量记载有关日本的基本情况，主要分为《日
本国论》《日本纪略》《倭船》《倭刀》等。此外也对倭寇基本情况、
入侵路线图、既往抗倭经验等进行总结。这些内容使得该书在性质
上与那些海洋地理著作有着根本不同，故而能对抗倭斗争起到现实
参考作用，也能由此而受到戚继光等抗倭名将的重视。以《沿海山
沙图》为例，这部分内容由 72 幅地图组成，其中包括广东 11 幅、
福建 9 幅、浙江 21 幅、南直隶 8 幅、山东 18 幅、辽东 5 幅。这些地
图前后相连，成为一幅结构严整而且气势恢宏的画卷，不仅可以从
中隐约感受明军戒备森严的防线，也可以大致推想倭寇咄咄逼人的
进犯之势。在图卷中，作者对有关海洋地理的各种要素，如海岛、
海口、沙滩、海岸线、城镇以及烽堠等，都有较为详细的记载和说
明，并依靠画师出色的绘图技术，努力为读者呈现相对直观的沿海
地形图。例如，以《福建事宜》为例，郑若曾对福建沿海的岛屿礁
石、岸上山势、沿岸港口卫所等情况都有具体描绘，并试图从中总

结出既有"百年之长策"，也有"一时之权宜"的御寇之策，① 力争为抗倭将领提供一份切于实用的海洋地形图。

不仅如此，《筹海图编》还收录了明军与倭寇的历次重大战役，除了总结明军战争经过和战法得失之外，还对明军将士及沿岸百姓的伤亡情况有所记述。也许因为该书是由胡宗宪主持和审定，书中记载胡宗宪指挥的战例最多，占全部战例的三分之二以上。其中，尤其以剿灭王直、徐海等倭首的战役记载最为翔实，也算是对胡宗宪的功绩进行总结和表彰，同时也反映出当时倭寇为祸浙东的真实情形。尤为可贵的是，书中辟有专门篇幅对抗倭战争中牺牲将士的生平进行记录整理，分别为《遇难殉节考》和《遇难殉节考拾遗》，虽说"或限于耳目之未接，或涉于传闻之疑似"② 而导致遗漏现象出现，但此举无疑可以起到激励士气和安抚军心的作用。

在《筹海图编》中，重点论述的还有建军思想及海防思想。郑若曾首先是对倭寇的来源及活动规律等进行认真的总结和梳理，就此指出了"袭用旧人，行旧政"③ 的危害。接着，他又从"庙算"的高度探讨解决倭患的办法，认为"圣明与庙堂大臣从中主断而力行之"④，才是解决倭患的根本之计。不仅如此，郑若曾又论述"择将才"和"选士卒"的重要性，对戚继光"兵之贵选"思想进行重点论述，强调了精兵思想的重要性，认为"其法惟在精"⑤。除此之外，他还就如何解决后勤补给问题提出了自己的对策，并引用了胡世宁所说的"屯田为足食足兵之上策"⑥。针对抗倭前线明军作战不力的现状，他还对"调客兵"和"练乡兵"等方法进行了认真比较，认为从土著之兵中精心挑选，通过"选择之精，训练之勤，赏

---

① 《筹海图编》卷四《福建事宜》。
② 《筹海图编》卷十《遇难殉节考》。
③ 《筹海图编》卷十一《经略一·叙寇原》。
④ 《筹海图编》卷十一《经略一·定庙谟》。
⑤ 《筹海图编》卷十一《经略一·选士卒》。
⑥ 《筹海图编》卷十一《经略一·清屯种》。

罚之严"来达成"大有实益"。①

除上述内容之外，郑若曾在《筹海图编》中还对嘉靖时期各级将领，尤其是胡宗宪有关海防的重要论述进行了摘编和探讨。其中也包含了郑若曾本人关于海防的真知灼见。在他看来，要想搞好海防，就必须既重视"御海洋"，又强调"固海岸"，既要加强"谨瞭探"，也须重视"勤会哨"。② 只有做到这些，才能保证海防战略的总体设计能够跟进抗倭斗争的形势变化。在这里，郑若曾对抗击倭寇的防御层次和防御策略有着较为全面的关注，还对海防情报的侦察和研判等有系统总结，因此这部分内容集中汇集了海防战略战术，也可视为《筹海图编》的精华部分。

关于"御海洋"，作者根据胡宗宪"海防则必宜防之于海"③ 的主张进行了较为细致的阐释。他所推崇的是"击贼于近洋而勿使近岸"④ 的战法，反对将战火引到陆地，防止因此而给沿岸百姓造成不必要的伤害，也可防止倭寇深入腹地后造成更大的损失。至于"固海岸"，这是"紧关第二义"⑤，同样也需要引起重视，但地位等而次之。为了做好"固海岸"，明军就必须做到"谨于海岸之守"⑥，并进一步做好反客为主的准备工作，及时组织反攻，这才能确保沿海各地关隘的安全。在作者看来，情报工作必须给予充分重视，做好"谨瞭探"则是搜集敌情，实现"先知"的根本保证。为做好情报工作，必须"精选熟知水性之人远出外洋分投哨探"⑦，依靠这些哨探在沿海搜集有关倭寇的情报。至于"勤会哨"，也是防止倭寇"互为声援"⑧ 的有效手段，同样必须给予充分重视。为了更好地做

---

① 《筹海图编》卷十一《经略一·慎募调》。
② 《筹海图编》卷十二《经略二》。
③ 《筹海图编》卷十二《经略二·御海洋》。
④ 《筹海图编》卷十二《经略二·御海洋》。
⑤ 《筹海图编》卷十二《经略二·固海岸》。
⑥ 《筹海图编》卷十二《经略二·固海岸》。
⑦ 《筹海图编》卷十二《经略二·谨瞭探》。
⑧ 《筹海图编》卷十二《经略二·勤会哨》。

好情报工作，当然更要注意使用间谍，郑若曾引用唐顺之"用间，使其自相疑而自为斗，最是攻夷上策"① 一语，说明了巧妙使用间谍的重要性。事实上，后来倭首徐海等人被除，正有巧妙使用间谍的作用。胡宗宪委派夏正担任间谍，离间徐海和陈东等倭首，结果大获成功，从而一举除掉在两浙一带为害多年的倭寇。

在《筹海图编》的最后，作者对各种海战兵器，尤其是战船做了尽可能翔实的记录，不仅对它们的作战性能、使用特点等有具体描述，还绘出各种战船及兵器的图样。在各种作战兵器中，作者尤其重视火器，对天坠炮、子母炮、火箭、佛郎机等作战性能都有记载。为了强调对火器的重视，作者还借用唐顺之的论断："虏所最畏于中国者，火器也。"② 因此，力争扬长避短，充分发挥火器的优长，便成为明军抗倭首先要考虑的因素。

从总体上考察，《筹海图编》虽说难称完善③，却在此后受到前线抗倭将领的普遍重视，保持了相当程度的权威性。这并非仅仅因为该书审定者是胡宗宪这样的总督，还因为其中地理形势图的绘制较为精审，对倭寇情况及活动规律等有较为详细和准确的记录，有关海防战略战术思想也具有一定的前瞻性和实用性。

明朝后期对海洋地理的重视，在当时具有重要的现实意义，比如能对抗击倭寇起到服务作用，对于其后的海洋作战而言，也具有非同寻常之价值。无论是郑成功还是施琅，在收复台湾的过程中都对海洋地理情报高度重视。郑成功在发起登岛作战之前，非常注意收集台湾岛和台湾海峡的气象情报，也要求部下详细收集并掌握台

---

① 《筹海图编》卷十二《经略二·用间谍》。

② 《筹海图编》卷十三《经略三·兵器》。

③ 《筹海图编》刊刻于嘉靖四十一年（1562）春正月，距离郑若曾进入胡宗宪幕府不过数月，因此有人认为该书撰述时间很短。当然，郑若曾动笔著述是书可能较早，当他目睹倭寇为患家乡之时，可能已悄悄展开著作，遂以该书为投名状而投靠胡宗宪。不管如何，该书初刻之时，因为文字来不及仔细推敲，地名、人名等也没来得及核实，因此文字内容脱讹较多，难称完善。

湾海峡的水流和风向等情况。如果不掌握这些海洋地理情况，大军甚至无法顺利靠岸，在战斗中也会处于下风。至于施琅，因为自恃在海滨长大，对海洋地理和当地气候情况一直非常熟悉，在写给朝廷的奏疏中，敢于自称"岂有海面形势、风信水性犹不畅熟胸中"①。其后的渡海作战证明，他所掌握的大量海洋地理情报，包括海峡水流情况和台湾岛周围的天气变化等，对于他的战争决策和战术指挥都起到了非常关键的作用。值得注意的是，受到明末重视海洋地理的这种风气影响，清代也有不少学者非常重视对海洋地理的研究，并为后人留下了精彩的著作。

三、《读史方舆纪要》的军事地理学思想

明代末期开始逐渐兴盛的地理学，虽说与西方仍存在较大差距，甚至被利玛窦讥讽为"不知道地球的大小而又夜郎自大"②，但也取得了一定的成绩，而且得到清代学者的继承和发扬。清代产生了灿若群星的地理学家。王士性、茅元仪、顾炎武等学者的层层推进，郑若曾这样重视海洋地理的学者们的呼吁，包括清代朴学的兴盛等，都对清代军事地理学的兴起起到了重要推动作用。著名学者如顾祖禹、全祖望、阎若璩、高士奇、胡渭、钱大昕、王鸣盛、洪亮吉等，都曾对地理学、军事地理学或沿革地理进行过精深的研究。其中，专门从事军事地理研究，用力最深而且成就最高的，要数明末清初的学者顾祖禹。他的代表作是《读史方舆纪要》，一直被视为古代地理学和军事地理学的代表性著作，同时也是研究古代沿革地理的必备参考书。

明代后期的地理学研究可分为两途，其一是重视景物名胜（徐霞客是其代表），可称之为旅行家的地理学；其二是重视山川险要和

---

① 《决计进剿疏》，施琅撰，王铎全校注：《靖海纪事》卷上，福建人民出版社，1983年。
② ［意］利玛窦、［比］金尼阁著，何高济、王遵仲、李申译：《利玛窦中国札记》，中华书局，2010年，第181页。

海防要塞（郑若曾和顾祖禹是其代表），这一类可称之为军事家的地理学。郑、顾也有所不同，《筹海图编》属于论述海洋地理和海洋战略的著作，而《读史方舆纪要》虽不乏论述河道湖泊等内容，但主体内容更多集中于陆地。至于《武备志》中的军事地理学，更像是百科全书式的概论。相比追求面面俱到的《武备志》，《筹海图编》和《读史方舆纪要》更像是两部军事地理学专著，也代表了海、陆两个方向的最高成就，因而都具有非常特别的意义，是军事地理学研究史上具有里程碑意义的著作。

《读史方舆纪要》由顾祖禹积 20 余年辛劳而著成，共 130 卷，附有《舆图要览》4 卷，制作各种沿革表 35 份。作者在前 9 卷叙述"历代州域形势"，后面则按照明末清初的行政区划，依次分述各省、府、州、县的疆域沿革、山川形势、关塞险隘等。作者以朝代更替为经，以地区划分为纬，纵横交错地阐述各地山川地理形势，考订古今郡县的变迁沿革，探讨山川关隘对于攻守的利害关系。这些内容占据了这部书的绝大部分篇幅。除此之外，最后 6 卷集中记述川渎异同等，以"俯察仰视"之义。书中还附有《舆图要览》4 卷，分别包括全国总图、各省分图、边疆分图，以及黄河、海运、漕运分图等。

顾祖禹对于《孙子兵法》的军事地理思想非常推崇，在自序中称赞"论兵之妙，莫如孙子；而论地利之妙，亦莫如孙子"[1]，所以下足功夫专门研究军事地理。在《读史方舆纪要》的写作过程中，作者贯穿了经世致用思想，是为了在山川险要之中探讨古今兴亡的道理以及进退、攻守的方法及得失等。在自序中，作者已经点明著作目的：试图让人们懂得"先知地利，而后可以行军。以地利行军，而复取资于乡导，夫然后可以动无不胜"[2] 的道理。从书中大量征引《孙子兵法》名言、袭用其中"圮地""重地""衢地"等军事地理名词等情况来看，顾祖禹显然对孙子的兵学思想有过深入学习和

---

① 《读史方舆纪要·总叙二》。

② 《读史方舆纪要·总叙三》。

借鉴，论述地理形势也多围绕孙子的"九地"展开，和孙子一样，非常看重争夺"地利"。《读史方舆纪要》对孙子军事地理思想既有继承，也有发展，"不仅吸纳了《孙子兵法》思想精髓，而且受《孙子兵法》启迪，在军事地理思想方面提出新的创见"①。

因为立意和主题基本围绕军事地理而展开，因此《读史方舆纪要》与一般的地理志类著作有着很大的不同。张之洞曾将该书列入兵书，对这部书的军事价值也给予了积极的肯定。出于军事方面的特殊强调，作者在写作过程中着重记述的是历代兴亡、战争胜负与地理形势的关系，进而试图从中推导出地理与胜负的某种联系。仔细考察该书，不难看出其中一个非常重要的特点就是，无论是论述地理还是记载历史，始终突出军事色彩，始终强调军事与地理的结合。作者记述山川地理形势，格外注重其对于战争胜负和朝代兴衰的影响，通过大量引述历史上的战例总结地理形势的得失，希望那些志在反清复明的仁人志士从书中受益，能记取古往今来的用兵得失和教训，更好地利用各种地理形势。顾祖禹结合孙子的军事地理思想，提出了"地利变化无穷"和"争地必得其人"的主张。② 孙子论兵，强调"因敌变化"③，顾祖禹认为地利也存在无穷之变。孙子论情报，主张"必取于人"④，顾祖禹则认为争夺地利同样也需"必得其人"，这在突出强调人的主观能动作用之外，也更加明确了"地"为"兵之助"⑤ 的主张。在《读史方舆纪要》中顾祖禹指出，"地利不足恃"⑥，也是对孙子的回应。

除了地理与军事的结合，《读史方舆纪要》的另一个重要特点就

---

① 阎盛国：《顾祖禹对〈孙子兵法〉军事地理思想的继承与超越》，《复旦学报》（社会科学版）2017 年第 4 期。

② 阎盛国：《顾祖禹对〈孙子兵法〉军事地理思想的继承与超越》，《复旦学报》（社会科学版）2017 年第 4 期。

③ 《孙子兵法·虚实篇》。

④ 《孙子兵法·用间篇》。

⑤ 《孙子兵法·地形篇》。

⑥ 《读史方舆纪要》卷二十《南直二》。

是"史事"与"地理"的结合。为了使得有关论述更加具有说服力，顾祖禹紧紧扣住了"读史"和"方舆"这两个主题而逐次展开，但是其实质却是论述"地理"与"军事"，由地理形势推导出军事斗争的得失。比如作者论述"汉中"的地理形势，先是简要叙述刘邦以汉中为根基，再"东向而争天下"①，最终击败西楚霸王项羽的历史，再详论各郡的地理价值和地理特点等。众所周知，以文字表述的方式讨论地理形势，其中存在一个很大的困难就是不够直观，较难给人以画面感。但是，顾祖禹用大家都耳熟能详的楚汉相争等历史作为切入点，便可以在一定程度上弥补这种不足。这种论述方式，可以为后面的深入论述提供充足的史实支撑，使得作者对有关地理形势的分析更具说服力。这一特点在《历代州域形势》部分，体现得尤为明显。

在顾祖禹看来，不只是战争胜负与地理形势紧密相连，朝代更迭以及天下兴亡等，也和地理形势有着密切的联系。他指出，"时代之因革，视乎州域；州域之乘除，关乎形势"②，突出强调地理形势的重要影响力。这概括起来就是"立本者必审天下之势"③ 的主张。顾祖禹总结历史上的兴亡更替，认为："从来有事于一方者，必当审天下之大势。不审天下之势而漫应之，战与守虽异，而其至于败亡则一也。"④ 他以广东为例对此加以论证，他一面认为广东确有地理形势方面的优势——"广东，在南服最为完固。地皆沃衍，耕耨以时，鱼盐之饶，市舶之利，资用易足也"⑤，一面也指出其"以守则有余，以攻则不足"⑥ 的特点。接下来，他以文天祥、张世杰欲依靠岭南推进复兴大业而遭遇失败的例证，说明"当守而不知守"以

① 《读史方舆纪要》卷二《历代州域形势二》。
② 《读史方舆纪要·历代州域形势纪要序》。
③ 魏禧：《读史方舆纪要·叙》。
④ 《读史方舆纪要·广东方舆纪要叙》。
⑤ 《读史方舆纪要·广东方舆纪要叙》。
⑥ 《读史方舆纪要·广东方舆纪要叙》。

及"以一隅之地而冀争雄于天下"① 是其失败的主因。在顾祖禹看来，文、张二人之所以会出现这种决策上的失误，根本原因就在于没有对地理形势和地理条件进行深入考察。这一立论有待商榷，朝代兴衰和更替，其中原因其实非常复杂，但从中也可以明显看出顾祖禹对审察地理形势的重视和强调，也可以看出其层层推进的撰述特点。为了加强论证，他不仅基于地理形势的特点而展开深入剖析，而且不厌其烦地大量借助于历代政治军事斗争实践加以证明。为论证广东地理形势的特点，除了举出上述文天祥、张世杰的例证之外，顾祖禹还举出汉初经营岭南、唐末黄巢辗转广南等例证，充分说明依据地理形势进行战争决策的重要性。

我们不妨再以若干具体实例来考察作者的著述思想。例如论太行山，作者先对太行山在历史上的地位进行了充分肯定和高度概括："太行隔绝东西，实今古之大防。"② 太行山之所以有这样重要的地位，作者认为，是因为它本身具备"凭高控险，难于突犯"③ 的特点。因此，太行山可以成为河北所恃以为固的根本。在这之后，作者就其对于河北的重要性又进行了进一步的总结和分析："太行凡八陉，其在河北者有四，曰井陉，曰飞狐，曰蒲阴，曰军都。"④ 所谓陉者，是指山中之咽喉要道。太行本有八陉，河北占其一半，作者只是列举出位于河北的四陉，太行山对于河北的重要性已经显而易见，河北一带的地理特点对于朝代更迭的重要意义，因此得以明晰。作者的这些论述同时又是借助于历史上的朝代更迭的史事，用这样的方式论述和总结地理形势的重要性，显然更加具有说服力。类似例子还可以在书中找到很多，作者论述地理形势，基本都是立足于各地地理形势的实际特点，甚至经过了亲自考察，所以绝少空谈，从不空泛议论，从不故作高深之论。

《读史方舆纪要》虽以研究天险和地利为主题，却没有陷入

---

① 《读史方舆纪要·广东方舆纪要叙》。
② 《读史方舆纪要》卷十《北直一》。
③ 《读史方舆纪要》卷十《北直一》。
④ 《读史方舆纪要》卷十《北直一》。

"地理决定论"。恰恰相反，顾祖禹非常注重人、地之间的辩证关系。在他看来，天险地利固然是影响战争胜负的重要因素，却不是唯一的决定性因素。对战争起到决定性作用的终究是人，而不是地理条件。顾祖禹一面以"阴阳无常位，寒暑无常时，险易无常处"① 的阴阳变化观念为支撑，一面以函谷和剑阁这种险要关隘来回易主的例证做证明，强调"地之形势亦安有常哉"② 的道理。在此基础之上，顾祖禹进一步总结指出，即便是拥有了"金城汤池"也无法确保必胜。如果"不得其人以守之"，甚至不如"培塿之丘""泛滥之水"。如果能够"得其人"，即使是"枯木朽株，皆可以为敌难"。③ 显然，这种看法是非常客观理性的。这其实也是《孙子兵法·用间篇》所提倡的"必取于人"的精神的延续，不仅在当时蔚为先进，放在今天仍不过时。

古往今来的战争，除了比拼将帅谋略和军事实力之外，往往也是比拼后勤，比拼经济实力，所以历来兵家都对后勤补给非常重视。在《读史方舆纪要》中，顾祖禹虽然没有专列经济地理变化这一项，却在探寻漕运变迁、城镇兴衰及经济中心的转移等过程中，为后人提供了大量有关经济地理的资料。例如在谈到四川时，他一方面大量总结探讨巴蜀地形之险要，同时也不惜笔墨重点分析巴蜀的经济形势："志称蜀川土沃民殷，货贝充溢，自秦汉以来，迄于南宋，赋税皆为天下最。又地多盐井，朱提出银，严道、邛都出铜，武阳、南安、临邛、江阳皆出铁。"④ 通过以上简明扼要的语言，顾祖禹已经对巴蜀的主要地理特点进行了分析，对该地区经济情况进行了总结，点明了其经济地位以及对战争走向所产生的影响。顾祖禹格外重视经济的作用，这也可证明其并非地理决定论者。出于对经济的强调，顾祖禹还认为，首都的选择也必须同时考虑经济是否发达，

① 《读史方舆纪要·总叙二》。
② 《读史方舆纪要·贵州方舆纪要序》。
③ 《读史方舆纪要·总叙二》。
④ 《读史方舆纪要》卷六十六《四川一》。

运输是否便利，以及地理位置是否稳固。对于"险固"的理解，顾祖禹可谓别出心裁："所谓险固者，非山川纠结、城邑深阻之谓也。"① 既然如此，"形胜未可全恃"②。选择首都、进行战争决策等，都必须全面考虑各方面因素，依据政治、军事、经济形势的变化，从而做出最为合理的选择。

《读史方舆纪要》是中国古代有关军事地理和沿革地理的一部最具代表性的著作，至今仍是历史地理学者的必读之书。梁启超非常看重其对于军事地理研究的价值。魏禧曾称赞该书为"数千百年所绝无而仅有之书"，并且指出该书的最大特点就是借助于探讨山川险隘，分析"古今用兵战守攻取之宜"，探寻"兴亡成败得失之迹"。③ 很显然，魏禧非常恰当地概括了《读史方舆纪要》的特点，并简明扼要地点明了该书无可替代的历史地位。《读史方舆纪要》虽然重要，但也难称完美。对于该书的缺点，也有学者曾予以指出。例如顾颉刚认为该书存有较多空谈成分，而且考证缺少精审："承明人之蔽，好空谈形势，于历史地理之实际考证，往往未尽精确。"④ 这一批评不无道理，但我们应更多看到该书的成就，结合地理形势探讨军事斗争形势是该书的精华内容，即便若干考证不够精审，但作者对于地理形势的分析方法和研究结论等，都有值得借鉴之处，何况所论"战守"之策并非完全属于空谈。

第五节　经学模式和兵学发展的拐点

宋代以后，兵学发展出现了经学模式（或曰武举模式），《孙子

---

① 《读史方舆纪要·河南方舆纪要序》。
② 《读史方舆纪要·北直方舆纪要序》。
③ 魏禧：《读史方舆纪要·叙》。
④ 《发刊词》，《禹贡》1934 年第 1 期。

兵法》《司马法》《六韬》等七部兵学经典被立为兵经，供武人将佐
学习。自此之后，疏解和阐发兵经的思想要义，渐成为时尚。明代
中后期，统治者迫于形势，重新启动这一模式，希望通过武举模式
选拔合格的军事人才。当然，对于兵学的发展，统治者表现出的是
一种矛盾心态。他们既希望通过武举考试来选拔优秀的军事人才，
同时也非常担心兵学过于发达会对其专制统治造成影响。明代兵学
发展的曲折历程，也充分折射出这种心态。

一、经学模式的逐步确立

明朝建立之初，朱元璋罢宰相之位，行特务之政，大肆杀戮功
臣。在这种政治背景之下，兵学研究不可能取得突破性发展。为实
现专制统治，统治者并没有热情推动兵学研究，只允许设官学，并
由朝廷主导。这一基调在立国之初便得到确立，而且延续很久，一
直到了明代中后期才发生改变。

吴元年（1367），朱元璋曾下令"设文武科取士"①，并对"文
举"和"武举"各自提出要求："应文举者，察其言行以观其德，
考之经术以观其业，试之书算骑射以观其能，策以经史时务以观其
政事。应武举者，先之以谋略，次之以武艺，俱求实效，不尚虚
文。"② 由此可见，朱元璋一度也对武举取士表示出兴趣，且重视军
人的谋略和武艺，但这种举措不知何时遭到废止。直到洪武十七年
（1384），有朝臣建议"兴武举，以罗英才"③，仍未获认可。洪武二
十年（1387），礼部再次提议"立武学，用武举"④，但再次遭到朱
元璋的否定。在朱元璋看来，所谓建武学，用武举，"是析文武为二
途，自轻天下无全才矣"⑤。朱元璋标榜自己更看重文武兼备之才，

---

① 《明太祖实录》卷二十二。
② 《明太祖实录》卷二十二。
③ 《明太祖实录》卷一百六十三。
④ 《明太祖实录》卷一百八十三。
⑤ 《明太祖实录》卷一百八十三。

武学则因为"专讲韬略，不事经训，专习干戈，不闲俎豆"，并此成为"拘于一艺之偏之陋"，由此而被搁置。① 作为一代枭雄，坐稳天下之后，朱元璋是不是果真重视人才，从他大肆杀戮功臣的行为即可窥见端倪。他之所以态度鲜明地拒绝推行武举模式，也许同样只是出于维护专制集权统治的需要，并不情愿给胸怀文韬武略之人以露头的机会。朱元璋的这一理念对明初期武学地位有着很大影响，也为军事人才的选拔制度定下基调，乃至于有明一代，武官多为世袭或世职，"武举只是个补充"②。不仅如此，武举既没有殿试，也没有三甲区分和鼎甲名号。③ 这显然与文举还有一定差别。

洪武三十年（1397），政府曾令兵部刻印《武经七书》，供将帅学习之用，到建文四年（1402）初立武举，却未能长久。正统七年（1442）翰林院编修徐珵建议效仿"唐有军谋之科，宋有武举之选"④，设立武举之法。他建议英宗皇帝派兵部在全国各地察访"有军谋勇力之人"并从中选拔表现突出者。既不限南北，也不拘额数，挑选到京城之后，"问以攻守之策，试以弓马膂力"。⑤ 如果被选中则配给口粮二石，安排在各军营任职，等到立有军功，则依照相应规定授以武职。武举自此正式提上日程，并在制度上逐步规范化。作为配套教材，《武经七书》得到更为广泛的流传，各种应试教科书也应运而生。正统十年（1445），大同左参将石亨指出了武举存在的问题："通于兵法者止是记诵之学，熟于弓马者不过匹夫之勇，临敌制胜，未必皆得其用。"⑥ 在石亨看来，智谋明显比勇力更加重要，所以应学习汉唐以来强调考察"军谋"⑦ 的做法。这一建议也得到

---

① 《明太祖实录》卷一百八十三。
② 阎步克：《中国古代官阶制度引论》，北京大学出版社，2010年，第419页。
③ 《中国古代官阶制度引论》，第419页。
④ 《明英宗实录》卷九十九。
⑤ 《明英宗实录》卷九十九。
⑥ 《明英宗实录》卷一百三十四。
⑦ 《明英宗实录》卷一百三十四。

了明英宗的首肯。

武举之所以在正统年间受到重视，一方面是因为世袭制无法保证军队人才之需，另一方面则是因为当时的明王朝已经逐步迈向衰落，正面临着各种各样的危机。尤其是"承平日久，将不知兵，兵不习战"① 的危机，以及日益加重的边患，都逼迫明廷做出改变，于是明英宗就此效仿起宋神宗立兵经的做法，试图找到一条强兵之策。天顺八年（1464），明英宗正式下令开科："令天下文武衙门各询访所属官员军民人等，有通晓兵法、谋勇出众者，从公保举。"②《武举法》也由此设定，将基本考试内容定为策略与武艺，考场与考官都因考试等级的不同而有相应规定。初期考试只有乡试和会试，乡试考中则称武举人，会试考中则称武进士，居首者则称武会元。崇祯年间开始设殿试，武榜首位则称武状元。在此之后，武举似乎渐渐成为一根救命稻草，日益受到朝廷的重视。我们从《明武宗实录》《明世宗实录》等书中都可以看出明廷对于武举的重视程度。很显然，明统治者非常希望通过武举这种模式选拔出优秀的军事人才，以拯救这个行将就木的衰老王朝。此后，在经过"创立规条而申严武举之选"③ 的各种努力之后，有关武举的各项规章制度也变得更加严密。到了武宗时期，已形成兵部尚书刘宇所说的"文武并用，每三年开武举，每五年考军政"④ 的宏大场面。此举之目的，"无非欲网罗贤才以弼治理"⑤。其基本模式，则参照推行多年的科举考试模式："俱仿文事而行"⑥，而且确保"条格参酌文举"⑦。这表明，北宋神宗年间所推行的兵经模式已得到明廷相对完整的模仿。

通过武举选拔军事人才，既要比试武艺，也要考察谋略，但这

---

① 《明英宗实录》卷一百七十一。
② 《明会典》（万历朝重修本）卷一百三十五《兵部·武举》。
③ 《明世宗实录》卷二。
④ 《明武宗实录》卷二十六，上海书店，1982 年。
⑤ 《明武宗实录》卷二十六。
⑥ 《明武宗实录》卷二十六。
⑦ 《明武宗实录》卷三十四。

二者究竟孰先孰后，孰轻孰重，也颇费思量，明统治者曾一度对此非常纠结，政策也不停地发生摇摆。宪宗年间，一度强调选拔"谙晓武艺之人"①，后来又加上"体貌雄伟，筋力壮健"的要求，这明显是更强调身体条件和武艺高强，执行一段时间之后又改而再提出"谙晓文墨"的要求。② 之所以做出这一改变，显然是出于对全面素质的强调，既重视文韬，也看重武略。孝宗年间，则要求按照"先策略而后骑射"的标准进行。既然如此，首先淘汰的当然是那些"学识无可取者"。③ 这里的"学识"，明显是就军事学而言。也就是说，那些对军事谋略疏于了解，不读兵书战策的，会首先被淘汰。既然强调以这类"学识"为重，那么此时对于武艺的要求必定会相对宽松。而且，有一种情况似乎仍然难以避免：虽然强调"先策略"，但石亨所担心的那种"通于兵法者止是记诵之学"④ 之类弊端，仍有可能存在。也就是说，还有可能会招到那种只会纸上谈兵的赵括。到了明朝末期，则重新强调了对武艺的要求。明熹宗对"矢不虚发，力技绝伦"⑤ 的强调，崇祯皇帝"谕武举试艺，毋专取文藻"⑥，都表现出这种倾向。为防止"南郭先生"滥竽充数，明廷也曾采取来回加试的方法，还设立"初场""次场""末场"的三级考试模式，每场考试内容均有不同："初场试以武经、百将传、诸家兵法，试其论策七篇；次场试以古今阵势、兵车名物……末场则于教场试其弓、马、枪、刀，以观其勇力。"⑦ 从上述考试内容来看，明廷推行武举的目的显然是为了寻找将才和帅才，首先强调的是兵法的研习，要求对包括《孙子兵法》在内的武经有深入了解。考生要想在这种选举中胜出，也必须以此为重点，并对有关军事学的各

① 《明宪宗实录》卷十，上海书店，1982年。
② 《明宪宗实录》卷四十三。
③ 《明孝宗实录》卷七十六，上海书店，1982年。
④ 《明英宗实录》卷一百三十四。
⑤ 《明熹宗实录》卷十八，上海书店，1982年。
⑥ 《崇祯实录》卷四，上海书店，1982年。
⑦ 《明孝宗实录》卷一百九十。

方面知识都要有所了解。

明代武举一直在追求规范化和制度化，而且学习军事谋略始终是必选项目，只是有时在重视程度上不及武艺。也就是说，学习古代兵法是武举必须选择的科目。参与选拔考试的考官，则需在群臣之中进行选拔，同样要求选出"通兵法武艺者"① 来担任考官。由此开始，为应付策试而刊印的标题讲章之类，也在明代逐渐发展起来。不少军事类著作都与武举考试紧密关联，基本局限于应试一途，只需配有简明注释。刘寅的《武经直解》曾被官方钦点为法定教科书，取得了无可替代的崇高地位。为适应武举考试之需，一些学者将《武经七书》的兵学思想和理论观点抽选出来，制作成试题，社会上也出现各种满足应试者阅读需求的标题性兵书，这些兵书以满足考生基础性阅读为目标，如谢弘仪《武经七书集注标题》、赵光裕《新镌武经七书标题正义》、沈应明《新镌注解武经》、臧应骥《新镌武经标题佐议》等。这些兵书将古代兵典的主要思想条理化、简单化、通俗化，非常便于考生记诵，对古典兵学的传播也有不可磨灭的贡献，也为明代晚期兵学研究水平的整体提升起到了铺垫作用。明代晚期涌现出一批富有创见的兵书，如《投笔肤谈》《武备志》等，与这些铺垫密不可分。包括《孙子兵法》和《武经七书》的注释作品，其写作水准已经明显有所提高，郑灵、陈天策、曹允儒、黄献臣、李贽、何守法等人的注本在当时就产生了积极影响，对于今天我们研习兵典也不乏参考价值。

二、经学模式对兵学发展的影响

明代后期武举制度的推行，曾对选拔军事人才起到了一定作用，至少在一定程度上破除了以往军官世袭制所带来的积弊，兵典的大量流布也对晚明兵学的发展起到铺垫作用。当然，其中也存在着若干弊端，并非救世良方。选拔机制上所存在的缺陷，导致武举制度一度还招来庸才。正德五年（1510），监察御史张羽等人举报武举所

---

① 《明宪宗实录》卷九。

选60人"皆庸才也",建议及时采取惩罚措施,要么举行复试,要么"夺其俸级"①。天启五年（1625）,贵州巡按傅宗龙建议朝廷:"暂停武举,专励战功,拔真才以收实用。"② 由此可见,通过武举所选拔得到的军事人才,并没有得到充分认可。武举的选拔标准不时发生摇摆,必然会造成备选之人的无所适从。在奸臣当道时,还会出现武举暂停的现象。武宗时期就曾因为刘瑾作乱而导致武举的停罢,兵部遂有奏请恢复。③ 为激励更多人参与武举,明廷还尝试推行"一岁更一边,诸边历遍,又经战一二次,保送袭职"④ 的办法,如此则必然又回到"武弁皆世禄之家,宴安骄惰,不习军旅"⑤的那种军职袭替的老路上。

通过经学模式,大量印发军事学教科书,对于培养和提升军官的军事理论水平,也起到积极作用。武举的设立多少推动了尚武之风,古代兵典因此而走到明王朝的各个角落。与宋代立兵经之后儒生也开始积极研习兵学的现象非常相似,明代儒生也开始热衷于探讨军事问题。其中最为典型的数丘浚所撰《大学衍义补》,其在继承儒家"修身、齐家、治国、平天下"传统的同时,也深入探讨各种军事问题,著述风格也与传统意义上的儒学著作有所差别。谢国桢形容该书除了"包《大学衍义》一书而简练其精要",也对兵略问题有深入探讨:"其于恢复大计,兵饷战守之机宜方略,皆凿凿可见行事,粹然儒者有用之言。"⑥ 在丘浚著作中所出现的这一现象,与正统年间朝野议论武举想必也有一定关系。王守仁、李贽等思想家同样积极研习兵学,这必然会推动兵学研究理论水平的提升。茅元仪更是将著述兵书作为己任,因此才有了《武备志》这部兵学巨著的诞生。

---

① 《明武宗实录》卷六十六。
② 《明熹宗实录》卷五十五。
③ 《明武宗实录》卷六十七。
④ 《明孝宗实录》卷一百九十。
⑤ 《明世宗实录》卷六十一。
⑥ 谢国桢:《增订晚明史籍考》,上海古籍出版社,1981年,第877页。

当然，明朝中后期的衰落历史证明，武举制度的设立并不能改变王朝衰落的趋势。这种情形也与北宋时期非常相似。宋神宗设立武举，包括王安石变法之举等，都没能改变北宋王朝必然走向衰落的趋势，历时既久，也会对兵学的发展造成不小的影响。这种影响到了明代中期开始越发凸显。在经学模式下，从经典中寻找现成答案，渐成为一种投机取巧之策。在武举模式下，真正具有创新性和思想深度的兵学著作也难得一见。就明代的情形而言，等到更晚期之后，随着思想禁锢的瓦解和文人学者大量参与论兵，兵学才出现了再次振兴的机会。明代有影响的兵书大多在中晚期出现，这既与当时抗倭救国的形势有关，也与兵书管控放松和兵学研究主体已经发生变化有着直接联系。明代武举模式下的兵学发展历程，几乎成为北宋的翻版。这是中国古代兵学史上的一个有趣现象，它的出现无疑值得我们深思。早在洪武年间，礼部曾经吁请设立武举，但遭到了朱元璋的明确反对。在朱元璋看来，这种模式下选拔的人才一定会出现"析文武为二途"①之类"偏科"现象，因为他更想得到的是文武全才。等武举真正设立并且得到长期发展之后，只能承认明太祖确有其独到眼光，当时的担心和顾虑并非多余。

武举模式虽强调通经致用，但所谓学习只能在政府规定的有限范围之内进行，只剩注解，鲜有创新。所谓研究实则戴着镣铐，并没有太多伸展的自由。就应试教材而言，过于简单的条块化梳理，只能给人以"盲人摸象"般的认知。由于武举教材的使用群体是文化水平相对较低的武人，文字上也有浅显易懂之类要求，然而过于强调通俗化，必然会导致学理的下降。这个原因导致了明代兵书虽多，但很多只是停留在阐发和疏解层面，在理论深度和思想水准上并没有取得太多突破。武举模式借鉴了儒家的经学模式，兵书立经相对较晚，兵经的研习群体则为武人将佐，他们普遍读书较少，文化水平偏低，缺少陆九渊那种"六经注我"的勇气，便只能大抵停

---

① 《明太祖实录》卷一百八十三。

留于"我注六经"的阶段，创新无多。① 在经学模式下，经典被神化之后，难免也会束缚人们的思维，造成思想的僵化，也将古代兵典的卓越思想教条化。明初朱升在注释《孙子兵法》时，特意强调要避免"胶柱鼓瑟"，务求"机变妙于武子"。② 这句话说起来容易，做起来难。对明代的武人而言，这更近乎是一种苛求。

倭寇的袭扰和蒙古人的进逼，导致边防一再告急。危机之下，武举虽被朝廷抓来作为救命稻草，却也不断受到质疑。突破经学模式的禁锢，大力推动兵学朝着实用方向发展，既成为当时之急务，也是有识之士的共识。正是在这种情况下，晚明时期的武举制度不断发生变革。当思想禁锢已有缓解，当边境危机更加急迫，当政府也不断对武举制度和防务的颓坏进行反思，真正意义上的兵学振兴总算到来。随着戚继光这样投入边防和军队建设的将领与茅元仪这样真正潜心研究兵学的文人逐渐增多，有质量的兵书也开始逐步出现。文人和武将各有其擅长领域。就论兵而言，文人更具理论水准，更善于向学理深处钻研，武将虽擅长在战场上拼杀，却对学理性探讨没有多少兴趣，甚至会将其斥为书生之见和纸上谈兵。但就兵学的提振而言，学者论兵和文人论兵却是不可或缺。正是因为热爱兵学的文人学者的积极参与，古典兵学的思辨水准才终于在明代中后期得到提升，战略思维的广度和深度以及战术变化的多样性等，也都有了一定程度的发展，就此诞生了一批重要兵书。

明朝末期，《投笔肤谈》《阵纪》《运筹纲目》《武备志》等兵书结伴出现，这与当时的思想解放密不可分，也与当时对出版物管理相对宽松有着直接的联系。③ 国运逐步转衰的同时，兵学逐步迎来重新振作，虽无法改变朝纲败坏、内外交困的局面，完成不了拯救明廷的重任，但对古典兵学而言却别有一番意义。考察明代思想史，前期呈现的是僵化而沉闷的局面，这与明代高度发达的皇权政治和

---

① 《宋史》卷四百三十四《陆九渊传》："六经注我，我注六经。"脱脱等撰：《宋史》，中华书局，1977 年。

② 朱升撰，刘尚恒校注：《朱枫林集》卷三，黄山书社，1992 年。

③ 缪咏禾：《中国出版通史·明代卷》，中国书籍出版社，2008 年，第 21 页。

集权统治不无关系。到了明代中后期，才陆续出现王守仁、李贽、顾炎武、黄宗羲等一大批有着独立思想的文人学者，逐渐迎来思想界的解放。古典兵学的发展与之大抵合拍。《投笔肤谈》等重要兵书的出现，虽说改变不了古典兵学的整体守成趋势，更改变不了传统兵学进一步没落的趋势，但于当时而言已属难得，颇值得关注和研究。嵇文甫总结晚明思想界的情形时，曾有一段妙评："照耀着这时代的，不是一轮赫然当空的太阳，而是许多道光彩纷披的明霞。"①考察晚明兵学思想的发展情况，也可以借用这一评语。我们虽看不到"赫然当空的太阳"，但军事地理学的发展，火器理论的进步，包括各种类型的兵书纷纷出现，让我们同样可以看到"许多道光彩纷披的明霞"。

三、古典兵学迎来发展的拐点

中国古典兵学的发展，同样遵循学术思想史的一般规律，既有周期的前后相序，也有节奏的高低起伏。在明代，火器技术取得了突破性进展，宋代文人论兵的传统得到延续，加上倭寇等边患的刺激作用，印刷技术的提高推动了出版的繁荣，这些都为明代后期兵书的大量出现提供了条件，为古典兵学的发展创造了机遇，同时也为古典兵学的转型提供了契机。

从上古到春秋，古典兵学经过了漫长的形成期，到了春秋战国时期迎来了快速发展，于是有《孙子兵法》《吴子》《司马法》等一批兵典出现。这种快速发展的局面在秦统一后戛然而止，自此迎来接近千年的"休眠期"或"凝固期"。宋代统治者为了振兴兵学，设武经博士，将《孙子兵法》等 7 部兵学经典立为兵经。在政府的倡导之下，古典兵学思想再次迎来全面复苏。不仅兵书数量急剧增加，兵学的研究群体也发生了很大变化。过去那些耻于言兵的文人儒生，也开始热烈地探讨兵学理论，苏洵《权书》、华岳《翠微北征录》、辛弃疾《美芹十论》等都是其中的杰出代表。承接宋代之

---

① 嵇文甫：《晚明思想史论》，中华书局，2017 年，第 1 页。

余绪，明代也诞生了大量兵书。尤其是在明朝后期，伴随着印刷出版的繁荣和思想的解放，以及著述群体的多样化，各种各样的兵书层出不穷，古典兵学也于此时发展到高峰期。也有学者认为，中国古典兵学也于此时达到顶峰。①

如果单纯以兵书数量作为考察兵学研究水准的指标，那么古典兵学在明代确是发展到了顶峰期。② 据学者统计，明代就诞生兵书777 部，加上存目兵书 246 部，共 1000 余部。③ 只凭借这一点，明代兵学便可在古典兵学发展史上占据特殊的地位。考察明代兵学，不仅是兵书数量有大幅度增加，在战法研究、战术的创新和拓展上也都有很大发展。明朝后期兵学快速发展的局面，尤其是以火器为代表的军事科技的高速发展，以及围绕火器技术所带来的战争理论的更新等，都表现出军事理论升级转型的迹象。也就是说，明代中晚期已迎来兵学发展的重要拐点。

明代前期，造船技术和兵器技术已经有很大提高，后期则有火器技术的大幅度提升。军事科技的发展带动了兵学理论的改变。随着火器种类的不断增加和运用范围的日渐扩展，明军已有专门的火器部队出现，战争决策也会围绕火器而展开。明代有关火器火药的论著很多，流传至今的尚有十余种。《火龙神器阵法》《火攻挈要》《神器谱》《西法神机》等兵书专论火器，对火器的制造与使用等都有系统总结。《武编》《纪效新书》《练兵实纪》《武备志》《兵录》《筹海图编》等各类典籍，也都对火器的运用原则等进行了阐述。明代军队如水兵营、步兵营、骑兵营、车营等，都加强了火器的配备，

---

① 赵国华：《中国兵学史》，福建人民出版社，2004 年，序言第 9 页。
② 当然，也有不少学者认为，《孙子兵法》的诞生便宣告着古典兵学达到了高峰期。就思想层面考察，晚出兵书只能是沿着"祖述孙子"的轨迹前进，能够跳出孙子藩篱的著作难得一见。这便是茅元仪在《武备志·兵诀评》中所总结的"前《孙子》者，《孙子》不遗；后《孙子》者，不能遗《孙子》"。
③ 《中国兵书通览》，第 21 页。

抛石机等逐渐被管形火器所取代。① 从《武备志》等书可以看出，震天飞炮这种被视为导弹雏形的先进火器已经出现。② 这种局面的出现，必然会促进军事学术、战术思想及建军思想等发生急速转变。明代科学家对钢铁冶炼、火药配制、火器制造等，都有深入研究，在火器的制造与使用、操作与训练、战术与阵法等方面都有不同程度的突破，这无疑会加速推动战法的改变和兵学理论的升级。

如前所述，明末兵学的快速发展与武举推行所带来的兵书普及不无联系，此外则与文人群体的积极参与密不可分。也就是说，宋代以来一度流行的文人论兵模式，也对兵学的发展起到了积极的推动作用。相对于武将，文人更擅长玄思，更容易在理论水准上胜出，一旦参与论兵，便能立即提高思辨性。文人论兵如果和武人论兵结合在一起，无疑很好地促进兵学的发展。明朝中后期，王守仁、李贽、顾炎武、黄宗羲等，都曾投入研究兵学，也都对古典兵学的发展做出了独特贡献。《投笔肤谈》《兵经》《阵纪》《运筹纲目》《武备志》等兵书，大抵也属于文人论兵一类。这些著作的结伴出现，无疑极大地提高了兵学研究的水平。

明清军事地理学研究的兴起，其实也是借助于文人的力量。《广志绎》《筹海图编》《读史方舆纪要》等著作，同样也都是出自文人之手。在《武备志》中，茅元仪提出了边防、海防、江防并重的战略思想。郑若曾等人的《筹海图编》，更集中于海防战略和海洋地理，书中大量记载中日两国基本情况，保存了许多富有价值的海洋地理资料，同时也就海防问题提出策略性建议，很好地补充了传统兵学的不足。系统论述军事地理的著作则为《读史方舆纪要》。此书的出现将军事地理学研究推向了前所未有的高峰，并极大地提高了军事地理的研究水平。清代出现灿若群星的地理学家，全祖望、阎若璩、高士奇、胡渭、钱大昕、王鸣盛、洪亮吉等，都曾对地理学、军事地理学或沿革地理下过精深功夫，与明朝末期兵学与军事地理

---

① 《中国通史》第九卷《中古时代·明时期》上册，第 708 页。
② 《中国通史》第九卷《中古时代·明时期》上册，第 706 页。

学的快速发展不无关系。

　　明代后期，古典兵学受特殊内外环境刺激而加速发展，在迎来转型良机的同时，却不幸折戟沉沙。包括武举在内的种种努力，挽救不了腐朽政权的衰亡。因此，明末出现的兵学转型没能最终完成。满族入主中原，彻底打断了这一转型的步伐。满族是文化相对落后的民族，就兵学而言，同样也处于相对落后的局面，却能依靠铁骑征服文化相对先进的中原民族。其一俟获得成功，便立即出于提防之心理，竭力阻止兵学的健康发展。入主中原之后，清廷一面宣称"满汉官民有欲联姻好者听之"①，一面却四处制造学术禁区，大兴文字狱。在这种情势之下，兵学不可能再获得良好发展的环境，明末兵学快速发展的局面也只能就此画上句号。既然有此狭窄之心态，一幅足令人唏嘘的场景终于在晚清出现：当西方的军事技术和军事思想，都伴随着科学技术不断取得飞速发展的时候，清代的文人学者们却仍在使用蝇头小楷埋头撰写《间书》这样陈旧的兵学论题。兵学的长期不振，令国人在鸦片战争、甲午战争等一系列战争中吃尽苦头。兵学再次迎来转型之机，还须等待晚清时期大量仁人志士的披肝沥胆。

第六节　《武备志》对古典兵学的总结

　　中国古典兵学的发生和发展，既有低潮期，也有高峰期。明代中晚期，海防局面的变化以及火器技术的革新等，都极大促进了兵学理论的发展，古典兵学至此获得一段快速发展的高峰期。明朝末期诞生的《武备志》，则刚好完成了对古典兵学的总结任务。因此，这本兵书的诞生对于明代兵学而言，无疑具有特殊意义。茅元仪编撰此书的目的，意在为统治者寻求治国安邦之策，却恰好在一个特

---

① 《清世祖实录》卷四十，台湾华文书局，1985 年。

殊的历史节点，完成了对古典兵学的总结任务。

一、《武备志》的著述缘起

茅元仪（1594—1640），字止生，号石民，又号东海波臣、梦阁主人、半石址山公等，浙江归安（今属浙江湖州）人。茅元仪的祖父茅坤为明代著名文学家，父亲国缙考中进士，曾官至工部郎中。在这样的家庭环境熏陶之下，茅元仪自幼博览群书。但他十四岁时不幸丧父，从此家道中落，又因屡试不中，更激励他发愤读书。当时，明朝政治日益腐败，内忧外患日趋严重，茅元仪于是更加注重实学，用心研究兵略，寻求"治国平天下"的方略。

就在茅元仪寓居南京之时，东北建州女真逐渐崛起，努尔哈赤于万历四十四年（1616）建立后金政权，后以"七大恨"为由起兵攻打明军。当时，明朝阉党弄权，朝政腐败，军队战斗力低下，面对后金已经难求一胜。消息传来，茅元仪更加焦急忧愤，于是更加刻苦地钻研历代兵学著作，撰成《武备志》，于天启元年（1621）刻印。在这之后，茅元仪声名大振，遂以"知兵"之名随大学士孙承宗督师辽东，来到抗金前线。此后，明军在孙承宗的指挥下，接连收复辽东失地，茅元仪也因功被举荐为翰林院待诏。不久之后，因为受阉党魏忠贤排挤，他也随孙承宗一起被削职，于天启六年（1626）告病归乡。朱由检即帝位后，魏忠贤被杀，阉党势力衰落，茅元仪一度因功升任副总兵，督理觉华岛（今辽宁兴城菊花岛）水师，但不久之后遭权臣陷害而去职，后悲愤离世。

虽然仕途不顺，但茅元仪著述宏富，主要著述有《武备志》《督师纪略》《石民未出集》《石民四十集》《三戍丛谭》《复辽砭语》《横塘集》《石民集》等60余种。其中对后世影响最为深远者，首推《武备志》。该书共240卷，附图730余幅。在这本百科全书式的军事学著作中，茅元仪对历代军事战略、各种阵法战术、传世主要兵书等都有系统总结，就此形成了一部体系宏大、内容丰富的军事学巨著。

关于《武备志》的写作宗旨，茅元仪有明确说明。在他看来，明朝承平已达二百五十载，由此而造成"士大夫无所寄，其精神杂出于理学声歌工文博物之场"① 的局面。这些人沉湎于诗词歌赋和词章博物之学，不少成年男子慕而学之，由此而"舍其所当业而学士大夫之步"，这便酿成了"朝野之间莫或知兵"的危险局面。② 尤其是在洪、宣之后，由于"文帅之权又日重"，对于武将横加干涉，既"限其学"，又"责其效"，由此而导致外行领导或监督内行的局面出现。③ 可是，当边患出现之时，这些文人士大夫却只是"相顾惶骇"，面面相觑，不知所措。朝廷无人可用，便给人浑水摸鱼的机会："文士投袂而言者，武弁能介而驰者，即以为可将。"④ 边患问题由此而变得越发严重。要想解决这种问题，就需要从根本上寻找办法。在茅元仪看来，之所以会出现上述问题，既有体制上的问题，也因为文臣武将的"无学"，完全不懂军事。体制问题当然轮不到一介书生染指，他便只能针对文臣武将的"无学"而提出对策。

在茅元仪看来，"士大夫不习"的原因主要包括五个方面：

第一是"易而不玩"。在士大夫看来，古代兵学理论太过简单，故而不值得费力学习。而且，值得关注的兵书也不多："古之兵家流不下百余种，而今之所存者，唯数家。"虽说这仅存的数家，其兵学理论被完全忽视，士大夫普遍认为其"坦率共布，不足深研"⑤。

第二是"狭而自用"。茅元仪指出："古者，今之师也。"⑥ 但是，相对于儒学而言，兵学明显不受重视。士大夫更看重《周官》等儒家经典，却对于古代兵学理论明显过于轻视，将名将制胜之方置之不问。茅元仪描述此种情形为："临事者竭昼夜之劈（擘）画，而仅得古人之什一。"⑦ 很显然，如果用这种刚愎自用的态度对待古

---

① 《武备志·自序》。
② 《武备志·自序》。
③ 《武备志·自序》。
④ 《武备志·自序》。
⑤ 《武备志·自序》。
⑥ 《武备志·自序》。
⑦ 《武备志·自序》。

兵法，自然会将其弃置一旁。①

第三是"震而自弃"，即对古代所传之术过于崇敬。拿营阵之制来说，它始于握奇，但握奇之法又出于井田，八门、六花之类，皆其支绪。仅仅从其书名和篇名就可以看出，这种学问已经到了"崇之如秘箓天书"的地步，不少人由此而变得"震古而不屑蹈今"。②

第四是"惰而自窘"。在茅元仪看来，"制器、缮甲、攻守、水火，以至立营、设垒、刍牧、馈饷"等等，皆"各有成法"，或有"古胜于今者"，或有"今胜于古者"，其中都有专业门槛限制，却也由此而导致部分人"任有司之见欺而不知，视将史之蹈危而不察"，甚至将军事问题视为儿戏，"以兵为弄"，这势必会产生极大隐患。③

第五是"昧而自陷"。诸如占天度地之术，对战争影响甚大，但是士大夫经常不习此道："既不习天官之言，又不讲厄塞之势。"④这些人一旦受命领军，则"视术士之纷纭而不知折衷，抚天下之形势而不知缓急"⑤，结果只是违天背地，进而胡作非为。

面对上述种种情况，茅元仪忧心忡忡，所以他立志钻研兵学，发奋著述。在他看来，兵学是挽救时局的实用之学。在《武备志·自序》中，他明确了该书的主体结构及主要写作内容。他说：

> 余窃悲之，为作《兵诀评》，兵诀无过于六家，为疏其滞，而又删旧注之烦，标其要而又明旧解之愦……为作《战略考》，古之战略，见于史传，或汇之成书而患于疏略，或署之以目而患于锁割。今循时而谱之，固有一事而备数法，亦有倚古而绎新心者，皆可得也。一曰《阵练制》，古之阵图，散在方册，举而合之，而又陈异同之说，使明者之自索其进退、赏罚之法。

---

① 《武备志·自序》。
② 《武备志·自序》。
③ 《武备志·自序》。
④ 《武备志·自序》。
⑤ 《武备志·自序》。

古今异制而同意，皆所以习耳目也。搏击驰射之法，雅俗异说而同情，皆所以习手足也。合之而教战有方矣。为之作《军资乘》，军资不出八端：一曰营，一曰战，一曰攻，一曰守，一曰水，一曰火，一曰饷，一曰马。并罗其法，使用者无缺，则疲卒可以当锐师矣。一曰《占度载》，占之言甚杂，杂则简其明中者，度之事烦，烦则撮其条著者，立谭之顷，而可以尽阴阳之变。指掌之中而可以料四海之形，则变而化之不可测矣。合五者而名曰《武备志》。①

从中可以看出，他写作《兵诀评》，意在阐发古代兵学典籍的要义；撰述《战略考》，意在探究历代重要战略思想；撰写《阵练制》，意在考察古今阵法；著作《军资乘》，意在总结物资后勤保障之法；著述《占度载》，意在穷尽阴阳之变。合之而成《武备志》，意在为人们研习兵法提供一份足够详细的参考资料。

从茅元仪自序可以看出，他对《武备志》的撰写内容及困难等，基本都能够做到心中有数。比如对《兵诀评》部分，他抓住重点，有的放矢。在他看来，古代兵学典籍虽多，但重要作品不过六家而已。从这些兵典的旧注中，他能清楚地看出其中得失，既有繁杂不得要领之处，也有简明扼要之处，因而需要对其认真加以梳理。再如对《阵练制》，他深知古今异同之说甚多，为了考察清楚阵法，就必须搜罗各处方册，比较其中异同之说，再择善而从。再如对《军资乘》，他总结"军资"不出八端："一曰营，一曰战，一曰攻，一曰守，一曰水，一曰火，一曰饷，一曰马。"从这种梳理和总结中，也足见他对古典兵学和历代兵法的熟悉和自信。再如对《占度载》，他集中指出其特点一是"烦"，二是"杂"，说明其对这部分的内容有明晰的判断和认识。当然，虽是繁杂，但他并不愿意放下"尽阴阳之变"的远大目标，故而花费更多笔墨进行撰述。从《武备志》的体例结构和内容编排来看，茅元仪的本意是为士人提供一份学习

---

① 《武备志·自序》。

古代兵学的教科书，却也有意无意之中为古典兵学完成了系统总结的工作。

二、《武备志》的主体内容

《武备志》共分五部分内容，分别为《兵诀评》《战略考》《阵练制》《军资乘》《占度载》。其中第一部分《兵诀评》想必最为人们所熟知。之所以熟悉它，因为茅元仪对《孙子兵法》的著名评语——"前《孙子》者，《孙子》不遗；后《孙子》者，不能遗《孙子》"①，便出自这里。这句名言道出了《孙子兵法》的影响和历史地位，一直为世人所熟知，甚至《武备志》的知名度也由此而得到提升。

《兵诀评》共18卷。顾名思义，这部分内容是对古代兵学经典作品进行品评。作者选取《孙子》《吴子》《司马法》《三略》《六韬》《尉缭子》《唐太宗李卫公问对》的全文及《太白阴经》《虎钤经》的部分内容进行点评，借此阐发自己对于兵学的独到认识。

中国古代诞生了很多兵学著作，但是能进入茅元仪法眼，最终入选其所谓"兵诀"的著作并不很多，加在一起不过九种："合九家而为《兵诀评》。"② 在这九种兵学经典中，茅元仪又推《孙子》为核心，将先秦其他兵学经典如《吴子》《司马法》等，不过视为《孙子》的注疏，至于《唐太宗李卫公问对》《太白阴经》《虎钤经》等，则又是先秦几部兵典的传注作品。茅元仪对此阐发得非常清楚："自古谈兵者，必首孙武子……先秦之言兵者六家，前《孙子》者，《孙子》不遗；后《孙子》者，不能遗《孙子》。谓五家为《孙子》注疏可也。故首《孙武子》，次《吴子》，以其言核于诸家也。次《司马法》，次《韬》，次《略》，以备制也。次《尉缭子》，以其得用兵之意，可以辅诸家而行也。终之以《李卫公问答》，李筌《太

---

① 《武备志》卷一《兵诀评》。
② 《武备志》卷一《兵诀评》。

白阴经》，许洞《虎钤经》，以其言皆所以申明六家。"① 从这段话中可以看出，茅元仪虽说也承认了《孙子》之外其他各家的作用，但明显地更加推崇《孙子》。通过这种非常特别的方式，茅元仪完成了对古典兵学的总结，非常简洁明了地替世人梳理了中国古典兵学的源和流。《武备志》洋洋大观，其实也都是围绕这个"源流论"梳理而成。

第二部分为《战略考》，共 33 卷。这部分内容实则是相当于战史研讨或者战例考察。作者以时间为序，选取从先秦到元代各朝著名战例凡 600 余，检讨战略思想和战术设计等。作者认为："古今之事，异形而同情，情同则法可通；古今之人，异情而同事，事同则意可祖。"② 由此出发，他注重在这些典型战例中寻找可资借鉴的战法，力求"每举一事而足益人意志"③，为明朝的大小将领提供一份有关战略战术思想的教科书。

茅元仪所指"战略"，就其实际内涵而言，既包括我们今天习惯认同的有关战略的内容，也包括习惯认同的关于战役战术的内容。在《武备志·自序》中，茅元仪明确了自己选择战略的标准："古之战略，见于史传，或汇之成书而患于疏略，或署之以目而患于锁割。今循时而谱之，固有一事而备数法，亦有倚古而绎新心者，皆可得也。"④ 可见茅元仪所谓"战略"，大概相当于"奇略"，所以他选择战例的第一个标准便是"奇"，战法设计必须蕴含奇略。《战略考》所录战例，大都是借助奇计策奇谋取胜，秉持"弗奇弗录"⑤的原则，重点研探历代战争中的取胜方略，比如吴越争霸中勾践的卧薪尝胆之术，马陵之战中孙膑的减灶示弱之计，赤壁之战中的火攻奇袭，等等。除了"奇"的标准之外，茅元仪确定选择战例的另一个标准是富有启迪性，即战例所折射出的战术思想和战略构想等，

---

① 《武备志》卷一《兵诀评》。
② 《武备志》卷十九《战略考》。
③ 《武备志》卷十九《战略考》。
④ 《武备志·自序》。
⑤ 《武备志》卷十九《战略考》。

能够"试之万变而不穷"①，至少可对当时的将帅有所启迪，充分强调了战例的实用价值。这其实是以一种特别的方式，对古典兵略进行了一次较为系统的总结。

第三部分为《阵练制》，共41卷，分"阵"和"练"两部分，也即探讨和总结各种阵法和各种选卒训练之法。

茅元仪将散布于各方册之中的古代布阵图法收集在一起，并且认真进行比较，"陈异同之说"②，目的是使得明朝将领能够根据这些内容，自由地探索进退之方及使用之法。就治军而言，尽管"古今异制"，但方法和原则并不会随之不停地发生改变，因此古代那些"习耳目"和"习手足"之法及赏罚之法等，仍有值得借鉴之处。对于这些内容，茅元仪并未完全废弃，而是尽量进行收录和整理，以期能对明军有所裨益。

在"阵法"部分，茅元仪收录西周至明代散落史籍之中的各种阵法，每阵都有文字陈说和史料考证，并附有绘图。诸如诸葛亮的八阵、李靖的六花阵及戚继光的鸳鸯阵等，该书都有收录。与此同时，茅元仪将唐宋之间所伪托附会的各种阵法——予以辨正，避免将领误入歧途。关于"选卒训练"部分，茅元仪分五个部分，详细记载和收录历史上各种选士、练卒之法。这五部分内容分别为：选士、编伍、悬令赏罚、教旗、教艺等，涵盖了部队开展军事训练的最基本内容。

列阵之法和部队的训练管理密切相关，茅元仪对此也进行了较为系统的整理和总结。他在选录之时，重点强调其实用性，有意地对唐宋之后的内容更多予以收录，同时也强调通俗性，坚决去除那些故作高深之论，非常注意与官兵的文化水平相称。

第四部分为《军资乘》，共55卷，分营、战、攻、守、水、火、饷、马八类，重点讨论后勤补给问题。

在《武备志·自序》中，作者曾道出这部分写作目的："并罗

---

① 《武备志》卷十九《战略考》。
② 《武备志·自序》。

其法，使用者无缺，则疲卒可以当锐师矣。"① 在《军资乘·序》中，茅元仪再次指出，阵练和军资，都是战争所必备，仅明阵练而不明军资仍无法打赢战争，故需将军队所依赖的各种军需物资完整列出，希望能为将帅进行物资准备提供一本可资借鉴的手册。正是本着这一指导思想，《军资乘》的内容做到了事无巨细。举凡营房设置、行军补给、旌旗号令、攻守器械、火药配制、河海运输、战船战马、屯田水利、粮饷供应、战场医护等，都有或多或少的涉及。就兵器而言，其中收录了大量攻守器具、战车火器。

第五部分为《占度载》，共93卷，分"占"和"度"两个部分，对用兵作战所涉及的天文地理等事项进行总结和探讨。

茅元仪在《武备志·自序》中说："占之言甚杂，杂则简其明中者，度之事烦，烦则撮其条著者，立谭之顷，而可以尽阴阳之变。"② 可以说，在冷兵器时代的古代中国，依托易学和阴阳学而建立起的兵阴阳非常发达，目的无非是希望由此掌握天文地理情况，甚至是"假鬼神而为助"③，希望以最小代价获得战争胜利。有关探讨虽不能完全视为无用之学，但历代演说越来越烦琐，从而流于荒诞不经，倒向封建迷信一途。春秋末期著名军事家孙子明确号召"不可取于鬼神"④，但并不能阻止这种流弊的畸形发展。茅元仪则希望通过他的努力，尽量剔除其中繁芜，留下若干精华，从而实现"指掌之中，而可以料四海之形"⑤ 的目标，为将帅的战争决策提供帮助。

所谓"占"，指的是"占天"，主要涉及天文气象，可以将影响战争的风霜雨雪等天候情况收罗殆尽。所谓"度"，即指"度地"，主要论及兵要地理，用今天的话说，就是军事地理学的内容。作者详细记载山川形势、关隘要塞、道里远近等情况，意在为将领指挥

---

① 《武备志·自序》。
② 《武备志·自序》。
③ 班固：《汉书》卷三十《艺文志·兵书略》，中华书局，1962年。
④ 《孙子兵法·用间篇》。
⑤ 《武备志·自序》。

行军作战提供帮助。如果将这两部分内容，尤其是"占天"部分，与以往那些兵阴阳家进行对比，不难看出茅元仪仍不免繁芜之病。而且，他也会将自然与人事紧密联系在一起，在天象与人事之间寻求某种简单对应，做出类似于兵阴阳家那种强调感应和征兆之类解释。从这一点来看，《占度载》实则也是完成了对古代兵阴阳学说的总结。

《武备志》的思想体系和结构安排，以郎文焕的评价最为精彩。在《武备志·序》中，他一方面不惜以"全于宋，合于汉"和"自黄帝以来之言无不具也"之类的溢美之词，赞扬《武备志》的思想之精深和体系之完备，另一方面还以医生看病为喻，对《武备志》的五个部分的安排分别进行了非常特别的解读："吾之首《兵诀》者，如医之探腑脏，论脉理也；次《战略》者，如医之举旧案，宗往法也；次《阵练》者，如医之辨药性，讲泡制也；次《军资》者，如医之分寒温，定丸散也；终《占度》者，如医之考壮弱，断死生也。然必先考其壮弱，断其死生，而后可以分寒温、定丸散。欲分寒温、定丸散，然后及药性、泡制之方。如是而志有所疑，则以往事参之；智有所穷，则以往事通之。以是而合之腑脏受病之原，脉理精微之际，莫不符也。余蹶然起曰：吾知之矣。今日之事，占气之所旺，度地之所要，以为之基。然后究军资之实，明阵练之法，以济夫用，则因机而应之。古之善将者，其揆一也。虽圣人复起，不能易也。"① 医生看病，需要诊断病情、开方拿药、泡制药物等一系列过程。在郎文焕看来，《武备志》五大部分之间也存在着与之类似的内在逻辑关系，这更充分说明《武备志》内在结构的系统性和完整性。

三、茅元仪兵学思想的展示

作为一部辑录体兵书，《武备志》在展示历代军事战略和兵学成就的同时，也反映了撰述者茅元仪的兵学思想。从书前自序、各门类分序及旁批和点评中，我们可以看出茅元仪对军事问题的思考和

① 郎文焕：《武备志·序》。

研究。

第一，爱民为本，顺应人心。

关于战争胜负的决定性因素，茅元仪强调了顺应"天时"和力争"地利"，同时格外强调"人和"的重要性，指出了顺应民心、重视爱民之道的重要性。这一方面是受到儒家战争观的影响，另一方面则是继承了《司马法》等古代兵典的观点。

为了顺应"天时"，茅元仪主张在用兵之前要懂得尊奉寒暑之变："奉寒暑之时，则天顺。"① 为了求得顺应，茅元仪甚至也主张通过"占龟兆"② 的方式来顺应天时。其中虽也包含封建时代难除的迷信思想，但也充分反映出其尊奉天时的观念。从某种程度来看，茅元仪顺应天时的主张，与其顺应民心的主张，在目标和原则上都是一致的。故此他指出："时势可胜与否，当顺以待之，又当顺天时，顺人心。"③

关于"地利"，茅元仪认同孙子的主张，认为"地利"是"兵之助"。所以，他主张将帅必须"明地利"，战争发起与否，也要看己方是否"得地利"："下营者，贵得地利。地利有两，天下之形势异，则营亦因之，得其道则合，不得其道则乖。"④ 茅元仪不仅主张占得"地利"，更主张行军作战要跟随地形变化："随地可商"，既可夺取"地利"，也能"避其所忌"。⑤

相比"天时"和"地利"，茅元仪对于"人和"更为重视。这其实与其"爱民"和"顺应民心"的战争观完全一致。在评注《司马法》时，茅元仪多次强调"以仁为本"的战争观，他说："以仁爱为制胜之道，胜后教化可以复行。"⑥ 在他看来，只有"以仁为本"，才能赢得民心。只有顺应民心，才能上下一心而无往不胜。结

---

① 《武备志》卷三《兵诀评》。
② 《武备志》卷三《兵诀评》。
③ 《武备志》卷三《兵诀评》。
④ 《武备志》卷九十五《军资乘》。
⑤ 《武备志》卷九十五《军资乘》。
⑥ 《武备志》卷三《兵诀评》。

合《司马法》的战争观，茅元仪突出强调了"民心"的重要性，他主张战争发起与否，首先要看是否顺应民心，所谓"因民心而动众"①。在战争发起之后，统治者更应当"坚固众心，相度便利"②。顺应这种思路，茅元仪认为，作为军中主将也应该赢得士卒之心："主将固当勉顺众心。"③ 只有"本之人心"④，才能坚不可摧。

在茅元仪看来，发起战争的目标也是为了保民，统治者需要以仁爱之心救民，推行仁义，即便在战争胜利之后，也要努力推行教化，积极推动爱民之举，"而不为暴虐"⑤。战争并非只为争利，即便是争利，也需要使用智谋，因为纯粹使用武力会对天下带来巨大危害，所以茅元仪考察利害问题是从"天下之人"的角度出发，指出："以智谋勇利而利天下者，天下之人自以智谋勇利启之。若以智谋勇利害天下者，天下之人必闭之而不敌矣。"⑥ 既然是天下之人，则无分敌我，总之是立足于天下人之利，将战争视为利民之举。从中可以看出，茅元仪主张爱民，不仅是要爱本国之民，而且还要兼爱邻国之民，也即"兼爱本国、邻国之民"⑦，其实就是爱天下之民。总之，只有本着博大的胸怀，行博爱之举，才会得到天下人的拥护，为天下人赢得和平。

第二，严明治军，将帅为本。

提高军队的战斗力需要严格选拔锐卒。茅元仪认为"夫士不选，则不可练也"，因此他格外重视"选卒"，指出："然必人人而选之，则百金之士，非比屋而生，十万之师，难仓卒而合，非所以通论也。"⑧ "选卒"当然也讲究方法，其要则在于根据步、骑、车、水

---

① 《武备志》卷三《兵诀评》。
② 《武备志》卷三《兵诀评》。
③ 《武备志》卷三《兵诀评》。
④ 《武备志》卷三《兵诀评》。
⑤ 《武备志》卷八《兵诀评》。
⑥ 《武备志》卷四《兵诀评》。
⑦ 《武备志》卷三《兵诀评》。
⑧ 《武备志》卷六十八《阵练制》。

各种不同兵种的需求，选拔不同类型的人才。这四个不同的兵种，对于人才的需要是不同的，即"四者不兼用"①，因此必须"必分材而授之器"②。人才选定之后，应根据人才的等级不同，在食物供给等方面给予不同的待遇，并严格执行赏罚制度。

在完成"选卒"之后，必须及时组织训练，茅元仪由此而提出"练卒"的主张，其具体方法是："束伍之法，颁禁令之条，使其心与胆，日就我之练而不觉。然后教以进退之节，使目练于旌旗，耳练于金鼓，我临敌制奇，百变百出，而其耳目之所习者如一。"③ 只有严格施训，努力完成"练卒"的任务，令士卒熟练掌握各种阵法，学习基本的作战技能，才能锻造所谓"节制之师"，在战场上无往不胜。茅元仪格外强调严抓部队的训练工作："练不可易言也。士不练，则不可以阵，不可以攻，不可以守，不可营，不可战，不可以专水火之利，有马而不可驰，有饷而徒以饱，天时地利，不能以先人，为略为法，不可以强施。然则言武备者，练为最要矣。"④ 在《阵练制》中，茅元仪对历史上的种种训练之法进行了回顾和总结，尤其推崇唐制。因为他们的训练是按照士卒的能力和水平的不同，分等级、按步骤展开，故而是相对科学的训练之法。

为了保证训练的质量，促进部队战斗力的生成，茅元仪强调严格治军，由此他主张"悬令"治军，注重赏罚严明，令行禁止。他对"悬令"的概念进行了解释："悬令有二则：一曰禁令，一曰赏罚。即禁令之中，而罚亦具矣。"⑤ 从中可见，茅元仪所谓"悬令"，其实仍是立足于赏罚，强调的是铁腕治军。只有高悬禁令，并严格赏罚，才能有效地管理军队。并且，赏罚也要遵循公开公正的原则，一定要按照立功或犯罪的程度，分等级实施。所以他指出："为士者

---

① 《武备志》卷六十八《阵练制》。
② 《武备志》卷六十八《阵练制》。
③ 《武备志》卷六十八《阵练制》。
④ 《武备志》卷六十八《阵练制》。
⑤ 《武备志》卷七十一《阵练制》。

从上命则受上赏，不受上命则受上戮。"① 只有这种公正的赏罚，才能使得三军用命，勇往直前。

管理军队主要依靠将帅，因此将帅的能力和水平对于军队作风纪律的养成等具有至关重要的作用。茅元仪深知将帅是军队的大脑，因此他格外重视将帅的能力和素质。他说："凡胜敌之三军者，不在众兵，在主将一人。"② 由此可见，主将的智慧和才能，对于战争胜负可起到关键作用。为此，他直言不讳地指出："两国不有一亡，则必有一破军杀将，此见将之关系最重。"③ 将帅的地位由此而被推到了无以复加的地步。既然如此，在将帅的选拔与任用上，一定要非常注意，要把那些智力、勇气等确实超乎常人的人才选拔出来并委以重任。在茅元仪眼中，称职的将帅，应当具备非常全面的军政素质，至少要做到"上知天，下知地，中知人"④。

第三，情报先行，料敌制胜。

情报先行原则是中国古代兵家的优良传统，茅元仪也对此予以高度重视，突出强调了知敌之情的重要性。为了获取敌情，茅元仪积极主张使用间谍，即"用间以察之"⑤。尤其是敌人坚守不出之时，更应该大胆使用间谍，择机展开游说活动，并悄悄刺探敌方的动向："敌若坚守壁垒以固其兵，吾当急行间谍以观其谋虑。彼若听我使之说，解释而去，则已。"⑥ 使用间谍不仅可以刺探敌情，也可以乘机离间敌人，瓦解对方，进而寻找机会击破对手："用间离其敌心，然后击之也。"⑦ 一旦对方"不听信吾说，斩吾之使，焚吾之书⑧，则应及时采取针对性措施。

---

① 《武备志》卷三《兵诀评》。
② 《武备志》卷三《兵诀评》。
③ 《武备志》卷五《兵诀评》。
④ 《武备志》卷一百四十八《占度载·序》。
⑤ 《武备志》卷三《兵诀评》。
⑥ 《武备志》卷二《兵诀评》。
⑦ 《武备志》卷十七《兵诀评》。
⑧ 《武备志》卷二《兵诀评》。

　　针对刺探敌情，茅元仪提出了"闻""见""知""辨"等不同层次："闻敌之情，则思议之；见敌之情，则思图之；知敌之情，则思困之；辨敌之情，则思危之。"① 其中，"闻"和"见"只是初步的标准，"知"和"辨"则是更高层次的要求。尤其是"辨"，需辨别情报的真伪，无疑是对情报工作提出了更高的要求。茅元仪认为，情报工作尤其要注意由此及彼、由表及里的分析工作："见其显者隐者，而知其心之昏惑；必见其作外作内，而知其意之迷乱；必见其所疏所亲，而知其情之乖戾。"② 与此同时，他还突出强调了辨别情报真伪的重要性，要求情报人员"审察必真"③，善于辨别情报的真伪，才不会被敌人的假情报所欺骗。

　　在积极刺探对方情报的同时，茅元仪也强调了反情报的重要性，要求指挥员充分注意保护己情，防止己方的战争计划和战法设计等被敌方所窥探。为此，他指出："兵之所以胜之术，在乎我者宜密，无使其知而通，而吾又不可不知彼之机而速乘之也。"④ 在这里，茅元仪认为情报工作不只是刺探敌方情报，更应注意防止己方情报被敌人窃取，不给敌人可乘之机。这与孙子"形人而我无形"⑤ 的情报工作总原则是完全一致的。

　　在茅元仪看来，只有充分掌握敌情，才能因敌变化，击败敌军。其中尤其要注意搜集关于对方将领的重要情报，根据对方将帅的特点而选择相应的战术。对此，茅元仪指出："庸常之将，守一而不知变者，谓勇战而必于死者，可设伏以杀之；临敌而必于生者，可掩袭而掳之；性之忿速者，可陵侮以致其来；性之廉洁者，可诟辱以激其出；性之仁慈爱人者，惟恐杀伤士卒，可烦苛以扰之。"⑥ 在这里，茅元仪根据《孙子兵法·九变篇》论述将帅之"五危"，指出

---

① 《武备志》卷五《兵诀评》。
② 《武备志》卷四《兵诀评》。
③ 《武备志》卷二《兵诀评》。
④ 《武备志》卷四《兵诀评》。
⑤ 《孙子兵法·虚实篇》。
⑥ 《武备志》卷一《兵诀评》。

了情报搜集的重点方向，并针对敌将的不同情况而采取不同的战法，不仅充分认清了情报工作的重要作用，也指出了具有操作性的方法，很好地诠释了"料敌制胜"的用兵要义。

第四，慎重谋划，杂于利害。

要想争取战场主动权，除了掌握敌情之外，更要慎重谋划。尤其是立足于敌我双方的基本情况进行谋划，才能掌握战争主动权。茅元仪也积极主张"以谋为本"，认为能否掌握主动权，关键就在于是否进行了充分的谋划："矢（知）兵道者，必先图谋不知止之败，何在乎必往哉？若贪其有功而轻进以求战，则敌亦谋所以止我之往，而或得制胜矣。"①

关于战争谋划，古代兵家中以孙子的"庙算"最为著名，这种模式得到茅元仪的继承。他指出，战争谋划必须周密计算敌我双方的各种情况，这便是用兵作战的"始事"。在此基础上，再制定出较为科学的作战计划。因此茅元仪主张认真掌握孙子所言道、天、地、将、法这"五事"，并且"以五事为经常，而校量以计，以探索彼己胜负之情"②。

显然，茅元仪所指战争谋划不只是停留在对道、天、地、将、法等基本要素的掌握和分析上，而是要求有逐级叠加的跟进。比如在战争谋划之初，指挥员要充分掌握敌我天地之情，要对地形等基本情况非常熟悉。既然知道地形情况，就需要懂得依据己方所处之地而"忖度其远近、险易、广狭之形"，而且考量"其强弱、多寡之人力"。既然考察出其力量，便需要谋划"其机械、变诈之术数"③。只有谋划出一套完整可行的制敌之术，战争谋划才算宣告完成。

在茅元仪看来，谋划战争必须秉持慎重态度。这种慎重表现在

① 《武备志》卷九《兵诀评》。
② 《武备志》卷一《兵诀评》。
③ 《武备志》卷一《兵诀评》。

两方面，一方面是周密进行谋划，即"应酬敌人也周密"①，包括发起进攻行动也要慎重。另一方面则是对己方所谋要做到谨言和慎行，做到严守机密。为此，他指出："凡行军不谨言，则致偷失。军机凌犯无节，则致破伤。士卒急暴，如水溃雷击，则致紊乱三军。"② 如果不能慎重对待战争谋划行为，同样是有勇无谋的轻率之举，必然会遭到失败。

要想秉持慎重态度，就必须对战争利害问题进行周全考虑。孙子"杂于利害"的战争决策原则，也得到了茅元仪的积极认同。在评注《孙子兵法·九变篇》时，茅元仪指出："智者之虑事，见利而虑及其害，遇害而虑及其利，杂于利害如此。但见以所害参所利，则事务可伸，以所利参所害，则患难可解，而使民安业也。"③ 战争行为必须趋利避害，甚至不惜以"小害"博取"大利"，因此必须秉持"杂于利害"的原则，正确处理利害与得失，做到科学决策，正确取舍。高明的指挥员一定敢于抛弃小利和不争小利，从而有效避免被敌人的小利和小惠所诱惑，做出冲动之举。

第五，乘势而为，奇正相生。

战争行为最终要落实到攻与守这种具体行为之上，所以历来兵经都重视研究攻守之策。对此，茅元仪也进行了认真研究。所谓战争谋划，最终仍然是谋划攻与守等内容。在茅元仪看来，如果想对敌军发起有效进攻，就需要学会"乘势"，也即乘势而为。同时还需要保证行动发起之时的果断迅速，切不可拖泥带水。他指出："行兵之势，如总持木弩，发机迅疾而不可御。如旋风直上而不可遏，则人人腾跃凌驾，张其胆，绝其疑，堂堂然决胜而往矣。"④

既然强调行动迅速，就必须处理好孙子所言"势"与"节"的关系。因此，借评注《孙子兵法·势篇》，茅元仪继续借"鸷鸟之疾"的重要性，并总结其中奥妙："此就奇正之中，举其势与节而言

---

① 《武备志》卷八《兵诀评》。
② 《武备志》卷九《兵诀评》。
③ 《武备志》卷一《兵诀评》。
④ 《武备志》卷八《兵诀评》。

之，谓于激水之疾，有以漂石者，可以观势焉，固甚于险也；于鸷鸟之疾，有以毁折鸟雀，可以观节焉，固甚于短也。"① 在茅元仪看来，排兵列阵，也要注意这种"势"与"节"的关系，保证战斗行动的迅捷："故善战者，法此以布阵：其立队相去各十步，每隔一队立一战队，其前进以五十步为节，听角声为号；马军从背出，亦以五十步为节，听鼓声为号。是其势之险而难御，如引满之弩矣。其节之短，近只在五十步之内，如发机之近，不至于远而有失。"② 因为"势险"，所以激水可以漂石者也，因为"节短"，鸷鸟可以毁折鸟雀，所以列阵和出击时也要注意保持"势险"和"节短"，力争在可控的射程之内，给敌以最大程度的杀伤。

　　两军相争，更要注意奇正相生，奇正也集中体现了军事家的用兵智慧。茅元仪深入研究奇正问题，认为要做到奇正的变化无穷，就必须不守常法，善于权变。茅元仪既认同传统的奇正观——"先以正兵合战，而后以奇兵扼绝之"③，也积极主张变通之术："常令，非追逐败北，袭取城邑之时所用。盖此时贵出奇制胜，而常令不可拘矣。"④ 另外，如果想使用好奇正之术，就必须认真审察敌情，更应视战场情势的变化而定："已有二军而敌止一军，则以一军为正兵，一军为奇兵。"⑤ 这就是根据敌我双方的兵力情况采取灵活变化。再如，"兵当分散之时，则以散为正而合为奇；当合聚之时，则以合为正而散为奇"⑥，这同样是根据战场情势的变化而灵活变化奇正。

　　奇正既与兵力分合紧密相关，指挥员排兵布阵则可以利用种种分合之术，求得奇正的无穷变化。关于阵法的奇正变化，茅元仪总结道："天地风云四阵为四正，龙虎鸟蛇四阵为四奇，其余四正四奇

① 《武备志》卷一《兵诀评》。
② 《武备志》卷一《兵诀评》。
③ 《武备志》卷九《兵诀评》。
④ 《武备志》卷九《兵诀评》。
⑤ 《武备志》卷十《兵诀评》。
⑥ 《武备志》卷十一《兵诀评》。

之外，凡奇零之兵，皆大将握之，居中运用焉。"① 包括军中旗帜的变化，也可以蕴含奇正之变："军中五方之旗，各从其青黄赤白黑一定之色，此为正兵乎！幡麾之用，曲折冲突，无有定向，此为奇兵乎！且旌旗幡麾，各以分合为变化。"② 总之，在茅元仪看来，高明的指挥员一定要做到无所不正和无所不奇，这样才能善于利用各种条件变化奇正之术，令敌军无从掌握我方踪迹。

四、对古典兵学的总结

在茅元仪之前，还有若干大型兵书诞生，例如何汝宾的《兵录》、唐顺之的《武编》、王鸣鹤的《登坛必究》等，与茅元仪同期撰写的大型兵书则有《经武要略》。这些著作虽难称完善，却也为古典兵学的总结起到了铺垫作用。

其实，在明代之前也曾有人尝试对既往兵学进行总结。北宋仁宗时期曾命曾公亮、丁度等编撰《武经总要》。该书分前、后两集，每集各 20 卷，共 40 卷。《前集》分别论述选将、教练之法、基本战术、各种阵法及各种利用地形作战的方法等。《后集》则集中通过战争案例介绍用兵谋略，此外也花费不少篇幅介绍占候之术等。《武经总要》是一部大型的综合性兵书，对军事制度、用兵选将、军队训练、古今阵法、战略战术、武器制造及阴阳占卜等各个方面内容都有论及，在营阵和武器装备这两部分还附有大量插图。《四库全书总目提要》评价其"《前集》备一朝之制度，《后集》具历代之得失"③，对其评价甚高。考察兵学发展史，《武经总要》是在特定历史时期完成了古典兵学的阶段性总结任务。

在宋代之后，古典兵学继续保持着快速发展的势头。军事理论家结合时势发展推陈出新，不断贡献出新的军事学著作。他们在阐释古典兵学要义的同时，也曾尝试对古典兵学继续进行科学总结。

---

① 《武备志》卷十《兵诀评》。
② 《武备志》卷十一《兵诀评》。
③ 《四库全书总目提要》卷九十九《子部九·兵家类》。

《登坛必究》《武编》《兵录》等大型兵书由此而不断出现。

首先需要提及的是王鸣鹤所撰《登坛必究》。这本兵书共 40 卷，对天文历法、军事地理、将帅选用、战略战术、治军理论、营阵之法等都进行了较为系统的探讨。我们从这种著述规模和庞大体系中，不难看出其"穷源"和"求全"的特点。作者虽然自称"专事汇集而鲜发挥"①，但也注意充分结合当时的军事斗争形势需要，试图为统治集团找到安国全军之策，也试图通过既往政治和军事改革的总结与介绍，敦促明廷革除弊政。② 《登坛必究》也大量辑录阴阳占候、奇门遁甲、太乙六壬之类兵阴阳的内容，多为迷信诡诞之说。对于这部兵书，前面曾有专门篇章述及，这里姑且不论。总之，《登坛必究》是明代一部重要兵书，但作者有意"专事汇集"，就此决定了其没有系统总结古典兵学所应有的抱负。各卷目录的条贯也稍显庞杂，缺少必要的条分缕析，也较少己见。

何汝宾所撰《兵录》，也是一本大型兵书。全书共 14 卷，附图 484 幅。该书从选将论将开始，对教练之法、兵器使用、阵法操练、守御策略、攻战之术及武器制造等都有或多或少涉及。但这仍然是一部辑录体兵书——这从书名"录"字就可以想见。至于其采录资料的来源，有一半是采自《武经总要》，另外一半则采辑明代所出新材料。③

《兵录》以《论将总说》开篇，仍然依照《武经总要》的编排方法，非常重视军队建设，尤其重视将帅的地位和作用，故以"论将"为首。在作战指导方面，该书也结合传统兵学，强调从了解敌我双方情报出发，谋划战争之法，选用攻防战术等。在对待古代兵法的学习和运用方面，该书也有独特见解，主张"不滞于法而实不离夫法也"④。作者以下棋为喻，说明学习古代兵法的重要性："将

---

① 《登坛必究·凡例》。
② 《中国兵书通览》，第 366 页。
③ 《中国兵书通览》，第 371 页。
④ 《兵录》卷一《论将总说》。

之于兵法，犹奕者之于谱也。奕者必熟览其谱，而后可以应变制胜。未有将不习法而辄能开合变化运用无穷者。"① 另外，《兵录》辑录了一些明代以来从西洋传来的火器资料，具有重要的史料价值。当然，书中同样含有明显的封建糟粕和迷信思想，夹杂着神鬼之论。作者自称，于"总括群书，钩其玄要"的同时，也"间附以己意"，② 但书中并未说明何为辑录，何为本人发明。这本以"录"为目标的兵书，同样无法完成总结古典兵学的重任。

明代另外一本重要的兵学类书为《武编》，又名《唐荆川先生纂辑武编》。全书分前、后二集，共 12 卷，在嘉靖中期完成。其时明廷武备废弛，军队战斗力低下。唐顺之有感于此，着意振兴武学，于是广搜博采，辑录编纂成《武编》一书。后来唐顺之抗倭与巡抚凤阳期间，也多少得力于该书。《武编》模仿《武经总要》的体例，分成前、后二集。卷目的安排也基本照单模仿。在《前集》中主要辑录有关兵法理论方面的资料，内容包括将帅选拔、军队训练、攻防守备、计谋方略、营阵之法、武器装备等等。《后集》则基本辑录历史上的用兵实践。在采集资料方面，《武编》除了大量采自《武经总要》《续武经总要》之外，也注意从《武经七书》《太白阴经》《虎钤经》等古代兵学典籍中采集。

《武编》在编纂上也有卷目类名过于庞杂的缺点，这一缺点其实也是从《武经总要》继承而来。过于庞杂的分类，必然会导致若干类名的重复。除此之外，该书还有若干不足之处，比如书中也辑录了不少荒诞迷信的兵阴阳家的糟粕之论。总体上看，这本兵书"述而不作"，虽说在当时具有一定的现实意义，也存有重要的史料价值，但仍不足以完成对古典兵学的总结。

《经武要略》也是晚明时期诞生的军事学类书，由庄应会所撰。庄应会为明朝末年进士，目睹明朝政权的衰败和腐败，希望能有知兵之将出面拯救。他立志撰写兵书，教人懂得千古兵略，以资运筹

---

① 《兵录》卷一《论将总说》。
② 《兵录·自叙》。

帷幄之用。作者后来主动将该书进献崇祯皇帝，可见其自视甚高，对所撰兵书非常自信。

《经武要略》共24卷，分《上集》和《正集》两部分。《上集》分类记述明代历朝皇帝和名将用兵实迹。《正集》则从《武经七书》等兵书以及经、史、子、集中辑录历代军事史料，并按照治军、阵法、选将、兵法、方略等门类逐一进行编排。与前述军事类书不同的是，《经武要略》穿插着编者的评论，所以可称为辑评体兵书。只是该书评论并不很多，只一百余条。《经武要略》意在挽救明廷败局，评论多有感而发，辑录内容也较为丰富，保存了不少历代军事资料，尤其是明代的史料。但该书也有明显缺点，比如选辑史料时基本没有注明资料来源，在类目编排上也同样存在着过于庞杂的缺点。虽说其编成时间与茅元仪《武备志》相仿，但水平无法与后者相提并论。

《兵录》《武编》《登坛必究》《经武要略》这些兵书，其立意和侧重点都各有不同，但都在试图建立庞大体系，类目编排较为庞杂，而且总体上都属于"录"的性质，另外还有一个共同的缺点就是缺少己见，更缺少对古典兵学的宏观审视和总结。当然，这些兵书的价值也不容否定，他们多少也为茅元仪撰述《武备志》起到了铺垫作用。但是，对古典兵学进行系统总结的任务，似乎只有等到《武备志》的作者茅元仪来完成。

与《武经总要》《武编》《经武要略》等军事学类书相比，《武备志》具备明显的自身特点。

第一，综合性。《武备志》是一部大型的综合性辑评体兵书。但是与《经武要略》等同类书相比，它不仅体系更为宏大，而且点评更加精到；不仅条理清晰，而且体例保持统一；不仅有理论总结，也有史料支撑；不仅考镜源流，挖掘古代兵典的要义，而且立足于解决现实问题，及时采辑其时先进的兵学理论和兵器知识。可以说，其编纂指导思想，要较其他同类兵书明显地胜出一筹。

第二，合理性。与《武经总要》或《武编》相比，《武备志》对古典兵学的分类排纂更加明晰合理。如前所述，全书分为五大类，明显去除了从《武经总要》《武编》《登坛必究》《经武要略》等分类庞杂的毛病。为了对兵学的主要论题进行更为合理的总结，茅元仪采用了独特的条贯方法，大类之下设小类，小类之下又根据需要灵活设置细目，对涉及军事的方方面面的问题进行概括和总结。这种条分缕析尤其可见作者功力，也可看出茅元仪对古典兵学的钻研之深。

第三，独创性。《武备志》中有大量的点评文字，基本来自茅元仪的独创和研究发现，同样可见功力。通过这些点评文字，茅元仪借机阐释了对古代兵典的独到见解。除了每类之前的"序"之外，茅元仪还在完成基本资料的辑录之余，合理采用诸多方法完成对古典兵学的评注任务。比如，他通过文中夹注的方式，或解释难懂字词，或介绍经典战例，或申论兵学理论，都很好地表达自己对于军事问题的看法和见解。很显然，这与"述而不作"的《武编》或《兵录》等兵书立即拉开了距离。

第四，系统性。与《经武要略》比较，《武备志》并没有局限于明朝一代，而是立志对包括明代在内的既往兵学进行系统总结。茅元仪的立意，并不只是挽救时局，同时也对既往兵学进行了系统性总结。《武备志》由此而成为"中国古代部头最大、类似军事百科全书性"的兵书①。一直以来，它都以丰富的内容、深刻的见解、科学的编纂、珍贵的史料等，赢得了后人的广泛赞誉，受到研究专家的广泛重视。即便遭到清朝统治者禁毁，它仍然不断被翻刻，广为流传，足可以证明其思想价值。

第五，创新性。通过《武备志》可以看出，茅元仪始终用创新和发展的眼光看待军事问题。其中不只是采辑古代军事技术，也积极倡导对新军事技术的发展和使用，意在改善明军的装备，提高明军战斗力。比如，他坚持认为御敌必须善于使用火器，对使用火器的原则方法和技战术等都有深入论述，希望明军在作战和训练中充分熟悉和掌握各种火器的性能，并能因时因敌使用，充分发挥先进

---

① 《中国兵书通览》，第382页。

火器的威力。

总之，《武备志》从战略战术、装备后勤等多个方面，对涉及军事问题的方方面面都进行了总结和阐发。作者在《武备志·自序》中说，他因为看到国家承平日久，"朝野之间莫或知兵"，甚至于"以兵为弄"，"违天背地"，所以要写一本足以敷用的军事著作，积极寻找治国安邦之策，竭力拯救步入衰亡的明政权。① 虽说他的这一写作目的未能实现——既未能仰仗其击退起义军，也没能阻止清军的铁骑南下，但该书依据史事或战例并结合时势所进行的探讨，都有发人深省之论。该书体系庞大，条理清晰，内容丰富，由此而被誉为无所不包的"军事百科全书"。考察古代兵学的发展史，尤其是古典兵学在明代的守成趋势，《武备志》其实是对古典兵学完成阶段性总结任务的重要著作。

茅元仪通过《武备志》，不仅阐发了自己的兵学思想，同时也完成了对中国古典兵学的分类梳理和总结整理。细察该书我们不难发现，茅元仪的梳理总结，多少受到《汉书·艺文志·兵书略》的影响。这种"五分法"可能是尝试对旧有兵学思想体系进行革新，但也能明显看出"兵四家"的影子。一为五分，一为四分虽不能建立起一一对应关系，但是《武备志》受《兵书略》影响的印记无法抹去。具体地说，《兵诀评》和《战略考》多属于兵权谋和兵形势，《阵练制》和《军资乘》所论，则多为兵技巧，《占度载》则大体属于兵阴阳。由此可见，《汉书·艺文志·兵书略》所建立的古典兵学范畴，无论是精神实质，还是实际内容，并没有被茅元仪所完全消解。在《武备志》中，茅元仪只是换了一种方式，重新进行了归类与合并。也正是这个原因，《武备志》与《兵书略》之间，无论是就分类立项，还是就思想内核而言，都有不少趋同之处。

考察从《兵书略》到《武备志》的这个漫长周期，我们可以发现中国古典兵学虽说一直往前发展，但更多的只是在"术"的层面或战术细节上有所发展，至于一些基本的思想和原则等，则基本没

———————————

① 《武备志·自序》。

有跳出先秦兵学的藩篱，尤其是《孙子兵法》的藩篱。明代中晚期出现的若干具有创见的兵书，更像是一种回光返照。这个时候，我们再重新回味茅元仪在《武备志·兵诀评》中对《孙子兵法》的评价——"前《孙子》者，《孙子》不遗；后《孙子》者，不能遗《孙子》"，越发觉得它确实抓住了中国古典兵学的内在发展规律。所以，用茅元仪的这句话来概括《孙子兵法》对于我国古代兵学史所产生的影响，确实堪称允当之语：早于孙子的，《孙子兵法》都充分予以吸收，晚于孙子的，都不免受到《孙子兵法》的深刻影响。这段话充分说明茅元仪对古典兵学的洞察能力，也多少折射出古典兵学在较长一个时段的停滞不前。

第六章 清前期统一战略及传统兵学的停滞

明代晚期，随着统治集团的日益腐朽，社会矛盾集中爆发，民众铤而走险，奋起抗争。在北疆则先后有蒙古和后金进逼，遂形成内外交困的局面，大明王朝至此已行至穷途末路。此后，清统治者率军入关，持续推进统一战争。康熙平定三藩的作战方略，施琅统一台湾的作战方略等，都可圈可点。当然，即便如此，古典兵学在清代中前期还是表现出明显的停滞局面，高质量兵学著作也难得一见。

第一节 晚明边务的衰败与清军入关

有明一代，朝廷始终非常重视北疆的建设，却从来没有找到一条万全之策。从进攻到僵持，再到防守，再到完全防不住，从明朝北部边疆攻守转换的过程中，尤可看出明廷北疆战略的得与失。明廷一直以蒙古人为头号假想敌，努力构筑防御体系，但在北方却并不只有蒙古人。万历年间，女真族重新在东北地区崛起，对明朝北疆的安全构成了更大威胁，也就此打破了北方地区长期由明、蒙对抗的格局。其时女真人口总数不超过 100 万，即便是东北境内的总人口也不超过 200 万，与明廷相差悬殊。① 但由于明朝北疆防御体系

---

① 葛剑雄：《中国人口发展史》，《葛剑雄文集②·亿兆斯民》，广东人民出版社，2014 年，第 436 页。

轰然坍塌，加上女真的势力越来越强，双方攻守态势发生了彻底转变。明廷深知女真人骁勇善战，故而始终努力使其"分"，然努尔哈赤则致力于"合"。在后金完成初步的统一之后，明廷在东北已成颓势，因此便有了萨尔浒之战的失败。

一、北疆防线的瓦解

就在女真悄悄崛起的同时，明朝正步履沉重地迈入全面衰退期。先有万历皇帝的懒政，再经天启皇帝的荒政，再遇到崇祯皇帝的胡乱折腾，最终导致大明王朝的气数殆尽，而且已成积重难返之势。由于皇帝昏庸、宦官专权，明廷在政治、经济、军事等各方面，都呈现出严重的危机。武昌、苏州等地出现规模不等的民变，辽东甚至出现兵变。这表明社会各阶层之间的矛盾，尤其是官与民之间的矛盾，正日益突出。动辄万人以上的民变规模，不仅反映社会危机的日渐加深，同时也宣告明政权的统治力正在衰减。在军事上，同样呈现出明显的颓败之势，尤其是与后金之间在攻守态势上悄然发生改变。皇太极在位时更是大举入塞，进一步加快了推翻明政权的步伐。

在正统年间，由于瓦剌的迅速崛起，明朝北疆已经产生严重的安全危机。"土木堡之变"中，英宗朱祁镇成为俘虏。明军的惨败充分暴露出政治、军事的各种矛盾。此后则爆发了北京保卫战，因为于谦等主战派坚决抵抗，成功击退了瓦剌军的进犯。北京保卫战虽然取胜，却没有对瓦剌军构成致命打击，胜利成果终究有限。瓦剌军此后持续不断地对北疆构成威胁，北疆的危机越发加重。《明史》记载，"景帝即位，十余年间，边患日多"①，这真实反映出当时边务日渐衰败的实际情况。

俗话说，攻难守易，其实攻与防的关系并非如此简单而绝对，防守一方至少相对较难占据主动。如果摸不准对手的进攻方向，则

①　《明史》卷九十一《兵志三》。

更容易处于被动。这正如孙子所说"无所不备，则无所不寡"①。明朝对北部游牧民族更多采取防御之策，但是北部边界线漫长，如何实现有效防守，终究是一件难事。在嘉靖、隆庆、万历年间，边饷危机已经明显呈现出来，而且渐渐演变成长期的结构性问题，这同样在加速明王朝的衰亡。有学者总结这种结构性问题的突出表现："边镇防线过长，内地补给有限，粮食运转路途遥远，困难过大，成本太高。"② 到了衰世，随着政治腐败和经济下滑，前方补给变得更加困难，原有的边疆战略自然就会失去继续贯彻执行的基础。当初设计九镇虽然起到一定实效，但到了此时，其中弊端如巨大的物资损耗等，也变得日益突出。面对困境，孙承宗多次呼吁裁减军队员额，上书请求简汰官兵③，以争取节约开支，维持前线士卒的基本补给。依据当时双方角力的实际情形，明军只能通过增兵来增加防线的厚度。但是，因为补给不足，孙承宗只能提出这种饮鸩止渴的策略，实属万般无奈。

万历年间，明廷连续用兵。万历中期的"万历三征"，即宁夏之役、播州之役和援朝抗倭之役，也带来沉重的财政负担，边防问题由此而日益严重。朝廷被迫四处筹措军饷，"一年而括二千万以输京师，又括京师二千万以输边"④，给各地民众带来沉重压力。此外还存在一个问题，就是"十三边镇的防线过长，官军人马也明显不足"⑤。明朝中期，由于世袭制的军队完全丧失战斗力，明廷被迫改而采用募兵制来补充兵力。这种改变一度对抗击倭寇起到积极作用。但到了后期，已然挽救不了整个军政的败坏。政治腐败不可避免地对军队构成侵蚀，并很快就形成层层盘剥式的贪腐。下级军官难以

① 《孙子兵法·虚实篇》。
② 赖建诚：《边镇粮饷：明代中后期的边防经费与国家财政危机，1531—1602》，浙江大学出版社，2010年，第294页。
③ 《孙承宗集》卷三十六《简汰官兵以清粮饷疏》《再汰官兵疏》。
④ 《明史》卷七十八《食货志二》。
⑤ 《边镇粮饷：明代中后期的边防经费与国家财政危机，1531—1602》，第294页。

依靠薄酬养家，底层士卒更是无法糊口。即便如此，他们还要承受各种沉重的剥削，最终只能走上哗变的道路。崇祯初年，处于辽东前线的宁远，便率先出现士兵哗变，辽东巡抚毕自肃、总兵官朱梅奔走不及，都被叛兵抓住。此后，山西等地相继发生勤王兵哗变事件。军队毫无战斗力，甚至"一望虏兵，即思逃遁"[1]。保卫明王朝的长城，已经呈现轰然坍塌之势。明朝统治者精心构筑的北边防御体系，也就此宣告瓦解。

二、萨尔浒之战的作战指导

萨尔浒之战发生在万历四十七年（1619），是后金摆脱明廷的关键一战。对后金而言，不啻为生死决战，对明廷而言，同样是一场关键之役。在这场战争中，努尔哈赤依靠其出色的军事指挥才能，成功地击败了明军的围剿。由于此役获胜，努尔哈赤从此改称明廷为南朝，从根本上改变了与明廷的隶属关系，也为日后大举南下、入主中原奠定了基础。由于明军与后金军队在萨尔浒一带的作战非常惨烈，因此整场战役都被后人称为"萨尔浒之战"。

（一）抓住时机，迅速崛起

明朝万历年间，位于东北的后金得以崛起。担任建州左卫指挥使的努尔哈赤经过多年努力，基本统一女真各部。明政权日渐腐朽，危机重重，故而没有对后金统一步伐有所干涉。万历四十四年（1616），努尔哈赤顺利称汗，建立后金政权，建元天命，下定决心摆脱与明朝的臣属关系，并将进攻矛头直接对准明廷。万历四十六年（1618），努尔哈赤判断时机已经成熟："吾计已决，今岁必征明矣。"[2] 他随即命令全体将士厉兵秣马，积极做好战争准备。努尔哈赤非常注意师出有名。在出征之前，他在赫图阿拉组织誓师大会，宣称与明朝有"七大恨"，以挑起全体女真人的民族情绪，有意将他们的不满引向明廷，同时下达战争动员令。

---

① 王在晋：《三朝辽事实录》卷六，全国图书馆文献缩微复制中心，2002 年。
② 《清太祖实录》卷五，台湾华文书局，1985 年。

当时，明军刚经过援朝抗日战争，人力物力都有很大损耗，加上明朝政治腐败，官员肆意侵吞军队粮饷，对军队造成很大影响，不仅陈旧装备无法得到及时更新，甚至连正常训练都无法展开。当时辽东边防军编制名额 10 万以上，可实际在岗不过三四万人，缺额非常严重。这支虚弱不堪的军队，分散部署在北起开原、南至鸭绿江口的 100 多个军事据点，很容易被后金军队各个击破。努尔哈赤对明军的衰弱和布防情况都非常清楚。在发起进攻之前，努尔哈赤曾不断派出间谍，仔细打探明军的守备情况，并最终摸清了明军的防守软肋。这之后，他部署左路军约 5000 人，进驻马根单（今辽宁抚顺境内）发起佯攻，右路军约 1.5 万人由努尔哈赤本人亲率，直扑抚顺。攻占抚顺后，努尔哈赤乘胜追击，扩大战果，接连攻占清河等地，打开了通往沈阳、辽阳的门户。努尔哈赤给明廷写了书信，信中措辞强硬，显示出与明廷彻底决裂的决心，也预示着双方更大规模的战争势所难免。

（二）集中兵力，各个击破

明军这边，完全是匆忙上阵。万历皇帝匆匆召集文武群臣商讨对策，任命兵部左侍郎杨镐为辽东经略，周永春为辽东巡抚，杜松为出关总兵官，同时征调还乡老将、原四川总兵官刘绖火速赶赴辽东前线，在辽东集结各路兵马达 8 万余人，加上朝鲜援兵 1 万余人，共计 10 万余人。① 与此同时，明军又从山西、陕西借调一批大型火炮，紧急运往辽东前线。由于粮草吃紧、军心不稳，朝廷派出大学士方从哲和兵部尚书黄嘉善一再催促杨镐抓紧时间进兵，杨镐也深知所筹粮草不足以支撑太久，只得寄望于速战速决。

万历四十七年（1619）二月十一日，辽东经略杨镐、蓟辽总督汪可受、辽东巡抚周永春等聚集辽阳演武场，举行誓师大会，并且商讨出征努尔哈赤。誓师大会结束之后，明军分为四路，分别由马

---

① 萨尔浒之战明军参战人数，史料记载不一。这里采《明神宗实录》卷五百七十二的说法，判断明军人数为 10 万余人。《清太祖实录》记载明军 20 万，声言 47 万，存有夸张成分。

林、杜松、李如柏和刘綎率领。杨镐要求四路兵马努力做到"声息相闻，脉络相通"①，向后金军发起围攻。努尔哈赤听从李永芳的建议，决定采用各个击破的方针，对付明军的多路进攻。其战法，简单概括就是"凭尔几路来，吾只一路去"②。后金全部兵马不过6万左右③，努尔哈赤将精锐之主力部队1.5万人集中在界藩山一带，迎战由抚顺而来的杜松，将决战地点放在萨尔浒。杜松率领官兵奋战数十余阵，终因寡不敌众而气力衰竭。明军损失惨重，杜松也被乱箭射中，坠马而死。

从北面进军的马林，得知这一消息之后，胆气全无，忙率兵向尚间崖集结。努尔哈赤仍旧采取集中兵力、各个击破的战法击败马林。此后，努尔哈赤挥师南下，迎击刘綎的大军。为了诱使刘綎冒进，努尔哈赤派人冒充杜松部下，谎称前面杜松已经获胜，催刘綎加速前进。刘綎不辨真伪，大军全部进入八旗军的包围圈，一番激战之后，东路军全军覆没。坐镇沈阳的杨镐接连收到战败消息，急令李如柏撤军。李如柏胆小怕事，在接到进军命令之后，一直龟缩不前，行动迟缓。在接到撤军命令之后，他却毫不迟疑，行动迅捷。由其率领的南路军，如惊弓之鸟急速南撤，以致人马自相践踏。

在战斗中，由于努尔哈赤出色的组织指挥能力，明军的人数优势和火器优势完全没有得到充分发挥，而后金军的骑兵则充分利用地形条件，发挥出其快速机动的特长，使得战争局面发生了根本变化。尤其值得一提的是，努尔哈赤虽是塞北少数民族出身，却深谙兵法之三昧。在与明军作战过程中，努尔哈赤的作战指挥之法，与孙子颇多贴切之处。例如他重视"情报先行"，力求"并敌一向"等，这些战法都可从《孙子兵法》中找到出处。努尔哈赤手中兵马，与明军相比，处于绝对下风。但他采用的战术，与孙子的"以镒称

铢"①"并敌一向"② 等战术原则，基本能够求得暗合。因为战术得
当，努尔哈赤只是付出了极小的代价，便取得一场大胜，展示了他
杰出的军事才华。此后，萨尔浒之战成为军事家们经常提起的名战
之一。

（三）将帅指挥及各自得失

萨尔浒之战前后不到五天时间，明军虽然兵力占据优势，却在
战争中始终处于被动挨打局面。战争结束，明军包括总兵刘綎、杜
松在内，文武将吏阵亡 300 余人，士卒阵亡 4.5 万余人。③ 与之形成
鲜明对比的是，后金军仅损失 2000 余人。可以说，此役努尔哈赤取
得完胜，明军则是彻底的惨败。

萨尔浒之战失败后，明朝御史大夫杨鹤曾上疏对失败进行了总
结。刚正不阿的杨鹤将萨尔浒失利的根本原因直接指向朝廷和指挥
作战的各级官员，认为调度和经略等都存在着严重失误："辽事之
失，不料彼己，丧师辱国，误在经略；不谙机宜，马上催战，误在
辅臣；调度不闻，束手无策，误在枢部。"④ 不仅如此，杨鹤的刚直
之言又指向万历皇帝，认为"至尊优柔不断"⑤ 也是此役失败的主
因，因此可说是"至尊自误"。如此一来，这份直抒己见又洞中肯綮
的总结报告，当然会引起朝廷内外的一致不满，也给了同僚对其进
行弹劾的机会。杨鹤万分失望，只能称病辞职。杨鹤的辞职也能说
明此时的明政权已经彻底腐朽，到了无可救药的地步。政治的腐朽
和边务的废弛，是萨尔浒之战明军惨败的最主要原因。尽管当时明
政权已经日渐腐朽，但仍保持着一副妄自尊大的面目。从萨尔浒之
战的组织指挥也可以看出，明廷上下根本没有把后金真正放在眼里，
甚至指望毕其功于一役，迅速结束战斗。殊不知，这完全是痴心妄
想。政略层面的颓败和战略层面的失误，都是战败的致命原因。

---

① 《孙子兵法·形篇》。
② 《孙子兵法·九地篇》。
③ 《三朝辽事实录》卷一。
④ 《明史》卷二百六十《杨鹤传》。
⑤ 《明史》卷二百六十《杨鹤传》。

在具体战术方面，明军也是失误累累，比如将帅失和、准备不足、情况不明、兵力分散等。在这场大决战中，双方主帅的指挥能力相差甚远。努尔哈赤充分展示了自己的军事才能，比如情报先行、集中兵力、机动灵活、巧妙设伏等，而杨镐则是畏首畏尾、用人不当、情况不明、优柔寡断。在双方交战过程中，努尔哈赤一直亲临一线指挥作战，而杨镐则是始终龟缩沈阳遥控指挥。明军分兵四路出击，兵力分散已是兵家大忌，加上各部一直都是各自为战，根本没有按照预定作战计划组织实施，所谓"脉络相通"① 根本无法做到，为后金各个击破提供了机会。面对手下各自为战的危境，优柔寡断的杨镐无能为力，与努尔哈赤的果敢坚决形成鲜明对比。马林和李如柏贪生怕死，甚至出现没进入战场就要撤退的荒唐局面，对整个萨尔浒战场明军被动挨打局面负有不可推卸的责任。至于杜松和刘𬘩则是缺少计谋、好勇轻战的匹夫，正好犯了孙子所云"必死，可杀也"② 的大忌，虽有勇猛精神，也只能战死沙场。

萨尔浒之战是明与后金的关键一战。此战过后，明军渐渐失去了对辽东的控制，而后金的实力则是越发壮大，直至彻底掌握了辽东战场的主动权，并且由此奠定了入主中原的基础。后金军胜利之后，努尔哈赤的政权更趋稳固，并且由此夺取了辽东战场的主动权。在这之后，后金军在努尔哈赤的指挥之下，乘势夺取开原和铁岭等东北要塞，并趁机征服了叶赫部，扩张势头更加明显。面对努尔哈赤咄咄逼人的进攻态势，明廷甚至连谴责一下的勇气也已丧失，当初的那种狂妄和自大，已经完全蜕变为软弱和妥协。此役之后，"新兴的金国对明朝采取咄咄逼人的主动性攻势"③，可见萨尔浒一战彻底改变了双方心态，进而影响到双方的战略方针。从这个意义上说，它是引起朝代更替的决定性一战。

正是因为萨尔浒之战的重要地位，清廷曾勒石以示纪念。乾隆

---

① 《明神宗实录》卷五百七十九。

② 《孙子兵法·九变篇》。

③ 王锺翰主编：《中国民族史》，中国社会科学出版社，1994 年，第 768 页。

皇帝撰写碑文时，对萨尔浒之战做出高度评价："由是一战，而明之国势益削，我之武烈益扬，遂乃克辽东，取沈阳，王基开，帝业定。"[1] 应该承认这是非常恰当的评语。明廷要为皇帝昏庸、宦官专权的腐朽政治付出代价，进而失去执政权。

三、明廷最后的挣扎

面对后金的崛起，明廷并非完全坐视不管，但种种努力却不幸化为乌有。不仅如此，熊廷弼被传首九边，袁崇焕遭受磔刑，孙承宗惨遭灭门，都为这种种努力增添了浓厚的悲凉。

（一）后金的步步紧逼

万历二十年（1592）四月，日本侵朝战争爆发。朝鲜国王不断派遣使臣向明廷求援。在经过一番激烈的争议之后，明廷最终还是决定出兵救援。援朝决心的下定，实则是由明廷与朝鲜关系所决定。一直以来，明廷为了对抗蒙古，需要借助朝鲜的牵制力量，而朝鲜则视明王朝为战略大后方，也长期引以为援。当然，从皇帝到朝臣，都缺少与日本坚决抗争的决心，甚至随时准备与之妥协。这对战争走向造成了直接影响。意外的是，战争由于丰臣秀吉的突然死去而宣告终结。明廷颇为自得地认为这是一次伟大胜利，而且王朝的威严尚存，北部边疆凛然不可侵犯。至于战争中暴露出的政治、军事、经济等诸多矛盾，统统被暂时掩盖。

就在援朝战争结束之后不久，明朝在北疆的主要竞争对手，已经由蒙古改而成为后金。万历年间，女真族取得强势崛起的良机。在努尔哈赤的带领下，女真各部渐渐统一，并且建立了"金国"。在萨尔浒之战中，明军被努尔哈赤轻松打败。令明廷更加没有想到的是，此后的明军接二连三地败绩。努尔哈赤则趁着萨尔浒之战的余威，在东北地区迅速地扩张地盘。

万历四十七年（1619）夏，面对辽东残局，熊廷弼走马上任。他一面整饬器械，修缮城池，一面招兵买马，激励士气，同时拉拢

---

[1] 《清高宗实录》卷九百九十六，台湾华文书局，1985 年。

蒙古，联络朝鲜，试图挽狂澜于既倒。在他的努力之下，边境局势确有几分起色。对此，全祖望曾评价道："一时大臣才气魄力足以揩拄之者，熊司马一人耳。"① 虽说治边成效显著，但熊廷弼还是受政治斗争的影响而被迫去职。等到辽阳失守，这才受到重新起用。熊廷弼重新上任后，又因与巡抚王化贞意见相左而受排挤，辽西失守之后沦为替罪羊，惨遭弃市并传首九边。

此后王在晋被任命为辽东经略。面对辽沈失陷的局势，王在晋非常悲观，认为失去广宁便已成"弃全辽而无局"② 的败局。为此，他一面拉拢蒙古，企图实现"以夷制夷"的目标；一面则是大幅度退守山海关，将辽西拱手让出。努尔哈赤得以从容组织，积极备战。朝廷对于王在晋这一系列举措争议不断，孙承宗以阁臣身份考察前线局势，主张继续决战关外。眼看无法说服王在晋，孙承宗回京面奏朝廷，自请督师。③ 对此，王在晋喜出望外。他眼看前任或战死沙场或兵败被囚，庆幸自己能够全身而退。④ 明军其时已充分领教到后金军的战斗力，避战之风蔓延。"以边才自许"⑤ 的袁崇焕，被破格提拔为兵部职方司主事，不久又被任命为山海监军。在得到孙承宗的授意之后，他得以前往宁远筑城。

天启六年（1626）正月，努尔哈赤率领十多万大军浩浩荡荡地挺进辽西走廊，将宁远城团团包围。当时，驻扎在宁远的明军只有一万多人，与对手相比，相差悬殊。袁崇焕井井有条地布置防守战术，整军备战，铲除奸细，提振士气，依靠坚固的城墙和锐利的火炮，紧锣密鼓地构筑防御阵地。面对危险局面，袁崇焕一直在城墙上与众将士一起浴血抗战，指挥士兵用被褥等包裹着火药扔向城下的敌军，导致后金军大量烧死烧伤。明军的火炮更是让后金军损失

---

① 《鲒埼亭集》卷二十八《书明辽东经略熊公传后》。
② 《明熹宗实录》卷二十。
③ 《明史》卷二百五十《孙承宗传》。
④ 《三朝辽事实录》卷十。
⑤ 《明史》卷二百五十九《袁崇焕传》。

惨重。据说努尔哈赤在督军攻城时受伤，所以不得不下令撤军。宁远之战，以明军的获胜而告终。面对常胜将军和天才军事家努尔哈赤，初出茅庐的袁崇焕所表现出的英雄气概和指挥才能，都令人刮目相看。宁远之战也打破了后金铁骑不可战胜的神话，袁崇焕由此而名声大噪。不仅如此，在后来的宁锦之战中，袁崇焕同样击败了皇太极，展示了明军的血性。

　　皇太极是清代立国时期的一位重要人物。努尔哈赤的第八子，年少之时就经常跟随父兄四处征战，武艺娴熟，谋略出众。努尔哈赤病逝之后，皇太极继承汗位，并宣称"爱养百姓，举行善政"①。继位之后，皇太极展现出极强的政治和军事才能。对内，他大力推行改革，模仿明制，建立起一套较为完备的国家机构，加强了专制统治，又以"上敬诸兄，下爱子弟"② 作为承诺笼络各方势力。对外，皇太极延续了努尔哈赤积极扩张的强硬政策。皇太极林林总总的治术中，有一点非常高明，那就是"以汉治汉"。这似乎与孙承宗、袁崇焕等人"以辽治辽"③ 的策略形成针锋相对之势。皇太极十分重视发挥汉族知识分子和明朝降官降将的作用，对他们极力予以安抚和收买，甚至自己带头学习汉族文化，以此拉拢汉人。这种政策因为效果很好，所以得到此后清朝历代君主的忠实继承。看到明军拥有火炮优势，皇太极便想方设法获得了明军的红夷炮，并命人加以模仿制造，逐渐将后金军由单一的骑兵，发展成一支骑兵、炮兵与步兵多兵种合成的军队，战斗力大大增强。这之后，明军在火炮方面的优势开始慢慢丧失，更难抵挡八旗军的进攻。皇太极矢志不渝地想要入主中原，但在袁崇焕面前也栽了一个跟头。天启七年（1627）五月，继承汗位不久的皇太极率领精兵渡过辽河，直扑锦州，一方面是要为父亲报仇，一方面则是希望通过击败明军来展

---

① 《清太宗实录》卷一，台湾华文书局，1985 年。
② 《清太宗实录》卷一。
③ 《明史》卷二百五十九《袁崇焕传》："恢复之计，不外臣昔年以辽人守辽土，以辽土养辽人。"

示自己的威武和霸气。

（二）袁崇焕与皇太极的角力

面对气势汹汹的皇太极，袁崇焕借鉴了宁远之战的经验，继续依靠坚固的城墙，以锐利的火炮对付后金军，令其十多天未获进展，死伤惨重。此后，皇太极寻求与明军展开议和，双方进入和战交替阶段。袁崇焕也故意以和谈作为试探，皇太极则积极响应，一面责怪明廷多有"轻人之语"，一面要求"结成兄弟"并"各自为国"。① 这种和谈局面夹杂在连绵不绝的战争期间，双方显然都有"缓兵之计"等考虑。皇太极本想通过攻打锦州诱使袁崇焕派军前往救援，再通过"围城打援"的方式来消灭明军。面对皇太极的这一计策，袁崇焕不为所动。无奈之下，皇太极只得再调集数万援兵，改道攻打宁远。但是，在袁崇焕、满桂的组织指挥之下，后金军仍然没能取得任何进展，没有讨到任何便宜。在战斗中，袁崇焕固守城内，满桂、祖大寿力战城外，令皇太极在付出惨重代价之后，被迫狼狈撤退。这次战役，被称为"宁锦大捷"。明军之所以能在这场战争中取得胜利，袁崇焕精心构筑的防线和"以守为攻"的战术起到了重要作用。然而，打败后金军之后，袁崇焕却只能辞官还乡，成为朝廷政治内斗的牺牲品，这充分暴露出当时政治败坏的一面。内政影响边防，政治败坏其实也是明廷边疆防御体系瓦解的重要因素之一。

天启七年（1627）八月，天启皇帝朱由校病死。这个不务正业的短寿皇帝并没有留下子女，只能由亲弟弟朱由检来继承皇位。虽说从兄长手中接过来一个烂摊子，但朱由检仍立志做一个中兴之主，希望能将这个处于内忧外患之中的王朝解救出来。只是他没能实现这一愿望，反而是在经过一番瞎折腾之后做了亡国之君。袁崇焕能感觉到崇祯急于收复辽东的心情，于是赶赴北京接受了蓟辽督师的任命。崇祯元年（1628）七月，袁崇焕向崇祯皇帝提出"五年复辽"的计划，崇祯对袁崇焕则是有求必应。

---

① 《清太宗实录》卷三。

上任之后，袁崇焕确实带来了新气象，但不久之后，他大胆斩杀毛文龙的行为引起了崇祯的警惕："帝骤闻，意殊骇。"① 崇祯二年（1629）十月下旬，皇太极率领满蒙铁骑共约十万，避开袁崇焕把守的宁锦防线，绕道蒙古，突破长城防线，抵达遵化城下。崇祯不得不紧急号令各路兵马火速赶往北京城。袁崇焕也亲率九千铁骑直奔蓟州城，试图对后金军实施拦截，可是已经跟不上皇太极的步调，却正好产生把皇太极引到北京城的错觉。不少人误以为袁崇焕出卖朝廷，并领兵来袭："竟谓崇焕召敌。"② 后金军在北京城外俘获了两名明朝太监，皇太极决定利用这两名太监行反间计，除掉袁崇焕。两名太监自以为获得了袁崇焕通敌的机密情报，并以最快速度向崇祯报告。崇祯不久就逮捕了袁崇焕。崇祯三年（1630）八月十六日，明廷以"付托不效""专恃欺隐""纵敌长驱"等罪名③，对袁崇焕处以磔刑。

袁崇焕究竟是否坐间谍罪而死，学界仍有争议。姚念慈认为，虽说反间计有很多史料记载，由满文老档脱胎而出的《清实录》，为后世唯一之史源，因此不能排除杜撰之嫌。④ 当然，更多学者则是相信《明实录》等史料的记载，相信皇太极确有施行反间计。在入关前后，皇太极种种"形人之术"，都为反间计做好了铺垫。崇祯皇帝在计划杀死袁崇焕之前，冒死劝谏者都未曾提及，包括明朝不少史料失载，怕是与隐蔽战线的特殊性有关，也与崇祯皇帝死不悔改的个性有关。也有学者认为，以当时情势，后金军入关并兵临北京城下，袁崇焕理应以"失守封疆"之罪而被杀，更何况袁崇焕已经积众怨于一身。⑤ 其实在明朝历史上，类似这种罪责，"或归罪本

---

① 《明史》卷二百五十九《袁崇焕传》。

② 《国榷》卷九十。

③ 《崇祯长编》卷三十七，上海书店，1982年。从《明季北略》等书可知，袁崇焕通敌已成当时人们的共识。

④ 姚念慈：《定鼎中原之路：从皇太极入关到玄烨亲政》，生活·读书·新知三联书店，2018年，第105页。

⑤ 李洵、薛虹主编：《清代全史》第一卷，方志出版社，2007年，第228页。

兵，而于大帅则少有获死罪者"①。

明金大战的硝烟散去已有数百年，袁崇焕究竟缘何而死或许已变得不太重要。但就当时情势而言，袁崇焕却是不可杀之人。在与后金的多次交战中，明军仅袁崇焕利用守城战术取得过两次胜利，崇祯的磔杀之举显然是"自坏长城"，并在很大程度上改变了辽东的局势。不仅如此，从熊廷弼到袁崇焕，一大批文臣武将被杀，因抗金而把自己变成通敌的罪臣，这必然会造成人心的离散。从此以后，"边事益无人"②，明朝灭亡征兆更加显露无遗。其实，皇太极轻松突破长城防线，并且迅速进逼北京城，已经标志着明朝北疆防御体系的彻底瓦解。这种瓦解正所谓"千里之堤，毁于蚁穴"，责任非袁崇焕一人可承担。袁崇焕被杀之后，明与后金之间虽然还有一些对抗，但已无法改变最终被摧垮的趋势。

四、清军入关的战略

皇太极与明廷对抗过程中，或攻或守，或战或谈，方法灵活，战术多样。他在加紧军事准备之外，又摆出积极请求和谈的架势，除了希望从明廷争取到最大利益之外，也是在为更大规模的南下做更为充足的准备。反观明廷这边，除了政治腐朽之外，在战争决策上多次出现严重失误，这其实都是"不知彼不知己"的必然结果。面对正在崛起的后金，明朝君臣仍以天朝上国自居，断然拒绝皇太极的议和之请。等领教对手的实力之后，却又只能悄悄推进和谈，然而局面已经处于完全被动之中。崇祯皇帝在临死之前哀叹诸臣误我，这确实道出了当时朝中无人、庸臣当道的实际情形，然而，朱由检本人其实负有更主要和更直接的责任。他不仅缺少战争决策能力，而且先后滥杀大臣，直至断送大明江山。皇太极本人在总结这段历史时指出，"尔大国岂无智慧之士"③，明确指出崇祯皇帝在用

① 《定鼎中原之路：从皇太极入关到玄烨亲政》，第107页。
② 《明史》卷二百五十九《袁崇焕传》。
③ 《清太宗实录》卷九。

人方面的失误。很显然，双方在战争决策层，尤其是最高领导层的这种巨大差距，直接决定了战争走向和最终结果。

皇太极去世之后，年幼的福临得以继位，多尔衮则取得摄政王的地位，逐步总揽军政大权。此后，清军在多尔衮的领导之下，继续加紧南下，努力夺取全国统治权。多尔衮对满族发展的最大贡献，就在于做出了"全力入关争夺天下的决策"①。李自成的大顺军差不多同时迫近北京，明王朝处于内外夹攻之下，更加风雨飘摇。吴三桂被迫放弃宁远，率部入关保卫北京。多尔衮得知吴三桂放弃宁远与李自成军逼近北京的消息后，也看到了推翻明政权的希望，于是立即下令"修整军器，储粮秣马，俟四月初旬大举进讨"②。此后，清军以摧枯拉朽之势，击败了农民军和明军，夺取中原的领导权。无论是经济资源还是人力资源，清军都远不及明军，也不及农民军，却接连击败这两个重要对手，顺利入关并夺取政权，固然是明廷政治腐败，"有必亡之兆"③，也因为战略决策和战争指导更加高明。

（一）根据形势变化，及时调整战略目标和战略方针

皇太极不仅是高明的政治家，也是出色的战略家。他始终能较为准确地判断形势，并根据自身实力，确定阶段性的战略目标。在定下夺取全国统治权的政治目标之后，皇太极深知"欲速则不达"的道理，根据自身的军事实力情况，制定了"伐大树"的总体策略。他指出："取燕京如伐大树，须先从两旁斫削，则大树自仆。"④ 此论虽说遇到祖可法、张存仁等人反对，但实为当时首选良策。明朝虽然政治腐朽，危机四伏，但仍拥有相当规模的军队，农民起义军尚未从根本上动摇其根基。以当时后金军的实力，尚且没有办法给明王朝构成直接威胁，想在短期内消灭明军、夺占中原，也是不可企及的设想。在这种情况下，皇太极果断采用"伐大树"作为作战

---

① 《定鼎中原之路：从皇太极入关到玄烨亲政》，第180页。

② 《清世祖实录》卷三。

③ 《清太宗实录》卷六十五。

④ 《清太宗实录》卷六十二。

指导方针，多次入塞作战，不断削弱明军实力，分阶段消耗明军，终于积小胜为大胜，使得战略形势朝着有利于己的方向转化。根据这一计划，一旦发现合适的决战时机，便给予对手致命一击，寻找机会彻底击垮明军，逐步实现总体战略目标。皇太极的这一战略指导思想非常高明，对指导伐明的战争起到了关键作用。

在战争指导思想得到明确之后，皇太极果断排除"大举攻明"等主张的干扰，择机与明军展开议和行动，既避免了与明军大规模决战，无端损耗兵力，也为稳定内部秩序、悄然提升实力获得了空间和时间。此后他以议和为掩护，击败朝鲜和察哈尔蒙古，从而切断了明王朝的左膀右臂，同时也成功地解除己方的后顾之忧，从而可以集中力量对付明军。朝鲜被迫改而向后金朝贡。这种宗主关系维系了有清一代，始终没有改变。根据自身实力情况，皇太极决定采用先关外、后关内、徐图渐进的战略方针，并否定了"直取北京"或"内外夹击夺取山海关"等建议，稳步提升自身实力，为取得决定性胜利奠定基础。

在作战对手的选择上，清军也根据形势变化进行合理调整。在入关之前，清军始终将明军作为自己的主要作战对手、争夺中原政权的最大敌人，并一度视农民起义军为友军。但在定下大举入关的目标之后，多尔衮听取范文程等人的意见，将李自成的大顺军作为主要交战对手，同时将多年交战对手明军，视为拉拢和争取对象。对明军将领吴三桂，多尔衮许以高官，承诺"封以故土，晋为藩王"①，为夺取山海关之役的胜利创造了条件。根据军事斗争形势的变化，清军为招揽民心，改变了过去劫掠财物的做法，果断抛弃过去种种不得人心的掠夺性政策，将抢劫财物视为不义之举并严令禁止。多尔衮接受范文程等人建议，在进京后不久便宣布"官民人等为崇祯帝服丧三日"②，以此来争取汉族士心。这种转变非常及时，为建立中原新政权起到了积极作用。

---

① 《清世祖实录》卷四。
② 《清世祖实录》卷五。

（二）合理制定策略，重用降官降将

明王朝的急速衰落超出所有人的预料，皇太极因此决定加快灭亡明朝的战争进程。他根据"流寇内讧，土贼蜂起"以及朝臣"专尚奸谗，蔽主耳目"等情状，判断"明之必亡昭然矣"。[①] 为加速推倒明王朝，多尔衮甚至试图与大顺军建立联系，共同展开灭明战争。皇太极和多尔衮都能虚心听取汉人意见，共同制定南下夺取中原的计划。范文程、洪承畴等人受到重用，合理建议得到采纳。两人为清军入关，完成统一大业，发挥了关键作用。两人都向多尔衮上过奏疏，范文程建议清统治者及时完成战略转变，将逐鹿中原和夺取天下作为新的战略目标，洪承畴则着重分析了清军主要对手李自成起义军的现状和特点，也对夺取中原的具体战略原则及政治措施等进行了多方筹划，为清军逐步攻取晋、豫等战略要地，指明了具体方向。这两个重要的战略对策具有一个共同的特点："就是将军事置于政治的范围内进行考察，将统一大业的完成视为政治与军事互动的过程。文武并用、恩威兼施成为谋划全国统一战争的基调。换言之，它们既是军事战略方面的杰作，同时更是政治战略的妙策。"[②]

范文程的建议主要包括以下几方面内容。首先是分析和判断天下大势，重点立足于对主要竞争对手进行情报分析。在他看来，明王朝西面遇有农民军，向东则会遇到清军，南境和北疆也不安宁，已然处于四面受敌的境地。因为明政权的腐败，已经造成百姓流离失所，这正是推翻其统治的大好时机。其次则是确定了清军的重点作战对象。范文程认为，虽然有各路豪强争夺天下，但真正能成为清军对手的，就是李自成领导的大顺军。至于明军，已经不再是主要作战对手，甚至可以发展成为盟军，从而为我所用。再次是确定了相对可行的政治方略，将收揽人心作为阶段性重点。为此，范文程还提出了许多具体策略，大多得到重视和推行。范文程还提议建

---

① 《清太宗实录》卷六十五。

② 黄朴民：《大一统：中国历代统一战略研究》，军事科学出版社，2004年，第215页。

设稳固的后方基地，建议在山海关以西的长城附近选择据点重兵把守，以保证清军出入的安全和通畅，这也同样得到采纳。

洪承畴同样注重政治策略，以此招揽人心，注意政治措施与军事手段的相互配合。与此同时，他和范文程一样，也明确指出应以农民起义军作为主要作战对象。在具体的策略上，他建议采取恩威并施的态度，对于那些抗拒不降的官员，要适当使用杀戮进行警示，对于主动投降的官员要及时予以升迁，鼓励更多的人前来投降。

此前的后金统治者并没有一统天下的远大志向，武力相侵也只是以掠夺财物为目标，即便是清太祖努尔哈赤也是如此，始终无意于问鼎中原。① 这不仅仅是其时实力不济，也是统治者有限的政治眼光使然。相比之下，皇太极似乎略胜一筹，是一位有抱负的政治家，却仍然"缺乏宏大格局"②。多尔衮的眼界则相对开阔，目光更为长远。乘势入关，夺占中原，推翻明王朝的统治，便成为他要完成的历史重任。对于范文程和洪承畴的各项建议，多尔衮都认真进行研究，并择善而从，有些则成为清军入关、夺取中原政权的指导性方针。这些都显示出多尔衮超强的决策能力和政治远见。

（三）重视民心向背，最大程度地减少阻力

因为全新的战略目标和急剧变化的内外形势，清军入关之后的种种政策都必须做出调整。重用汉人，以汉治汉，优待降将，招揽人心，已被视为重要策略。在范、洪等人的建议之下，清军忽然以"仁义之师"的面目出现在人们面前，他们的一举一动都在努力赢得汉人的认同。在明确农民起义军是其主要敌人之后，清军将自己打扮成拯救中原百姓的"义师"。多尔衮下令清军"不屠人民，不焚庐舍，不掠财物"，努力做到"秋毫无犯"③，以此争取汉族地主、知识分子以及普通百姓的支持和拥护。为了将清军打扮成"仁义之师"的形象，范文程向多尔衮提出建议："好生者，天之德也。兵

---

① 《大一统：中国历代统一战略研究》，第 215 页。
② 《清朝开国史》下册，第 204 页。
③ 《清世祖实录》卷四。

者，圣人不得已而用之。自古未有嗜杀而得天下者。国家欲统一区夏，非义安百姓不可。"① 多尔衮对此显然有所感悟。在率军入关作战时，他对收抚民心极为重视，抛弃了过去种种野蛮做法，下大力气整顿军纪，严禁无端的杀戮和抢劫。在占领北京后，多尔衮命令大队人马驻扎在城外，不得随意出入北京。通过多项得民心的举措，清军成功消除了一批明朝官员和将士及大量百姓的抵触心理，为夺取中原和建立新政权减少了阻力。

为了笼络人心，尤其是赢得汉族知识分子的支持，多尔衮除了为朱由检发丧之外，还严令保护明陵，同时开展尊孔活动，封赏孔氏后裔，摆出推行儒家文化的姿态。此举招揽了大量明廷官员降清，大量明军将领投靠清军。多尔衮还想尽各种办法对汉人进行拉拢、分化。尊重并接受更为先进的汉文化，尊重汉族的风俗习惯，也是收买人心之举。为了更好地控制汉人，确保入主中原的宏大计划得到顺利推行，多尔衮在制度与治术上也多效仿明朝，遂有"清承明制"之说。这种"一切诸务，尚仍明旧"② 的做法，既是立足于文化与制度相对落后的现实所采取的明智之举，同时也可最大程度地消解民族之间的对立情绪，起到收买民心的作用。

多尔衮认真采纳范文程、洪承畴等人的建议，推行文德，恩威并施，努力消弭汉族上层官吏与普遍民众对清军的对立情绪。他们还根据形势变化，及时调整招抚政策，尽最大努力，减轻了汉族官吏的疑虑，争取得到他们的拥护，同时还巧妙地将满汉之间的民族矛盾转化为与起义军的阶级矛盾，这实际上起到了武力进攻所不能达到的作用。③ 清军入关之后之所以能够所向披靡，固然有铁骑强大、战术高明等原因，同时也得益于卓有成效的政治宣传。多尔衮除了沿袭皇太极"以汉治汉"的策略之外，还多次强调"满汉一家"，尤其用力争取汉族上层为其效命。他不仅多次借顺治帝的名义

---

① 余金：《熙朝新语》卷一，上海古籍书店，1983 年。

② 《清世祖实录》卷二十二。

③ 《大一统：中国历代统一战略研究》，第 217 页。

谕告天下"满汉官民，皆朕臣子"①，同时还表达出"不忘明室，辅立贤藩"②的态度。不仅有灵活多变的招抚手法，还及时调整了民族政策，都可起到消弭民族抵抗意识、稳定普通百姓生产生活秩序的重要作用。③

五、郑成功收复台湾的作战指导

明朝灭亡之后，各地尚且有不少汉族武装力量继续与清军周旋，抵制清统治者。在这些反清武装中，势力较强、影响较大的要数郑成功。他曾以厦门、金门作为基地，长期组织抗清斗争。在抗清斗争接连遭遇挫折之后，郑成功挥师渡海，发起收复台湾之战。郑成功收复台湾，固然是因为北伐受挫，为了"以为根本之地"④，却从荷兰人手中夺回台湾岛，使得这座宝岛重新回到祖国的怀抱。

（一）战前准备及战争形势

16 世纪后半叶，荷兰开始崛起，并成为海上霸主。从万历二十九年（1601）开始，荷兰开始以通商为名，对我国沿海各地进行袭扰。天启三年（1623），荷兰侵略者由熟知台湾情况的华人海商李旦带领，占据台湾岛。后来，他们在台湾北部击败了西班牙殖民军，逐步侵占整个台湾岛，在各地建立军事据点，修建教堂。他们对台湾人民强征重税，使用种种手段搜刮民财，残暴行径激起了台湾人民的强烈反抗。

郑成功在明亡之后曾追随隆武政权，并且很受隆武帝重视，由此而被赐姓"朱"，所以郑成功又名朱成功。在隆武政权灭亡之后，郑成功建立了一支以水师为主的抗清队伍，依靠东南沿海岛屿为根据地，与清军周旋。在北伐南京失利、退守厦门之后，郑成功先派出间谍前往台湾打探情况，很快就联系上郑芝龙的旧部何斌（一称

---

① 《清世祖实录》卷四十。
② 《国榷》卷一百二。
③ 《大一统：中国历代统一战略研究》，第 218 页。
④ 《先王实录·永历十五年》，杨英撰，陈碧笙校注：《先王实录校注》，福建人民出版社，1981 年。

何廷斌)。何斌将台湾岛上荷兰军队的兵力和分布情况,以及台湾的地形地貌,包括海岛周围潮汐情报等,都一一绘制成图表,向郑成功做了详细汇报,郑成功由此而坚定收复台湾的决心。他已经意识到台湾是个进可攻退可守的好地方,于是加紧进行物资准备,积极研究制定渡海作战计划。

为了筹集更为充足的粮饷和军用物资,郑成功除了安排部下从闽、粤、浙沿海地区征集和购买,并选派部分商人从海外大量进口,与此同时也委派何斌在台湾秘密筹集。郑成功深知渡海作战需要大量战船,所以特别重视修造船舰,同时也下大力气组建水师。在铜山(今福建东山)一带,郑成功专门设立了修造战舰的造船厂,加班加点赶造大小战舰。据说当时所造战舰,最大载重可达 3000 ~ 4000 担,长约 10 丈,宽 2.5 丈,高 1.5 丈,吃水 8 尺。[1] 在战船之上,则配备各种不同类型的铳、炮,以满足海战之需。与此同时,郑成功大力扩充部队,并加强水师训练,尤其注重训练士卒的胆气。在经过长时间强化训练之后,水师士卒在舰船上跳跃自如,即便是在惊涛骇浪之中,也如履平地,矫捷如飞。

荷兰侵略者非常担心郑成功出兵收复台湾,关于郑成功东征的传闻越来越多,他们不得不开始布置防卫,做好各种战争准备。荷兰侵略者紧急从巴达维亚基地调遣 12 艘战船并运载 600 名士兵增防台湾,使得驻扎台湾的荷兰军队总兵力达到了 2800 人左右。其中,台湾城部署 1000 余名,赤嵌城部署 400 余名,其余士兵则分守各处。后来,荷兰侵略者意识到对重点地区必须进行重点防守,于是又向台湾城和赤嵌城增兵。为了弥补防守士兵人数不足的问题,荷兰侵略者临时决定,服役期满、即将回国的士兵暂时不得退伍,而是继续留守台湾。原定进攻澳门的计划也暂时中止,以便集中全部力量做好台湾的守备。

(二)从赤嵌城到台湾城

---

[1]　军事科学院主编,邱心田、孔德骐著:《中国军事通史》第十六卷《清代前期军事史》,军事科学出版社,1998 年,第 207 页。

永历十五年（1661）二月，郑成功在金门举行隆重的誓师仪式。三月二十三日中午①，郑成功亲自率领第一梯队自金门料罗湾出发，浩浩荡荡向着台湾岛方向挺进。第二天清晨时分，船队已经成功横渡台湾海峡，陆续到达澎湖列岛。荷军在此并没有重兵防守，所以郑军非常轻松地占领了澎湖列岛。随后，郑成功下令大军就地驻扎，并率领重要将领到各岛巡视。在巡视之后，郑成功认为澎湖的地理位置非常重要，于是命令少数人马留守，自己则率领主力继续向东进发。没想到此时天空突降暴雨，而且连绵不绝，手下人都劝说郑成功暂缓发兵，遭到郑成功断然拒绝："冰坚可渡，天意有在。"②三十日晚，郑成功率领大队人马冒着暴风雨强渡海峡。在同风浪搏斗了半夜之后，郑军大队人马于四月初一日③拂晓抵达鹿耳门港外。荷军本以为郑成功船队必定会从南航道驶入，没想到船队巧妙地躲开了他们精心布置的火力网。荷兰侵略者面对浩荡而来的船队，非常震惊。郑成功大军迅速登陆，随即切断了台湾城与赤嵌城的联系，建立起滩头阵地，做好攻打赤嵌城的准备。得知郑成功大军登陆的消息，台湾居民争先恐后前来接应，高山族群众更是"迎者塞道"④，为郑成功大军顺利登陆和分割包围荷军创造了条件。

郑成功指挥部队将赤嵌城团团包围。当时，赤嵌城荷军约400人，虽说距离不远的台湾城尚且驻扎不少侵略军，但已经来不及组织救援。城内荷军企图倚仗先进火炮和坚固的城堡负隅顽抗，又试图从海上组织反扑，停泊在港口的战舰利用先进火炮，向中国舰船发起进攻。郑成功则利用舰船数量优势，与之进行对抗。虽然装备处于劣势，但郑军英勇奋战，在一场激烈的炮战之后，敌主力舰被击沉。在台湾人民的协助之下，郑军切断了赤嵌城的水源，这让荷兰守军更加恐慌，不得不向郑成功投降。

---

① 郑成功大军出发时间，史籍说法不一。这里采《先王实录》之说。

② 《先王实录·永历十五年》。

③ 荷兰人记载为四月初二日，相差一天。

④ 《先王实录·永历十五年》。

在夺回赤嵌城之后，郑成功继续进攻台湾城。台湾城是荷兰侵略者在台湾的统治中心，城墙高而坚固，火炮密集。这些火炮射程远、威力大，封锁了台湾城周围各条通道。当时，城内尚有守军近千人，火药充足，所以荷兰人妄想凭借城堡险要地形和坚固城堡继续负隅顽抗。郑成功一面继续给揆一写信劝降，一面打探台湾城的情况，耐心等待时机。他打探到台湾城内缺粮缺水，荷军处境已经十分困难，便下定决心对荷军继续进行围困，"俟其自降"[①]。通过考察天气和气候情况，郑成功判断荷军的援兵尚需很长时间才能到达，所以决定继续使用围困战术。就在这时，郑成功的后续部队也陆续到达，兵力进一步得到增强，补给更加充足，郑成功围困台湾城的战斗决心更为坚定。台湾城内则是另外一番情形，在被围数月之后，补给更加困难，加之疾病流行，荷军士气低落。郑成功眼见时机成熟，决定于十二月六日清晨集中火力发动总攻。揆一看到大势已去，只能出城投降。宝岛台湾在被荷兰侵略者侵占 38 年之后，重新回到祖国的怀抱。

（三）渡海和围城战术

郑成功收复台湾，顺应了历史潮流，战争具有正义性，赢得了广大群众的支持，尤其是台湾岛上各族人民的支持。荷兰侵略者的殖民统治不得人心，甚至让荷兰军队的黑奴士兵临阵倒戈，转而支持郑成功军队。

扎实有效的后勤补给工作，为郑成功渡海作战的成功打下了良好基础。在发动进攻之前，郑成功曾命令部下花费大量的人力物力做好物资和器材的准备工作，尤其重视战船和火炮等作战武器装备的征调和制造。可以说，在渡海登岛的过程中，如果没有及时有效的海上补给，就一定无法保障大队人马按时登陆。在成功登岛之后，前期所做的物资准备也起到了关键性作用。在与荷军交战过程中，郑成功也着意切断其后勤补给线，让荷兰军队陷入补给不足的困境，也在一定程度上改变了双方的力量对比。

---

① 《先王实录·永历十五年》。

在具体战术方面，郑成功收复台湾之战也可圈可点。从赤嵌城到台湾城，郑军并不急于求成，而是分步骤地有序推进，有计划地对荷军实施打击。将有限的兵力用在关键之处，这一点符合孙子"避实而击虚"①的战法。与此同时，充分的情报工作，包括对海洋地理情报的重视，都为郑成功正确决策提供了有力保障。郑军进攻路线的选择、进攻时机的选择，都是有赖于扎实有效的情报工作。由于有情报工作的支撑，荷兰军队的一举一动，都在郑军的掌握和控制之中。在包围台湾城的过程中，郑成功表现出非常强的灵活性。他并不是一味强攻，而是将进攻与劝降很好地结合起来，同时也将打援与围城充分结合起来，令荷军失去了继续坚守的信心。此外还需提及的是，在遭受暂时的挫折之后，郑成功并没有选择退却，而是坚决地迎难而上。这固然是寻找"根本之地"②的形势所迫，却也体现出郑成功的韧劲和果敢。因为对敌我双方形势有充分掌握，郑成功有坚强的作战决心。

郑成功收复台湾之战，驱逐了荷兰侵略者，维护了中华民族的利益，捍卫了中国的领土完整，具有极其重要的历史意义。郑成功收复台湾之后，加强了对台湾的开发建设，为台湾经济的恢复和发展创造了条件。此外，就军事学术史而言，郑成功收复台湾之战，是我国历史上首次大规模渡海登陆作战，在战争动员、战斗准备、作战指挥及作战时机的选择等方面，都留下一笔极其宝贵的遗产。

第二节　清初统一战争的作战方略

清军入关之后，为了建立起大一统王朝，从顺治到康熙，再到雍正和乾隆，清统治集团付出了持续的努力。就清朝前期的军事学

---

① 《孙子兵法·虚实篇》。
② 《先王实录·永历十五年》。

术发展而言，最突出的成绩是大一统的战略思想。其中，又以康熙朝和乾隆朝更为突出。

一、康熙平定三藩的作战方略

康熙平定三藩之战，从康熙十二年（1673）十一月开始，至康熙二十年（1681）十月结束，时间跨度长达八年，作战地域则波及十余省份，战争规模之大，影响之深，丝毫不亚于一场统一战争。

（一）藩王叛乱的发生

清王朝入主中原之后，任命吴三桂为平西王，镇守云南和贵州，尚可喜为平南王，镇守广东，耿继茂为靖南王，镇守福建，史称"三藩"。封此三王为的是对南方地区进行很好的控制，"以宽朝廷南顾之忧"①，实现"以汉治汉"的目的。然而，手握重兵的三藩，因为位尊而权重，渐渐走上与朝廷对抗的道路。康熙十年（1671），耿继茂病死，长子耿精忠继承王位，继续统领福建。三藩拥有政治和军事等各种特权，可以自己设置和任免官员，甚至拥有自己统属的军队，因此俨然成为独立王国。三藩之中，以吴三桂军队数量最大，最初曾达 7 万之众，在按照要求经过名义上的裁撤之后，得到保留的编制仍在 2 万以上，实际控制的兵丁则有增无减。至于耿精忠、尚可喜，也各自拥有军队万余人。② 尚可喜之子尚之信则在广东把持盐业经营，并加强对重要港口的控制，于是"平南之富，甲于天下"③。耿精忠也在福建利用盐业和港口通商等横征暴敛，疯狂聚敛财富。三藩在经济上的独立和发展，给清政府造成极大的财政困难，撤藩之议就此被提到议事日程上来。康熙不仅支持削藩之议，而且态度非常坚决，认为不及早除之，使其养痈成患，后果不堪设想。

---

① 《清世祖实录》卷一百三十七。
② 三藩所拥有的兵力，魏源《圣武记》和《清史稿》等史籍中记载不一，但吴三桂 2 万以上兵力应该可以确定。
③ 萧一山：《清代通史》卷上，中华书局，1986 年。

　　吴三桂开始试探清廷的态度，也假意提出撤藩之请。不想康熙帝就势来个顺水推舟，立即批准同意，并着手安排撤藩事宜，下令让户部和兵部计划安置三藩属下官兵及家口。吴三桂大失所望，一再拖延时间，开始与部下密谋发动叛乱。他命令亲信扼守重要关隘，严密封锁消息，悄悄进行备战。康熙十二年（1673）十一月二十一日，吴三桂杀死云南巡抚朱国治，发布反清檄文，并自封为"天下都招讨兵马大元帅"，以明年为周元年，公开发动叛乱。靖南王耿精忠接受吴三桂之约，同样举兵反叛。平南王虽说不愿叛清，但他已经无力控制局面，其部下中有不少都加入反叛队伍。贵州、四川、广西等省也纷纷响应叛乱。

　　由于事出突然，叛军在南方造成浩大声势，湖南等地都被叛军控制。清军虽聚集在荆襄一带，却不敢南下与叛军抗争。"无敢渡江撄其锋者"①。见此情形，朝臣之中有不少人都主张与叛军达成和解，大学士索额图甚至提议杀掉当初主张撤藩的大臣，以此来向吴三桂赔罪。康熙并没有动摇撤藩的决心，更反对索额图的妥协之策，愤怒地说道："此出自朕意，他人何罪！"② 在这之后，他亲自调兵遣将，制定平叛策略。

　　（二）平藩战争的获胜

　　为了控制局势，康熙接连下发谕令，一面增兵湖广，控制荆州等战略要地，一面加强四川、广西两省的防守，同时在兖州和太原等地加紧组建后援部队，将内府所储钱粮全部分发给平叛军队使用。平叛战争必然造成极大的财政负担，康熙下令加强财政管理，积极筹饷。康熙强调："军饷浩繁，钱粮正宜节省之时，督抚俱当洁己率属，据实开销。如有浮冒事发，定行从重处分。"③ 康熙重视赋税大

① 魏源：《圣武记》卷二，中华书局，1984 年。
② 赵尔巽等撰：《清史稿》卷二百六十九《明珠传》，中华书局，1977 年。
③ 《清圣祖实录》卷五十八，台湾华文书局，1985 年。

省的作用，曾感慨"军兴之际，需用钱粮，全赖山东、江南等省协济"①。因此，对江南、山东等重点省份，康熙采取灵活政策保证税收的稳定。魏源所记载的"江淮晏然，得以转输财赋，佐军兴之急"② 的情形，正可反映出康熙为平叛战争所做的种种努力。

在战争初期，叛军优势非常明显。短短数月时间，云南、贵州、四川、湖南、广西、福建六省的全部或大部都陆续成为叛军属地。清军则暴露出准备仓促、战斗力不足和各自为战等诸多问题，经常处于被动挨打的局面。为扭转被动局面，康熙下令加强驿路建设，以保证军情传递的通畅。在湖南正面战场，清军投入了更多兵力，紧急开辟了从京师出发，经德州、兖州，到江宁和安庆的补给线。为遏制吴三桂在西线的进攻，清军也在西安至汉中一线重点布防，并紧急开通了从京师出发，经太原到西安的兵员运输线。这些举措遏制了叛军的北进势头，同时切断了各藩之间的联系，暂时稳定了局势，也就此扭转了被动局面。双方在经过岳州激战之后，形成了对峙状态。

正当湖南战场的形势得到好转的时候，清军在西线战场却陷入危机。陕西提督王辅臣因为受经略莫洛的歧视和欺压，发动叛乱，杀死莫洛，投靠吴三桂。清廷对王辅臣采取了"剿抚兼施"的方针。康熙许诺，只要王辅臣率领部下投诚，则"已往之事，概从宽宥"③。康熙甚至主动承担责任，好为王辅臣开脱罪责。他将莫洛心怀私隙的行为归罪于自己的"知人未明"④，至于王辅臣的叛变，实属迫不得已之举，因而可以得到朝廷的原谅。因屡战屡败，王辅臣走投无路，只得出城请降。吴三桂迂回进攻中原的企图就此破产，清军将主要兵力投入东南战场，与吴三桂的主力部队进行决战。

在西南战场，康熙同样使用了剿抚并重的方法，很好地分化瓦

---

① 中国第一历史档案馆整理：《康熙起居注》，康熙十八年八月二十六日戊子，中华书局，1984 年。
② 《圣武记》卷二。
③ 《清圣祖实录》卷五十一。
④ 《清圣祖实录》卷五十一。

解了叛军。虽说三王皆为汉族，但康熙仍然强调发挥汉官的作用，这对分化以汉族为主的叛军队伍起到了非常好的效果。康熙下令，对那些愿意投降的士卒，不仅不会追责，反而会赏赐一笔返乡路费，以至于叛军之中一度都在传颂康熙皇帝的圣德，甚至也有士卒表达出反戈相向的意愿。为了最大程度地分化叛军，康熙下令停撤耿精忠、尚可喜二藩，进一步将吴三桂陷入孤立之中。

但起初阶段，耿精忠并不受抚。他严格遵照吴三桂的指令，率兵分三路北上。康熙令清军迎击，在台州、处州、衢州等地与叛军进行了战斗。随着战事的进展，叛军的军饷匮乏，很多军士借机逃亡，军队内部也出现不和谐的声音，甚至有的甘愿充当清军内应。康熙抓住这一时机，命耿精忠的弟弟前往叛军大营，对其进行劝说招抚。不久，清军攻入福建，势如破竹。耿精忠看到大势已去，只得向朝廷投书，表达出投诚的意愿。康熙谕令耿精忠仍继续保留靖南王爵，并率所部随清军征剿郑经，立功赎罪。尚可喜之子尚之信一度反叛，不久即受抚。此后，清军顺势进攻广西，收复梧州、桂林和南宁等地，加紧准备湖南主战场的决战。派送西安等地新铸造的红衣大炮也转而运往湖南，各类大小战船数百艘，也及时打造完毕，紧急投送前线。

吴三桂不得不大幅度调整兵力部署，重新构建防线，期待在防御战中迎来转机。他派遣胡国柱率兵坚守长沙，并命令马宝、高起隆从岳州往后撤至长沙，与胡国柱形成掎角之势。为确保长沙无虞，他还派出兵马进攻吉安，阻挡江西清军西进，自己则率军由长沙转移衡州，分散清军兵力。双方持续展开激战，互有胜负。康熙十七年（1678）三月初一日，吴三桂在衡州称帝，建元昭武。五个多月后，吴三桂忧愤病死，部下匆忙拥立其孙吴世璠继承帝位，并改元洪化。吴三桂病死，对士气造成很大影响。康熙立即谕令诸路大军抓住时机加紧对叛军进行清剿，岳州、长沙、湘潭、衡州、常德等地都被收复，湖南基本获得平定。等湖南局面平稳之后，康熙下令加紧对叛军余部的清剿和招抚。清军分路进攻云贵。在历经一番苦战之后，清军进围昆明。康熙二十年（1681）十月，昆明城内部分守城将士倒戈，叛军首领吴世璠只得自杀。历时八年的平叛战争，至此宣告结束。

（三）平定三藩的方略

三藩之乱的爆发，"暴露出清初的民族征服和民族压迫导致满汉之间的深刻对立"①。持续的叛乱最终得以平定，与康熙出色的平叛方略密不可分，困扰清廷多年的一大危机最终得以化解。

在战争发起前后，康熙能够正确地进行战略决策，这是清军获胜的基础。他首先力排众议，毫不动摇地坚持国家和领土的统一，坚决拒绝部分大臣妥协和投降的建议，为朝廷上下坚定平叛决心起到了关键作用。针对叛军的多路进攻，康熙准确地判断出叛军进攻的重点方向，从而得以实施有效的阻击。为了准确掌握前方情报，及时做出正确的决策，康熙下令加强驿站建设，提高情报传输速度，这为他实施高效指挥提供了保证。在战争进行过程中，康熙审时度势，灵活指挥，及时准确的情报起到了非常重要的作用。在情报保障之外，后勤保障也至关重要。为了保证后勤补给的通畅，康熙制定了严厉的军法，谕令各地官员"务选择精壮马匹"② 保证军备物资的转运，而且强调"倘有违误，即以军法从事"③。

在平叛战争中，康熙表现出杰出的政治智慧和领导才能，也充分展示出其良好的军事才能和指挥艺术。面对战争初期的颓势，康熙临危不惧，果断处置，抓住重点地域进行有效布防，就此控制局面。当战争陷入胶着状态之后，康熙果断地将招抚与战争这两手很好地结合起来，对敌军展开分化和瓦解，耐心寻找战胜强敌的机会，对打击叛军起到了积极效果。当战争转入反攻阶段之后，康熙冷静应对战局的变化，及时抓住时机组织反攻，制定了正确的策略和方针，稳步推进，终于取得了良好的战果。在失败面前，康熙勇于承

---

① 姚念慈：《康熙盛世与帝王心术：评"自古得天下之正莫如我朝"》，生活·读书·新知三联书店，2018 年，第 5 页。
② 《清圣祖实录》卷六十二。
③ 《清圣祖实录》卷九十二。

担责任，在清军之中树立了威信。对于手下将领，康熙能够不避亲疏，严格按照规定实施奖惩。对于汉族将领，康熙也敢于提拔和重用，因此能够笼络人心，激励士气，并提升战斗力。

平叛战争顺利推进，也因为康熙很好地抓住并利用了叛军的弱点。叛军在起初阶段尚且占据优势，一度势如破竹，几乎占据南方全部领土，但在这种有利局面下，吴三桂并未能很好地把握战机，将优势局面拱手送出，最终以失败告终。总结他们失败的原因，是他们出现了多个严重失误。首先，叛军没有形成一个坚强统一的指挥机构。三藩之中，尚之信、耿精忠都曾发生摇摆，并最终在清军文武两手的夹攻之下，投降清廷。这些都极大地影响了叛军的士气和战斗力。其次，叛军在初战成功之后即陷入消极和保守，结果造成重大战略失误。吴三桂缺乏战略眼光，一直有着一种求稳心态，导致他在发起进攻时瞻前顾后，错失良机。吴三桂起兵之时，部下有多种建议："或言宜疾行渡江，全师北向；或言直下金陵，扼长江，绝南北运道；或言宜出巴蜀，据关中，塞崤、函自固"，但"三桂皆不能用"。① 对战局的误判，令其不能不"始叹非所料"②，何况在具体的战役指挥上也接连出现失误。再次，叛军在占领区的种种倒行逆施，引发了当地民众的不满和抵制，因此失去民众的支持。众叛亲离之后，叛军的补给变得更加困难，最终只能品尝失败的苦果。

由于三藩之乱得到彻底平息，清政府得以腾出手来进一步收复台湾，同时也为集中力量解决准噶尔部噶尔丹割据势力创造了条件，甚至为清廷阻止沙俄对东北地区的侵略和扩张都赢得了有利空间。虽说劳民伤财，损耗巨大，但平叛战争也取得不小的战果。通过此役，康熙彻底清除了三藩割据势力，避免了国家的分裂，为进一步实现中央集权打下了基础。在平叛战争结束之后，清王朝加强了对南方地区的管辖，使得当地百姓能够有一个相对和平与安宁的环境，

---

① 《清史稿》卷四百七十四《吴三桂传》。
② 《清史稿》卷四百七十四《吴三桂传》。

可以安心地发展生产。中原地区和南方的贸易往来也得以正常展开，这很好地促进了边疆和内地的经济文化交流。

二、施琅收复台湾的作战方略

台湾宝岛重回国人的怀抱之后，一度成为抗击清兵的海外基地，但后来又沦为"子承父业"式的割据政权而再度孤悬海外。郑成功去世后，以郑经、郑克塽为首的郑氏集团，试图维持长期分裂的局面。志在缔造大一统王朝的康熙帝，先是谕示"宜用抚"①，但在经历多次和谈失败后，终于定下武力收复台湾的决心，并把这一重任交给施琅。施琅自幼长在沿海，原本在郑成功手下听令，立有战功。郑成功也一直将其视为心腹，但后来两人发生矛盾并分道扬镳。不久之后，施琅转投清军，郑成功恼羞成怒，立即杀死了施琅的父亲和弟弟，两人结下深仇。施琅非常熟悉沿海一带地形，并对郑氏集团的内部情况非常了解，因此奉命"相机进取"②。

（一）作战决心和作战准备

施琅很快向清政府上报了夺取厦门、金门的作战计划，并得到批准。此后，他果然顺利地夺取这两处战略要地，为下一步收复台湾创造了条件。康熙二十年（1681），施琅郑重地向清政府提交了攻取台湾的作战方案，这就是《决计进剿疏》。在此之前，清政府内部主张对郑成功进行招抚的占多数。康熙也认为，跨海峡作战会造成兵员的大量损失，而且没有必胜的把握，所以犹豫不决。针对这种情况，施琅先是派出间谍详细侦察了郑成功的内部情况，并设法了解到台湾沿海的兵力布防情况，而且打探到郑成功根本没有归降的意思。对这些情况进行分析之后，施琅主动向康熙上呈，希望能及时尽早收复台湾，以免久拖不决，成无穷之后患。施琅向康熙保证："臣今练习水师，又遣间谍通臣旧时部曲，使为内应。俟风便，可获

----

① 《清圣祖实录》卷四十九。
② 《清史稿》卷二百六十《施琅传》。

全胜。"① 康熙看到施琅的奏章之后，对收复台湾有了信心。

郑成功病死之后，其子郑经继续统治台湾。郑经去世后，次子郑克塽继位。但郑克塽领导能力偏弱，导致大权旁落。郑氏集团盘踞台湾多年，渐渐丧失进取之心，反倒日益暴露出寄生性质。郑经认为远处海岛便可以高枕无忧，于是纵情声色，再也没了西征之念，与大陆彻底隔绝。他的几位弟弟，都依仗家族的权势，夺占民田，以致台湾民众怨声载道。这一局面在郑克塽继位之后，不仅没有得到改观，反而变得更加严重，以致造成民不聊生，依靠卖儿鬻女度日的惨景。

施琅认为出兵时机渐已成熟，便向朝廷请求出兵。他向康熙进言："贼兵不满数万，战船不过数百，锦智勇俱无。若先取澎湖以扼其吭，贼势立绌；倘复负固，则重师泊台湾港口，而别以奇兵分袭南路打狗港及北路文港海翁堀。贼分则力薄，合则势蹙，台湾计日可平。"② 这份奏疏不仅对郑氏集团的实力情况有清楚的分析，还对收复台湾的具体步骤有明晰的规划，可以看出施琅前期所做的准备工作已经非常充分。康熙遂任命施琅为水师提督，加太子少保。在《决计进剿疏》中，施琅一再要求获得独断指挥权。在夺取厦门之后，他连续上疏，要求增加他的权力。在他看来，只有获得充分的权力，才能更好地调动兵马，指挥水军的训练工作，从而全力推进收复台湾的各种准备工作。康熙终于同意了这一请求，授权施琅"相机自行进剿"③，加速推进各种作战计划的制定。此后，施琅在选拔将领、训练水师和调度粮草等方面，都有了更大的权力，因此可以将备战工作准备得更加周密。

（二）全面细致的情报工作

收复台湾首先是受到海峡的天然阻隔，情况不明成为制定作战计划的最大阻碍。因此，施琅在进行战争准备时，对情报工作给予

---

① 《清史稿》卷二百六十《施琅传》。
② 《清史稿》卷二百六十《施琅传》。
③ 《清圣祖实录》卷一百五。

了特别强调，对天候地理情报、郑氏集团的兵力部署等，都进行了详细侦察。

由于自幼在海边长大，施琅不仅对海洋地理情况非常熟悉，同时也深知气候条件对于渡海作战的影响，在"治军严整，通阵法"的同时，"尤善水战，谙海中风候"。[①] 他在写给朝廷的奏疏中，便自称对海面形势、风信水性等都谙熟于心。为了搞好渡海作战，施琅高度重视收集气象和水文情报。他先后派出大量侦察船，对海峡和台湾岛进行侦察，掌握海峡水流情况和台湾岛周围的天气变化情况。针对施琅制定的六月出兵的作战计划，有人质疑"南风不利，今乃刻六月出师，何也？"[②] 施琅信心十足地说道："夏至前后二十余日，风微，夜尤静，可聚泊大洋。观衅而动，不过七日，举之必矣。即偶有飓风，此则天意，非人虑所及。"[③] 后来的战争结果证明，施琅的判断确实可信。

为防止作战计划的泄露，施琅上报康熙的重要情报都严格注意保密。对潜伏较深的间谍姓名，奏疏中都一律予以隐匿。与此同时，施琅利用过去曾在郑成功手下任职的经历，结识了郑手下的一些得力干将。在上任之初，施琅立即就派出间谍，悄悄潜入岛内，与他们建立联系，通过他们搜集情报。因为出色而有组织的间谍活动，施琅对台湾岛内的一举一动都了如指掌。根据间谍所提供的情报，施琅得知郑氏集团的精锐部队都在刘国轩部，镇守台湾本岛鹿耳门等重要港口和要害之地，而澎湖列岛虽是必争之地，却防守空虚，而且守岛军队缺乏训练，战斗力较低。关于刘国轩的大本营，也有大量情报传来。施琅从间谍处得知，刘国轩一直滥施淫威，滥杀无辜，所以导致郑军人人自危，并不愿意死心塌地地卖命。一直滥施淫威的刘国轩，非常不得人心，却非常狂妄自大。他自以为台湾防线坚不可破，清军一定是无计可施。施琅得知这些情况后，更加确

① 《清史稿》卷二百六十《施琅传》。
② 《清史稿》卷二百六十《施琅传》。
③ 《清史稿》卷二百六十《施琅传》。

定这是难得的可乘之机。

（三）战抚结合的作战方略

依靠扎实的情报工作，以及对水文气象等情况的周密调查，施琅寻找着最佳的出兵时机。经过反复研究之后，施琅最终制定了先打澎湖、再分兵迂回攻击刘国轩主力的作战计划。与此同时，他也明确了战与抚相结合的总体方针。康熙二十二年（1683）六月，施琅率领舰队由铜山出发，向澎湖发起攻击。刘国轩得知这一消息后，连忙率部展开救援。在战斗中，施琅右眼受伤，"流矢伤目，血溢于帕"①，但仍然坚持督战，极大地提振了清军士气。七天之后，刘国轩只得退守台湾。

就在施琅发动大军攻打澎湖的同时，姚启圣也积极开展间谍活动和招抚行动。他任命卞永誉、张仲举专理海疆，用大量金帛离间对手，不惜花费重金收买郑军将士。姚启圣甚至在漳州设修来馆，以高官厚禄招揽郑氏集团的官兵，凡投诚者都有优厚的待遇，即便投诚之后又逃回台湾的，也一律不予追究。这些政策发布之后，起到了很好的瓦解和离间作用。郑氏集团中被策反的文臣武将达数百人，士兵则达万余，一举改变了交战双方的作战态势。两军对垒，"敌中有我，我中有敌"是常见现象。施琅深知郑军也一定会派出很多间谍四处打探攻台作战计划，于是将计就计，故意制造一些假情报，通过使用"能而示之不能，用而示之不用"②等手法，诱使对手上当。比如多次佯装请求朝廷发起攻击行动，多次令对手产生误判。这种反复的佯动，很好地麻痹了郑军，为下一步真正发起的决战创造了机会。施琅选择在天气炎热的六月出兵，同样可以取得"攻其无备"③的作战效果，使得对方的防守作战计划失灵。结果证明，这一招果然可以取得奇效，郑军因为猝不及防而迅速溃败。

在澎湖列岛的激战结束之后，施琅继续贯彻"战抚结合"的方

---

① 《清史稿》卷二百六十《施琅传》。
② 《孙子兵法·计篇》。
③ 《孙子兵法·计篇》。

针，为进一步攻打台湾本岛做好准备。他宣布了优待俘虏的政策，愿意返乡则发给粮饷，负伤则积极予以救治，并允许他们自由往返。这部分将士返回台湾之后，无形中也起到了宣传政策的作用，对动摇守岛部队的士气起到了很好的作用。眼见时机成熟，康熙加紧展开对郑克塽的招抚。为了让郑氏集团消除疑惧之心，康熙承诺："煌煌谕旨，炳如星日，朕不食言。"① 看到大势已去，郑克塽决定接受招抚，向施琅水师投降。

清军成功收复台湾，是康熙大一统战略思想的胜利。康熙在这场海岛争夺战中的战争指导方略获得极大成功，也使得该战例成为中国古代战争史上地位非常独特、意义非同寻常的经典战例。在这场海上战略大决战中，清军遵循"战抚结合"的原则，既立足于打大规模的歼灭战，给予郑氏集团以毁灭性打击，同时也展开了积极有效的招抚行动，迫使郑克塽放弃抵抗，归顺中央政府。施琅之所以能够成功完成收复台湾的历史使命，首先是通过大量歼灭郑氏集团主力与精锐，剥夺对手的基本抵抗能力，然后才能保证招抚行动的顺利推进。

台湾收复之后，清政府在施琅的建议下，在台湾设总兵和水师副将各一名，就此结束此岛"孤悬汪洋之中"② 的局面。此后，虽说清政府治台政策趋于消极，但领土完整得到了强有力维护。《清史稿》在肯定施琅功绩的同时，也盛赞了康熙的用人之道："非圣祖善驭群材，曷能有此哉！"③ 应该承认，康熙在用人方面确有其过人之处。比如，他非常信任降将，尤其重视使用汉将，而且成为一种常态。在收复台湾的过程中，重用郑成功部将施琅，在雅克萨之战中重用吴三桂部将林兴珠，都是康熙重用降将的高明手法，对战争获胜起到了决定性作用。此外，重视用间、重视情报先行，大量组织战术欺骗行动，也都卓有成效。由于注重敌情的搜集，充分了解岛

① 《清圣祖实录》卷一百十一。
② 《清史稿》卷二百六十《施琅传》。
③ 《清史稿》卷二百六十《施琅传》。

上情况，施琅的作战计划制定得更加合理。"战抚结合"的总体方针的制定与实施，也是战争取胜的重要保证。依靠扎实有效的安抚人心之举，施琅大量开展的游说活动，多次实施效果明显的攻心战，不仅起到了瓦解敌军的作用，也动摇了对手的战斗决心。

三、清前期的统一方略

清朝前期的统治者始终以国家利益至上，积极开疆拓土，面对内忧外患则能积极予以处置，勇敢抵制侵略，表现出极强的领土意识和主权意识。其中尤以康熙帝和乾隆帝表现得更为突出。总体来看，清朝前期的统一方略主要表现在以下几个方面。

第一，以国家统一为最高战略目标，并树立维护领土统一的坚强决心。

面对三藩之乱和台湾孤悬海外的局面，康熙皇帝始终都强调以国家统一作为最高战略目标。在平定三藩之乱的前后八年时间，朝廷耗费了大量的人力物力，但康熙从未动摇过平叛的决心。施琅收复台湾，也经过了长期的艰苦准备，付出了大量的心血。平叛战争的胜利、宝岛台湾的收复，都有效铲除了地方割据势力，避免了国家陷入分裂局面。一段时间之内，沙俄侵略者趁着清政府忙于安内，大肆侵入我国黑龙江流域。为了避免陷入多线作战，康熙首先重点考虑的是南方，但并没有对北疆坐视不管。一旦局势得到改变或有机会腾出手来，他立即便把更多精力转向北方，与沙俄侵略者展开坚决的斗争。17 世纪 80 年代发生的雅克萨之战，便是反击俄国入侵所进行的重要一战，集中体现出康熙维护领土和主权完整的坚强决心。战后，双方签订《尼布楚条约》，两国东段边界得以长期维持稳定。在谈判和战争前后，康熙皇帝表达了强硬立场，他宣布："所属之地，不可少弃之于鄂罗斯。"① 战事暂时得到平息之后，为确保领土不受侵犯，康熙帝除了制定出兵驱赶侵略者的计划，还提出了在边疆驻扎军队的具体方案，并为此后的清朝君主所继承。此后，清

---

① 《清圣祖实录》卷一百三十五。

政府与俄国就边境问题展开长期谈判，并于雍正五年（1727）七月签订《布连斯奇条约》，勘察和划定中段边界，在此后一百多年时间相对保持稳定。

到了乾隆时代，疆域已经基本相对固定。因为与邻国存在广阔无垠的边界线，难免会产生纠纷。对此，乾隆帝同样以国家统一作为最高战略目标，表现出维护主权和领土完整的坚强决心。乾隆始终强调："天朝尺土俱归版籍"①，决不允许外国势力染指中国领土。对于北方强邻俄国，乾隆始终保持高度警惕，不仅在边界驻扎大量军队，也一直注意加强对中俄边境地区的情报工作。俄国经常利用民族问题侵占中国领土，甚至动用武力侵占中国利益，乾隆对此严阵以待。对中俄边界的防范，一直远较其他边界更为严密。乾隆二十七年（1762），乾隆下谕设立伊犁将军，谕称"伊犁为新疆都会"②，以此加强对北边的控制。乾隆二十八年（1763），乾隆得到俄国派兵在准噶尔部游牧地区造屋树栅的情报，立即派兵予以制止。针对俄罗斯在土尔扈特部的拉拢和分化，乾隆进行了针锋相对的布置，同时做好了不惜一战的准备。针对新疆部分地区人烟稀少的特点，乾隆设官建置，布置屯田。这对"国家牧民本图大有裨益"③，也可保持边境地区的基本防御作战能力，抵御强敌入侵。当时窥伺中国的还有英等西方列强。马戛尔尼使团向清朝索求岛屿以作通商之用时，也遭到乾隆的严词回绝。

第二，加强训练并发展装备，提升军队实力。

建设一支训练有素、纪律严明的军队，始终是维护国家领土完整的基础。康熙深知，要想提升军队的战斗力，一方面需要依靠严格的军事训练，另一方面则需要依靠先进的武器装备。

在平定三藩叛乱的战争中，康熙帝已经发现八旗兵丧失了往日那种能征善战的锐气，便下力气加强八旗兵的训练，强调"国家武

---

① 《清高宗实录》卷一千四百三十五。
② 《清高宗实录》卷六百七十三。
③ 《清高宗实录》卷六百十二。

备不可一日懈弛"①。康熙始终认为，"武备一道，乃国家紧要之事"②，所以一直非常重视狠抓军事训练。康熙非常注意狠抓军官的日常管理，着力提升军官的素质。越是高级军官，对其要求越高。为此，他命令高级军官一定要加强学习，尤其是加强对谋略之书的研习。为保证军队的整体实力，康熙非常重视发展武器装备。在明代之后，威力巨大的火器渐渐成为先进武器的代表。通过战争实践，康熙也看到了火器对于战争的重要作用，所以强调"军中火器，甚属紧要"③，要求大力发展火器。为了使得火器充分发挥作用，康熙建立了火器营，与明代的神机营类似。康熙不仅对火器研制提出了具体要求，甚至亲临铸造现场，严格把关。在得知比利时传教士南怀仁精通火器制造后，康熙要求其协助制造精巧和轻便的火器，使得火炮往小型化和便携化方向迈出了关键一步。

　　与康熙相似，乾隆也强调提升军队战斗力，重视加强军事训练。为了提高部队的训练质量，乾隆帝坚持将部队训练放在接近实战的条件下进行，坚决杜绝和反对那些虚而不实的花样子。乾隆为促进军官切实抓好训练，将军队的训练质量与各种奖惩挂起钩来。清朝贵族一向有骑射的传统，对弘扬尚武精神起到了积极作用，乾隆非常看重这一点。八旗兵在入关之后不久就开始腐化，战斗力开始严重衰退。曾国藩曾就清军战斗力的衰退总结道："百种弊端，皆由懒生。"④ 其实懒惰只是其中的一个因素，贪婪腐化则是另一重要因素。其时乾隆已经注意到八旗兵战斗力的衰退情况，因此下令加强骑射训练，并且一度将骑射放在头等重要位置，要求所有满族子弟都应将骑射作为立身的根本，即便是在和平时期也不应该忘记骑射和习武。乾隆要求武职官员在平时必须骑马出行，不得乘坐轿子，担心那种养尊处优的生活方式会对官兵的勇敢精神有所削弱。乾隆

① 《清圣祖实录》卷一百二十三。
② 《清高宗实录》卷一百四。
③ 《清圣祖实录》卷一百四十八。
④ 蔡锷：《曾胡治兵语录·勤劳》，《中国兵书集成》编委会编：《中国兵书集成》第五十册，解放军出版社、辽沈书社，1992 年。

十年（1745）正月，乾隆帝专门就加强骑射问题向全国颁发谕旨，谕令直省督抚提镇等加强八旗兵的骑射训练，指出"营伍以弓马为主"[①]，以此保持军队的尚武精神和战斗力。就加强骑射而言，康熙也曾予以特别强调，但乾隆的重视程度更高，还制定了更为具体的措施和更为明确的要求。

第三，确立相对合理的作战目标，制定切实可行的战略方针。

合理作战目标的制定，往往能体现出一个军事家的务实精神。就战略目标而言，康熙高度强调歼灭对手有生力量，也即所谓"尽敌为上"[②]，以打歼灭战作为战略指挥原则。古往今来的战争，大多都是把消灭敌人当成是战争的目的和手段。比如《孙膑兵法》就将作战目标定在歼灭战，认为"覆军杀将"，使得敌人"虽欲生而不可得也"，才算真正掌握了"战之道"，才符合作战的基本规律。[③]在清朝前期的统一战争中，无论是多尔衮，还是康熙，大多强调在战争中大量消灭敌军。清朝前期统治者的统一战略不仅积极提倡主力会战、全线歼敌的作战指导思想，也将其付诸统一战争的战略指挥当中。

就战争方略而言，康熙充分注意政治手段与军事手段的结合，强调招抚行动与军事打击行动的结合。在特殊情况下，他也将"尽敌为上"作为招抚对手的基础。在康熙看来，政治招抚与武力打击始终是相辅相成。一方面，政治招抚要以强大的武力作为后盾，另一方面，武力打击也要充分配合政治招抚展开，并且根据打击对象的不同，有变化地选择手段和方法。而且，究竟是先进行招抚，还是先进行军事打击，其中也会有所区别。无论是采用何种手法，事先都要经过周密的谋划，尽量降低己方损失。例如在平定三藩之乱的过程中，对于三个藩王，康熙的态度有别。对于尚、耿两藩，主要是以拉拢和招抚为主，目的是孤立吴三桂，对其实施有效打击。

---

① 《清高宗实录》卷二百三十三。

② 左丘明著，韦昭注：《国语·周语中》，上海古籍出版社，2015年。

③ 银雀山汉墓竹简整理小组编：《孙膑兵法·月战》，文物出版社，1975年。

在西北平叛战争中，康熙帝不相信噶尔丹会接受招抚，但也充分利用强大的政治攻势对其进行瓦解和分化，再抓住时机指挥大军发起猛烈攻击，最终取得平叛战争的胜利。在收复台湾的过程中，政治招抚与军事打击的过程则完全与其相反。施琅先是在澎湖列岛的决战中消灭了郑氏集团的有生力量，后期再展开积极有效的招抚行动，以最小代价换取最大战果。

以"十全武功"①自诩的乾隆在战争方略方面也有心得，且受孙子影响较大。乾隆主张战争应速战速决，其实是对孙子"速决战"②思想的继承。在指导大小金川的战争中，乾隆要求军机大臣务必速战速决——"用兵贵于神速"③，并将战争陷入难局的原因也归诸久拖不决，也正体现出他对速决战的重视。与此同时，乾隆同样主张以积极的进攻对敌形成高压态势，以此争取战争主动权，这其实也是受到了孙子的影响。乾隆指导战争，还强调穷追、捣巢，要求清军以积极有效的进攻迅速击垮敌人，夺取战争主动权。这些方略的推出，也是乾隆长期学习古代兵学经典的结果，多能与孙子兵学暗合。当然，与其祖康熙相比，乾隆的战争方略并未见得有大的突破，甚而存有明显的不足之处，他却俨然以"十全武功"自诩，与其好大喜功的性格颇为吻合。

第四，注重"上下同欲"，充分储备战争潜力。

康熙帝不但是谋略出众的军事家，也是眼光独到的政治家，因此他能够带着政治眼光考虑军事问题。由民本思想出发，康熙非常重视民心向背，认为"民心悦则邦本得，而边境自固"④，将民心视为比武器装备等更重要的战略要素。康熙非常赞赏孟子"仁者无敌"的思想，指出："仁者无敌，此是王道……王道二字，即是极妙兵

---

① 《清高宗实录》卷一千四百十四。
② 《孙子兵法·作战篇》："兵贵胜，不贵久。"
③ 《清高宗实录》卷二百四十二。
④ 《清圣祖实录》卷一百五十一。

法。"① 因此，康熙首先要建立"上下同欲"② 的良好政治环境。为厚植战争实力，康熙始终坚持大力发展农业生产，这一方面可以增加财政收入，另一方面也可以减轻人民的负担，争取更广泛的民心。雍正帝虽然刻薄寡恩，但也注意关心民生，致力解决民众"无地立锥"③ 的现实苦难。通过"摊丁入亩"等措施，雍正朝减轻了百姓赋役，社会经济得到很大发展。乾隆即位初期，也注意关心百姓疾苦，多次下达爱抚百姓的谕旨，以"民气和乐，民心自顺，民生优裕，民质自驯"④ 为执政目标。

与此同时，为集中力量一致对外，清初统治者非常注意各民族关系的处理。他们一方面注意加强对汉族的控制，一方面也非常注意收买汉族士心民心。除了推行"以汉治汉"的驭人之术，他们也非常注意加强对蒙古和藏族的控制与笼络。其中，蒙满的联姻制度尤其值得关注。这项制度始于努尔哈赤，从清朝立国一直推行到乾隆朝，联姻的人数和范围不断扩大。当然，此后则逐渐衰减，到了道光朝已经非常稀少。⑤ 这一制度的长期推行，笼络和控制了善于骑射的蒙古族，无疑可以提升国家的战争潜力，同时也可以利用这种密切的蒙满关系，对人口广大的汉族进一步加强控制。对于西藏地方政府，清初通过册封顾实汗来实现控制，施行政教分离。到了雍正六年（1728），清廷正式设立驻藏办事大臣衙门，以便进一步加强西藏地方政府与中央政府的联系。到了乾隆朝，为协助藏族同胞抵御入侵和防止新的叛乱出现，清廷不仅在西藏增加了驻军，同时也进一步加强驻藏大臣的权力。此举不仅可以保证清政府的意志贯彻到藏族地区，同时也能进一步密切藏族与其他中原民族的交流，有效地防止分裂局面的出现。

---

① 《清圣祖实录》卷二百四十三。
② 《孙子兵法·谋攻篇》："上下同欲者胜。"
③ 《清世宗实录》卷二十四，台湾华文书局，1985 年。
④ 《清高宗实录》卷三。
⑤ 杜家骥：《清代皇族与蒙汉贵族联姻的制度和作用》，《南开学报》（哲学社会科学版）1990 年第 4 期。

第三节　古典兵学的停滞

清朝统治者虽以武力夺取天下，却于兵学理论方面建树无多，相对于宋明时期则更显贫乏。除了清朝前期的金戈铁马为统一战略增添了若干新内容，火器与骑兵的结合丰富了兵种战术思想之外，传统兵学在此时真正遇到了发展的瓶颈。至于康熙本人对于古代兵典和传统兵学的冷淡态度，以及清廷对于兵学和汉人的提防之心与严酷打压，都使得传统兵学就此走进一个较长时间的休眠期。

一、清前期军事家对中原传统兵学的借鉴

后金政权的缔造者努尔哈赤是一位天才型的军事家和战术大师。除了晚年在宁远之战被袁崇焕阻击之外，他在一生戎马生涯中取得难以计数的胜利，表现出非常卓越的军事才能。当然，努尔哈赤的兵学思想并非无源之水，从他的兵学思想中可以或多或少地看出中国古代兵学思想的一丝影子。

就发起战争而言，努尔哈赤高举"义战"旗帜，发起统一战争，以顺应女真族发展需求，努力赢得民心。至于南下伐明战争的发起，他也是以"七大恨"作为发起理由，充分强调战争的正义性，以争取最广泛的同盟者。努尔哈赤指出，普天之下的杀伐和征战，都要追求合乎天道和天意："顺天心者胜而存，逆天意者败而亡。"① 这其实也是强调战争的正义性。八旗制度的创建也展现了努尔哈赤的治军智慧和政治智慧。这种兵民合一制度，既发挥了女真人善于骑射的特长，也提升了生产力水平，但其中也有管仲"寓兵于农"及"什伍之法"的影响。就谋略思想和战术思想而言，孙子兵学中"避实击虚""并敌一向"等战术原则，他也运用得烂熟，最典型的

---

① 《清太祖实录》卷五。

就是萨尔浒之战中的战法。努尔哈赤用兵注意积小胜为大胜，皇太极等人也继承了这一点，成为伐明战争的基本方略之一。重视情报，重视用间，也令明军吃尽苦头。王在晋指出："开原未破而奸细先潜伏于城中，无亡矢遗镞之费，而成摧城陷阵之功。"① 此语点出了努尔哈赤情报先行的用兵特点，与孙子重视用间谋略和情报术多有暗合之处。

至于皇太极的兵学谋略等，部分是从努尔哈赤继承而来，但明显也有对中原兵学的学习和借鉴，尤其是对火器的运用和对攻城战术的研究。皇太极重视汉族士绅和降官降将，带头学习汉族文化，并模仿明制建设国家政权。他对中原文化一贯重视，也对中原兵学有所借鉴。前文曾提到，皇太极设法获得明军红夷炮并进行仿制，后金军由较为单一的骑兵兵种，一跃而成骑兵、炮兵与步兵多兵种合成的军队。至于骑兵与步兵、炮兵的合成战术，也学习、借鉴了明军。明军降将孔有德、耿仲明、尚可喜等均被授予高官厚爵，他们的用兵谋略在征伐明军的过程中也曾发挥过作用。皇太极借鉴明军的战法，研究发展了攻城战术，具体表现有：第一，在巧妙围城的基础上，用断绝对方粮食补给等办法充分调动对手，诱使明军出城作战，继续发挥后金骑兵善于野战的特长；第二，大力发展火炮，发挥火炮在摧城拔寨过程中的作用，对明军的城墙和防御阵地造成杀伤，同时注意研制和改进云梯等对攻城能起到直接作用的传统器械和装备，最大程度地发挥其战斗力；第三，更加注意培植内应，充分发挥间谍的作用，以此减少伤亡，顺利夺取对方城池；第四，注意收买民心，禁止屠城，此举不仅可以收买民心，还能有效防止对方战斗力受到刺激而被激发。

康熙用兵，也注意借用汉族休养生息政策，但更强调必要的征伐战争之后才有休养生息。在追求"师出有名"的同时，康熙也非常强调"天时""地利""人和"，这其实体现出他对孟子论兵的借鉴。例如在《论兵》一文中，康熙总结平定噶尔丹之乱的经验有三：

---

① 《三朝辽事实录》卷一。

"国家当隆盛之际",是得天时;对川原险要等"了然指掌",则是得地利;"师行雷动之顷……未尝轻劳民力"则是得人和。① 凡此种种,都体现出康熙对中原兵学和治术的学习与借鉴。

当然,用兵之法中的一些常法,比如扬长避短、避强击弱等,应该是军事家们的共识。八旗军善于骑射和野战,而且快速灵活,除了遵循用兵的基本原则之外,还必然地会形成自己独到的战法。例如努尔哈赤根据后金军擅长野战、不擅攻城的特点,设计了一套"设伏诱敌"和"围城打援"的战法,从而成就自己战术大师的地位。但从总体上来看,其用兵谋略,也有对中原兵学的借鉴。这一点在皇太极身上体现得更为明显。

二、传统兵学的停滞

清前期军事家对中原传统兵学有较多学习和继承,并从中受益,但并非都对其充满敬意,有的反而带着明显的蔑视,斥为"纸上谈兵,无益于事"②。康熙就对《武经七书》为代表的中原传统兵学充满轻视。对此姜国柱曾有评论:"康熙的用兵之道,作战之术,实取之中国古代兵家,然而他却不承认且贬抑兵家,这亦是其卑劣之处。"③ 通过前赴后继的励精图治,清王朝逐步强大,但传统兵学不仅没有得到发展,反而逐步走向没落。随着清统治者的有意打压和歧视,古典兵学由此而停滞不前。

康熙曾不止一次表达出对传统兵学的否定和轻视态度。在《讲筵绪论》中,康熙总结了自己学习传统兵学的经验:"自十二年用兵以来,尝取前人韬略武备等书阅之,亦皆纸上谈兵,无益于事。间有用符咒法术者,尤属不经。"④ 应该承认,传统兵学中确实有不少

---

① 《康熙帝御制文集》卷三十,台湾学生书局,1966 年。
② 《康熙帝御制文集》卷二十七。
③ 姜国柱:《中国军事思想通史》(清代卷),中国社会科学出版社,2006 年,第 258 页。
④ 《康熙帝御制文集》卷二十七。

借鬼神为助的糟粕，兵四家中的兵阴阳一派，有不少就是充斥着这方面内容，康熙的批评属于由来有自，但他将"前人韬略武备等书"一概视为"纸上谈兵，无益于事"，显然不够公正和客观。《武经七书》是传统兵学的精华所在，康熙对这些兵典同样持全面否定态度。康熙四十九年（1710）九月，总兵官马见伯因为流传的《武经七书》注解不同，歧义较多，请求朝廷选定一部作为标准颁行各地。康熙对此不以为然。他说："《武经七书》，朕俱阅过，其书甚杂……若依其言行之，断无胜理。且有符咒占验风云等说，适足启小人邪心。"① 康熙还以平定三藩之乱为例来证明《武经七书》的无用。在他看来，吴三桂是以《武经七书》之术对抗清兵，但最终却仍然不免覆灭命运，所以由此得出结论："用《武经七书》之人，皆是此类。"② 康熙这种批评实则是将谋略与实力等影响战争胜负的主要因素混为一谈，从逻辑上来看确实有点文不对题，可以看出他对《武经七书》的态度有着明确的否定之意，而且带着很明显的偏激之情。由取人之学，再到全盘否定，这种现象在学术史上其实并不少见，康熙对传统兵学的这种有意贬抑也自有其理由，至少与其统治利益有着紧密联系。

入主中原之后，清统治者虽说非常注意重视汉文化，并有尊儒等实际举措，但他们对汉人时时怀有提防之心而且不曾有过须臾放松。在政治和文化上，他们对汉人处处保持打压之势，残酷的文字狱接踵而至，治学者多钻入故纸堆中。对于兵学，清朝统治者的打压态度更加坚决和明确。王汎森将清朝禁书归纳为五种："（一）提到满汉之间的战争、种族差异，或不管任何时代、任何形式的作品，其内容足以提醒人们华夷种族意识者。（二）有关兵略战术者。（三）讨论、记载明清改朝换代之史事者，或记载明末清初忠臣烈士事迹者。（四）思想或文章有异端倾向，或是在清代正统意识下被认为'不恰当者'。例如李贽（1517—1602）的著作，或任何与钱谦

---

① 《清圣祖实录》卷二百四十三。
② 《清圣祖实录》卷二百四十三。

益（1582—1664）有关的书籍。（五）内容中有海淫海盗色彩者。"①
"有关兵略战术者"，其实是兵书所要讨论的主要内容，因此而遭到禁毁。

　　清朝甫一建立，政府便开始大量收集和整理兵书，尤其是注意清剿那些以反清复明为目的的著作。清朝以整理古籍为口号的收集和整理，其实也是为了便于集中管控或集中销毁。正是这个缘故，我们在《四库全书》中只能看到寥寥无几的兵书，历代注解《孙子兵法》的精彩之作尽被抛弃，只留下五千余字白文。这种情势之下，研究兵学其实是带有极大风险的，诸如顾祖禹、魏禧这些兵学研究者，也只能悄悄隐伏山林展开，其著作能艰难流传下来已属万幸。在这种持续的高压政策之下，传统兵学当然无法求得发展。清统治者也曾希望利用武举选拔出合格的军事人才，为其守卫疆土，武举考试所用教科书仍逃不出《武经七书》的范围，但这并已不能推动传统兵学向前发展。作为"马上得天下"的民族，他们对传统兵学的态度其实是既爱又怕。因为充分了解兵书的作用，他们希望兵学研究只能局限于少数人，在统治阶层展开，其他人不能染指，这当然没有办法出现高水平研究著作。这种矛盾而狭隘的心理，也在某种程度上决定了传统兵学的命运。

　　清统治者对现代军事科技的态度同样是矛盾而且狭隘的，其中最典型的要数康熙。康熙对现代军事科技的态度和他对兵学研究的态度相似，同样是既爱又怕，充满矛盾。康熙帝虽然也重视火器的制造和使用，却从来没有把火器看成是决定战争胜负的根本因素。对于火器和火器研究，康熙存有明显的戒心。朝廷对火器严格地加以控制，以免危及政权的稳定。康熙在充分了解先进火器的巨大威力之后，很快就出台规定，"严禁民间铸造和使用火器，甚至将子母炮等比较先进的火器只装备八旗兵，连绿营兵也不得制造和使

---

① 王汎森：《权力的毛细管作用：清代的思想、学术与心态》（修订版），北京大学出版社，2015年，第536页。引文中李贽生年错误。

用"①。这种政策显然会妨碍火器的进一步发展，也决定了清朝火器研制水平的逐步走低。随着清王朝版图的确定，士人纷纷蛰伏，百姓彻底臣服，清统治者的自大情绪更加显露，于是更加自信地固守这套御民之术，导致火器发展水平和兵学研究水平进一步沦落。这便出现了一个非常奇怪的局面：火器技术虽在宋、元、明时期就陆续推进，但直到清末，"火器在军队装备中始终处于次要地位，无论是汉兵还是蒙兵、清兵，他们更相信自己练就的'武功'"②。由于清统治者对军事科技缺乏足够重视，并对西方世界军事技术的飞速发展缺少了解，终于导致军事科技的全面落伍，火器制造技术相比明代都有所退步，一旦面对西方的坚船利炮，便只能处处挨打。

就军事训练的指导而言，清前期也存在若干缺陷。通过战争实践，乾隆对八旗兵的衰退有所察觉，于是下令八旗兵加强骑射训练。毫无疑问，这种训练对于恢复满族子弟的尚武精神，提升清军的战斗力而言，都会起到一定的促进作用，但也仅仅在满族士兵中展开，并未扩大到清军全体，明显也有防范汉人的考虑。

不管如何，康熙的贬抑态度，朝廷的有意打压，都对传统兵学的发展起到了很多的负面作用。影响兵学发展的因素很多，政府的态度至关重要，对兵学思想的兴衰影响最大。最典型的例子，莫过于宋代。北宋政府提倡兵学，设立兵经，为古典兵学带来了二次振兴，其影响一直波及明代。而这一轮的良好发展态势，到了明代末期才逐渐转衰，进入清朝则已经进入刹车状态。清廷虽重视通过武举选拔人才，却始终事与愿违，古典兵学就此彻底走向衰落。清朝甚至可称武举的鼎盛时期，却也自此走向衰亡。③ 在清代武举模式之下，关于策论的要求逐步降低，嘉庆年间被迫改为只默写武经，这已经大大降低了考试难度，武举的水平逐步降低也已经成为不争的事实。

---

① 《中国军事史》第十六卷《清朝前期军事史》，第 612 页。
② 姜振寰：《技术通史》，中国社会科学出版社，2017 年，第 302 页。
③ 李世愉、胡平：《中国科举制度通史》（清代卷）下册，上海人民出版社，2017 年，第 525 页。

统治者打压兵学，导致清前期兵学研究亮点很少。这期间诞生的兵书不多，而且大多保持坐而论道的特点，普遍缺乏实用性。与明代中晚期相比，清前期的兵学研究呈现出较为明显的倒退迹象。《乾坤大略》《潜书》《兵经》《戊笈谈兵》《间书》等兵书的出现，可以略为弥补此时兵学研究乏善可陈的缺憾。① 通观清前期较有代表性的兵书，可以明显看出其受《孙子兵法》等兵典影响的痕迹。《兵迹》《兵谋》《兵法》等，虽然书名都显出几分高妙，但在具体内容上则缺少新意。从整体上打量，此时的兵学研究成就不高，沿袭多，创新少，而且所谓创新也基本停留在"术"的层面。这些兵学著作既可以说是宋明兵学快速发展的尾声，也可视为古典兵学的最后绝响。除上述几部兵书之外，清前期值得关注的是注疏类兵书，代表作要数《武经七书汇解》和孙星衍校理的《孙子十家注》。尤其是后者，代表了其时兵书整理的最高成就，至今仍有重要影响力。一部校勘整理类著作，影响力远超原创类著作，这多少也能折射清前期兵书的总体平庸。

三、清前期的《孙子兵法》研究

在封建专制统治之下，清前期的《孙子兵法》研究同样处于长期被压制的状态，研究和传播都受到很大影响，比较突出的研究成果相对集中于文献学方面，在疏解、校正和考据方面有着较为突出的成绩。至于兵学原理的应用方面，则乏善可陈。

康熙批评《武经七书》"未必皆合于正"，不是什么"王道"，"若依其言行之，断无胜理"。② 《四库全书》中《孙子兵法》只留一篇白文。当然，他们又希望依靠武举来选拔人才，曾下令将《武经三子》（即孙、吴、司马法）作为武举的必考科目，提倡研习《孙子兵法》。清统治者大量禁毁兵书，唯独不禁《孙子兵法》，可见其仍是有所选择。为推广武举、选拔军事人才，顺治朝就非常注

---

① 这些兵书的总体特点和成就等，后面有专门讨论。
② 《清圣祖实录》卷二百四十三。

意加大有关图书的出版力度，截至雍正朝有关《孙子兵法》的著作已达41种。① 只是因为读者群是文化水平不高的武人，这类著作文字浅显，水平不高。统治者对《孙子兵法》相对开放的态度，令此时的孙子研究处于相对较为发达的状态，清代《孙子兵法》注家多达五十余位。重点需要提及的则是孙星衍。他在"道藏"中找到《孙子集注》作为底本，对十三篇文字作了许多校改，并据《宋志》而改称为《孙子十家注》。经孙氏校改后，此本在近世流传最广，影响最大，改变了此前"武经本"长期一家独大的局面。

清代学者非常重视考据之学，尤其是乾嘉学人，他们被越来越残毒的文字狱所震慑，学术路数发生重大改变，由此而被逼出孜孜于考据的乾嘉学术。就《孙子兵法》的研究而言，情况与之类似。相较前朝，清代的《孙子兵法》研究，最突出的成绩也集中体现在文献学上，尤其是文字的校勘成绩很大。清代著名的《孙子兵法》研究专家，诸如邓廷罗、毕以珣、孙星衍等，都为《孙子兵法》的校勘等做出了贡献，对于准确解读孙子兵学思想不无裨益。

从汉到唐，世人论及孙子其人其书，所本多为《史记》，而且很少有人会对司马迁的记载提出疑问。这种情形一直到了疑古之风甚浓的宋代才发生改变，清代则仍在延续。清代学者姚鼐同样认为《孙子兵法》其书反映出非常明显的战国时代的特点。他说："春秋大国用兵，不过数百乘，未有兴师十万者也，况在阖闾乎？田齐、三晋，既立为侯，臣乃称君曰主。主在春秋时，大夫称也。"② 姚鼐还进一步认为，《孙子兵法》中所描写的用兵之法，其实也是秦国贵族驱使民众的作战之法。根据这些理由，姚鼐判断认为，《孙子兵法》中所说的，多为战国时期的事情，而且"吴容有孙武者，而十三篇非所著"③。姚际恒则将《孙子兵法》列为"有未足定其著书之

---

① 《孙子兵法研究史》，第156页。
② 《惜抱轩文集》卷五《读孙子》，姚鼐著，刘季高标校：《惜抱轩诗文集》，上海古籍出版社，1992年。
③ 《惜抱轩文集》卷五《读孙子》。

人者"①。在《古今伪书考》中他说："此书凡有二疑：一则名之不见《左传》也……一则篇数之不侔也。"② 姚际恒所说的篇数之疑，是遵照传统说法，将《汉书·艺文志·兵书略》中的《吴孙子兵法》八十二篇当成《孙子》十三篇，二者之间篇目数差距很大，所以很可疑。而他的"名之不见《左传》"的说法，当是受到了叶适的直接启示。清代另外一位学者全祖望则极力称赞叶适的推论，认为叶适之说"可以补《七略》之遗，破千古之惑"③。

当然，其时也有不少学者支持《史记》的说法，而且，相较怀疑说，肯定司马迁的学者占据着更多数，但也缺少更为扎实和更加细致的考证，所以这里不再一一展开。

其时《孙子兵法》注疏取得了不错的成绩，与考据学的发达不无联系，代表作当数《武经七书汇解》和《孙子十家注》。《武经七书汇解》为朱墉所辑注。这本书集采众说，从曹操、杜佑、李筌等权威注家，到默默无闻的普通注家，都有大量收录。《孙子十家注》是一部集校类著作，清人孙星衍、吴人骥校。孙星衍认为《孙子》所传本或多错谬，当用古本以正其文，于是以华阴岳庙道藏《孙子集注》为底本，又参考大兴朱氏明刻《孙子注解》本，并采用《通典》《太平御览》等宋以前的古书引文进行校勘，校正出不少错误，也一举使得《孙子》集注本受到世人重视。《孙子十家注》是清代朴学研究的产物，也在某种程度上代表了清代兵书整理的最高成就。

有一类研究著作虽无意于考据，却也保留了异说，传递了部分古本信息。《戊笈谈兵·孙子》便是如此。无论是十一家注本，还是武经本，各篇开头都有"孙子曰"三字，但《戊笈谈兵》各篇无此三字。曾有不少学者怀疑"孙子曰"三字系整理者所添加，于此可以获得一定程度的支持。

在文献学研究之外，清前期学者对孙子兵学思想也有投入研究，

① 黄云眉：《古今伪书考补证》，齐鲁书社，1980 年，目录第 6 页。
② 《古今伪书考补证》，第 310 页。
③ 《鲒埼亭集》卷二十九《孙武子论》。

还表达了若干批评之声。这一点似乎与康熙对中原兵学的蔑视态度一脉相承，其中较少有真知灼见，更多的是苛责。唐甄指出："昔者贤君之任将也，如己身有疾委之良医，必曰除疾易而体气无伤。《孙子》十三篇，智通微妙，然知除疾而未知养体也。"[1] 在历史上，批评孙子尚诈、轻义的声音不绝于耳，清代则仍在延续。汪绂在肯定孙子变化莫测的用兵之术的同时，也集中批评其轻义："夫用兵之法，仁义为先，国之本也；节制次之，以治己也；机权为后，顺应而已。然则司马其庶几乎，《孙子》末也。"[2] "《孙子》十三篇，其近正者，惟《始计》《作战》二篇。其最妙者，则《军形》《兵势》《虚实》三篇，而最险者，亦无逾于此三篇。至于《用间》，不足怪矣。然则握奇制变，孙子为最；而正大昌明，孙子为下。"[3] 汪绂认为，孙子因忽略仁义而缺少"正大昌明"。姚鼐认为孙子用兵之法，"乃秦人以虏使民法也，不仁人之言也。"[4]

① 唐甄：《潜书》下卷下《全学》，清康熙刻本。
② 《戊笈谈兵》卷七《司马吴孙总论》。
③ 《戊笈谈兵》卷七《司马吴孙·孙子》。
④ 《惜抱轩文集》卷五《读孙子》。

第七章　清前期重要兵学著作

清前期，统治者长期推行高压政策，并有意打压兵学，导致兵学研究乏善可陈。《兵经》《戊笈谈兵》等兵书的出现，稍稍弥补了此时兵学研究总体低迷的缺憾。

第一节　《兵经》

《兵经》为明末清初揭暄所著，是一部特色非常鲜明的兵书。作者以一字概括一条用兵原则，共一百字，论述了一百条用兵原则。这一百个字，又被分为智、法、术三个部分。其中《智部》有二十八篇，更多强调的是以智谋取胜的原则和方法；《法部》有四十四篇，主要是论述治军和用兵的原则；《术部》共二十八篇，对用兵作战的注意事项进行了总结。

一、"结而驭之"和"练而励之"的治军之术

在《法部》诸字条中，揭暄重点论述了治军的方法和原则。揭暄认为，要想拥有战斗力强的军队，将帅必须善于"辑兵"，尤其要注意将那些"材能锋颖之士"选拔出来，再"结而驭之，练而励之，勤而恤之"，然后才能担负挫败敌军的重任。①

---

① 揭暄：《兵经·法部》，李炳彦、崔彧成：《兵经释评》，解放军出版社，1987 年。

　　治军需要仰仗将帅。将帅是军队的魂魄，所以历来军事家都非常重视将帅问题。戚继光等人更是专门对"练将"理论进行过探讨，强调对将帅应加强训练和管理。《兵经》也大量讨论了将帅问题。揭暄首先是对将帅应担负的责任和应具备的素质进行了探讨。在他看来，将帅必须首先懂得"全人隐己之术"①。揭暄指出，将帅主要应该担负的责任无外乎如下这些："或严外以卫内，或固本以扩基，或剪羽以孤势，或擒首以散余，或攻强以震弱，或拒或交，或剿或抚，或围或守，或远或近，或两者兼行，或专力一法。"② 将帅掌管着安国全军的关键力量，也需对战争结果负有直接的领导责任。

　　身为将帅，尤其要懂得区分轻重缓急，知道如何研判敌情并分析彼、己之情："凡兴师必分大势之先后缓急以定事，酌彼己之情形利害以施法，总期于守己而制人。"③ 只有具备"守己而制人"等能力，才能"条而审之，参而酌之，决而定之，而又能委曲推行，游移待变，则展战而前，可大胜也"④。换个角度来看，将帅必须具备以下才能："能肃、能野、能张、能敛，顺而发，拒而撼。"⑤

　　基于能力和素质的不同，《兵经》对将帅做过分类："有儒将，有勇将，有敢将，有巧将，有艺将。"⑥ 揭暄指出，这些将帅各有所长："儒将智，勇将战，敢将胆，巧将制，艺将能。"⑦ 最为理想的是，各种类型的人才都有所储备，这就能做到用人所长："兼无不神，备无不利。"⑧

　　将帅是军队的长官，所以也对军队的选才和用人负有直接责任。《兵经》强调了将帅的"专任"之责。将帅处于特殊的地位，需要

---

① 《兵经·法部》。
② 《兵经·兴》。
③ 《兵经·兴》。
④ 《兵经·兴》。
⑤ 《兵经·法部》。
⑥ 《兵经·将》。
⑦ 《兵经·将》。
⑧ 《兵经·将》。

对上负责，也需要统领部众。国君如果过于集权，对军队事务过多
干预，则必然给将帅带来掣肘，也容易激发部下的怨气，不听从将
帅的指挥，就会造成"上御则掣，下抗则轻"①的现象。所以，将
帅必须拥有专任之权："故将以专制而成，分制而异，三之则委，四
之五之，则扰而拂。"② 既然赋予将帅专任之权，就应该做到"毋有
监""毋或观"和"毋听谗"："毋有监，监必相左也；毋或观，观
必妄闻也；毋听谗，谗非忌即间也。"③ 也就是说，不要过度监视，
不能左右观望，不能道听途说，听信谗言。如果做不到这些，将帅
就无法充分发挥其才能，也容易给敌人行使反间计的机会。所以大
将领兵在外，要有独立行使奖惩等权力，国君不宜对其过度干涉。
将帅统领三军，也无须时时处处以国君的命令作为威慑部下的手段。

　　就治军而言，《兵经》突出强调了"贵睦"："睦"是"治国行
军不易之善道"④。所以将帅治军尤其要注意做到"睦"："不得已而
治军，则尤贵睦。"⑤ 所谓"睦"，其实是上下和睦，团结一心。《兵
经》指出："辑睦者，治安之大较。"⑥ "睦"的好处是："睦于国，
兵鲜作；睦于境，燧无惊。"君臣和睦相处，则臣子可以专心任事；
将相和睦，则更容易功成名就；将士和睦，则既能在奖赏面前互相
推让，也能在危难之际互相救援："君臣睦而后任专，将相睦而后功
就，将士睦而后功赏相推，危难相援。"⑦

　　与"辑"字条相似，"结"字条也强调三军团结。揭暄指出：
"三军众矣，能使一之于吾者，非徒威令之行，有以结之也。"⑧ 想
要实现"结"，就要注意"协其好"，具体方法有："智者展之，勇

---

① 《兵经·任》。
② 《兵经·任》。
③ 《兵经·任》。
④ 《兵经·辑》。
⑤ 《兵经·辑》。
⑥ 《兵经·辑》。
⑦ 《兵经·辑》。
⑧ 《兵经·结》。

者任之，有欲者遂之，不屈者植之，浅（泄）其愤惋，复其仇仇（雠）。见疮痍如身受，行罪戮如不忍，有功者虽小必录，得力者赐于非常，所获则均，从役厚恤，抚众推诚，克敌寡杀。"① 总之，要给那些有才能的人以施展才能的空间，让他们担负起更多职责。此外，还要做到有功必赏和公平公正，才能保证三军将士"应麾而转"和"天下皆望羽至"②，实现三军团结一心的目标。

　　选拔人才，重用人才，也是将帅必须面对的重要课题。尺有所短，寸有所长。在揭暄看来，每个人都有自己的长处和短处，这就像"朴者多力，智者多弱"③ 的道理一样。揭暄对于人才的认识非常辩证，指出："兵非善事，所利之才即为害之才。"④ 身为将帅，一定要辩证对待手下人的优缺点。即便是勇、武、智、谋这些有一定才能之人，同样也有其难以克服的弱点："勇者必狠，武者必杀，智者必诈，谋者必忍。"⑤ 高明的将帅，要善于掌握驾驭之道，对各种人才都能合理使用，在克服其缺点的同时，尽可能地用人之长："故善驭者，使其能而去其凶，收其益而杜其损，则天下无非其才也。"⑥ 懂得这些治军道理，那么即使是仇人，也可以招入阵中；即便是贼寇，也可以招抚；即便是盗贼，也可以提拔；即便是夷狄远人，也可以大胆使用。

　　因为人才难得，那种真正智勇兼备之人，更是不可多见。作为将帅，一旦发现这样的人才，就一定要委以重任。挑选将领时，尤其要注意使用这种"能应一面之机，能当一面之锋"⑦，即具有独当一面能力的人才。

　　在"材"字条，揭暄指出，大将也要注意"羽翼赞勷"这些辅

---

① 《兵经·结》。
② 《兵经·结》。
③ 《兵经·能》。
④ 《兵经·驭》。
⑤ 《兵经·驭》。
⑥ 《兵经·驭》。
⑦ 《兵经·能》。

助人员，正像君主拥有"股肱耳目"一样。所以将帅要建设自己的智囊团。在揭暄看来，智囊团应该包含九种人，具体如下：智士，相当于参谋，在将帅运筹帷幄之时起到咨询作用；勇士，可以担任骁将、健将、猛将、枭将，在决战之时可以率众冲锋，一马当先；亲士，如私将、手将、幄将、牙将等，担任左右宿卫，宣布军令等；识士，通晓军阵，知晓变化，熟悉天候地理情况，掌握敌情，知微察隐；文士，穷今古历史，设计仪节，擅长辞章之学；术士，用以权宜可否和利己损敌；数士，审察国运，计算有利不利的各种因素，并且能够筹算其多寡；技士，有胆气，能勇敢赴死，持匕首或挟剑锋出入敌方营垒；艺士，知道材器之用，设计沟堑，懂得简饬兵物，并令其在攻守之间发挥作用。这九种人才，既可以是专才，也可以是兼才，甚至可以是通才，都必须给予重视。

除此之外，还有一些"别材"，即身负特别才能之人："若戏，若舞，若笑，若骂，若歌，若鸣，若魁，若掷，若跃，若飞，若图画，若烹饮，若染涂，若假物形，若急足善行。"① 此外还包括一些没办法叫出其名的人才，都应加以重视，因为战场情况千变万化，将会面对各种复杂难知的局面，需要各种人才发挥其作用。作为将帅，如果遇到敢于献谋陈策之人，即便其为"偶然之见，一得之长"②，也应给予重视和提拔。对于那些直言进谏之人，要保证"有进而无拒"③，即便是说错，也不宜加以处罚，这才能成功招揽天下英雄。

先锋部队是摧城拔寨的重要力量，也是一支军队的精锐，所以理应汇集各类人才。在揭暄看来，其中应包含"九军"：亲军、愤军、水军、火军、弓弩军、冲军、骑军、车军、游军等。这"九军"中，多为专门人才，比如水军即擅长游泳，能够出没波涛之中，骑军即擅长骑马之士，弓弩军即擅长射术，能制敌百步之外。也有的

---

① 《兵经·材》。

② 《兵经·材》。

③ 《兵经·材》。

则是起呼应作用，并不要求其具有专门才能，但一定要能担负起串联的作用，能够"使一阵之间，血脉联络"①。

军队完成组织编成之后，就需要组织训练。《兵经》认为，除了必备的技能之外，训练的重点更应放在勇气和胆识上。

揭暄指出："夫将志也，三军气也。"② 也就是说，对于将军来说，最重要的是斗志，对于军队来说，最重要的就是士气。他又指出："意起而力委谢者，气衰也；力余而心畏沮者，胆丧也。"③ 士气对于战争胜负产生直接影响。因此，那些气衰胆丧和智勇枯竭之人，一定不可委以重任。在平时的训练工作中，重点应关注"练气"和"练胆"。《兵经》列举了四条训练内容，以"练气"和"练胆"为先："故贵立势以练气，经胜以练胆，布心以练情，教以练阵艺。"④ 从作者排列的顺序可以看出其对于胆气的重视程度。

针对"练气"和"练胆"，揭暄又提出了"励士之法"。在揭暄看来，励士有法。其中最重要的手法是使用"名"和"利"："名加则刚勇者奋，利诱则忍毅者奋。"⑤ 除此之外，还可以"迫之以势，陷之以危，诡之以术"⑥，恰当地使用恩威之术，即便是柔弱之徒，也会由此而变得勇敢。高明的将领要善于"立势佐威，盈节护气"⑦，即便是暂时失败也一定不要损其锐气，即便是陷入危险境地，也要始终使部下保持激奋之气和昂扬斗志。如果说恩威兼施的治军手法非常接近孙子所言"令文齐武"的话，"名"和"利"更像是"恩"，"法"和"令"则是"威"。

本着恩威兼施的原则，揭暄对法令也有非常明确的强调。揭暄

---

① 《兵经·锋》。
② 《兵经·镇》。
③ 《兵经·练》。
④ 《兵经·练》。
⑤ 《兵经·励》。
⑥ 《兵经·励》。
⑦ 《兵经·励》。

指出："勒马者必以羁勒，勒兵者必以法令，故胜天下者不弛法。"①
推行法令的前提是"恩重"——"恩重乃可施罚，罚行而后威济"。
因此，善于用兵之人，一定要依据得失而推定功罪，必要时还应祭
出杀人这种严厉招法："戮一人而人皆威，杀数众而众感服。"② 只
有保持号令严肃，对于犯法之徒严惩不贷，才能训练出"止如岳，
动如崩"的队伍。③ 反之，将帅如果对手下过于仁慈，就可能会使
得士卒产生怠慢之情，不惜以身试法，必然导致纪律松弛，只能在
战场上吞咽失败的苦果。

在"恤"字条，揭暄提醒将帅不要因为惩罚部下而导致人才流
失。"恤"，是体恤之意。这种体恤部下的手段，其实就是使用
"恩"的手法，试图对犯错的士卒予以安抚。揭暄指出："尝有绝代
英雄，方露端倪，辄为行间混陷，亦有杂于卒伍，勋业未建，或为
刑辟所加，可胜浩叹。"④ 对于有些人才，如果因为犯有微小的过失
就一棒子打死，当然非常可惜。天降人才已属难得，如果因为犯了
小错而不被重用，那么他们就很可能会转投对方阵营，转而与我形
成对抗。所以为将者"在所必恤"，对这些人要有所体恤，表达出关
爱之情。就具体施行方法，揭暄也有总结："恤者：平日虚怀咨访，
毋使不偶。至于阵中军兵，披霜宿野，带甲悬刀，饥搏风战，伤于
体而不言苦，经于难而不敢告劳。苟轻弃其命，非惟不利于军，亦
且不利于将。"⑤ 总之，一定要保证人才能够为我所用，不至于投往
敌营，反而为害己方。

二、"无谋不战"和"预布叠筹"的战争谋划

在揭暄看来，战争就是"争事"，必须慎重谋划，力争做到
"无谋不战"。既然是"争事"，就必然地会在兵、将等方面与对手

---

① 《兵经·勒》。
② 《兵经·勒》。
③ 《兵经·勒》。
④ 《兵经·恤》。
⑤ 《兵经·恤》。

展开全方位的争夺："兵争交，将争谋，将将争机"①。除兵、将之外，争夺还体现在"心""力""道"等各个层面："夫人而知之，不争力而争心，不争人而争己。夫人而知之，不争事而争道，不争功而争无功。"② 虽说战争是全方位争夺，但《兵经》更为推崇的是孙子那种"不战而屈人之兵"③ 的境界。与孙子的表述有所不同，揭暄将这种境界称为"不争之争"，指出："不争之争，乃为善争。"④ 当然，其本质和孙子保持一致，都主张以最小代价换取最大利益。

与孙子相似，《兵经》强调先发制人。在"先"字条，揭暄强调要占有"先机"，掌握"先手"，这和孙子设计的"先知而后战"的兵学体系不无契合之处。揭暄指出："兵有先天，有先机，有先手，有先声。师之所动而使敌谋沮抑，能先声也；居人已之所并争，而每早占一筹，能先手也；不倚薄击决利，而预布其胜谋，能先机也；于无争止争，以不战阻战，当未然而浸消之，是云先天。"⑤ 无论是抢夺"先机"和"先手"，还是力求"先声夺人"，都是在追求"先"。因此，两军交锋，以"先"为最紧要之事："先为最，先天之用尤为最，能用先者，能运全经矣。"⑥

如何才能掌握先机呢？揭暄认为，重点是掌握"机"和"势"："踞兵之先，唯机与势。"⑦ 所以，《兵经》中接连写下"机"与"势"两个字条，对此加以申论。在"机"字条中，揭暄首先是解释何为"机"："势之维系处为机，事之转变处为机，物之紧切处为机，时之凑合处为机。"⑧ 从中可以看出，"机"是事物发生变化的

---

① 《兵经·争》。
② 《兵经·争》。
③ 《孙子兵法·谋攻篇》。
④ 《兵经·争》。
⑤ 《兵经·先》。
⑥ 《兵经·先》。
⑦ 《兵经·智部》。
⑧ 《兵经·机》。

临界点。既然如此，"机"可能会藏得很深，但是作为指挥员，重点谋划的就是如何抓住这种"机"。所以一旦出现这样的"机"，指挥员就必须牢牢抓住，否则就是"无机"："有目前即是机，转瞬即非机者；有乘之即为机，失之即无机者。"① 能否抓住"机"，取决于指挥员见识高下和能力高低，这也在一定程度上左右战争态势的发展。

在"势"字条，揭暄先是强调"势"的重要性："猛虎不据卑址，鸷鹰岂立柔枝？故用兵者务度势。"② 接下来，他指出了"势"的四点作用，即"制其上""扼其重""撤其恃"和"摧其气"："处乎一隅，而天下摇摇莫有定居者，制其上也。以少邀众，而坚锐沮避莫敢与争者，扼其重也。破一营而众营皆解，克一处而诸处悉靡者，撤其恃也。阵不竣（俟）交合，马不及鞭弭，望旌旗而跟跄奔北者，摧其气也。"③ "势"分"地势"和"军势"。高明的指挥员既能"相地势"，也能借机而"立军势"，所以能"战无不利"。④

揭暄同时指出，要想做到这些，还必须依靠指挥员的正确谋划。在"计""谋""巧""叠"等字条中，揭暄强调的是对战争的计算和谋划，对计和谋的作用进行了揭示。

揭暄指出："兵无谋不战，谋当底于善。"⑤ 统帅如果没有进行充分的谋划，那就不要轻启战端。不仅要"谋"，还要"善谋"。善谋之人，总是能做到随事因时而谋。谋划时要有上、中、下三策，以上者为善。但也有用其中而善者，也有用其下而善者，也有两从之而善者，甚至还有"处败而得善者"⑥。并且，重要的事情要更多地进行谋划，一定要保证没有过失才行。按照这个逻辑，战争行为是至为重要的一项活动，更须多方谋划。揭暄还指出："智不备于一

---

① 《兵经·机》。
② 《兵经·势》。
③ 《兵经·势》。
④ 《兵经·势》。
⑤ 《兵经·谋》。
⑥ 《兵经·谋》。

人，谋必参诸群士。"① 从中可以看出，作者已经有了为主帅配备"智囊团"或建设"参谋团"的思想。

计谋固然重要，但也要"因人而设"。总体上看，"计"分两种，即"制愚"和"制智"："计有可制愚不可制智，有可制智不可制愚。"② 也就是说，"计"有"以计为计"和"以不计为计"这两种区分。如果对方是聪明人，就必须计算周全；如果对方愚笨，不吃这一套算计的话，那么多方算计反倒会害了自己。所以，周全之计是"智愚并制"和"因人而设"。③

这种依靠妙用计策而成事之道，孙子谓之"巧能成事"。④ "巧能成事"，确实也是一切计谋的根本目的。在"巧"字条，揭暄总结了各种"巧法"："善破敌之所长，使敌攻守失恃，逃散不能，是谓因制之巧；示弱使忽，交纳使慢，习处使安，屡常使玩，时出使耗，虚警使防，挑骂使怒，是谓愚侮之巧；所设法，非古有法，可一不可再，独造而独智，是谓臆空之巧；一径一折，忽深忽浅，使敌迷而受制，是谓曲入之巧；以活行危而不危，翻安为危而复安，舍生趋死，向死得生以成事，是谓反出之巧。"⑤ 从中可以看出，作者总结了五种"巧法"："因制之巧""愚侮之巧""臆空之巧""曲入之巧""反出之巧"，每一种都需要指挥员周密谋划、运用巧思才能达成。

更为高明的计谋则是叠加用计。揭暄指出，依靠一计之孤行，往往并不能取得成功，必须数计并施，甚至是千百条计策叠加使用："以数计勤一计，由千百计炼数计，数计熟则法法生。"⑥ 这众多计策之中，如果有某一计成功，那就可以获得制胜良机。因此，善于用兵的指挥员，一定会"行计务实施，运巧必防损，立谋虑中变，

---

① 《兵经·谋》。
② 《兵经·计》。
③ 《兵经·计》。
④ 《孙子兵法·九地篇》。
⑤ 《兵经·巧》。
⑥ 《兵经·叠》。

命将杜违制"①，必须做到"百计叠出，算无遗策"②，才能击败强敌。

谋划必须有依据，其中的主要依据就是敌我双方的实力对比，关键就是"先知"，着力掌握敌我双方的重要情报。孙子所云"先知"，强调先期掌握情报，认为有情报作支持，就可以最大程度地降低战争成本，并最大程度地掌握战争进程，甚至预知战争结果。《兵经》同样强调了情报的先导作用："能识测而后争乃善。"③ 这句话中的"识"和"测"，其实都是就情报而谈。

关于"识"，揭暄强调的不仅是"识才"和"识情"，更强调"察于事"："听金鼓，观行列而识才；以北诱，以利饵而识情；撼而惊之，扰而拂之而识度，察于事也。"④ 这明显是在探讨情报工作，指出了情报人员的一般职责。在揭暄看来，高明的情报工作应当做到："彼之所起，我悉觉之；计之所给，我悉洞之；智而能掩，巧而能伏，我悉烛之，灼于意也。"⑤ 我们知道，《管子》曾就情报工作提出了三种境界："知形""知能""知意"，并且说"知形不如知能，知能不如知意"⑥，将"知意"作为最高境界孜孜以求。从《兵经》上述探讨来看，"念之所起"和"计之所给"显然也是指向敌方的作战意图等，揭暄强调的也是"知意"。这与《管子》颇有相似之处。《兵经》指出："若夫意所未起而预拟尽变，先心敌心以知敌，敌后我意而意我，则谋而必投。一世之智，昭察无遗，后代之能逆观于前。"⑦ 从这句话更可看出作者对敌方意图的探究，并将其视为情报工作的重点。

关于"测"，《兵经》似乎是就战术侦察而谈："两将初遇，必

---

① 《兵经·叠》。
② 《兵经·叠》。
③ 《兵经·智部》。
④ 《兵经·识》。
⑤ 《兵经·识》。
⑥ 《管子·地图》。
⑦ 《兵经·识》。

有所试；两将相持，必有所测。"① 两军初次交锋，不知对方底细，所以必须进行试探，探知对方兵力强弱之后才能决定下一步行动。在相持阶段，因为不明对方动向，更要多方试探，探知对方真正作战意图。其中都需要"测"的功夫。在赤壁之战中，东吴这边派出小部分水军与曹操交战，得胜归来后，不仅激发了己方士气，也探知了曹操水军的战斗力。可见，揭暄所云之"测"，确为战争中非常必要的一环。

以上立论似从孙子处而来。《孙子·虚实篇》中曾提出了"动敌之法"："故策之而知得失之计，作之而知动静之理，形之而知死生之地，角之而知有余不足之处。"由"策"到"作"，再到"形"，最后再到"角"，是从庙堂计算，到"示形"等战术欺骗。必要的时候，指挥员需要派出一定的部队，与敌军近距离接触，甚至展开角力，以此来探知敌军虚实。可见，揭暄所述之"测"，类似于孙子的"策"和"角"，目的就是为了探知对方虚实，让对方显出短处。

只有掌握了情报，才能有"立谋设计"，才能有"克敌之法"。②因为重视情报，所以揭暄强调"预布叠筹"和"运之行间"："预布叠筹，以底乎周谨，而运之行间，乃能合之以秘也。"③

在"知"字条，揭暄总结情报搜集有四种途径：通、谍、侦、乡。他对这四种途径获取情报的内容和特点进行了总结："通，知敌之计谋；谍，知敌之虚实；侦，知敌之动静出没；乡，知山川菁翳、里道迂回、地势险易。"④ 由此出发，揭暄总结了"知"的主要内容："知计谋""知虚实""知动静出没""知山川里道形势"。"知计谋则知所破，知虚实则知所击，知动静出没则知所乘，知山川里道形势则知所行。"揭暄将这些内容总称为"四知"，并说"以意测，以识悟，不如四知之廉得其实也"。⑤ 从以上所引可知，"四知"

---

① 《兵经·测》。
② 《兵经·智部》。
③ 《兵经·智部》。
④ 《兵经·知》。
⑤ 《兵经·知》。

分为两种，一种是就获取情报的手段和方式而言，另外一种则是就情报主题内容而言。总之，"四知"可算作是揭暄对情报工作的一种独到总结。

揭暄似乎不太认可孙子对间谍所做的五分法，从间谍运用的手段和方法出发，进行了全新的归纳："有生、有死、有书、有文、有言、有谣、用歌、用略、用物、用爵、用敌、用乡、用友、用女、用恩、用威。"① 这十六法的总结，可说是极大地丰富了古代的用间术。显然，从孙子的五分法，到李靖的八分法，再到揭暄的十六分法，其中所体现的是古代谍报术和谍报理论的发展情况。仅从这一点来看，《兵经》确有一些内容不应被我们忽视。

"误"字条论述的是"以术误敌"之法，主张通过情报示伪来达成己方的作战意图，认为"克敌之要，非徒以力制，乃以术误之也"②。他还总结了各种误敌之术，包括："误其恃，误其利，误其拙，误其智，亦误其变。"③ 揭暄强调：一定要做到"误人不为人误"④，即一方面积极开展情报示伪，另一方面则严防被敌人的假情报所迷惑。与此同时，还要"慎以行师"，时时事事谨慎，预防各种"风波之险"。⑤ 为了做好保密工作，既要"有形而隐其端"，又要"有用而绝其口"。⑥ 将《兵经》的这些论述对照孙子在《虚实篇》的"形人而我无形"，我们不难看出《兵经》立论所本。

三、"化执为活" 与 "顺以导瑕" 的谋略运用

战略战术思想是《兵经》的重要内容，贯穿于智、法、术三部分之中，很好地诠释了其"无谋不战"的主张。从《兵经》所论不难看出作者对孙子等兵学经典的熟悉，但在论述"常变""攻守"

① 《兵经·间》。
② 《兵经·误》。
③ 《兵经·误》。
④ 《兵经·误》。
⑤ 《兵经·谨》。
⑥ 《兵经·秘》。

"虚实"等重要兵学范畴时,揭暄并不拘泥于前人,而是提出了自己的独到见解。揭暄在"读"字条主张"化执为活",不宜拘泥于"千古兵言",其兵学理论也在力图摆脱古人的影响,体现了"人泥法而我铸法,人法法而我著法"① 的精神。

"常"与"变"是一对重要的兵学范畴。孙子关注战争"常法",更注意研究战争"变法",所以专门写有《九变篇》予以集中论述。揭暄也对战争中的"变术"予以强调,特地写下"变"字条加以申论。揭暄指出,"事幻于不定,亦幻于有定"②。军事家在制定战略战术时,既要对以往那些经常推行的路数有所变化,更要注意对经常发生变化的套路及时加以改变,以此追求所谓"无穷之变化"。通常来说,战术制定过程中始终都要求"变",不管其初次执行有效与否,都要及时求"变":"可行则再,再即穷,以其拟变不变也。不可行则变,变即再,以其识变而复变也。"③ 只有"变",才是永远不变的主题。揭暄描绘其理想的变术,如千波之浪。只有那些令人无法捉摸、能保持无穷变化的战术,才是值得推崇和执行的战术。

接下来,揭暄也总结了若干"变术",认为"兵之变者无如左"。对于"左",揭暄给出了这样的解释:"左者以逆为顺,以害为利;反行所谋左其事,以具资人左其形,越取迂远左其径。"④ 从中可以看出,敢于大胆突破和尝试,敢于打破常规的战术思想,就是"左"。具体地说,就是"易而不攻,得而不守,利而不进,侮而不遏,纵而不留;难有所先,险有所蹈,死有所趋;患有不恤,兵众不用,敌益而喜"⑤。这些战术的选择都是"左"。放着平易之地不去攻打,已经攻占的阵地却不设防,看到利好却不会贸然前

---

① 《兵经·读》。
② 《兵经·变》。
③ 《兵经·变》。
④ 《兵经·左》。
⑤ 《兵经·左》。

进……这些都是打破常规的变术，都会给人以意想不到的结果。

所谓"转"法，其实也是一种变术。就防守而言，一般可以"以一防十"："守者一，足敌攻之十。"在很多人看来，这是"恒论"。尽管是"恒论"，也有突破的必要。此时如果知道运用"转法"，就可以打破平常人的思路，出乎对方意料。比如，对方防守的兵力仍然是"一"，但我方不再按照十倍兵力发起攻击，而是增加到百倍，是"以百而击一"，这便可以取得理想的攻击效果。在揭暄看来，高明的"转法"还包括变化"主客之形"等内容："故善用兵者，能变主客之形，移多寡之数，翻劳逸之机，迁利害之势，挽顺逆之状，反骄厉之情。"① 而且，高明的指挥员不仅能"转乎形"，还能"转乎心"。②

"攻"与"守"是古典兵学中一对非常重要的范畴，也是每个军事家必须面对的重要论题。《兵经》对此也有深入探讨。

揭暄指出，指挥员应该辩证看待战争中的攻守转换。当我方决定使用某种战术进攻对方时，就应该想到对方也可能会用同样的方法来进攻我方。同样的道理，我方使用某种战术防人之时，就要想到对方也可用同样方式来防我："我可以此制人，即思人亦可以此制我，而设一防；我可以此防人之制，人即可以此防我之制，而增设一破人之防。"③ 我方想攻破彼方的防守，彼方也想攻破我方防守，所以应增设一种防守战术来对付彼方之进攻战术。考虑到彼方可能会攻破我方防守，就应多设一种战术来攻破其"所破之破"④。揭暄通过这种貌似绕口令的语言，揭示了战争中攻守关系不停地发生转换的事实，这就像所谓"递法以生，踵事而进"⑤ 一样，永远不会停止。作为指挥员，必须能够不断推出新的攻守战术："所破之破既

---

① 《兵经·转》。
② 《兵经·转》。
③ 《兵经·累》。
④ 《兵经·累》。
⑤ 《兵经·累》。

破，而又能固我所破。"①

在攻守之中，指挥员可以追求巧胜，但也应该懂得用拙法。比如，遇到强大的敌军时，就应该主动退守，而且不惜代价地使用"拙法"："遇强敌而坚壁，或退守时宜拙也。"② 所谓"拙"，就是不计一切代价，不惜一切手段："宁使我有虚防，无使彼得实着。"③对方既然已经获得胜势，即便是以侮辱性语言来进行挑逗，也要坚持不为所动。遇到对方的军队前来攻打，就主动退缩和回避，避免与对手硬碰硬地交锋。揭暄主张"为将当有怯时"④，其实就是对这种不计较声誉而大胆使用拙法的肯定。

在"拒"字条，揭暄讨论的仍然是防守之术。所谓拒，是拒守之意。揭暄指出，指挥员必须懂得使用"拒"术："战而难胜则拒，战而欲静则拒。"⑤ 一方面指挥员应懂得凭险拒守的道理，另一方面也不能对所恃之险过分依赖："凭城以拒，以（所）恃者非城；坚壁以拒，所恃者非壁；披山以拒，阻水以拒，所恃者非山与水。"⑥既然险阻不可恃，要想达成拒守的目标，就必须善于谋划，思考出"夫能安能危，可暂可久"⑦ 之策。

就进攻而言，揭暄主张使用锐卒："两军相薄，大呼陷阵而破其胆者，惟锐而已矣。"⑧ 对于"锐"，《兵经》这样进行总结："众不敢发而发之者，锐也；敌众蜂来，以寡赴之者，锐也；出没敌中，往来冲击者，锐也；为骁为健，为勇鸷猛烈者，将锐也；如风如雨，如山崩岳摇者，军锐也；将突而进，军涌而冲者，军将皆锐也。"⑨在揭暄看来，指挥员即便手中握有锐卒，甚至军、将皆锐，但也要

---

① 《兵经·累》。
② 《兵经·拙》。
③ 《兵经·拙》。
④ 《兵经·拙》。
⑤ 《兵经·拒》。
⑥ 《兵经·拒》。
⑦ 《兵经·拒》。
⑧ 《兵经·锐》。
⑨ 《兵经·锐》。

讲究策略。那些不懂谋略，单凭一腔热血就鲁莽地发起冲锋的锐卒，只能收取"徒锐者蹶"的效果。如果使用智谋进行必要的调动，就能在保证"发而能收"的同时，也做到"锐不穷"。①

"虚实"与"攻守"的关系非常密切，《兵经》对此也有较多论述。揭暄论"虚实"，多从"空"或"分"的角度出发，着重讨论的是"虚"，通过"虚"法等，夺取战争的胜利。

在"空"字条，揭暄总结了各种"空虚之法"："虚幕空其袭，虚地空其伐，虚伐空其力，虚诱空其物。或用虚以空之，或用实以空之，虚不能则实诡，幻不赴功；实不能则虚就，其寡奇变。"② 在揭暄看来，高明的指挥员要善于通过"空虚之法"，来使得对方的谋划落空："运行于无有之地，转掉于不形之初。"③ 只有懂得空虚变化的指挥员，才能在战场上克敌制胜。

使用"分"法，其实也是"虚"。揭暄指出："兵重则滞而不神，兵轻则便而多利。"④ 所以，懂得分兵之道，才能在战争中收取"其利自倍"的效果。《兵经》总结了各种"分"法："营而分之，以防袭也；阵而分之，以备冲也；行而分之，恐有断截；战而分之，恐有抄击。"⑤ 在揭暄看来，"倍则可分以乘虚，均则可分以出奇，寡则可分以生变"⑥。因为懂得"分"法，将帅才能统领数十万大军。从壮大声威的角度出发，可以"合兵"，但要想达成胜利，还需要合理"分兵"。

在战争中，"虚"法也是设伏的重要手段。这些手法，《兵经》称之为"顺"。揭暄说："大凡逆之愈坚者，不如顺以导瑕。"⑦ 这里的"瑕"，即空虚之处。揭暄对具体运用也进行了总结："敌欲进，

---

① 《兵经·锐》。
② 《兵经·空》。
③ 《兵经·空》。
④ 《兵经·分》。
⑤ 《兵经·分》。
⑥ 《兵经·分》。
⑦ 《兵经·顺》。

嬴柔示弱以致之进；敌欲退，解散开生以纵之退；敌倚强，远锋固守以观其骄；敌仗威，虚恭图实以俟其惰。"① 也就是说，指挥员通过示敌以嬴弱，可以诱惑敌军前进，进而设伏打击对手；看到敌军想要撤退，就放开一条生路；看到敌人仰仗其强势，则可以故意摆出空虚之状来麻痹对手，诱敌上当，使得敌军骄傲或懒惰。这样就可以达到"致而掩之，纵而擒之，骄而乘之，惰而收之"② 的目的。

揭暄指出，"混"也是一种巧妙运用虚实的手法："混于虚，则敌不知所击；混于实，则敌不知所避。"③ 在战争中，如果能成功地"混于虚实"，就可以令对手完全摸不清己方动向，既不知从何发起攻击，也不知如何进行防备。而且，不只是"虚实"可以"混"，"奇正"等，都可以"混"："混于奇正，则敌不知变化；混于军、混于将，则敌不知所识。"④ "混"的好处在于："混敌之将以赚军；混敌之军以赚将；混敌之军将以赚城营。"⑤ 具体手法是，和对手打着同样的旌旗，穿着同样的衣甲，装束和相貌尽可能与敌军相似，再乘机窜入敌营，再进行内外夹攻。在这个过程中，敌军不断遭到打击，己方则完全不会遭受损失。因为精于混术，己方人员可以互相辨认，但对方却无法辨认，所以才能收取奇效。

在兵力不如对手之时，指挥员也可以通过虚张声势来摆脱危机。在"张"字条，揭暄重点讨论了此法。他指出："耀能以震敌，恒法也。"⑥ 自古以来的军事家，都擅长此道："惟无有者故称，未然者故托，不足者故盈。"⑦ 总之，这是设伪之法，通过疑兵之计来张我声威，夺彼志气，再争取出奇制胜。这既是"虚声而致实用"，也

---

① 《兵经·顺》。
② 《兵经·顺》。
③ 《兵经·混》。
④ 《兵经·混》。
⑤ 《兵经·混》。
⑥ 《兵经·张》。
⑦ 《兵经·张》。

是“处弱之善道”。[①] 在实力不如对方时，指挥员必须善于运用这一手法来改变颓势。

《兵经》的战略战术思想非常丰富，除了对上述几对重要兵学范畴有深入讨论之外，还就野战战法等进行了探讨。揭暄指出：“兵法之精，无如野战。”[②] 在野战的过程中，各种战术、各种阵法都会得到广泛运用：“或前或却，或疏或密。其阵如浮云在空，舒卷自如；其行如风中柳絮，随其飘泊。迨其簿（薄），如沙汀磊石，高下任势；及其搏，如万马骤风，尽力奔腾。”[③] 如果能在野战之中充分运用战术，则敌军无法揣度，无法应对：“敌以法度之，法之所不及备；以奇测之，奇之所不及应；以乱揆之，乱而不失。”[④] 此时，指挥员必须保持旌旗纷动而不踉跄，通过各种巧妙的手法使得人人自危，只能在战场上拼死奋战。能指挥野战的指挥员，才可称得上是“知兵之将”。

“借力”理论也富有特色。揭暄所论“借力”，与以往那种“乞师以求助”不同。在“借”字条，作者首先做了这样的声明：“古之言借者，外援四裔，内约与国，乞师以求耳。”[⑤] 在揭暄看来，战争中存在着各种借力之法。既可以“借敌之力”，也可以“借敌之刃”，还可以“借敌之财”。最高明的则是“借敌之智谋”：“艰于力则借敌之力，难于诛则借敌之刃，乏于财则借敌之财，缺于物则借敌之物，鲜军将则借敌之军将，不可智谋则借敌之智谋。”[⑥] 就如何实现上述“借法”，揭暄也有总结：“吾欲为者诱敌役，则敌力借矣；吾欲毙者诡敌歼，则敌刃借矣；抚其所有，则为借敌财；劫其所储，则为借敌物；令彼自斗，则为借敌之军将；翻彼着为我着，

① 《兵经·张》。
② 《兵经·野》。
③ 《兵经·野》。
④ 《兵经·野》。
⑤ 《兵经·借》。
⑥ 《兵经·借》。

因彼计成吾计，则为借敌之智谋。"① 总之，高明的指挥员一定非常善于借力，无须事必躬亲就可坐享其成。

揭暄自视其高，但考察《兵经》仍不难看出其受孙子深刻影响的痕迹。揭暄试图化繁为简，通过一个个的字条来总结各种战略战术原则，而且凑足一百整数，在写作方式上确实很有特色。当然，这也并非揭暄独创。在他之前有《兵畾》，之后则有《兵谋》，都采用了类似方法。与《兵畾》《兵谋》不同的是，揭暄竟总结了一百个字条，可谓规模庞大，但也就此生出繁复之病。而且所论原则和思想，仍跳不出孙子的藩篱。因此，《兵经》是一部奇书，很容易让人记住，却难称善，与《孙子兵法》相比仍有一定差距。

第二节　《乾坤大略》

《乾坤大略》也称《兵鉴》，是一部专论战略的兵学著作，共 10 卷，另外还有《补遗》1 卷。作者王余佑（1615—1684），字申之，自号五公山人，北直隶新城（今属河北）人。王余佑早年随孙奇逢学习兵法，曾参加农民起义军。在明朝灭亡之后，他隐居易州五公山，在讲学之余，也著书立说，而且一直以钻研兵法为己任，著有《万胜车图说》《诸葛八阵图》《兵策略》等，《乾坤大略》是其代表作。《乾坤大略》的写作主旨，作者在《跋》中有明确说明，主要是谈兵略："此非谈兵也，谈略也。"② 由于抱定这一目标，那些有关战争的其他内容，如选将、练兵、安营、布阵、器械、旗鼓、间谍、向导、地利、赏罚、号令等，均"不在此例"③。王余佑专论王霸大略，纵览天下之大势，探究帝王成败经验，试图为明朝统治者

---

① 《兵经·借》。
② 王余佑：《乾坤大略·跋》，《中国兵书集成》编委会编：《中国兵书集成》第四十一册，解放军出版社、辽沈书社，1995 年。
③ 《乾坤大略·跋》。

打败后金提供方略，盼望着能一举扭转乾坤。按照今天的眼光来看，该书为战略学著作，对治军之术、后勤补给等方面，并无多少涉及。

一、进兵方略

关于进兵方略，《乾坤大略》主要探讨的是进兵方向和进兵路线。王余佑将进兵方向作为首要问题提出，所以列为第一卷的主题，视为"霸王大略"之首。他指出，为将者必须"先知所向"，一定要选准并明确进兵方向。

在王余佑看来，兵家所贵者有二："贵进取"和"贵疾速"。"贵速"的主张，实则源自孙子。孙子说"兵闻拙速，未睹巧之久也"，又说"兵贵胜，不贵久"，坚决主张速战速决。① 这一主张得到王余佑的高度认同，他说："兵之未起，其说甚长，不必详矣。已起矣，贵进取，贵疾速。进取则势张，疾速则机得，呼吸间耳，成败判焉！"② 但是，王余佑的思考并未止步于此，而是进一步强调了找准进兵方向，也即"不可不知所向"③。否则，进兵速度越快，则距离正确目标越远。何为正确的进兵方向，王余佑指出，敌方虚弱之处就是我方的进攻方向："而所向又以敌之强弱为准。"④ 敌方虚弱，则可直冲其腹地，可以直取敌之要害。如果在进兵方向上遇到敌强，那就应该攻击、消灭其羽翼，设法削弱敌军，进而寻找继续进兵的机会。

王余佑这一主张实则也是得自孙子。众所周知，《孙子兵法·虚实篇》的重要主题就是"避实而击虚"。王余佑也视其为"旁蹈其支"的重要方略："蹈其支者云何？曰：避实而击虚也，乘势而趋利也。避实击虚，则敌骇不及图，如自天而下。乘势趋利，则我义声

① 《孙子兵法·作战篇》。
② 《乾坤大略》卷一《自序》。
③ 《乾坤大略》卷一《自序》。
④ 《乾坤大略》卷一《自序》。

大振，而远近向风。"① 接下来，王余佑又以唐太宗速战速决夺取咸阳为例，说明选准进兵方向的重要性。与之形成鲜明对比的是，黥布则是因为方向选择出现失误，在退守长沙后迅速落败。由此可见，战略机遇往往会在瞬间丢失，选准进兵方向事关重大，是霸王之大略，既非"一时之利钝"，也非"一事之坚瑕"。②

在明确进兵方向之后，指挥员就需要选择进兵道路。进兵之道，并非固定于一途，而是既有正道，也有奇道。正道不必多言，向来是兵家都容易看到并最先选择，但这并非最佳进兵之道。所以，关于进兵路线，王余佑强调的是"奇道"。在他看来，将帅进兵必识"奇道"："然不得奇道以佐之，则不能取胜。"③ 那些不懂得"奇道"的将军，只能是"愚主"或"黯将"："夫兵进而不识奇道者，愚主也，黯将也，名之曰弃师。"④ 所谓"弃师"，意思是置三军将士的性命于不顾，不仅罪责大，而且非常愚昧，只能说是愚昧之主。

在王余佑看来，"奇正"之间并没有必然的界限，"奇道"和"正道"之间也会不停地转换，因此一定不能拘泥。王余佑指出："故一阵有一阵之奇道，一国有一国之奇道，天下有天下之奇道。即有时正可为奇，奇亦可为正，而诀然断之曰：必有。"⑤ 由"奇道"前进才可以收取意外战果，王余佑进一步举出刘邦夺占咸阳及邓艾偷袭西蜀为例，说明这一道理。秦末乱世，项羽与章邯大战于巨鹿，刘邦得到机会乘虚而入，夺占咸阳。三国时期，钟会与姜维相持于剑阁，邓艾则远道逾险，由此而顺利入蜀。除此之外，王余佑还举出刘濞攻大梁、田禄伯收淮南、岑彭攻公孙述、曹操轻兵袭白马等战例，进一步说明选择"奇道"进兵的重要性。

在王余佑看来，身为将帅，必须懂得变通之道，并善于寻找"奇道"。如果只认准一条进兵路线，就是偏执，会因此而遗患无穷：

---

① 《乾坤大略》卷一《自序》。
② 《乾坤大略》卷一《自序》。
③ 《乾坤大略》卷二《自序》。
④ 《乾坤大略》卷二《自序》。
⑤ 《乾坤大略》卷二《自序》。

"然则，用兵者慎勿曰：吾兵可以一路直至，而无烦于旁趋曲径为也。是以人国侥幸也，戒之哉！"① 由于将帅担负着安国全军的重任，如果他们不懂变通，认准死理，只知道"一路直至"，就必然会造成巨大损失。反之，如果善于寻找"奇道"，懂得如何寻找正确的进兵路线，那就是家国之大幸。

二、决战方略

指挥员在找准进兵方向和进兵路线之后，就会与敌合战，进而迎来与敌决战的时机。《乾坤大略》对于决战方略也提出了一系列主张。

在王余佑看来，初起之兵一定要慎重接战。如果遭遇敌军，战争已经难以避免，就一定要当作决战来打，也即"初起之兵遇敌，以决战为上"。王余佑就此指出："兵之进也，固有所过城邑不及下者矣。必以战乎？曰：非我乐战也，不得已而与敌遇，非战无以却之。盖兵既深入，则敌必并力倾国以图蹂荡我，恐我声势之成；此而不猛战疾斗，一为所乘，鱼散鸟惊，无可救矣！诚能出其不意，一战以挫其锐，则敌众丧胆，我军气倍，志定威立，而后可攻取以图敌。古所谓一战而定天下，其在斯乎！"② 他接着以汉光武帝发起昆阳之战、唐太宗组织霍邑之战为例，说明果断发起决战的重要性。汉光武帝和唐太宗都是高明的战略家，懂得使用初起之兵与敌决战，就此赢得争夺天下的主动权。所以，有时候即便是初遇敌兵，也要当作决战看待。这不仅符合"以奇用兵"的道理，并且"深合机要"，堪称"百虑不易之道"。

对于与敌决战的具体方法，《乾坤大略》也有论述，主要有三点：

第一是"出奇设伏"。"出奇"和"设伏"是诡道之术，可以一分为二，但也可视为一途，意即使用奇法击退敌军。王余佑也将其

---

① 《乾坤大略》卷二《自序》。
② 《乾坤大略》卷三《自序》。

奉为决战谋略的不二之选，他指出："战固无疑矣。然不得其道，祸更深于无战。古有百战之说，以吾言之，不啻百也。将从何处说起耶？曰吾言吾初起之战焉耳。以乌合之市人，当追风之铁骑，列阵广原，堂堂正正，而与之角，不俟智者而知其无幸矣。出奇设伏又何再计焉。"① 与敌决战，如果只知使用堂堂正正的战法，所有设计必定都在对方的预料之中，必然难以取胜。所以历史上著名的军事家都非常善于出奇设伏。比如战国时期的孙膑使用"怯卒"击破庞涓，秦汉之际的名将韩信驱赶"市人"击败陈余，隋唐时期的名将李密使用"群盗"攻破张须陀，这都是出敌不意，使用了"奇法"。王余佑将这些总结为"用寡以覆众，因弱而无强"的高招，并且指出"善战之术，固不止此"，但基本都是从"出奇"和"设伏"这两种方法中化来："然当其事者，断断乎于此二者求之，则万举万当。"②

　　第二是"善于招降"。王余佑指出，"乘胜略地莫过于招降"③，因此可以将"招降"作为决胜方略。他指出："战失其道，未有不败者；得其道，未有不胜者。胜则破竹之势成，迎刃之机顺矣。自此招揽豪杰，部署长吏，抚辑人民，收案图籍，颁布教章。所谓略地也，顾其策何先？曰：是有机焉！蹈之而动耳，不烦兵也。"④ 招降离不开劝降之人，离不开说客的游说之力。这种手法，通常被视为间谍术，历来受到军事家们的重视。比如白起攻赵、韩信攻齐都曾使用此法。此法之所以历来受到重视，是因为它是一种付出较小而收获较大的妙法。尤其是在击败敌军、收取更大战果之时，更是屡试不爽，故而得到王余佑的追捧。王余佑对此法施行条件也有总结，这就是己方处于胜势："胜则人慑吾威而庇吾势，利害迫于前而祸福怵其心，故说易行而从者顺。若在我无可恃之形，而徒以虚言

---

① 《乾坤大略》卷四《自序》。
② 《乾坤大略》卷四《自序》。
③ 《乾坤大略》卷五《自序》。
④ 《乾坤大略》卷五《乘胜略地莫过于招降》。

嬲众，是犹梦者之堕井，无怪乎疾呼而人不闻也。此又不可不留意也。"① 当己方已经处于必胜之势，对敌晓以利害，乘机予以招降，必定能震慑对方，诱迫对方前来投降，招降也由此而成可行之法。但是，如果己方没有必胜之形，只想逞口舌之能，则难以成功。

第三是"必取要害"，攻击对方关键之所。孙子用兵，主张"夺其所爱"："先夺其所爱，则听矣。"② 这里的"所爱"，往往也是要害之地。王余佑对孙子兵学思想非常熟悉，他借用《孙子兵法·九变篇》中"城有所不攻"一语，阐释"必取要害"的道理："《兵法》：'城有所不攻者。'当奉之以为主。至于要害之地，我不得此则进退不能如意，而形相制、势相禁，于是反旗鸣鼓以试吾锋，霍然如探喉骨而拔胸块也。"③ 在这之后，他又以汉高祖攻取宛西这一战例，说明"必取要害"是兵家必须掌握的要诀。汉高祖率兵已经行过宛西，张良劝说道："今不下宛而西进，前有强敌，宛乘其后。我腹背受敌，此危道也。"④ 刘邦明白宛西是要害之地，于是连夜回兵围攻，在攻克宛西之后，终于确保前行无忧。王余佑对此战例进一步申论道："夫以深入重地之师，计必制敌之死命，而留中梗以贻后患，岂良图哉？古恒有军既全胜，而一城扼险，制吾首尾，几覆大业者，皆由于谋之不早也。"⑤ 可见，要害之地的价值就在于"一城扼险，制吾首尾"，通过一座城池而控制整支军队的进退。狄青攻取昆仑，同样可以说明这个道理。如果攻占要害之地，就可以有效避免"屈力殚资"和"钝兵挫锐"⑥ 的难局，所以理应成为军事家进行战略决策的首选。

从决战的角度出发，王余佑强调应对速决战辩证看待。他指出，用兵固然贵速，但要想克敌制胜也不能一味求速。这个道理就像是

---

① 《乾坤大略》卷五《自序》。
② 《孙子兵法·九地篇》。
③ 《乾坤大略》卷六《自序》。
④ 《乾坤大略》卷六《自序》。
⑤ 《乾坤大略》卷六《自序》。
⑥ 《乾坤大略》卷六《自序》。

与虎搏斗，需要讲究方法和策略："君见搏虎者乎？平原广泽，不惮驰鹜（骛）以逐之。至于虎负隅矣，则当设网罗，掘陷阱，围绕其出路，旁睨而伺之，久将自困。若奋不顾身，径进而与之斗，鲜不伤人矣！"① 他以"搏虎"为例对此进行说明，如果发力过早或者用力过猛，必将为其所伤。只能徐徐图之，静等其疲惫，再采用张设罗网和挖掘陷阱等方法进行抓捕。用兵的道理与此相仿，也需要等待合适的时机，做好各种前期准备才行："吾之用兵，自初起以至于势成，敌境日蹙而力亦日专，此亦负隅之虎也。吾欲一举而毙之，岂可不厚为之防哉？"② 由此可见，高明的战略家，并不是一味求速，更不会急于求成，而是懂得以退为进和一张一弛的道理。也就是说，并非遇事都要力求"一举而毙之"，而是根据实际情况灵活对待，该速则速，当缓则缓。

三、备战方略

《乾坤大略》从卷七到卷十，所论基本为备战方略。王余佑从防守、立国、屯田、蓄势等四个方面对此加以论述。

王余佑对防守要略进行了总结，认为要想做好防守，"必审形胜"，也即懂得据险而守，懂得防守之要领。王余佑指出："能取非难，取而能守之为难；汛守非难，守而能得其要之为难。"③ 也就是说，高明的战略家必须懂得何处为形胜之地，进而据为己有。王余佑举出项羽为例，说明不审形胜和不懂形胜的危害："昔项羽委敖仓而不守，弃关中而不居，而卒使汉资之以收天下，此最彰明较著者也。"④ 楚汉相争之际，项羽不懂"审形胜"的道理，从而将关中交给刘邦，实则也将争夺天下的主动权拱手相让，导致最终败走乌江。陈豨不知据守邯郸，而是阻敌于漳水，董卓不知据守长安，而是退

---

① 《乾坤大略》卷十《自序》。
② 《乾坤大略》卷十《自序》。
③ 《乾坤大略》卷七《自序》。
④ 《乾坤大略》卷七《自序》。

守洛阳，都是因为"不审形胜"而落败。历史上还有数不胜数的失败案例："自古及今，坐此患者，不可胜数。"① 这些都证明了"据形而守"的重要性。在王余佑看来，拥有长江天险，也就等于拥有了"形胜之利"，但南宋君臣却因为守江失策而丧师失地，尤为可笑。对照当日诸公奏议观之，王余佑更相信"必审形胜"是据守的根本大计。

王余佑指出，要想立于不败之地，需要在立国之时就有合理的规划，不但立国有规划，而且有规模。他以"隆中对"为例，说明这"野夫常谈"的案例中，实则蕴含着大学问。在"隆中对"中，诸葛亮根据当时的天下形势，提出了立国规模："荆州北据汉、沔，利尽南海，东连吴会，西通巴、蜀，此用武之国。……益州险塞，沃野千里，天府之土，高祖因之以成帝业。……若跨有荆、益，保其岩阻，西和诸戎，南抚夷越，外结好孙权，内修政理；天下有变，则命一上将将荆州之军以向宛、洛；将军身率益州之众，出于秦川。"② 在王余佑看来，不只是诸葛亮看到了如此立国规模。因为当时英雄所见略同。周瑜在打败曹操之后，也对孙权提出"取蜀而并张鲁，因留奋威固守其所，与马超结援"及"襄阳以蹙曹，北方可图也"的方略。③ 所以，一旦拥有江南形胜之地，就可以进窥中原，其论皆本"立国在有规模"④。

在强调占据形胜和拥有地理之利之外，王余佑也就立国方略的其他内容，如政体设计、经济措施、选人用人等问题进行了总结。他指出："若夫朝廷之上置中书以综机务，疆场之外建专阃以总征伐，经理度支，抚驭军民，适宽严之宜，得缓急之序，崇大体，立宏纲，破因循之旧格，布简快之新条，使人人辑志，处处向风，斯立国之初政，又不可以一事不周者也。呜呼！盗贼之与帝王，无俟

① 《乾坤大略》卷七《自序》。
② 陈寿：《三国志》卷三十五《蜀书·诸葛亮传》，中华书局，1971 年。
③ 《乾坤大略》卷八《自序》。
④ 《乾坤大略》卷八《立国在有规模》。

观其成败，其规模气象，盖已不同矣。"① 在王余佑看来，立国之初，统治者"不可以一事不周"，必须考虑周全。军政要务、财政管理等，都要井然有序。在打破旧制、建立新规时，必须得到人们的拥护，所谓"人人辑志，处处向风"，才能建立规模和气象。这就能在确保立国的同时，也使得己方能够始终立于不败之地。

在种种立国方略中，财政管理是重点内容。如何保证三军足食，始终是政治家和军事家的头等大事。王余佑就此提出了"必资屯田"的方略。王余佑先是指出了战争的巨大破坏性："干戈屡兴，民不安业，郡县萧条，无鸡犬声。大兵一起，立见此景。语云'师之所处，荆棘生焉'，信非虚也。"② 既然战争具有如此之大的破坏力，再想"拥大众以征伐"并始终保证足够的后勤补给，便成为一大难题。所谓"百万之众，无食不可一日支"，在"掠无所掠"和无法"转输"的情况下，作者认为也有解决办法，那就是立足于屯田。③ 当然，屯田也需要讲究方略，应区别不同情况而展开，比如要区分平时与战时、兵屯与民屯等。王余佑指出："屯田一着，所谓以人力而补天工也。其法不一，或兵屯，或民屯。大抵创业之屯与守成之屯不同。"④ 在他看来，不管在哪种情况下，屯田始终是解决备战和立国问题的一个根本国策。如果想要长远发展，就必须充分重视此法："怀远图者，当于此处求之，无烦详载也。"⑤

就备战而言，王余佑格外重视"蓄势"的作用，认为将帅要想求得"全胜之术"，必须懂得"蓄势"和"蓄力"。他指出："故欲克敌者，强其势，厚其力……然后堂堂陈、正正旗，声罪致讨而施戎索，乃全胜之术也。不然，吾宁蓄全力以俟之。"⑥ 求得全胜之术是每个军事家都应首先追求的目标，但在实际的军事斗争中始终很

①　《乾坤大略》卷八《自序》。
②　《乾坤大略》卷九《自序》。
③　《乾坤大略》卷九《自序》。
④　《乾坤大略》卷九《自序》。
⑤　《乾坤大略》卷九《自序》。
⑥　《乾坤大略》卷十《自序》。

难做到。既然如此，如果不能在战场上求得全胜，就应该保持头脑冷静，学会蓄势待发，做好蓄力的工作。这样做，首先能保证己方立于不败之地，也能进一步寻找破敌良机。总之，不管是治军，还是为政，都要重视"势"："经纶庶政，振举远猷，大势既定，彼将焉往哉？"①

王余佑所论战略学内容，既包括孙子中所说的"修道保法"②，也包括"上兵伐谋""兵贵神速""以奇用兵"等内容。与孙子不同的是，在《乾坤大略》中，作者论述这些战略思想时，更多结合的是历代经典战例。但他在征引战例时，并不是恣意铺陈，不以叙述战史为目标，而是当长则长，当短则短，而且都有所本，恰到好处地论证了己见。

第三节 《戊笈谈兵》

《戊笈谈兵》总共十卷，为辑评体兵书，在辑录古人兵学著作时，也提出自己的观点。作者汪绂（1692—1759），字灿人，号双池，安徽婺源（今属江西）人。汪绂出身于书香世家，自幼熟读经史，尤其喜欢研读兵法，钻研术数。康熙年间，汪绂在福建枫岭浦城一带讲学。他的教学内容主要为儒家诗书，但也注意结合兵家韬略，《戊笈谈兵》一书便是在讲稿基础之上形成。汪绂将其著作命名为《戊笈谈兵》，意为在书箱中讨论军事问题，多少含有自谦之意。

一、"仁义为先"和"人和为本"的战争观

作为正统的儒者，汪绂认识战争问题和评注兵学著作，都不免带有儒家的眼光。他在品评《武经七书》时，特意将《司马法》摆

---

① 《乾坤大略》卷十《自序》。
② 《孙子兵法·形篇》："善用兵者，修道而保法，故能为胜败之政。"

在首位，再以《吴子》居次，《孙子》则排第三，这便一举改变了《武经七书》原来的排列顺序。究其原因，明显是对《司马法》"以仁为本"的主张更加赞赏。汪绂指出："兵家之推孙吴尚矣。《诗》曰'不测不克'，孙子其不测者也。七子首《孙子》次《吴子》而三《司马》，不其允哉。"① 这里所谓"七子"，也即宋人所立《武经七书》。汪绂对宋人排列顺序公然发起挑战，其实是基于其儒者的态度，尊崇的是儒家的仁义之学。

七书之中，汪绂推重的是《孙子》《吴子》《司马法》，他指出："宋元丰中始以《七书》颁之武学，曰《孙》，曰《吴》，曰《司马》，曰《李》，曰《黄》，曰《尉》，曰《姜》，文习武事，咸肄业焉。然《孙》《吴》《司马》其尤粹也。"② 汪绂旗帜鲜明地提出"衷于孔孟"的标准，从仁义的角度对其进行对比，指出："七子之中，论机变则《孙子》为长，论大本则《司马》为正，《吴子》根据尚近儒术，为优于《孙》，故敢更张其次。以《司马》为首，《吴子》次之，《孙子》又次之焉，著尚正也。"③ 其实在康熙年间，朝廷武举取士也是本于这三本兵书，对其余四本书有所忽略，这可能是汪绂立论之本。不管如何，他刻意改变《武经七书》原有排列顺序，坚定地把《司马法》放在首位，反映出他是从儒家的基本立场出发的。《司马法》首篇即为《仁本》，次篇为《天子之义》，所论主题皆切合汪绂之义，受到有意拔高便毫不奇怪了。在他看来，所谓节制之法及机变之法，都无法与仁义相提并论，只能顺势往后排列，故此他指出："夫用兵之法，仁义为先，国之本也；节制次之，以治己也；机权为后，顺应而已。然则《司马》其庶几乎，《孙子》末也。"④

这种本于仁义的战争观，在评论《司马法》时更是彰显无遗。

① 《戊笈谈兵》卷七《司马吴孙总论》。
② 《戊笈谈兵》卷七《司马吴孙第十一笈》。
③ 《戊笈谈兵》卷七《司马吴孙第十一笈》。
④ 《戊笈谈兵》卷七《司马吴孙总论》。

对于《司马法》，汪绂尤其推重《仁本》，也即该书的首篇。他指出："七书之中，《司马法》独以仁义节制言兵，而无夸诈之习，大非孙、吴所比。而此篇又《司马法》之首，开口提出仁字以为通篇之纲，以后细细抒写古人用兵之事，总不外以仁为本之意。盖仁发而为义，义变通而为权，权不得已而用兵，故用兵之事皆以行其仁爱之心。用之以仁，行之以仁，教之以仁，微独不得已而后用之，即用之而尤不胜其郑重哀矜之念，此真乃汤、武之师，而《周官》之法也。"① 由此可见，《司马法》之所以受到汪绂推重，很大程度上是因为《仁本》，而《仁本》之所以受到推重，就是因为其中贯穿了"以仁为本"的主题，即便是不得已而用兵，也要行"仁义之师"，以战止战，救民于水火，可谓"用之以仁，行之以仁，教之以仁"。汪绂以儒者眼光打量该篇，自然会有如获至宝之感。

　　在评论《吴子》时，汪绂强调了"义"的意义。他指出，"道者，所以反本复始；义者，所以行事立功；谋者，所以违害就利"，因此他主张行事务必追求合乎道义："若行不合道、举不合义而处大居贵，患必及之。"② 在评《图国》篇时，汪绂指出："国以仁民为本，礼义为矩，用贤为辅，孟子所谓'得道者多助'。不信仁贤则国空虚，无礼义则上下乱也。"③ 基于这一立场，汪绂认为《吴子》虽合乎儒家用兵之道，但还不够纯正，故此只能次于《司马法》。因为《图国》毕竟是以"图国"为本，而且是将"行道举义"列在其次，这与《司马法》将《仁本》列为首篇，对"仁"最为推重的做法，显然无法比拟，故只能列在《司马法》之后。

　　由此看来，汪绂对《孙子兵法》评价不高也便不足为奇。在他看来，《孙子兵法》在探讨机变、权变方面，水平明显高于其他诸家："《孙子》谈兵高出七书之上矣。"④ 但是，如果以仁义为标准进

① 《戊笈谈兵》卷七《司马吴孙·司马法》。
② 《戊笈谈兵》卷七《司马吴孙·吴子》。
③ 《戊笈谈兵》卷七《司马吴孙·吴子》。
④ 《戊笈谈兵》卷七《司马吴孙·孙子》。

行打量时，便会有另一番评判。他指出："杜牧谓其'用仁义使机权'，予谓孙子亦'假仁义用机权'耳，乌能用仁义，此晋文楚庄之间、齐桓之下也。若仁义则贵乎实有而实行之，岂可虚为人用者哉！"① 在这里，汪绂批评孙子只是"假仁义用机权"，并非真的用仁义，至少没有给仁义以足够高的地位，所以他对孙子既有肯定，也有批评。如此一来，他把《孙子》排在《司马法》《吴子》之后，便也在情理之中。

与重视"仁义"相对应的是，汪绂更重视以"人和"为取胜之本。孟子曾说"天时不如地利，地利不如人和"②，这早已成为一句论兵和论政的名言，汪绂对此尤其表示出赞许。在编排兵书时，他还有意按照天时、地利、人和为各卷主旨渐次展开。

汪绂论兵，结合"天人合一"或"天人感应"理论对天有较多论述，但他喜谈阴阳术数，大谈奇门遁甲之术等，主张以占卜等方式预测战争胜负。《戊笈谈兵》从卷一到卷三都是这些兵阴阳理论，虽说也有关于天文历法知识的记载，但更多内容不免流于荒诞，殊为可惜。从卷四到卷六，则大多讨论如何争夺地利。汪绂对兵要地理有较为详细的论述，结合历代军事历史和经典战例，探讨天下大势和地理得失，不乏独到见解。汪绂认为，地理形势对军事行动起着重要作用，指挥员进行战略决策，组织战术行动，都必须依据地理条件展开。由重视地理形势出发，汪绂非常看重地图在战争决策中所起到的作用。他指出："兵家形势按图而考之，亦可得其大概矣。而其间重地要害地势形，便有非图所可见者。又古今沿革，或分或合，此重彼轻，昔散今要，犹必当熟知焉。"③ 汪绂分析战略得失，注重结合疆域变化、地理形势及省府州县经济财政等情况，这其实是明代以来重视军事地理的传统。在《戊笈谈兵》中，汪绂辟出《天下形势总论》作为专篇，对天下地理形势进行了总体分析，

① 《戊笈谈兵》卷七《司马吴孙·孙子》。
② 万丽华、蓝旭译注：《孟子》卷四《公孙丑下》，中华书局，2006 年。
③ 《戊笈谈兵》卷五上《形势更革第七笈》。

也对南北各重要区域写有分论，从中不难看出其对军事地理形势的研究水平。

　　例如，在《南北形势分论》中，汪绂对南北形势做了具体分析论述，指出："凡天下之大势，常合于北，而分于南，弱常在南，而刚常在北，北善骑多马而利陆，南善舟多川而利水，斯南北之形势良必有不侔者矣。"① 从这寥寥数语，既可以看出南北地理形势的各自特点，也可以看出军事历史的主要发展脉络，以及南北方用兵的各自特点等。汪绂还由此出发，提纲挈领地点出了立国用兵的注意事项。

　　相较地利，汪绂更看重人和，所以强调修人事、得人心。汪绂首先高度重视"和"的作用。在品评《图国》时，他强调"首拈和字，以为图国之本"②。总结图国之法，他指出："有四不和：不和于国，不可以出军；不和于军，不可以出陈；不和于陈，不可以进战；不和于战，不可以决胜。是以有道之主将，用其民先和而后造大事。"③ 在这几个"和"之外，汪绂更强调"人和"，指出："兵以人和为本，先和而后造大事，真万世用兵之大法也。"④ 可见，汪绂始终以"人和"为用兵之根本，认为只有"人和"，才能拥有胜敌的资本，才可以成就大业，完成图国之大事。与"人和"相反的情形则是"不和"，其中危害也非常明显："不得民心，故不和；不和，故前重后轻；后轻，故不坚。"⑤ 既然如此，那就必须懂得取信于民，与民同乐，顺天应人，求得上下同心。只有做到"人和"，才会受到人民的拥护，才能保证战争胜利。

二、"以礼为固"与"赏罚之用"的治军思想

　　就治军而言，汪绂也颇有研究心得。他总结古代治军要点在于

---

① 《戊笈谈兵》卷五上《南北形势分论》。
② 《戊笈谈兵》卷七《司马吴孙·吴子》。
③ 《戊笈谈兵》卷七《司马吴孙·吴子》。
④ 《戊笈谈兵》卷七《司马吴孙·吴子》。
⑤ 《戊笈谈兵》卷七《司马吴孙·吴子》。

"节制",指出:"用兵之道,莫要于节制。节制之法,必先于教习。"① 接下来,汪绂强调了"教"的重要性,指出:"善用兵者,未有不先之以教者矣。"② 这里的"教",其实是训练之意。

至于教习的内容,汪绂从儒者的立场出发,首先强调的是"礼",既强调"以礼为固",也重视"以礼教兵"。他认为,训练首先要使得士卒有必胜之心,培养这种必胜之心,更主要依靠伦理道德:"所以教民者,则曰贵贱之伦经,曰以礼为固,曰让之至也,前后实不外一礼字。"③ 对于"礼"的作用,汪绂予以特别强调,认为礼是治兵之要和治国之要,所以他指出:"礼,辨上下定民志天地之序也。国之温和恭孙,礼也;军之节制步伐亦礼也。然则以礼为教,而先王治兵之道不外乎是,治国之道亦不外乎是矣。"④ 可见在汪绂眼中,治兵之道和治国之道其实已经被视为一途。他认为这二者之间具有不少相通之处,这既是儒者立场使然,也与他一贯强调的"以仁为本"的战争观保持一致,同时也和他以仁义治国理政的思想完全合拍。

顺应这一思路,汪绂从各个角度出发,多次强调了"礼"的重要性。他说:"教民不外于礼,礼所以成其德义、材技、勇力也,即所谓贵贱之伦经也。礼教既敷,然后选其德义、材技、勇力者而用之,此王者之政也。"⑤ 这里阐释了"礼"对"王者之政"的作用,强调它与德义、才技及勇力的关系。接着汪绂又说:"上既以礼教民,故下皆习于礼,而为难诱、难陷之师。礼即仁之序也,固则不可胜也,故教之不可已如此。"⑥ 这段话既论述了"礼"与"仁"的关系,也指出了加强训练对于打造节制之师的重要作用。接下来汪绂还有深层论述,指出:"教民原非以为兵,然教之则即戎而无不

① 《戊笈谈兵》卷七《司马吴孙·司马法》。
② 《戊笈谈兵》卷七《司马吴孙·司马法》。
③ 《戊笈谈兵》卷七《司马吴孙·司马法》。
④ 《戊笈谈兵》卷七《司马吴孙·司马法》。
⑤ 《戊笈谈兵》卷七《司马吴孙·司马法》。
⑥ 《戊笈谈兵》卷七《司马吴孙·司马法》。

胜。兵之与文教似相反，然今之用兵莫非本于礼教，则既胜之后，亦依然礼教之俗而已。"① 在这里，汪绂试图论证"兵之教"与"民之教"的关系，认为他们看似相反，实则相同，都必须"以礼为固"。

在汪绂看来，"以礼为固"是打造节制之师、克敌制胜的必要手段："以礼为固之意，舒则礼之有节也，行列之政总上，赏罚之用车旗之章而言也。人马之力总上，兵之长短车马之任而言也。诚命应上，四代之戒誓而言也。总见件件素定，事事有序，处处有节，此所谓礼教之事，节制之师也。"② 从中可以看出，汪绂积极主张以"礼"教民，通过"礼教"就可以使得兵民节制有序，达到"件件素定，事事有序，处处有节"的效果，这就能够成就节制之师，战无不胜。以礼为教，是万世不易之法，既可以礼治兵，也可以礼治国。

从"以礼为固"和"以礼教兵"出发，汪绂进一步论述了其"教戒为先"和"兵以治胜"的主张。在评论《吴子》时，汪绂尤其欣赏吴子"教戒为先"的主张。对于《吴子·治兵》，汪绂则从"兵以治胜"的角度出发，给予了很高评价。他说："此篇以《治兵》名，看来通篇只兵治为胜一句为主，以下节节相生，总只申明得此一句。盖兵贵于治，治由于能任上令，令不过教习，教习不外于步伐、止齐、前后、左右、金鼓之节，应变之道而已。而车骑、赏则，所以辅其治也。"③ 吴子"兵以治胜"的主张，堪称千古不易之论，受到汪绂青睐并不奇怪。汪绂认为，吴子始终强调这一理念，可谓治兵之将。只有严格治兵，使得上下一心，令行禁止，进退有节，才能所向无敌。

接下来，汪绂就如何加强约束和统一指挥，也阐发了自己的主张。在评论《司马法·严位》时，他借机阐明了约束纪律和通过

---

① 《戊笈谈兵》卷七《司马吴孙·司马法》。
② 《戊笈谈兵》卷七《司马吴孙·司马法》。
③ 《戊笈谈兵》卷七《司马吴孙·吴子》。

"严位"而实现上下一心的重要性。他说："此篇以严位一心为主，前言约束部位之法，次言轻重之用与兵之所以轻重，后言三军之贵于一，而一之必以道，道所以得人心也。盖严位，正所以齐一士卒，而不得众心，则士卒不可以强。齐心欲一，诚有本之论也。"① 在他看来，《司马法》用兵"贵一"的主张，是"有本之论"，而且点出了治军的根本目标。军队必须做到集中统一，上下一心，才能共同赴死。因此，"贵一"不仅是治军之本，也是强军之本。如果坚定执行这一原则，士卒会由此而变得强壮，军队也可由此而走向强盛。

要想做到"一心"，必须懂得"励士之法"。汪绂借品评《吴子·励士》时，对此进行了探讨。他说："赏有功，励无功，率五万人为一死贼，以此图战功，诚哉可与有功矣，但人主所恃，使民乐死者。"② 在这里，汪绂进一步强调了吴子"严刑明赏"③ 的主张。吴子主张对有功之人行赏，对无功之人则激励，既有奖赏制度，又有激励机制，力争使人人奋起，奋勇争先，进而在战场上拼命杀敌。

孙子治军思想的核心是"令文齐武"，汪绂对此深表赞同，指出："以文令之，以武齐之，必于取胜也。"④ 与此同时，他更欣赏孙子"令素行以教其民则民服"⑤ 一句，认为此论不仅"更深一层"，而且还是"所以致民亲附之道"的关键所在。⑥ 汪绂借此继续加以申论，指出："欲用罚用武，必先'令之以文'，而令之行也，又贵乎行之以素。令，即其教民之事也。教民，言教之以孝悌、忠信、务农、讲武、旗帜、金鼓、步伐、止齐也。教之有素，民任上令矣，则卒亲附，而令可用。此又行军之大本也。"⑦ 在这里，汪绂借孙子的治军理论深入探讨了教民之法，不仅指出了教民的原则，

---

① 《戊笈谈兵》卷七《司马吴孙·司马法》。
② 《戊笈谈兵》卷七《司马吴孙·吴子》。
③ 《吴子·励士》。
④ 《戊笈谈兵》卷七《司马吴孙·孙子》。
⑤ 《孙子兵法·行军篇》。
⑥ 《戊笈谈兵》卷七《司马吴孙·孙子》。
⑦ 《戊笈谈兵》卷七《司马吴孙·孙子》。

也阐明了教民的具体内容，认为文武并用的治军方法才是行军之"大本"，必须给予高度重视。

按照孙子"令文齐武"的原则，治军过程中既要用到赏，更要用到罚。所谓赏罚并用，其实也是文武之道。汪绂指出，治军必须严字当先，必须做到以法治军，而以法治军的要点在于赏罚严明。故此，他借助品评《孙子》时，强调了"法令行"的关键在于公正无私和赏信罚必："赏罚无偏曲而明照。"① 此外，他又借品评《司马法》时强调了"因时"："赏罚之用，因时而不同。"② 也就是说，要根据不同的情况，灵活实施奖惩，否则就会有孙子所言"数赏者，窘也；数罚者，困也"③ 的尴尬局面。

行使治军权力的是将帅，所以将帅的执行能力和领导能力，对于一支军队往往起到决定性影响。汪绂在品评《吴子·论将》时也就此展开论述："将以理、备、果、戒、约为首，而次则及于四机。盖遇事能细密敬慎，则机由是见；作事能果断简决，则机由是行。是必得理备果戒约者，而后可与言机。若不理、不备、不果、不戒、不约，则轻躁之与狐疑，均偾机之将而已，何足言机?"④ 吴子在论将时，既将"禁令刑罚"的治军之术视为将帅必备的素质，也强调将帅需要懂得"五慎"，即"理、备、果、戒、约"，更应懂得识别何为"机"，如何抓住治军和决战的时机等。汪绂则认为，将帅必须懂得"五慎"，才能与之论"机"，否则只是"偾机"之将，只能白白浪费或破坏战机。吴子曾对"理、备、果、戒、约"各自做出解释："理者，治众如治寡。备者，出门如见敌。果者，临敌不怀生。戒者，虽克如始战。约者，法令省而不烦。"⑤ 以上五点，吴子认为是"将之所慎"，汪绂认为其既关乎将帅本身的素质，理应为"将

① 《戊笈谈兵》卷七《司马吴孙·孙子》。
② 《戊笈谈兵》卷七《司马吴孙·司马法》。
③ 《孙子兵法·行军篇》。
④ 《戊笈谈兵》卷七《司马吴孙·吴子》。
⑤ 《吴子·论将》。

之所慎"，更牵涉军队建设大计，甚而称赞其"句句堪为楷模"①。

三、"以谋攻人"与"战必以权"的战争谋略

如前所述，汪绂曾说"七子之中，论机变则孙子为长"②，对孙子的机变之术给予了充分肯定。在讨论战术思想时，汪绂除了高举孙子"谋攻之术"，深入挖掘孙子的战术思想之外，也着力对《吴子》等战术思想进行了阐发。

在品评《孙子兵法·计篇》时，汪绂不可避免地论及孙子的"诡道十二法"。他称这些诡道之法为"因利制权之事"和"纯用机权"，但对其既有褒也有贬，一方面承认这种"机权"为兵家"所不可废"，另一方面也指称其为"奸险之谋，终非王者之道"："前段所言皆堂堂正正之师，至此段则纯用机权，而孙子之情见矣。夫机权亦兵家所不可废，即能而示之不能，以下数事实亦用兵之常、潜虑密谋之道，但内中亦有过于闭藏之事，奸险之谋，终非王者之道也。尤怪其更下一'诡'字，遂使千古用兵者以为借口。"③ 由此可见，汪绂对孙子的"诡"字尤其不能认同。在他看来，用兵的取胜之道存在很多种，并非都是仰仗"诡"道。相较"诡道"，汪绂更加认同"五事七计"："一曰用诡，无所不至矣，终当以'五事七计'为本。"④

没想到的是，到了品评《谋攻篇》时，汪绂意外地又对孙子的"谋攻之术"评价甚高，称赞孙子"以谋攻敌"是用兵之最高目标，而且深得"谋攻之旨"。他首先指出，所谓谋攻的要义，就是"以谋攻人而不以兵攻人也"⑤。要想实现"以谋攻人"的目标，就必须努力做到"以全人之国为攻人之谋，即以伐人之谋为攻谋之策"⑥。

---

① 《戊笈谈兵》卷七《司马吴孙·吴子》。
② 《戊笈谈兵》卷七《司马吴孙第十一笈》。
③ 《戊笈谈兵》卷七《司马吴孙·孙子》。
④ 《戊笈谈兵》卷七《司马吴孙·孙子》。
⑤ 《戊笈谈兵》卷七《司马吴孙·孙子》。
⑥ 《戊笈谈兵》卷七《司马吴孙·孙子》。

孙子论"谋攻之道"，以"不战而屈人之兵"的"全胜"作为目标。之所以会有如此认识，是因为他对于攻城之灾有着清醒认识。对于这种攻城之灾，孙子也进行了简单总结，除了耗时耗力耗财之外，更会有生命的巨大损失："将不胜其忿而蚁附之，杀士卒三分之一而城不拔。"① 从中可以看出，孙子所指损失尚且是单方面的，主要是指进攻方的损失，但汪绂的认识已经超出这些。在汪绂看来，这种攻城野战必然会给攻防双方都带来巨大的损失，也即"彼我交伤，胜负兼病"，所以一定不会是所谓"争全利之道"。② 既然如此，那就必须努力加以避免。

因此，汪绂欣赏孙子的谋攻之道，并在孙子的基础上总结出他的"争全利之道"，指出："度彼我之情，揆众寡之用，收兆庶之心，为不虞之备，专阃外之权，万全而动，则胜形已可见而攻不在兵矣，此谋攻之旨也。知彼知己为用兵之要，千古之胜负，无出此章。"③ 从中可以看出，汪绂继续坚定地主张"以谋攻人"，而且注重研究谋攻之策，还对掌握敌我之情，也即衡量众寡之用等给予强调。总之，只有充分做好战争准备，掌握了必胜条件，才能论及谋攻之道。孙子的谋攻之道以"知彼知己"为基础，汪绂对此不仅积极认同，而且极力予以赞赏，称赞其为"用兵之要"。

通过考察汪绂对《孙子兵法》的评价可知，他对兵家使用"机权之术"持积极肯定的态度，这或许是因为他对战争的特殊性有所认知，对战争的多变性也有充分认识。由此出发，他格外强调"机权"或"权变"，既强调因机应变，也主张因敌而变，更提倡因时而变。因此，他在品评《孙子兵法·计篇》时，突出强调"因利制权者，盖临事而慎全胜之道也"④。在评论《尉缭子》时，他也特意指出，"战必以权，权衷于道，道本于神明，此大儒之论，性命之理

①　《孙子兵法·谋攻篇》。
②　《戊笈谈兵》卷七《司马吴孙·孙子》。
③　《戊笈谈兵》卷七《司马吴孙·孙子》。
④　《戊笈谈兵》卷七《司马吴孙·孙子》。

也。权者，时中之义"①。不仅如此，汪绂还对孙子之"权"和尉缭子之"权"进行了对比，指出："尉子之权与孙子之权不同。"② 遗憾的是，对于具体不同之处，汪绂并没有继续探究。

在评论《尉缭子》的《攻权》和《守权》两篇时，汪绂指出，"此二篇正孙子所谓'悬权而动'者也"③，也对"权"的内涵及作用继续加以申论。比如，他认为，"权生于心，心静力专而后权见"，这其实是强调了指挥员的主观能动性，认为善于权变在于个人。另外，他还指出："权定于先，不肯为轻率之动也。"这是主张抢在敌方之前使出权变之术，力争掌握先机，由权变争取主动权。不仅如此，他在《守权》的结尾之处也对"权"进行了深入论述，指出："示之不诚，此略用机巧处，然兵家之常也，'守权'二字结通篇之意。凡高城深池，或待救，或不能待救，或救而示之不诚，皆因时制宜，此'权'之谓也。"④ 在这里，汪绂提出的"因时制宜"等主张，虽然可以从孙子"因敌而制胜"等论述中找到影子，但也对"权"赋予了新的内涵。

对于孙子"因敌而制胜"等论述，汪绂持积极肯定的态度，所谓"因时制宜"也即"因敌制权"。除了"因时制宜"之外，汪绂多次提及"因"的概念。比如在品评《司马法·定爵》时，他说"先时豫备，临事详审，因机应变而已"⑤，从而提出了"因机应变"的主张；在品评《吴子·治兵》时，他说"为将者，所宜因时制变者也"⑥，就此提出"因时制变"的建议。这些观点，总体上与孙子"因敌而制胜"的精神保持相通，但如果仔细加以推敲，还是可以发现其中存有若干差别。

众所周知，"奇正"为古典兵学中一对重要范畴，也是汪绂重点

---

① 《戊笈谈兵》卷八《黄尉李姜·尉缭子》。
② 《戊笈谈兵》卷八《黄尉李姜·尉缭子》。
③ 《戊笈谈兵》卷八《黄尉李姜·尉缭子》。
④ 《戊笈谈兵》卷八《黄尉李姜·尉缭子》。
⑤ 《戊笈谈兵》卷七《司马吴孙·司马法》。
⑥ 《戊笈谈兵》卷七《司马吴孙·吴子》。

关注的内容。孙子对"奇正"有大段论述，汪绂品评《孙子兵法·势篇》时也对此着重加以申论，借机提出了自己对"奇正"的认识："奇正之术非一：先合为正，后以败敌为奇；中出为正，左右为奇；众合为正，将自出为奇；前向为正，后却为奇；合而以散为奇，散则以合为奇；阵之四正为正，四隅为奇。"① 从中可见，汪绂对孙子的"奇正"大胆进行了补充，对何为正何为奇，都进行了深入剖析。在此基础上，汪绂还探讨了奇正的运用之术，强调了灵活多变这一要求。他说："至于用之之妙，则以奇为正，以正为奇，无莫非正，亦无莫非奇，变化莫测，敌不可窥，此即其深于奇正者也。"② 也就是说，使用奇正之法时，一定不能拘泥于常法，而是要巧妙变化，这才能收取无穷变化的效果，令敌军难以揣测。在《唐太宗李卫公问对》中，有不少关于"奇正"的精彩论述，其中最为著名的一句是"善用兵者，无不正，无不奇，使敌莫测"③。汪绂关于"奇正"的理解，显然受到该书很大影响。《唐太宗李卫公问对》中"兵以前向为正，后却为奇"以及"无不正，无不奇"等精彩论述，都被汪绂先后借用。

如果说前面所论有袭用前贤的嫌疑的话，汪绂将"势"与"奇正"联系在一起，则立即现出新意。他说："势即奇正之势，节如中节之节，正所以用奇正者也。奇正固当妙于无穷，而用奇正者，尤当迅烈以疾，以使人莫测，则发无不中也。势节二字，不出奇正之外。"④ 孙子在论"势"时，给予"奇正"很多篇幅，想必在他看来，这二者之间也有紧密联系。到汪绂这里，则是直接将二者等同起来，指出"势即奇正之势"。不仅如此，他还认为"势节二字，不出奇正之外"，这些论述都不乏新意。为了强化这一认识，汪绂在《势篇》结尾处，再次就此论题展开论述："势不外于奇正，势有奇

---

① 《戊笈谈兵》卷七《司马吴孙·孙子》。
② 《戊笈谈兵》卷七《司马吴孙·孙子》。
③ 《唐太宗李卫公问对》卷上。
④ 《戊笈谈兵》卷七《司马吴孙·孙子》。

正，犹阴阳之阖辟，一阖一辟谓之变，往来不穷谓之通，其势然也。"① 在一阖一辟之间，就会产生如阴阳般的变化，"善辟者必先阖"，如同"善阖者必先辟"一样。在汪绂看来，奇正之势的变化也是如此。而且，奇正既无定形，也无定用，"犹阴阳之不为典要"②。兵势之所以能够产生奇正相生的变化，就在于"分数明，金鼓清，旗帜明"③。也就是说，奇正的变化，主要依靠指挥员的出色调动和合理掌控。因此高明的指挥员，一定要善于把握各种变局，善于使用各种变法，才能做到出奇制胜。

第四节　《间书》

《间书》作者为朱逢甲，字莲生，南直隶华亭（今属上海）人，生卒年月尚不可考。朱逢甲撰写《间书》，希望清朝统治者能以古代间谍活动作为借鉴，从而为"勘平"起义起到参考作用。《间书》大量征引古代间谍活动，研究探索用间方法，对于今天研究古代情报史和古典谍报理论等，都具有重要价值。朱逢甲对用间含义进行了很多拓展，所论用间实为今天情报工作的基本内容。从这个角度来看，《间书》不仅可视为《孙子兵法·用间篇》的另类注解，同时不失为古典情报工作和古典情报理论的总结之作。

一、"用间"与"情报"的内涵揭示

"用间"，意即"使用间谍"。《孙子兵法》中有《用间篇》专门论述如何使用间谍。考察《间书》，朱逢甲所论似乎已经跳出了"使用间谍"这一特定内涵。在《间书》中，作者考订历代典籍有

---

① 《戊笈谈兵》卷七《司马吴孙·孙子》。
② 《戊笈谈兵》卷七《司马吴孙·孙子》。
③ 《戊笈谈兵》卷七《司马吴孙·孙子》。

关"间"的名称和含义，也就此透露出自己对"用间"的理解。朱逢甲所述"用间"，概念较为宽泛，除了传统层面"使用间谍"这层含义之外，还兼有侦察敌情、军事外交等内容。仅就这一点来看，朱逢甲所论"用间"，实则为"情报"。当然，就总体而言，《间书》中传统意义上的"使用间谍"这类案例最多，但先需重点关注其他方面的延伸。

侦察敌情行动也被朱逢甲称为"用间"。比如，晋国为了攻打宋国，先派出侦察员前往宋国了解情况。侦察员回来后提交了报告，说宋国城门上一名普通卫士死了，身为国卿的子罕前去致哀，宋国百姓由此而深受感动。此时如果攻打宋国，必然会遇到顽强抵抗，宋国上下必然齐心协力。孔子听到此事后，称赞侦察员不仅善于侦察，而且善于分析。这种集侦察与分析判断为一体的行动，显然已超出一般意义上的间谍活动。

朱逢甲还将外交活动称为"用间"，比如张孟谈救赵。面对联军的大兵压境，张孟谈通过积极的外交斡旋，成功地解救了赵氏，解了晋阳之围。张孟谈判断韩、魏和智伯之间存在隔阂，于是出城秘密说服韩、魏二君，瓦解联军的围城行动。此后，由于韩、魏的临阵倒戈，决水灌智伯军，智氏反倒率先灭亡，赵被解救。

情报欺骗之类的谋略运用，朱逢甲也将其归为"用间"。贺若弼一面以破船欺骗敌军，一面组织部队大面积换防以虚张声势，从而使敌军产生了麻痹心理，为此后突然发起的渡江作战创造了条件。这一谋略运用，应该是受到孙子"形人之术"的启示，是情报示伪行动，展示了"示形""动敌"① 的威力。

由上述案例可知，朱逢甲所谓"用间"并非普通意义的间谍活动，而是包括了侦察敌情、分析判断、军事外交、情报欺骗等，其实就是今天情报工作的主体内容。朱逢甲说："夫主战斗力也，用间

---

① 具体论述参见《孙子兵法·虚实篇》。

斗智也。"① 他把那些不费兵力、不动刀枪的巧妙斗智等行为，也都纳入用间之中，这不仅扩大了用间之内涵，也使得《间书》成功超越孙子的《用间篇》，展示出其开阔的视野。

朱逢甲在认真考证"间谍"一词的内涵和历史变化之后，将《六韬》中那种"游士"之类的参谋也称为间谍。包括《周礼》中的"邦汋"，《尔雅》及其他史书中的"细作""游侦"等，都被朱逢甲搜罗出来，列为间谍。② 我们姑且不论其严谨与否，都应看到他为情报史研究做出了贡献。从朱逢甲的考证可知，情报史始终是军事史的重要内容之一，同时也对军事斗争的结果产生重要的影响，而且情报活动自古以来就是伴随战争现象的一种客观存在，并随着战争谋略的发展而不断变化。这些追溯和考证，为我们深入研究情报史提供了富有价值的史料，对于古典情报思想研究也具有启示意义。

二、对用间地位的强调

情报工作本是军事斗争中不可缺少的重要组成部分。为了夺取战争的胜利，两军交战之前，首先必须探明敌情，做好情报保障。谋略的运用，谍报工作与反情报工作始终贯穿其中。春秋末期的孙子，敢于突破古军礼的束缚，将用间和情报工作摆到突出位置，是唯物精神的体现。但是，在历史上，也有很多儒生将用间视为可耻行为，是依靠不法手段窃取利益。《孙子兵法·用间篇》因为记录了伊挚、吕牙为间的历史，曾此遭到儒者的诋毁："《困学纪闻》云：伊、吕圣人之耦，此战国辩士之诬圣贤。"至于《鬼谷子》等探讨阴谋之术的著述，更被人们长期轻视。朱逢甲对这些都进行了针锋相对的反驳："伊尹圣之任者，拯民水火。即身为间，何伤？伯厚（按，王应麟之字）拘儒，识隘未化。孙子之言，当自有据，未可臆

---

① 朱逢甲编著，黄肃秋今译，黄岳校注：《间书·自序》，群众出版社，1979年，第 187 页。
② 储道立：《〈间书〉述评》，《军事历史研究》1992 年第 2 期。

驳。"① 在朱逢甲看来，那些为捍卫圣贤形象而极力否定用间的儒者，其实都是冥顽不化的迂腐之人。

为强调用间的重要作用，并积极引导人们正确对待情报工作，《间书》采取的是以儒驳儒的手法。② 朱逢甲历数儒家心目中那些圣人的行间事迹，同时也大量引用了儒家经典中一些讨论情报工作的文字，对此加以反驳。比如孔子的高徒子贡，就曾依靠用间而成功救鲁。③ 又指出："周公撰《周礼》，所言之'邦汋'即间也。"④ 除此之外，朱逢甲还大量援引古代兵书证明用间之重要。《间书》有云："古兵书若《孙子》《吴子》皆重用间。必用间，乃能先知敌情。必用间，乃能离散敌众也。"⑤ 又云："古名将若李牧、信陵、韩信、李光弼之伦，亦皆重用间。"⑥ 朱逢甲通过大量历史典籍和历史人物来说明情报工作之重要，非常具有说服力。

由此出发，《间书》更进一步强调了情报工作对于军事斗争的作用："用兵贵知己知彼。而欲知彼，则必用间乃能知。且知，贵知之于事先。敌将至得为备，敌非至得毋恐。"⑦ 又指出："进退之当，全在使间一视。今之军行进止，可不间视哉？……欲知虚实，在先用间。"⑧ 上述观点，既有对《孙子兵法》继承的一面，也有自己的引申。对情报工作重要作用的认识和提倡，延续了孙子以来古代兵家的可贵传统。

朱逢甲在强调情报工作的地位和作用时，也有过头之处。在

---

① 《间书》，第 1 页。

② 储道立：《〈间书〉述评》，《军事历史研究》1992 年第 2 期。

③ 《间书》："子贡用间事见《家语》。"《家语》即《孔子家语》。子贡行间之事，《左传》和《史记》也有不少记载。《史记·仲尼弟子列传》："子贡一出，存鲁，乱齐，破吴，强晋而霸越。子贡一使，使势相破，十年之中，五国各有变。"

④ 《间书》，第 6 页。

⑤ 《间书》，第 9 页。

⑥ 《间书》，第 14 页。

⑦ 《间书》，第 15 页。

⑧ 《间书》，第 16 页。

《自序》中，朱逢甲认为，当财政困难并不足以支持战争需要时，可以通过用间来解决问题。当军队怯战，士卒丧失战斗力时，可以通过用间来改变局面……在他眼中，用间是实现"不战而屈人之兵"①的重要手段。这种观点显然有点不切实际。

三、用间方法上的总结与出新

正如明代茅元仪所指出的那样，《孙子兵法》对古典兵学产生了深刻影响，以至于出现"后《孙子》者，不能遗《孙子》"②的情况。就《间书》而言，也不例外。朱逢甲同样受到《孙子兵法》的深刻影响，尤其是对《虚实篇》《用间篇》有深入的研读和借鉴。《间书》的理论基础和框架基本依据了《孙子兵法·用间篇》的有关论述。③这主要表现在这三个方面：第一，《间书》通过大量节录孙子有关情报和用间的论述，借此强调战争必须用间，必须重视情报工作。第二，《间书》征引古代重要案例，其中有不少依据的是孙子"五间"分类法。第三，朱逢甲论证情报工作的重要性，同样借鉴了孙子的"保密"与"厚赏"这两条政策。从这一角度来看，《间书》未尝不可视为《孙子兵法·用间篇》的另类注解。无法摆脱孙子的影响，与中国古代战争长期处于冷兵器时代这一特点密不可分。早期的用间和情报侦察手段，即便在清代仍没有完全过时。换句话说，《间书》与《孙子兵法》，虽相距两千年之遥，但其中仍然存在一些共性。军事科技和情报技术手段的缓慢发展，为朱逢甲倚重孙子构建用间理论提供了充足理由。

当然，朱逢甲阐述情报思想，构建用间理论，没有完全停留于《孙子兵法·用间篇》，并没有固守《孙子兵法》而原地踏步。从《间书》的条贯和梳理可以看出，朱逢甲对于古代情报理论也有发展的一面。与此同时，他似乎带着一种特殊的使命感，需要对古典情

---

① 《孙子兵法·谋攻篇》。
② 《武备志》卷一《兵诀评》。
③ 储道立：《〈间书〉述评》，《军事历史研究》1992 年第 2 期。

报理论和古典用间理论进行总结和阐发。

在《间书》中，对用间内涵有很大范围拓宽。这一点，在前面已经有一些介绍。与此同时，朱逢甲还突出强调了巧于用间的重要性。朱逢甲对于古典情报理论也有一定程度的分析和探讨，但更强调其实践作用，追求经世致用。他积极主张依靠情报工作和使用间谍来赢得战争的胜利，但也格外强调方法上的灵活性，积极主张"贵神明而变通之也"①。朱逢甲反对刻舟求剑，指出："良医不执古方，断无不悟古方之妙。国手不拘奕谱，而实能参奕谱之奇。儒将不泥兵书，为能深解兵书之奥。"② 因此，他积极提倡的是用间方法的灵活性和创造性。基于巧于用间的标准，朱逢甲更重视的是各种起到很好效果的经典案例。

在"巧"之外，朱逢甲还表现出求"全"的特征。为了论证用间的重要性，朱逢甲广征博引，对古代史籍中所记载的重要案例做了详细爬梳，力图达成"用间之法，略备于斯"③ 的目标。这虽然使得这本书更像是一本间谍史话或情报史话，甚至在一定程度上降低了该书的学理性，但正好可以弥补《孙子兵法·用间篇》的不足。众所周知，孙子在《用间篇》中只提及伊尹、吕尚等寥寥数人。这一现象的出现，与孙子所处时代史料稀缺等因素有关，也与《孙子兵法》更重视"论道"有关。《间书》基于"五间"的分类法对重要案例所做的详细梳理，恰好可对孙子形成一种补充。

朱逢甲不仅重视孙子的"五间"之说，同时也重视《李卫公兵法》的用间之道，对其借助邑人、任子、敌使、贤能、罪戾等关键人物行间的方法也表示认同。但朱逢甲认为这五种用间方法，其实与孙子所论互为表里："一曰因邑人，即乡间也。二曰因任子，即内间也。三曰因敌使，即反间也。四曰择贤能，即生间也。五曰缓罪

---

① 《间书》，第 28 页。
② 《间书》，第 187 页。
③ 《间书》，第 187 页。

戾，即死间也。"① 这种分析方法，固然是尊崇孙子的结果，但也体现了朱逢甲的独到见解。其实，《李卫公兵法》在用间理论方面对孙子也有发展，并体现出"后出转精"的特点。孙子关于间谍的分类，尚嫌粗糙。由于他没有采用单一标准进行分类，难免会造成各子项目内涵的交叉。朱逢甲大概也看到了这一点，对《李卫公兵法》所总结的"有间其君者，有间其亲者，有间其贤者，有间其能者，有间其助者，有间其邻好者，有间其左右者，有间其纵横者"② 等用间方法也有特别强调。孙子的"五分法"，以"其"为标志，可分为敌、我两方：有"其"的"因（乡）间""内间""反间"，都是从敌方收买，没有"其"的"死间""生间"则由己方派出，但"反间"其实可以包含"乡间"和"内间"，子项目之间存在重叠和交叉。另外，因（乡）间和内间，包括反间，似就身份而分，死间、生间则就间谍能否保全性命情况而分。使用多个分类标准，子项目存在交叉，这都值得商榷。相比之下，《李卫公兵法》的八分法，仅依据行间对象这一种标准，较诸孙子已有进步。朱逢甲重视《李卫公兵法》对《孙子兵法》的发展和补充，从而使得用间之道的总结更具说服力。这说明《间书》的总结和研究，并没有停留在《册府元龟》等书那种简单堆砌史料的做法，而是注重以案例论证观点，力求做到案例与理论的结合。

---

① 《间书》，第 25 页。
② 杜佑：《通典》卷一百五十一，中华书局，1984 年。

第八章　清前期重要思想家的兵学思想

明末清初的部分学者，由于身处激荡的乱世之中，被迫深度关注现实问题。他们一面积极探索救世良方，一面热衷于研究兵学理论，甚至希望通过研读兵书，对反清复明有所助益。黄宗羲、顾炎武、王夫之、唐甄、魏禧等著名思想家，都是文人论兵的杰出代表，留下了不少精彩的论兵之作。

第一节　黄宗羲的兵学思想

黄宗羲（1610—1695），明末清初著名的思想家，浙江余姚人，字太冲（一字德冰），号南雷，别号梨洲老人、梨洲山人等，世人多称其为梨洲先生。黄宗羲学问渊博，思想深邃，著作宏富，与顾炎武、王夫之并称明末清初三大启蒙思想家。黄宗羲的兵学研究主要集中在两个方面，其一是对儒家本于"仁义"的战争观的坚持，其二是对兵制和官制的积极探讨。

一、本于"仁义"，坚守儒家立场

由于一直身处战祸连年的明末乱世之中，黄宗羲对战争现象进行了深入思考。他一方面是看到了战争对于国家和社会的巨大破坏力，另一方面也曾长期浸淫儒家经典，所以他对战争的认识态度，继承传统儒家较多。也就是说，他基本是立足于儒家，尤其是孟子的"仁义观"，来看待战争现象，并批判战争行为。关于这一点，我们可以从《孟子师说》中看出来。

黄宗羲首先是从"仁义观"出发，严厉地批判战争，分析战争的巨大危害性。他认为，历代统治者往往都是丢掉了"仁义"之心，仅从满足私欲出发而发起连绵的战争："白起发一疑心，坑四十万人如蚍虮；石崇发一快心，截蛾眉如刍俑；李斯发一饕心，横尸四海；杨国忠发一疾心，激祸百年。战国之君，杀人盈城盈野，只是欲独乐耳。"① 在他看来，白起、石崇、李斯、杨国忠这些人因为一念之差就导致横尸遍野，战国时期的国君只是为了一己之私欲而导致生灵涂炭，这都是全天下人的悲哀。

黄宗羲并且从"仁义观"出发，区分了"王道"和"霸道"：

> 王霸之分，不在事功，而在心术：事功本之心术者，所谓"由仁义行"，王道也；只从迹上模仿，虽件件是王者之事，所谓"行仁义"者，霸也。不必说到王天下，即一国所为之事，自有王霸之不同，奈何后人必欲说"得天下方谓之王"也！②

在黄宗羲看来，判断是"王道"还是"霸道"，不能看所谓"事功"，而要看"心术"，需要看统治者是不是从内心尊奉"仁义学说"。如果动机不纯，或心术不正，即便在表面上看是行"仁义"，但只能算是"霸道"。反之，如果是从内心深处心悦诚服地接受"仁义"，那就不可能再去发动战争，也不会给天下百姓带来各种危害，才有可能去实现"王天下"的"王道"。

黄宗羲再由"仁义观"出发，对战争的根源进行了探讨，认为是国君或统治者的贪欲，不断酿成战争悲剧。他认为，很多纷争都是税收不当所致，也可以说，是过于苛刻的税收打破了原本平静的社会秩序，引发了无穷的战乱。黄宗羲曾深入研究古代的赋税制度，

---

① 黄宗羲：《孟子师说》卷一《"庄暴见孟子"章》，《黄宗羲全集》第一册，浙江古籍出版社，1985 年。
② 《孟子师说》卷一《"齐桓、晋文之事"章》。

也由此而得出结论："天下之赋日增，而后之为民者日困于前。"①
在他看来，因为统治者不愿意推行仁政，过分纵容自己的贪婪欲望，
故而导致各种社会危机出现。他进而以孟子所处的时代进行分析，
认为战国时期也是因为诸侯太过贪婪而导致无穷的战祸："无不以强
战为事，至使生民涂炭，原野厌人之肉，川谷流人之血，皆是善战
者导之。"② 他认为，在这种情况下，只有孟子的"仁义学说"可以
发挥作用——"孟子与诸侯言仁义，无非欲息此杀机"③。因为这一
切的根源在于税法的不当，在于统治者的贪得无厌。他们破坏了原
来的"井田制"，希望霸占更多的财产，由此而引发纷争："'辟草
莱任土地'者，井田之法，九百亩之中为公田者百亩而已，其八百
亩，一无所税也。任土地，则九百亩皆有税，如今两税所行，则尺
寸之土地，尽为公田矣。兵食不足，不得不出于此，可为痛哭流涕
者也。"④

　　对于上古的"井田制"，黄宗羲一直推崇有加。在《"有布缕之
征"章》中，他对上古的税法进行了描述，认为其时分为"粟米之
征"和"力役之征"："'粟米之征'，唐之所谓租也；'力役之征'，
唐之所谓庸也。"⑤ 三代之所以是黄金时期和强盛时期，就是因为实
行了"井田之制"，统治者从不会无故占用民众财产："民但助耕公
田，未尝征其粟米也"，"未尝取具于民间"。至于"力役之征"，也
有节制："三十夫使出马一匹，甲士一人，步卒二人；三百夫出革车
一乘，甲士十人，步卒二十人；三千夫出革车十乘，甲士百人，步
卒二百人；三万夫出革车百乘，甲士千人，步卒二千人。"⑥ 但是这
些税法，在战国之世都遭到彻底破坏："据孟子之言，其时赋法之厉

---

① 黄宗羲：《明夷待访录·田制一》，《黄宗羲全集》第一册。
② 《孟子师说》卷四《"求也为季氏宰"章》。
③ 《孟子师说》卷四《"求也为季氏宰"章》。
④ 《孟子师说》卷四《"求也为季氏宰"章》。
⑤ 《孟子师说》卷七《"有布缕之征"章》。
⑥ 《孟子师说》卷七《"有布缕之征"章》。

民，尽破三代之制矣。"① 所以战国时期，一切都已经是衰世之征：民众疲困，战争频仍，永无宁日。这都是因为统治者彻底丢失了"仁义之心"，转而变得欲壑难填。所以，他相信儒家的理论，乱象都是因为井田制遭到破坏而致："井田不复，仁政不行，天下之民始敝敝矣。"②

　　至于战国时期的游说之士，在黄宗羲眼里，也都是"不仁者"。也就是说，他们丢失了"仁义之心"。他们实则是从诸侯的喜好出发，不断地在诸侯之间挑起纷争，战争也由此而生。黄宗羲指出："不仁者，指当时游说之士也，其言无非兴兵构怨之事，故言'安危''利灾''乐亡'。'其'者，谓当时之诸侯也，皆因诸侯喜与之言，由是有败亡之祸。'孺子'以下，言诸侯好大喜功，故彼得进其说。若人主心地清明，则善言易入；心地昏浊，则邪说自来。犹之沧浪之水，自取其荣辱，非说士之能也。'自侮'以下，推广言之，无不皆然也。"③ 那么，战争现象如何得到消解呢？黄宗羲认为，仍然只能依靠大力推行孟子的仁义学说才行。孟子的理论一经推行，则"兵气销为日月光，真是点铁成金手段"④。可以看出，黄宗羲的战争观，基本是遵从孟子而来。因此，他积极赞同孟子的"罢兵"主张，因为连绵不绝的战争已经使得民生凋敝。在黄宗羲看来，战国时期以孟子的"罢兵"为当时第一急务，明末也是如此，而且这也与《论语》"使民以时"的论调保持一致，体现了古仁人之心。⑤

　　在《宋牼章》篇，黄宗羲指出："战国之君但知有利不利。"⑥因为这些君主过于短视，只能看到眼前之利，完全看不到"仁义"所带来的长期利益，所以不仅导致"害在人身"，也无法从根本上杜绝战争现象的发生："战国之君，但知有利不利，故策士得行其说。

① 《孟子师说》卷七《"有布缕之征"章》。
② 《明夷待访录·田制一》。
③ 《孟子师说》卷四《"不仁者可与言哉"章》。
④ 《孟子师说》卷一《"庄暴见孟子"章》。
⑤ 《孟子师说》卷一《"晋国天下莫强"章》。
⑥ 《孟子师说》卷六《"宋牼"章》。

以利不利说之，则兵可罢；以仁义说之，则兵未必可罢。然而孟子
必欲以仁义易利者，兵不罢，则害在人身，唯利自视，则害在心术
也。"① 众所周知，孟子有一个著名的主张认为，只有那些不爱好杀
人的帝王，才能赢得天下之心，并最终完成统一天下的大业："不嗜
杀人者能一之。"② 他的这一判断，并不符合战国的实情，因为在战
国末期，秦国正是依靠血腥暴力和大量杀人才统一了天下。有人举
出汉高祖、光武帝、唐太宗及宋太祖等四位帝王，认为他们之所以
能够统一天下，"皆以不嗜杀人致之"③，这其实多少是在替孟子打
圆场，也并不完全符合史实，但这种论调得到了黄宗羲的极大欣赏。
总之，不管孟子所论是否符合史实，或是否在理，他的主张都会得
到黄宗羲的热烈赞同。从《孟子师说》这个书名，我们就可以看出，
黄宗羲实则一直以孟子为师，以阐发孟子的学说作为己任。既然如
此，黄宗羲在战争观上因袭孟子，便也在情理之中。

除了本于"仁义"的战争观之外，黄宗羲的"夷夏之辨"也基
本继承了儒家的传统，这一点在《留书》中体现得最为明显。王汎
森指出，《留书》与《明夷待访录》的许多内容相似，唯独涉及夷
夏之辨等文字被删削殆尽，故此，《留书》是"种族版"，《明夷待
访录》是"新朝版"。④ 在《留书》中，黄宗羲认为，天下最大的祸
患就是夷狄。在他看来，夷狄之所以会祸害中国，就在于他们破坏
了中原的传统政治制度和文化习俗等。中原华夏民族，即便没有与
之进行大规模交战，也会导致兵疲民困："历观夷狄之取中国也，其
平时累入以挠之，重构以瘠之，相与守之数十年，中国未有不
困绌。"⑤

在目睹了清兵入关的种种祸乱之后，黄宗羲更加坚守"夷夏之

---

① 《孟子师说》卷六《"宋牼"章》。
② 《孟子》卷一《梁惠王上》。
③ 《孟子师说》卷一《"梁襄王"章》。
④ 《权力的毛细管作用：清代的思想、学术与心态》（修订版），第 178 页。
⑤ 黄宗羲：《留书·封建》，沈善洪主编：《黄宗羲全集》第十一册，浙江古
籍出版社，1993 年。

辨"，视夷狄犹"禽兽"。他坚持认为，中国和夷狄始终存在内外之别："中国之与夷狄，内外之辨也。以中国治中国，以夷狄治夷狄，犹人不可杂之于兽，兽不可杂之于人也。是故即以中国之盗贼治中国，尚为不失中国之人也。徐寿辉改元治平，韩林儿改元龙凤，吾以为《春秋》之义将必与之。使天地㢩去撑犁区脱之号，彼史臣从而贼之伪之，独不思为贼为伪有甚于蒙古者耶?"[1] 我们从上述这段话中，既可以看出黄宗羲植根于儒家的传统夷夏观念，也可以感受到他强烈的民族主义情结。这些内容对他的战争观也产生了重要影响。由于身受亡国之痛，黄宗羲对清朝越发痛恨，始终不肯做顺民或入朝为官，只愿做明朝的一介遗民，这说明他始终身体力行地履行自己的夷夏观。当然，他的夷夏观有很大的历史局限性，是带着狭隘民族主义色彩的。

二、强调"兵农合一"的军事制度

黄宗羲首先是对明代兵制进行了回顾和总结，认为其中经过三次大的变化："有明之兵制，盖亦三变矣：卫所之兵，变而为召募，至崇祯、弘光间，又变而为大将之屯兵。"[2] 虽说不停地在变化和改革，但始终没有找到最佳方案。兵制变化固然体现出明统治者力图求变，但各种弊端始终难除，终于导致危机四伏，丢掉江山。对于各种兵制的弊端，黄宗羲也有进一步的具体总结。按照明朝最初设计的卫所制度，"一镇之兵足守一镇之地，一军之田足赡一军之用"[3]，但是随着军队消耗的逐渐增加和耕田之人的日渐减少，原先的设想已经无法得到落实，其弊端日益显现。卫所制度的最大弊端就在于，它一方面会导致"分兵于农，然且不可，乃又使分军于兵"[4] 的局面出现，另一方面也会使得民众的负担不断加重："是一

---

① 《留书·史》。
② 《明夷待访录·兵制一》。
③ 《明夷待访录·兵制一》。
④ 《明夷待访录·兵制一》。

天下之民养两天下之兵也。"① 至于招募兵员的做法也存在种种弊端，主要在于耗费太大而且无法保证应急使用。比如，东边动乱已经发生了，西边才开始展开工程浩大的招募工作，而且"得兵十余万而不当三万之选"，这样一来，天下骚乱的形势无法得到遏制，只会变得越来越重。至于屯兵制的弊端，则更为严重。负责屯兵的大将军，往往"拥众自卫，与敌为市，抢杀不可问，宣召不能行"，甚至会在关键时刻反戈一击，"率我所养之兵反而攻我"。②

从历史进程来看，明朝正是由此走上了灭亡之路。当时，虽说起义军已经攻陷北京，但明王朝也并非完全丧失卷土重来的机会，至少吴三桂尚有雄兵在手，多少存在着反击的机会。没想到的是，贵为一方诸侯的吴三桂忽然倒戈，带领清军南下，名义上是为了对付起义军，实质上却给了明政权以致命一击，大明王朝在起义军和清军的夹击之下，终于迎来了彻底覆灭的命运。总之，在黄宗羲看来，明朝在兵制的设计上出现了很大的问题，存在着诸多难以根除的弊端，所以难逃其灭亡的命运。

黄宗羲进一步分析认为，明朝兵制的最大缺陷就在于军民分开太多，并且取民过度："制之不善，则军民之太分也。"③ 这种"军民太分"的结果，必然会造成民力上的巨大浪费，进而造成民生凋敝，并影响到社会治理和政局稳定。他以平常人的一生来进行分析，认为平常之人不过保持强大膂力三十年而已，如果以一生七十岁为限，则有四十年属于老弱期。如果不能保持青壮年都在军队的话，这自然会给国家造成相当大的损失。士兵在军队中难免会有"乡井之思"，尤其是那些被派往远离故土千万里之遥的边境的，还会有水土不服等现象，甚至"死伤逃窜十常八九"，这自然也会造成极大的消耗。而且，这两百年来，天下之财大多集中于京师，使得东南的民力和财力渐渐凋敝，这一切都是由不合理的兵制造成的。故此，

---

① 《明夷待访录·兵制一》。
② 《明夷待访录·兵制一》。
③ 《明夷待访录·兵制一》。

黄宗羲感叹道："若是，则非养兵也，乃养民也。天下之民不耕而待养于上，则天下之耕者当何人哉？东南之民奚罪焉！夫以养军之故至不得不养及于民，犹可谓其制之善与？"①

　　既然如此，就需要努力对此加以改变，在保证"养兵"的同时也能"养民"，在保证军费供给的同时，也最大程度地照顾到民生。对此，黄宗羲也提出了自己的办法："余以谓天下之兵当取之于口，而天下为兵之养当取之于户。其取之口也，教练之时五十而出二，调发之时五十而出一。其取之户也，调发之兵十户而养一，教练之兵则无资于养。"② 在黄宗羲看来，如果按照这个设计推行兵役制度，就百姓而言，负担就会减轻不少，五十口而出一人，"其役不为重"③，十户而养一人，"其费不为难"④，并且兵员总额也可达到一百二十余万，也有足够数量的军队保护国家的安全运转。如此一来，就可以实现"国家无养兵之费则国富，队伍无老弱之卒则兵强"⑤的效果。

　　需要指出的是，黄宗羲对于明朝兵制的批评非常尖锐，但多少也有亡国情绪夹杂其中。其实，明朝之所以兵制三变，每次都有相应的现实背景。比如明朝发展到中期以后，被迫试行募兵制，这就是迫不得已而为之。当时，由洪武初年建立起的卫所制度已经基本颓坏，随着大量士兵的逃离，各地卫所总兵力锐减几近一半。一方面是兵力无法得到及时补充，另一方面则是募兵制经过抗倭战争的检验，取得了一定成效，所以募兵制取代世兵制，成为明代后期重要的征兵方式，也就情有可原。所以，黄宗羲的批评，也并非客观公允之论。

　　不仅如此，黄宗羲一面批评明朝兵制，一面抒发亡国的切肤之

---

① 《明夷待访录·兵制一》。
② 《明夷待访录·兵制一》。
③ 《明夷待访录·兵制一》。
④ 《明夷待访录·兵制一》。
⑤ 《明夷待访录·兵制一》。

痛，其中透露出的是对上古时期兵农合一兵制的强烈向往，这其实仍是传统儒家的态度。传统儒家一向艳称"三代"，对传说中的古制过于迷信。事实上，上古时期兵农合一制度之所以能够起到一定作用，也是因为当时战争规模不大，武器装备相对简单，兵农合一作为一种民兵式的武装，在总体上尚且能够胜任当时的战争。但是，到了后期，周边部族政权组织形态已经有很大进步，统治水平、武装力量及战争动员能力都有了很大提高，早期的兵农合一式武装已经无法应付强敌。① 黄宗羲无视历史条件的变化，直言不讳地宣称"三代以上有法，三代以下无法"②，因此他对明代兵制所做出的声色俱厉的批评，同样也是情有可原。

三、选官强调"文武参用"，突出军事才能

与选拔士兵相比，黄宗羲花费了更多的力气讨论如何选用军官。孙子指出，"夫将者，国之辅也"③。将帅是军队之魂，是维系国家安全的重要辅佐力量。能否做好选官，始终关系到军队的兴衰，也关系到战争的胜败，与国家安危也有着密切联系。论及士卒选拔，黄宗羲对"军民太分"的兵制深以为憾，论及军官选拔，则对明朝"重文轻武"的官制表示出深恶痛绝之情："今日不重武臣，故武功不立。"④ 考察明朝军制的演变史，黄宗羲发出如此慨叹也是有原因的。在明朝，武将确实长期不受重视。不仅是不受重视，甚至还长期被有意打压。因为皇帝对这些武将充满戒备之心，只想确保皇权的集中和稳定。

朱元璋在建立明朝之后，曾就军事机构的设置问题费尽思量。他先是设大都督府，不久便改设五军都督府，又另设兵部，以五军都督府和兵部互相配合又互相牵制。兵部只能秉承皇帝的旨意派兵，

---

① 童强：《中国政治思想史》，南京大学出版社，2018 年，第 109 页。
② 《明夷待访录·原法》。
③ 《孙子兵法·谋攻篇》。
④ 《明夷待访录·兵制二》。

却始终无权统兵，五军都督府奉命统兵，却无权派兵，这便将军队的管理权与使用权分开，便于皇帝进行掌控。此后，各地以都指挥司为最高军事机构，分别隶属于五军都督府。但是，在永乐朝之后，这种制度逐渐发生变化。比如，以往临时派往边镇的总兵官，渐渐成为固定职务，成为地方最高军事长官。但是，为了对这些武将加强监督，每逢战事则另派巡抚。此后，又另设总督完成对总兵官和巡抚的节制，总之，总兵官的军权越来越弱，而且叠床架屋式的层层设防，势必导致指挥体系发生梗阻。总兵官作为武将，只能听命和受制于督抚或经略，有将之名而无将之实，因此而埋下极大的隐患。

武将不受重用，自然会带来相应的弊端。在黄宗羲看来，在保卫国家社稷的过程中，最重要之人莫过于将。他指出："夫安国家，全社稷，君子之事也；供指使，用气力，小人之事也。国家社稷之事，孰有大于将？使小人而优为之，又何贵乎君子耶？今以天下之大托之于小人，为重武耶，为轻武耶？是故与毅宗从死者，皆文臣也。当其时，属之以一旅，赴贼俱死，尚冀十有一二相全，何至自殊城破之日乎？是故建义于郡县者，皆文臣及儒生也。当其时，有所借手以从事，胜负亦未可知，何至驱市人而战，受其屠醢乎？"[1]黄宗羲所做以上的分析不无道理，打仗这些事情，毕竟还是要仰仗武将。前线作战要依靠武将来指挥："器甲之精致犀利，用之者人也；人之壮健轻死善击刺者，用之者将也。"[2]所以，武将的作用就是能够将普通之人变成拥有技击能力的勇敢轻死之人，并组织好使用好，为戍边卫国发挥作用。如果各处郡县在这个问题上本末倒置，都仰仗文臣和儒生去守卫疆土，甚至只能驱赶市人作战，使得武将就此失去施展军事才能的舞台，那么大片领土也就只能拱手送人，百姓也只能束手就擒。

从历史上看，文武分为两途实则是先秦时期就已开始出现的现

---

[1] 《明夷待访录·兵制二》。
[2] 《明夷待访录·兵制二》。

象，虽说其间也表现出"无序及不彻底性"特征。① 《六韬》中就已经有"将相分职"② 一词出现。这种文武分职，是春秋末期新兴士大夫兴起、文士地位获得认可以及军事史发展的结果，但黄宗羲认为这种分职只是在唐宋才发生："唐、宋以来，文武分为两途。"③我们姑且抛却这个认识的分歧不说，只看他对文武分职作用的认识。在黄宗羲看来，这种分职的目的，就是为了防止叛乱："故莅军者不得计饷，计饷者不得莅军；节制者不得操兵，操兵者不得节制。方自以犬牙交制，使其势不可为叛。"④ 但是，设计虽然精巧，实际效果未必能达到。叛乱固然得到了遏制，但军队的战斗力往往也会就此大大削弱，反倒造成了更大的危机。何况，想叛变和作乱的危险分子，始终大有人在："夫天下有不可叛之人，未尝有不可叛之法。"⑤ 为此，他引用杜牧的观点，认为只有"圣贤才能多闻博识之士"，才永远不会背叛朝廷。至于那些不识礼义的豪猪健狗之徒，则始终想着叛乱，即便设计再精巧，仍无法从根本上加以杜绝。比如在崇祯时期，各种钳制和监督手段未曾停止，但仍无法杜绝反叛现象发生。所以，这种文武分途的运作，并不能从根本上杜绝武将反叛。黄宗羲以明朝灭亡为例："试观崇祯时，督抚曾有不为大帅驱使者乎？此时法未尝不在，未见其不可叛也。"⑥ 由此可见，从杜绝叛乱、维护政权稳定的角度来说，文武分职也许有着一定作用，但并不能起到绝对作用。黄宗羲认为，就明朝的指挥体制而言，如果遇到战事，可以"将自中出"，即以侍郎挂印而总领指挥权，也可以巡抚为将，挂印征讨。他举出明朝一些成功的例子，如沈希仪、万表、

---

① 黄朴民、马丁：《对先秦"文武分职"问题的再考察》，《中国人民大学学报》2004 年第 1 期。

② 《六韬·文韬》。

③ 《明夷待访录·兵制三》。

④ 《明夷待访录·兵制三》。

⑤ 《明夷待访录·兵制三》。

⑥ 《明夷待访录·兵制三》。

俞大猷、戚继光等人，其实都是"内而兵部，外而巡抚"① 的成功例证。

在黄宗羲看来，由文人领兵未尝不是一种选择。从指挥作战来说，儒生和文士往往也能起到意想不到的作用。黄宗羲指出："自儒生久不为将，其视用兵也，一以为尚力之事，当属之豪健之流；一以为阴谋之事，当属之倾危之士。"② 在他看来，儒生并非不能从事"尚力之事"。恰恰相反，其中的一些人往往能成为"豪健之流"。并且，儒生由于自身知识水平高，一旦学会使用谋略，往往就会成为"倾危之士"。黄宗羲本为儒者，对儒生颇有高看之嫌，但他这番论述并非完全没有道理。历史上确实有一些文人曾经实现华丽转身，特别善于领兵作战。单就明朝而言，便有王守仁这样杰出的大儒，在平叛战争中发挥了积极作用，说成是"豪健之流"或"倾危之士"也毫不为过。所以，黄宗羲坚信文人领兵自会有所作为，因为领兵作战是"将帅之事"，并非"士卒之事"，其中固然需要"力"，但更需要"谋"。

当然，黄宗羲主张给文人更多施展军事才华的机会，其真实用意是主张"文武合为一途"，并非单纯地为文人呐喊，为文人提高政治地位。所以，在《明夷待访录》中，他分析道："使文武合为一途，为儒生者知兵书战策非我分外，习之而知其无过高之论，为武夫者知亲上爱民为用武之本，不以粗暴为能，是则皆不可叛之人也。"③ 从这段话中，不仅可以看出黄宗羲的"文武合为一途"的主张，也能看到他立足现实的努力：一方面是使得儒生能够知晓兵书战策，能够在战场上充分发挥作用；另一方面也要使得武夫懂得亲民爱民才是用武之本，而不再是以粗暴为能，甚至自此成为忠诚卫士，永不背叛朝廷，这就是实现文武合为一途的好处。只有在官制层面努力，实现"文武一途"，才能从根本上提高指挥决策层面的能

① 《明夷待访录·兵制三》。
② 《明夷待访录·兵制三》。
③ 《明夷待访录·兵制三》。

力和水平问题，并且杜绝反叛现象的发生。

四、严守"夷夏之辨"，也有所变通

明朝灭亡之后，黄宗羲仍然严守"夷夏之辨"。不仅如此，他积极支持反清复明运动，积极为其出谋划策。可惜他人微言轻，所论所想始终无法付诸实践，人们只能从他的文字中听到连绵不绝的愤慨和叹息。尽管如此，黄宗羲的用兵方略仍然不容忽视，志在复明的雄心壮志更值得尊重。

在为户部贵州清吏司主事董守谕所作墓志铭中，黄宗羲指出，首先必须选出知兵之将和尽职尽责之将。在为董公痛哭之余，他也感叹孙嘉绩、熊汝霖都是书生，并不懂得用兵之道，于是就迎请方国安、王之仁授以军事大权。方国安、王之仁来到之后，立即接管了浙东原有营兵和卫军，自称正兵，孙嘉绩、熊汝霖、钱肃乐等人虽被授予督师官衔，但手下只有临时招募而来的市民、农夫，称义兵。方国安、王之仁为人专横，凭借着兵力优势，竭力推行"分地分饷"的主张。按照他的主张，正兵应瓜分全部正饷，即按亩计征的田赋，义兵则只能食义饷，即通过劝输等办法取得的银米。这一做法其实体现了军阀割据的恶习，义兵因为失去固定粮饷而立即陷入困境。因此，董守谕曾向鲁王痛陈："义兵食义饷，是散遣义兵之别名。"①

果然，因为方、王二人的无礼与蛮横，抗清形势也就此发生改变。浙东各处聚集起来的义师由于粮饷断绝而逐渐散去，就连督师大学士张国维直接掌管的亲兵营也只有几百人，抗击清兵的力量变得更加薄弱。说到底，反清复明大业最终还是要依靠军队来完成，需要有一定规模的、敢于决战决胜的军队才行。当时，清军已经处于绝对优势地位，抗清军队在兵力上已经明显处于劣势。遗憾的是，在这种情况下，由于方、王二人带兵无方、用兵乏术，导致抗清力

---

① 黄宗羲：《户部贵州清吏司主事兼经筵日讲官次公董公墓志铭》，沈善洪主编：《黄宗羲全集》第十册，浙江古籍出版社，1993 年。

量逐渐瓦解。黄宗羲对此感到无比愤懑，因此表达出强烈的愤慨之情。

在为熊汝霖所作行状中，黄宗羲表达了类似的愤慨。熊汝霖曾在崇祯四年（1631）疏陈用将之失，条陈明军"胥吏提虎旅，纨裤子握兵符，何由奋敌忾"① 的现状，得到皇帝的赞赏。所以这正是黄宗羲发表自己感慨的机会："兵士一闻督战，便汹汹欲叛，如此则将不能御兵，何名为将？督师不能用将，何名督师？兴言及此，督将之肉其足食乎！"②

尽管遇到不少人反对，黄宗羲还是坚决表示赞同乞师日本。他对那些持反对意见的人说："忠臣义士，穷思极计，海水不足较之浅深，徒以利害相权。如余煌者，真书生之见也。"③ 很显然，他主张乞师日本，是希望借助蛮夷之力做最后一搏，这虽与黄宗羲所秉持的传统夷夏观相悖，但也是出于万不得已。对此，他不仅在言语上予以积极支持，更从行动上积极响应。顺治五年，黄宗羲亲自东渡日本，希望能找到援兵。当然，不出反对人士所料，黄宗羲赴日本乞师，并没有取得什么实际成果。在当时的情形之下，指望日本从海上派出若干军队打败已经势如虎狼的清军，无异于天方夜谭。并且，即便是借到了军队，日本军队在中国会做出什么样的举动，其实也非常难以预测。但不管如何，我们从这一不同寻常的举动中可以体味到他志在复明的坚定决心。黄宗羲甚至由此而放弃固有的夷夏观，可知他并非那种完全不知权变的儒生。

从全祖望所撰《梨洲先生神道碑文》中可以看出，黄宗羲也对古典兵略有所研究。他死地决胜的气概，与孙子"陷之死地然后生"④ 的战法一脉相承。黄宗羲曾遗书王之仁，希望他能率领残余

---

① 《明史》卷二百七十六《熊汝霖传》。
② 黄宗羲：《移史馆熊公雨殷行状》，《黄宗羲全集》第十册。
③ 黄宗羲：《行朝录》卷八《日本乞师》，沈善洪主编：《黄宗羲全集》第二册，浙江古籍出版社，1986年。
④ 《孙子兵法·九地篇》。

军队与清军做殊死搏斗："诸公何不沉舟决战，由赭山直趋浙西？而日于江上放船鸣鼓，攻其有备，盖意在自守也。蕞尔三府以供十万之众，北兵即不发一矢，一年之后恐不能支，何守之为？"①　"沉舟决战"的故事，在楚汉相争时期发生，名将项羽曾经使用，韩信的背水阵战法也与之仿佛，都是继承了孙子"死地决战"的战法。敢于将士卒置于死地，并在绝境中求生，只有杰出军事家才能做到。黄宗羲寄望于王之仁等人，希望他们能将自己置之死地，显然不太切合实际。

第二节　顾炎武的兵学思想

顾炎武（1613—1682），江苏昆山人，原名绛，字忠清，明亡后改名炎武，字宁人。因家乡有亭林湖，故世人尊称其为亭林先生。在目睹清兵渡过长江后，顾炎武积极参加抗清战争，失败后四处结交抗清志士，悄悄组织反清复明斗争，长期奔走于大江南北，学术研究更加紧密地与现实斗争结合在一起。因此，他受到清朝统治者的密切关注，乃至被捕入狱。在狱中，统治者逼迫顾炎武主持或协助编修明史，但都遭到他的断然拒绝。面对各种威逼利诱，顾炎武不惜以死相争。顾炎武不仅抗清决心至死不渝，而且探讨军事问题的热情也从未衰减。他的兵学研究同样致力于经世致用，力图解决当世之急务，重点关注的是战争观念的研讨、军事制度的变迁及地理形势的得失等。

一、"足食足兵"和"待人也仁"的战争观

在《论语·颜渊》中记载有"子贡问政"的故事。孔子说："足食，足兵，民信之矣。"也就是说，只有做到了"足食"和"足

①　《鲒埼亭集》卷十一《梨洲先生神道碑文》。

兵"，也即"仓廪实"和"武备修"，才能行教化，让民信于我，也即争取到"民信"。也就是说，"足食"和"足兵"是"民信"的基本前提。所以，孔子关于战争或战备问题的看法，原本态度非常明确，没想到子贡非得钻牛角尖，不停地追问孔子。他先是问："必不得已而去，于斯三者何先？"孔子只好表态说："去兵。"没想到这个爱钻牛角尖的学生还要继续追问："必不得已而去，于斯二者何先？"孔子只得继续回道："去食。自古皆有死，民无信不立。"①

这段师生问对非常有趣，这些趣味几乎都是由爱钻牛角尖的子贡带来的。因为子贡的执拗，出现了一道单项选择题，而且是将前提和结果混在了一起，逼着老师去选择。孔子也很有趣，在子贡的追问之下，他完全忘记了自己原本所设立的那三个概念是因果关系，而非并列关系，于是煞有介事地选择了"民信"，还借题发挥说了一通"民无信不立"之类的大道理。不管如何，孔子在这段话中对于"兵"的态度是前后不一的，所以也就无怪乎后人的解读歧义百出。其中较为典型的可以举出两种，比如有的研究学者认为孔子有富国强兵思想，比如钮先钟。② 另有学者则指出，孔子认为，"立国的根本在于人民的信任。与之相比，粮食是次要的，军备更次之"③。也就是说，所谓富国强兵主张，在孔子这里纯属乌有。

传统儒者也会对其进行不同的解读。孔子究竟有没有富国强兵思想，顾炎武是"宁愿信其有"的一派。在《日知录》中，顾炎武有专门篇章讨论这个问题，注重阐发孔子富国强兵思想。④ 顾炎武先是引用《诗经·大雅·公刘》中"乃积乃仓，乃裹糇粮，于橐于囊"一句，论证了"国所以足食"的道理，又引用《尚书·费誓》中"备乃弓矢，锻乃戈矛，砺乃锋刃，无敢不善"一句论证"国所

---

① 《论语·颜渊》。

② 详见钮先钟：《孙子三论：从古兵法到新战略》，广西师范大学出版社，2003 年，第 122 页。

③ 梁必骎主编：《军事哲学思想史》，军事科学出版社，1998 年，第 249 页。

④ 《日知录》卷七《去兵去食》。

以足兵"的重要性。在他看来，如果做好了充足的军事准备工作，召穆公就不会死于淮夷之役。

当然，在顾炎武心目中，"食"的地位要高于"兵"。在他看来，一旦发生突发事件，即便是依靠耕田用的农具也可暂时应对："苟其事变之来而有所不及备，则耰锄白梃可以为兵。"① 所以，虽然"兵"非常重要，但仍然"不可阙食以修兵"②。在冷兵器时代这种特定历史时期，可以依靠农具作战，但随着战争历史的发展和军事科技水平的提高，渐渐变得不现实。顾炎武之所以强调农具可以替代兵器，目的只是为了将"食"与"兵"摆好座次，却也由此暴露出其书生论兵的迂阔。

虽说地位不如"食"，"兵"仍然非常重要。这一点，顾炎武看得非常清楚。既然如此重要，孔子为何说可以"去兵"呢，顾炎武给出的另外一种解释："古之言兵，非今日之兵，谓五兵也。"③ 也就是说，孔子所说的"兵"和我们所理解的"兵"并不是一个概念。孔子所说的"兵"，是"兵器"的意思，并不是"武备"。顾炎武指出，到了秦汉以后，才有了"谓执兵之人为兵"这类观点出现："以执兵之人为兵，犹之以被甲之士为甲。"有学者指出，"谓执兵之人为兵"，可能春秋已然，而非顾炎武所说"秦汉以下"。④ 也就是说，顾炎武此言明显是在为孔子进行曲折维护，也许正是"六经注我"的方式，表达自己的富国强兵理想。也就是说，"国所以足兵，而不待淮夷之役也"⑤，才是顾炎武对于战争问题的基本态度。

除了重视阐发孔子"足食足兵"思想之外，顾炎武也非常重视宣扬儒家的"仁义学说"。顾炎武相信上古的先王在用兵之时都是本

---

① 《日知录》卷七《去兵去食》。
② 《日知录》卷七《去兵去食》。
③ 《日知录》卷七《去兵去食》。
④ 顾炎武著，黄汝成集释，栾保群、吕宗力校点：《日知录集释》，上海古籍出版社，2014 年，第 161 页。
⑤ 《日知录》卷七《去兵去食》。

着一副仁义之心："盖古先王之用兵也，不杀而待人也仁。"① 这里的"不杀"，是说先王用兵皆本于仁义，在战争过程中不以杀人为目标。顾炎武指出，周公东征之役，只是诛杀事主武庚和谋主管叔，并没有滥杀无辜。"待人也仁"是指对待战俘及难民，同样是本着仁义之心。例如就"迁殷顽民于雒邑"一事，顾炎武就有"求仁得仁"的理解。他指出，周公东征之役结束后，对那些被无辜裹挟卷入战争的民众，不仅"无连坐并诛之法"，而且"不忍弃之四裔"②，故将其安置于雒邑，给他们重新找到安居乐业的机会。

其实，不管先王是否果真按照"仁义"原则指挥战争或处理战后问题，顾炎武这种分析问题的态度倒完全是"求仁而得仁"③ 的模式，说明他骨子里透着儒者的本色。本着这颗"仁义之心"，顾炎武认为战争也不应以"杀人"为目标，而应以"服人"为目标。在这基础之上，他借古时车战的兴废进一步说明这一道理："终春秋二百四十二年，车战之时，未有斩首至于累万者。车战废而首功兴矣。先王之用兵，服之而已，不期于多杀也。杀人之中又有礼焉，以此毒天下而民从之，不亦宜乎？"④ 从车战到步战和骑战，战争样式和作战规模都得到极大改变，士卒的生命变得更加低贱，加之法家"尚首功"政策的进一步刺激，战争中确实产生了更大的伤亡。顾炎武认为，这种杀人游戏并不符合先王的用兵之道，只能毒害天下。在车战模式下，军队保持着"节制之师"的形象，始终以"服人"为作战目标。在他看来，正是随着赵武灵王胡服骑射的变革出现，先王那种"不期于多杀"的仁义观念，都逐渐被丢弃。

从"一器之微"，顾炎武同样可以基于"仁义"加以分析。比如对于金铎、木铎的使用，顾炎武认为这是先王本于仁义思想而为之："金铎所以令军中，木铎所以令国中，此先王仁义之用也。"⑤

---

① 《日知录》卷二《武王伐纣》。
② 《日知录》卷二《武王伐纣》。
③ 《论语·述而》。
④ 《日知录》卷三《小人所腓》。
⑤ 《日知录》卷五《木铎》。

顾炎武认为，由此可以找到战争爆发的原因："鼓吹，军中之乐也，非统军之官不用，今则文官用之，士庶人用之，僧道用之，金革之器遍于国中，而兵由此起矣。"① 金革之器遍布于国中，这当然是一件非常危险的事情。这会导致很多人都有机会做出杀人越货的违法之举，各类纷争也会由此而起。

信奉儒家"仁义学说"的顾炎武，认为上古时期商汤、武王等人的治军思想都饱含"仁义"。他对纪律之"律"有着自己的理解："以汤、武之仁义为心，以桓、文之节制为用，斯之谓律。"② 可见，"仁义"和"节制"可谓表里相合，"仁义为心"是里，"节制为用"为表。虽说将帅必须严格治军，同样还必须尊奉仁义之道。在处理其他问题时，顾炎武也会首先想到"仁义"，对历史人物和历史事件进行品评时，他同样多以仁义为标尺。比如在《旧唐书·德宗纪》中记载有崔从论兵之事。看到御史大夫崔从奏报"兵戎未息，仕进颇多"的现象，顾炎武联想起孟子的话——"人能充无欲害人之心，而仁不可胜用也。人能充无穿窬之心，而义不可胜用也"，希望人们多用"仁义之心"来处理这些纷争。③ 在他看来，如果人人都有仁义之心，那么国家也就"必有得人之庆"④。这种呼吁多少夹杂着一丝书生气，却也可以看出他对儒家的"仁义学说"有着非常坚定的信仰。

顾炎武关于"亡国"与"亡天下"的论述已为人们所熟知，他在讨论"亡国"与"亡天下"的区别时，曾提及"仁义"。他说，"亡国"是易姓改号而已，"亡天下"才可怕，因为这是"仁义充塞，而至于率兽食人，人将相食"。⑤ 既然是"仁义充塞"，为何还会导致"率兽食人，人将相食"呢？这是"仁义"没有发挥出应有

---

① 《日知录》卷五《木铎》。

② 《日知录》卷一《师出以律》。

③ 《日知录》卷八《员缺》。

④ 《日知录》卷八《员缺》。

⑤ 《日知录》卷十三《正始》。

的作用吗？想必不是。所以，笔者似有必要推测一下其时他对"仁义"的态度。在笔者看来，顾炎武这里论及"仁义"，该是老子"大道废，有仁义"①的逻辑。天下既然已经灭亡，"仁义"也随之而亡，需要重新重视和提倡"仁义"。但是，即便再提倡"仁义"，努力开展教化之举，仍然无法改变"率兽食人，人将相食"的局面。所以，顾炎武这里提及"仁义"，其立足点是对世风的批判，他信奉儒家"仁义学说"的基本态度，并没有发生丝毫的改变。

在《日知录》中，顾炎武对于历史事件大量进行品评，其中也透露出他对儒家的"仁"有着自己独到的理解。他反对将朝代的灭亡原因简单归结于统治者没有推行"仁义"，而是主张找到更加真实而具体的原因。比如，他在分析殷纣灭亡的原因时认为，"法制废弛，而上之令不能行于下"②才是更为重要的因素。与此同时，他反对将"不仁"作为殷纣灭亡更为主要的原因："纣以不仁而亡，天下人人知之。吾谓不尽然。"③在这里，他更加突出强调的是法制的作用，而不再是依照部分传统儒家的论调，将"仁义不施"作为其灭亡的首要因素④，这说明他对重大历史事件，包括对儒家的"仁"，都有着与众不同的认识，并不是人云亦云。

二、"师出以律"和"本于廉耻"的治军思想

顾炎武信奉儒家"仁义学说"，不仅认为上古时期商汤、武王等人的治军思想都是主打"仁义"，始终本着一颗"仁义之心"，还对纪律之"律"另有解读："以汤、武之仁义为心，以桓、文之节制为用，斯之谓律。"⑤在他看来，"用"只是其表，"仁义"才是其

---

① 《老子》十八章《砭时》。
② 《日知录》卷二《殷纣之所以亡》。
③ 《日知录》卷二《殷纣之所以亡》。
④ 清代学者黄汝成对此提出不同意见，认为顾炎武所列殷纣"沉湎于酒，而逞一时之威，至于剖孕斫胫"等所作所为，其实都是"不仁"的具体表现，而非顾炎武所说"法制废弛"。详见《日知录集释》，第32—33页。
⑤ 《日知录》卷一《师出以律》。

里。作为将帅，既需尊奉仁义之道，也应严格治军，做到表里如一。

　　由此我们可以联想到春秋末期著名军事家孙子，其治军思想的核心理念是"令之以文，齐之以武"①，既有"文"的一面，也有"武"的一面，文武合于一途，目的是实现"治众如治寡"② 和"齐勇若一"③ 的目标，使得整个军队能够始终保持整齐划一，从而达到"携手若使一人"④ 的效果。可见，种种治军之术的推行，最终目标也是要落实到"用"。也就是说，无论是"仁义为心"，还是"令文齐武"，其根本目标都是"用"。顾炎武的有关态度，与孙子并无二致。至于在具体治军理念上，差别也并不大，因为孙子的"文"，强调的是教育和驯化的一面，也可以说是"仁"的一种具体表现。

　　坚强的纪律是军队的根本，直接决定了军队到底能不能打仗。这是千古以来颠扑不破的真理，因此顾炎武也对此予以强调："虽三王之兵，未有易此者也。"⑤ 顾炎武为了证明这个道理，他接连举出了春秋时期的长勺之战和泓之战为例进行论证："战长勺以诈而败齐，泓以不禽二毛而败于楚，《春秋》皆不予之。"⑥《春秋》为什么不认同这两个战例，顾炎武给出的解释是，获胜一方都是依靠诡诈而已，多少属于侥幸得来，而这并非战争的常态。依靠强大的军事实力取胜，依靠有着坚强纪律的军队来破敌，这才是战争的常态。所以顾炎武非常认同孙子"实力为本"的思想，突出强调了孙子"先为不可胜，以待敌之可胜"⑦ 的思想。这不仅是对孙子战略战术思想的认同，同时也是对孙子治军思想的赞许。至于孙子主张的

---

① 《孙子兵法·行军篇》。
② 《孙子兵法·势篇》。
③ 《孙子兵法·九地篇》。
④ 《孙子兵法·九地篇》。
⑤ 《日知录》卷一《师出以律》。
⑥ 《日知录》卷一《师出以律》。
⑦ 《孙子兵法·形篇》。

"兵者诡道"① 和 "兵以诈立"②，顾炎武便也只能选择性地予以忽略。

　　同样理由，在讨论殷纣之所以灭亡时，顾炎武更看重的是"法制废弛"和"上之令不能行于下"，而非"不仁"。③ 很显然，他并非故意与传统观点对立，片面追求标新立异，而是因为他对严明纪律有着特别的重视。在他看来，无论是"民玩其上，而威刑不立"，还是"主昏于上，而政清于下"，都会导致军队溃坏和国家覆亡，所以他才坚持将"法制废弛"视为紧要问题。④ 大明王朝一步步走向衰落直至灭亡，肯定是各个方面都出现了问题，但顾炎武尤其看重"法制废弛"这一因素，也在积极探讨解决办法。

　　除了在制度等方面进行探讨之外，他格外强调"本于廉耻"的治军思想。在他看来，加强廉耻教育，是提高治军水平的重要手段。先秦兵书，如《吴子》《尉缭子》等都曾对"耻感教育"有所论及。比如《吴子》指出："凡制国治军，必教之以礼，励之以义，使有耻也。夫人有耻，在大足以战，在小足以守矣。"⑤ 在《管子》一书中，作者也是将"廉耻"当成"国之四维"的重要内容："国有四维。……一曰礼，二曰义，三曰廉，四曰耻。""四维不张，国乃灭亡。"⑥ 从表面上看，《管子》是希望通过廉耻教育来加强"治民"，但其实其着眼点仍然在"治军"。因为贯穿《管子》军备思想和管理思想的一根主线就是"寓兵于农"，在作者眼中，"兵"即"农"，"农"即"兵"。这里之所以强调以廉耻"治民"，其实还是为了"治军"。

　　在"礼义廉耻"这四维之中，顾炎武更强调的是"耻"，所以虽是"廉耻"并用，其落脚点还是在"耻"。礼义是治人之大法，

---

① 《孙子兵法·计篇》。
② 《孙子兵法·军争篇》。
③ 《日知录》卷二《殷纣之所以亡》。
④ 《日知录》卷二《殷纣之所以亡》。
⑤ 《吴子·图国》。
⑥ 《管子·牧民》。

廉耻则是立人之大节，做不到"廉"，则无所不取，贪欲无所收敛。没有羞耻之心，就会无所不为。如果一个人走到无耻的地步，"则祸败乱亡亦无所不至"①。所以顾炎武论士，每曰"行己有耻"："故士大夫之无耻，是谓国耻。"②他还引用《孟子》的名言——"人不可以无耻，无耻之耻，无耻矣"和"耻之于人大矣。为机变之巧者，无所用耻焉"③，认为"耻"应为士人所必备。和历史上的那些传统儒家一样，顾炎武相信历史上曾经存在"三代"这样的黄金时代，礼义廉耻之心，在三代以下逐渐被士人抛弃，所谓"世衰道微，弃礼义，捐廉耻，非一朝一夕之故"④。这才会导致人心不古，巨大的社会危机也便由此而产生。

　　论述士人无耻，并非顾炎武的最终目的。他的最终目的是由此出发论述治军之道中的"廉耻"。在顾炎武看来，廉耻之心，不仅是士人需要，军人更需要。而且，"古人治军之道，未有不本于廉耻者"⑤。顾炎武进一步引用先秦兵学经典《吴子》《尉缭子》中有关论述进行证明："古人治军之道，未有不本于廉耻者，《吴子》曰：'凡制国治军，必教之以礼，励之以义，使有耻也。夫人有耻，在大足以战，在小足以守矣。'《尉缭子》言：'国必有慈孝廉耻之俗，则可以死易生。'而太公对武王：'将有三胜：一曰礼将，二曰力将，三曰止欲将。'……自古以来，边事之败，有不始于贪求者哉？"⑥因此顾炎武指出，自古以来，边事之败，都是始于那些贪得无厌之徒。而且，明军之所以战斗力不济，也正是因为丢失了诸如"廉耻"这些基本品质。尤其是辽东边防的将领，他们贪婪的欲望似乎永远无法得到遏制，无尽的贪欲使得他们迷失了自己，丧失了应有的战斗力。顾炎武不仅认为当时的武将不知廉耻，连大量文臣也不知廉

---

① 《日知录》卷十三《廉耻》。
② 《日知录》卷十三《廉耻》。
③ 《孟子》卷十三《尽心上》。
④ 《日知录》卷十三《廉耻》。
⑤ 《日知录》卷十三《廉耻》。
⑥ 《日知录》卷十三《廉耻》。

耻，因而不可能有所作为。连绵不绝的辽东之祸，也便因此而生，而且无法避免。

由此出发，顾炎武强调以"廉耻"教育作为治军手段的补充。名篇《廉耻》中，他大量抒发由文臣武将的不知廉耻而引出的感慨。在明军连连吃到败仗的局面之下，各方人士都在积极寻找治军良方。顾炎武从传统治军思想中找到的则是"廉耻"这剂药方，遗憾的是这一药方同样没来得及派上用场，大明王朝就已早早地走向灭亡。

明军上下廉耻之心的缺失带来了诸多问题，但顾炎武也很清楚，要想解决军纪颓坏的问题，不能只寄望于廉耻教育，而且更应强调法制建设。所以，他又专门撰写《法制》对此加以申述。顾炎武指出："法制禁令，王者之所不废，而非所以为治也。其本在正人心，厚风俗而已。"① 他还以秦始皇为例，说明健全法制的重要性。在他看来，秦始皇治天下，就是因为法制不够健全，以至于事无大小皆由自己决断，最终困于杂务而不得休息，由此而导致秦亡。

法制虽然重要，但是立法太繁也会遗患无穷。顾炎武引用叔向与子产书中"国将亡，必多制"一语，说明了法制繁密的危害，指出："法制繁，则巧猾之徒皆得以法为市，而虽有贤者，不能自用，此国事之所以日非也。"② 这个问题在明代显得尤为突出，前面所立之法"不能详究事势，豫为变通之地"，后人只得"复立一法以救之"，于是造成了"法愈繁而弊愈多"的现象。③ 因此，顾炎武认为，仅仅希望通过立法来救法，一定是行不通的："立法以救法而终不善者也。"④ 所立之法，必须有针对性和可行性，并非越多越好。

三、主张"寓兵于农"和"复权郡县"的军制与政制

明朝灭亡之后，顾炎武和其他学者一样多方寻找原因。除了法

---

① 《日知录》卷八《法制》。
② 《日知录》卷八《法制》。
③ 《日知录》卷八《法制》。
④ 《日知录》卷八《法制》。

制废弛之外，顾炎武还从政治制度和军事制度等方面寻找病因。与黄宗羲非常相似，顾炎武也认为根源是出在制度这里。因此，他写出《军制论》进行分析。在顾炎武看来，明末军制已完全崩坏，与明太祖的设想相去甚远。顾炎武对必要的变革表示赞同，但也反对胡乱作为，反对瞎折腾。在他看来，明朝的军制就是因为不必要的折腾而导致弊端丛生："居不得不变之势，而犹讳其变之实，而姑守其不变之名，必至于大弊。"①

对于明初军制，顾炎武进行了回顾和总结："二祖之制：京师设都督府五，卫七十二；畿甸设卫五十；各省设都指挥使司二十一，留守司二，卫百九十一，守御屯田群牧千户所二百十有一；边徼设宣慰安抚长官司九十五，番夷都司卫所百有七。以五千六百人为卫，千一百二十人为千户所，百十有二人为百户所，给军田，立屯堡，且耕且守。人受田五十亩，赋粮二十四石，半赡其人，半给官俸，及城操之军有徹，朝发夕至。若是，天下何病乎有兵，而又乌乎复立兵？"② 在顾炎武眼中，如果能够始终按照明朝初期所设计的军制运行的话，则完全不用担心任何内忧外患。遗憾的是，随着"久安弛备，政圮伍虚"，从正统到正德，原有的军制逐渐颓坏，以至于"民兵不足用，募新兵倍其糈，以为长征之军，而兵再增，制再变"，并且"新募而民壮为无用之人"。③ 兵众虽多，竟然没有可用之人："臣尝合天下卫所计之，兵不下二百万。国家有兵二百万，可以无敌，而曾不得一人之用；二百万人之田，不可谓不赡，而曾不得一升一合之用。"④ 兵员虽多，却最终断送大好江山，顾炎武的愤懑之情可以想见。

经过再三折腾，到了明朝末期，军制已与明太祖当初的设计理

---

① 顾炎武：《亭林文集》卷六《军制论》，《亭林诗文集》，《四部丛刊》景清康熙本。
② 《亭林文集》卷六《军制论》。
③ 《亭林文集》卷六《军制论》。
④ 《亭林文集》卷六《军制论》。

念完全背道而驰，所以才出现了不少问题："今日之军制，可谓高皇帝之军制乎？其名然，其实变矣。而上下相与守之至于极，而因循不改，是岂创制之意哉？高皇帝云：'吾养兵百万，不费民间一粒。'自今言之，费乎不费乎？百万之兵安在乎？而犹以为祖制则然，此所谓相蒙之说也。"① 在这段话中，顾炎武连续使用了反问句式，对违背祖制的不当行为予以痛斥。事实上，在《军制论》中，他经常使用这一句式，对军制颓坏的愤慨之情溢于言表。因此，他致力于分析、探讨军制的沿革与得失。

在顾炎武的心目中，理想的军制为"寓兵于农"，而且只此一种。在他看来，所有将兵、农分开的军制，都是违背了古代圣贤的意志，都是不好的军制。顾炎武说："尝考古《春秋》《周礼》寓兵于农之说，未尝不喟然太息，以为判兵与农而二之者，三代以下之通弊。"② 他认为三代军制为"寓兵于农"，便将其视为最理想军制，如果与其稍有不合，则视之为有病之制。我们姑且不论这种观点的正确与否，顾炎武由此出发分析出明朝军制所存弊端，多少还有几分道理。在他看来，把兵与农分开，就等于让人有了双重身份，也就此多了一重职责，反倒会误事：什么都想做，什么都做不好。所以，顾炎武指出："判军与兵而又二之者，则自国朝始。夫一民也，而分之以为农，又分之以为兵，是一农而一兵也，弗堪；一兵也，而分之以为军，又分之以为兵，是一农而二兵也，愈弗堪；一兵也，而分之以为卫兵，又分之以为民兵，又分之以为募兵，是一农而三兵也，又益弗堪。不亟变，势不至尽驱民为兵不止，尽驱民为兵，而国事将不忍言矣。"③

正所谓"英雄所见略同"，顾炎武所总结的明朝军制的变化情况，黄宗羲也曾经述及。简单地总结，就是"兵制三变"：由卫所制到募兵制，再由募兵制到屯兵制。顾炎武认为，这样来回变化，越

---

① 《亭林文集》卷六《军制论》。
② 《亭林文集》卷六《军制论》。
③ 《亭林文集》卷六《军制论》。

来越导致兵与民的分离，弊端便随之而增多。在他看来，这种反复折腾，只会造成民众的负担不断加重，而且军队的战斗力非但没有得到增强，反而愈发下降。在他看来，只有进行一场彻底的变革，才能真正做到富民强兵，改变明军羸弱的局面。有感于此，顾炎武在《军制论》的最后再次大量使用反问句，表达自己的愤慨之情："然则将尽卫所之军而兵之，官而将之乎？曰不能。抑将尽卫所之军而废之，田而夺之乎？曰不能。请于不变之中，而寓变之之制，因已变之势，而复创造之规。举尺籍而问之，无缺伍乎？缺者若干人？收其田，以新兵补之。大集伍而阅之，皆胜兵乎？不胜者免，收其田，以新兵补之……则物力乌得不诎？军政乌得不窳？又何以兆谋敌忾，成克复之勋哉？"①

顾炎武对于军制的探讨，包括其对明朝军制种种弊端的无情鞭挞，虽已无法挽救明王朝大厦既倾的命运，但这番思考也有积极意义，除了帮人们厘清明朝军制的演变历史之外，也分析比较了各种军制的优缺点，也向世人展示了其积极救世的儒者情怀。

众所周知，政制与军制密切相关。军制的颓坏也可以从政制的崩坏中找到原因。顾炎武在研究明代政治制度之后，将矛头指向郡县制。

秦统一天下之后，改封建制为郡县制，而且被历代统治者所继承。但是，由于历时已久，郡县制日益呈现其弊端，到了明代末期更是达到顶点："方今郡县之敝已极。"② 这些弊端，也已带来非常严重的恶果："民生之所以日贫，中国之所以日弱而益趋于乱也。"③ 对比封建制和郡县制，二者各有利弊。顾炎武指出，二者的区别在于："封建之失，其专在下；郡县之失，其专在上。"④ 也就是说，封建制会造成诸侯坐大的局面，但是郡县制也会造成君主专制的局

---

① 《亭林文集》卷六《军制论》。
② 《亭林文集》卷一《郡县论一》。
③ 《亭林文集》卷一《郡县论一》。
④ 《亭林文集》卷一《郡县论一》。

面出现。皇帝因为拥有至高无上的权力，会将天下视为其私有财产，加上监督机制的缺失，所以胡作非为。他对这种专制的恶果进行了总结："今之君人者，尽四海之内为我郡县犹不足也，人人而疑之，事事而制之，科条文簿日多于一日，而又设之监司，设之督抚，以为如此，守令不得以残害其民矣。"① 既然郡县制已经造成了如此严重的问题，那么必须进行变革。顾炎武不仅积极主张变革，而且也指出了变革的方法："寓封建之意于郡县之中。"② 也就是说，将郡县制和封建制结合在一起，这样便既可以杜绝藩镇割据的局面，也防止君主专制，避免权力过于集中。他还指出更为具体的方法为："尊令长之秩，而予之以生财治人之权，罢监司之任，设世官之奖，行辟属之法。"③ 顾炎武相信，统治者如果采纳他的建议，就一定可以"厚民生，强国势"，继而实现"二千年以来之敝可以复振"的局面。④

除了"寓封建于郡县"之外，顾炎武还积极呼吁"复权于郡县"，也就是说，应将"辟官、莅政、理财、治军"⑤ 这四项大权归还给郡县。对于派出去担负军事任务的将帅，统治者也应给予充分信任，而不应派出所谓监军对其加以掣肘。顾炎武指出，通常情况下天子都会将所有的权力收归己有，所谓"执天下之大权"，又因为天下之大，"固非一人之所能操也"⑥，所以要移权于法，希望借助法令对权臣加以约束。但是，这些做法只能说是统治者的一厢情愿而已。高度集权和专制，可以制住那些大奸大恶之人，却也使得贤智之臣变得谨小慎微："相与兢兢奉法，以求无过而已。"⑦ 所以，顾炎武大声疾呼："而今日之尤无权者莫过于守令，守令无权而民之

---

① 《亭林文集》卷一《郡县论一》。
② 《亭林文集》卷一《郡县论一》。
③ 《亭林文集》卷一《郡县论一》。
④ 《亭林文集》卷一《郡县论一》。
⑤ 《日知录》卷九《守令》。
⑥ 《日知录》卷九《守令》。
⑦ 《日知录》卷九《守令》。

疾若不闻于上，安望其致太平而延国命乎！"①

对比以往的历史，尤其是唐宋之世，顾炎武指出"复权于郡县"的好处是："兵虽不及于唐，义勇民丁，团结什伍，衣装弓弩，坐作击刺，各保乡里，敌至即发，而郡县固自兼领者也。"② 与之形成鲜明对比的是，一旦守令手中无权，会造成"兵、农益分"的局面。遇到紧急情况发生，根本无法得到及时处置，遂有可能"坐至流亡"："今则官以钱粮为重，不留赢余，常俸至不能自给，故多赃吏；兵则自近戍远，既为客军，尺籍伍符各有统帅，但知坐食郡县之租税，然已不复系守令事矣。夫辟官、莅政、理财、治军，郡县之四权也，而今皆不得以专之，是故上下之体统虽若相维而令不一，法令虽若可守而议不一。为守令者既不得其职，将欲议其法外之意，必且玩常习故，辟嫌碍例，而皆不足以有为。又况三时耕稼，一时讲武，不复古法之便易，而兵、农益分。遇岁一俭，郡县之租税悉不及额，军无见食，东那西挟，仓廪空虚，而郡县无复赢蓄以待用。或者水旱洊至，闾里萧然，农民菜色而郡县且不能以振救，而坐至流亡。是以言莅事而事权不在于郡县，言兴利而利权不在于郡县，言治兵而兵权不在于郡县，尚何以复论其富国裕民之道哉！"③ 在顾炎武看来，解决这一隐患的办法只有一条——"复四者之权一归于郡县"，如此则不仅是"守令必称其职"，而且也会达成"国可富，民可裕，而兵、农各得其业"④ 的局面。

赋予郡县太多的权力，会不会造成如唐朝末年那种藩镇割据的局面呢？顾炎武继续结合历史教训对此加以分析，总结认为"削藩"是"一得一失"。在顾炎武看来，"明代之患，大略与宋同"，那么分析削藩之得失也正好可将宋代作为切入点。⑤ 当初，宋太祖赵匡胤看到唐朝因为藩镇割据而灭亡，便以"杯酒释兵权"，致力于削

---

① 《日知录》卷九《守令》。
② 《日知录》卷九《守令》。
③ 《日知录》卷九《守令》。
④ 《日知录》卷九《守令》。
⑤ 《日知录》卷九《藩镇》。

藩。但是，削藩也给宋代带来了惨痛的代价。对此，宋人岳飞、文天祥已经有所总结，其中又以文天祥的分析更为精到："本朝惩五季之乱，削除藩镇，一时虽足以矫尾大之弊，然国以浸弱，故敌至一州，则一州破；至一县，则一县残。今宜分境内为四镇，使其地大力众，足以抗敌，约日齐奋，有进无退。彼备多力分，疲于奔命，而吾民之豪杰者又伺间出于其中，则敌不难却也。"在文天祥看来，削藩固然可以除去藩镇割据的危险，但也造成边防衰败："敌至一州，则一州破；至一县，则一县残。"① 宋代也由此而国土逐渐沦丧，接连收到惨痛的教训。

《宋史》观点与之类似，有"削其兵柄，收其赋入"② 之举，于是也被顾炎武所引用。因为这正好证明了顾炎武的认识：如果一味"削藩"，就会造成严重的边患，宋代的历史教训已足以为后人所借鉴。在《藩镇》一条中，顾炎武不停地引用前贤的分析和评论。除了岳飞、文天祥、王应麟之外，他也大量借鉴《宋史》《路史》等古代典籍的分析，由此而总结"削藩"所带来的危害有三："城池堕圮，一也；兵仗不完，二也；军不服习，三也。"③ 这三种危害，无论哪一种都会给边防带来巨大隐患，所以充实边关、"复权郡县"，便显得尤为迫切。在他看来，如果明朝末年早点采取措施，就一定可以有效避免崇祯末年之患："渐葺城壁，缮完甲胄，则郡国有御侮之备，长吏免剽掠之虞矣。"④

四、既不废"海道用师"，也不忽视"守边备塞"

顾炎武还对"海道用师"进行了积极探讨。所谓"海道用师"，其实是在海上用兵，使用水兵制敌，也可说是对水师的期盼。顾炎

---

① 《日知录》卷九《藩镇》。
② 《日知录》卷九《藩镇》。
③ 《日知录》卷九《藩镇》。
④ 《日知录》卷九《藩镇》。

武指出："海道用师，古人盖屡行之矣。"① 通过海路对敌实施打击，不仅古已有之，而且屡见不鲜。根据顾炎武的记载，吴国徐承曾率舟师沿海北上攻打齐国，这是从苏州出发，下海至山东之路。越王勾践也曾命范蠡、舌庸率领大军沿海溯淮，为的是断绝吴国的退路，这是由浙东下海至淮上之路。汉武帝曾派遣楼船将军杨仆从齐地出击，经过渤海，攻击朝鲜。魏明帝则派遣汝南太守田豫督青州诸军，自海道讨伐公孙渊。唐太宗李世民命人从剑南伐木打造舟舰，然后自巫峡抵江、扬，趋莱州，这是由广陵下海至山东之路。唐太宗伐高丽，也是命张亮率舟师自东莱渡海趋平壤。薛万彻率甲士三万，自东莱渡海入鸭绿江，这是由山东下海至辽东之路。总之，历史上有不少人由海道用师，进而收到出其不意的奇效。

在顾炎武看来，广阔的海域不仅可以用于运兵作战，还可以开发海上运输。因此，他作《海运》一条，对以往的海运历史进行了回顾，尤其赞赏唐代通过海运解决"功役艰难，军屯广州乏食"②的困境，并借此说明海运的重要性。不管是研究"海道用师"，还是探讨"海上运输"，顾炎武对历史进行回顾和挖掘，其着眼点仍然是现实。尤其是他总结历史上的"海道用师"，目的地多为渤海一带，显然是为从海上攻击后金寻找行军路线和作战方案，从中依然可以看出其反清复明之志，以及建设强大水师的急切心情。

顾炎武非常欣赏南宋著名思想家魏了翁的"守边备塞"之论，在所著《田功论》中特意予以介绍和阐发。顾炎武总结魏了翁"纾民力而老敌情"的要点，就在于"务农积谷"。③ 既然要务农积谷，则需屯田和垦田。尤其是在大规模的战争之后，大量田地荒芜，如果在此时招徕民众，令人开垦，则可得耕作实效，所以可以"请无事屯田之虚名，而先计垦田之实利"④。这些前来开垦的忠义之士，平时为农，助力耕田，战时为兵，戍边卫国，正好可以达到"万一

————————

① 《日知录》卷二十九《海师》。
② 《日知录》卷二十九《海运》。
③ 《亭林文集》卷六《田功论》。
④ 《亭林文集》卷六《田功论》。

有警，家自为守，人自为战，比于仓卒遣戍，亦万不侔"① 的目的。不仅如此，这种做法"无屯田之名，而有屯田之实；无养兵之费，而又可潜制骄悍之兵；不惟可以制虏，而又以防他盗之出入"②。

魏了翁对于"守边备塞"之策非常自信，认为不用数年，便可以使得"边备隐然，以战则胜，以守则固"③。顾炎武对魏了翁之论非常欣赏，认为这一策略正为"今日之急务"④。当然，顾炎武的思考并未止步于此。他不仅指出其中存有"四易"，而且还有"三难"。所谓"四易"其实是四项便利，包括国有旷土、人必劝于耕、水利设施俱存、地力未泄等，具体表现为："夫承平之世，田各有主，今之中土，弥漫蒿莱，诚田主也疾力耕，不者籍而予新甿，不可使吾国有旷土，若是人必服，一易；屡丰之日，视粟为轻。今干戈相承，连年大饥，人多艰食，必劝于耕，二易；古之边屯多于沙碛，今则大河以南厥土涂泥。水田扬州，陆田颍、寿，修羊、杜之遗迹，复上元之旧屯，三易；久荒之后，地力未泄，粟必倍收，四易。"⑤ 所谓"三难"则为三条困难，即大农告绌、不能久任、天有旱涝，具体为："大农告绌，出数十万金钱求利于四三年之后，一难；朝不能久任，人不甘独劳，薪以数年之力专任一人，二难；天有旱涝，岁有丰凶，若何承矩之初年种稻，霜早不成，几于阻格，三难。"⑥ 尽管存在上述"三难"，顾炎武还是认为魏了翁的"守边备塞"之策非常具有可行性。如果依照他的这一政策推行，就能收到很好的效果："物力丰，兵丁足，城圉坚，天子收不言利之利，而天下之大富积此矣。"⑦

---

① 《亭林文集》卷六《田功论》。
② 《亭林文集》卷六《田功论》。
③ 《亭林文集》卷六《田功论》。
④ 《亭林文集》卷六《田功论》。
⑤ 《亭林文集》卷六《田功论》。
⑥ 《亭林文集》卷六《田功论》。
⑦ 《亭林文集》卷六《田功论》。

五、精研军事地理学，寻找"战守兼得之谋"

自从二十七岁那年秋试被黜之后，顾炎武就决定放弃功名之念，一面读万卷书，一面行万里路，倾心于经世致用之学。对于顾炎武的这段人生经历，全祖望曾有总结："凡先生之游，以二马二骡，载书自随。所至厄塞，即呼老兵退卒，询其曲折。或与平日所闻不合，则即坊肆中发书而对勘之。"① 顾炎武尤其注意辑录古代史书中有关地理沿革的记载，留心总结山川形势等地理条件，并结合历史变迁和时代变化研讨其对用兵的影响。顾炎武由此而纵论天下地理形势，既注意结合历代教训，又重点关注战略层面，目的无非是为了寻找"战守兼得之谋"，寻找"用兵之上术"②。

在中国历史上，有不少政权偏安于南方，与北方形成或长或短的对抗，比如吴、东晋、宋、齐、梁、陈、南唐、南宋等。顾炎武对这八代政权的兴亡进行考察，认为最能影响天下形势的要数荆襄、巴蜀、两淮和山东。对这几个地方，顾炎武以人体为喻，各自找到了对应位置："尝历考八代兴亡之故，中天下而论之，窃以为荆襄者，天下之吭；蜀者，天下之领，而两淮、山东，其背也。"③ 也就是说，巴蜀是脖颈，荆襄是咽喉，两淮和山东则是脊背，而长江则是供血之脉，从而将这几处联系在一起，使得山川形势成为一个整体。就人体而言，脖颈、咽喉和脊背都是关乎性命的关键部位，天下兴亡则与荆襄、巴蜀、两淮和山东这几处关键地区息息相关。

顾炎武以吴国灭亡为例，指出其守土要塞是长江，一旦这道天险被晋国所占有，就会危在旦夕。南唐在失去淮南之后，只能以长江为境，国力于是渐渐不支。南宋偏安于临安，与金人结盟后，中间曾以淮河流域为界，尚且能与金人和蒙古相抗争，但是在丢失蜀地和襄阳、樊城之后，终于一溃千里，再无重整河山的机会。

---

① 《鲒埼亭集》卷十二《亭林先生神道表》。
② 《亭林文集》卷六《形势论》。
③ 《亭林文集》卷六《形势论》。

　　结合朝代的更迭，顾炎武进一步以蜀地为例论述地理形势的重要性。在他看来，蜀地为"天下之领"，原因就在于这里占据了天下之上流。所以过去那些在南方立国的政权，都是先丢失蜀地之后，接着便陷入危亡之境："必先失蜀而后危仆从之。"① 蜀自为一国时，尚且可以苟安，一旦合于中原，则可以并天下之力，加之占据上流之势，因此可以对敌我双方形势产生重要影响。历史上也确实不断出现这样的战例，比如王浚自巴丘东下，刘整先谋蜀地再图宋，都按照这一路数展开，都是因为他们看到了蜀地的重要性。所以，南方政权要想取得稳固的局面，必须先要固守蜀地。蜀地不仅富有，而且始终是战略要地，占据蜀地则拥有与天下争雄的机会。

　　至于荆襄一带，则是联结中原和巴蜀的咽喉之地。顾炎武列举前贤的分析结论，对其进行论证。比如赵鼎认为，"经营中原自关中始，经营关中自蜀始，幸蜀自荆襄始"②；陈亮认为，"荆襄据江左上流，西接巴蜀，北控关洛，楚人用之虎视齐晋，与秦争帝。东晋以来，设重镇以扼中原"③；孟珙认为，"襄樊，国之根本，百战复之，当加经理"④，都纷纷指出荆襄的重要性。顾炎武指出，宋代有识之士都已看出荆襄的战略地位非常重要，遗憾的是并没能阻止宋代的灭亡。因为元人取宋，正是从襄阳、樊城进入湖北。为争夺此地，元人花费了很大精力："以天下之力围二城者五年。"⑤ 但是，一旦等他们渡过长江之后，不到两年便可以直取临安。这一历史教训，也充分说明了荆襄地区的重要性。

　　接下来，顾炎武结合历代兴亡，进一步分析了天下形势，从而得出关于防守与进攻的研究心得。第一，就防守而言，重点是守淮和守徐泗："古之善守者，所凭在险，而必使力有余于险之外，守淮

---

① 《亭林文集》卷六《形势论》。
② 《亭林文集》卷六《形势论》。
③ 《亭林文集》卷六《形势论》。
④ 《亭林文集》卷六《形势论》。
⑤ 《亭林文集》卷六《形势论》。

者不于淮，于徐泗；守江者不于江，于两淮。此则我之战守有余地，而国势可振。故阻两淮急。"① 第二，就进攻来说，必须先夺占如蜀地这种战略要地："夫取天下者，必居天下之上游而后可以制人。英雄无用武之地，则事不集……此用兵先得地势也。"② 顾炎武探讨这些攻守之策，其目的无非是为南明政权找到北伐的方略。他认为，必须牢牢占据诸如荆襄这样的险要地带，再用心经营淮河流域，在筑牢根基之后，再抓住敌方的空虚之处发起反攻，如此则大功可成。在顾炎武看来，这才是"战守兼得之谋，而用兵之上术"③。

顾炎武长期关注天下地理形势，由此而写出《肇域志》和《天下郡国利病书》。这两部书，前者侧重于记述山川地理形势和险关要塞，后者则详细记载各地疆域、物产、赋税、水利、兵防等资料，都是古代地理学的重要著作。

在《天下郡国利病书序》中，顾炎武自称因为"感四国之多虞，耻经生之寡术"，所以"退而读书"，于是"历览二十一史以及天下郡县志书，一代名公文集及章奏文册之类，有得即录，共成四十余帙"。④ 其中主要包括两个方面的内容，其一为"舆地之记"，即记录历史地理资料，其二为"利病之书"，也即探究地理形势的利害和得失。顾炎武深感兵要地理的重要性，所以在这本书中对全国各地的山川形势、关隘城堡、岛礁海岸等都有详细记载，在此基础之上再对相应的兵力布置、粮草供应、赋役水利等问题进行深入探究，包括各地农民起义及社会动乱等情况都有不同程度的记载和分析。在《天下郡国利病书序》中，顾炎武自称"年老善忘"，对于前后异辞已经不能一一刊正，所以"姑以初稿存之箧中，以待后之君子斟酌去取云尔"，⑤ 这些显然是他的自谦之词。顾炎武此书，已

① 《亭林文集》卷六《形势论》。
② 《亭林文集》卷六《形势论》。
③ 《亭林文集》卷六《形势论》。
④ 《亭林文集》卷六《天下郡国利病书序》。
⑤ 《亭林文集》卷六《天下郡国利病书序》。

经足以启迪后世，至少为人们研究当时的地理沿革情况、分析地理形势和得失等，都提供了无可替代的珍贵资料。在讨论地理条件时，顾炎武注意到全局与部分、内地与边疆、中国与外国这几方面的关系，这也体现出超越前人的见识。①

《肇域志》则为《天下郡国利病书》的姊妹篇。此书专述地理，几乎可称明代地理总志。按照顾炎武的自述，"此书自崇祯己卯起，先取《大明一统志》，后取各省府州县志，后取二十一史，参互书之。凡阅志书一千余部，本行不尽，则注之旁；旁又不尽，则别为一集曰备录。年来糊口四方，未遑删订，以成一家之书"②。在《肇域志》中，顾炎武旁征博引，内容涉及建置、沿革、山川、名胜、水利、贡赋等多个方面。他大量取材《大明一统志》、"二十一史"、明代历朝实录和奏疏、文集等，同时参阅明代及清初方志达一千多种。书中有不少引用的方志和文集已经失传，故本书的史料价值便更显可贵。当然，作者积"二十余年之苦心"③，为后人鉴往知来提供帮助。其中同样体现的是经世致用思想，是顾炎武一以贯之的著述精神，同样具有很高的学术价值。

顾炎武精心研究地理学，探析天下郡国利病，试图为南明政权寻找救亡之策，表达出坚定的反清复明之志。在《日知录》一书中，同样可以看出顾炎武借助历史地理研究来达成鉴往知来目标的研究思路。比如在《长城》一条，他先是考订春秋战国之世，"井田始废，而车变为骑"的历史，说明当时是"不得已而有长城之筑"，接着又简要考订秦汉以降历代修筑长城的历史，记录了"凡有险要，或斩山筑城，或断谷起障"的过程，④ 也简要点评其在御敌过程中所起的作用。对长城沿革历史的回顾，对历代军事斗争的总结，其实也是对长城的现实价值寄予了几分怀想。顾炎武的"战守兼得之

---

① 《中国通史》第一卷《导论》，第87页。
② 《亭林文集》卷六《肇域志序》。
③ 《亭林文集》卷六《肇域志序》。
④ 《日知录》卷三十一《长城》。

谋"和"用兵之上术"等，同样蕴含其中。

第三节　王夫之的兵学思想

王夫之（1619—1692），字而农，号薑斋、又号夕堂，湖南衡阳人。他自幼跟随父兄读书，青年时期积极参加反清活动，晚年隐居于衡阳的石船山著书立说，自署船山病叟，所以世人多称之为"船山先生"。王夫之著述丰富，主要有《周易外传》《黄书》《尚书引义》《春秋世论》《噩梦》《读通鉴论》《宋论》等。这些著作对于军事问题有所涉及，就战争观、战略战术、兵制建设等，都有不同程度的探讨。就战争观而言，他所表达的基本为儒者立场，也对兵家有所继承，所论无外乎仁义和爱民等；就战略战术而言，也有自己的独立思考，不乏真知灼见。

一、"慎战"和"慎谋"的备战态度

就战争观而言，身为儒家的王夫之，除了注意发掘和阐发孔子的学术主张之外，还明显地对孙子为代表的兵家有较多认可和继承。从《读通鉴论》等书可以看出，他吸收了孙武等兵家将战争视为"国之大事"① 的观点，同时也继承了其"慎战"和"备战"思想。与此同时，王夫之主张对战争进行积极谋划，并慎重择将，就此揭示了由"慎战"到"慎谋"的战争逻辑。

在《读通鉴论》中，王夫之经常会借助评点历史事件或历史人物，对既往军事史进行回顾，总结历代军制的得失，探讨历代用兵之失，由此而得出"兵戎者，国之大事"的结论。在论及唐代枢密院时，他强调了情报与备战的重要性："兵戎者，国之大事，泛然而寄之六卿一官之长，执其常不恤其变，变已极，犹恐不守其常，文

---

① 《孙子兵法·计篇》："兵者，国之大事。"

书期会，烦苛琐屑，以决呼吸之安危，兵无异于无兵，掌征伐者无异于未尝掌矣。属吏各持异议，胥史亦握枢机，奏报会议喧腾于廷，间谍已输于寇，于是天子有所欲为而不敢泄者，不得不寄之奄人。故曰无异于无兵，无异于无掌征伐者也。"① 通过对枢密院运行机制的检讨，王夫之强调了战争和备战的重要性，其"国之大事"的判断，与《孙子兵法·计篇》开篇"兵者，国之大事"一语相差无几，充分说明他对孙子战争观的认同。不仅如此，王夫之同样非常赞同《左传》中"国之大事，在祀与戎"② 的判断。在《读通鉴论》中，他也曾引用这句话并予以申论。③ 在解读《尚书》时，王夫之论述道："夫兵戎之事大矣，不习而临戎，弟子舆尸之凶也。"④ 其中除了表现出对战争的敬畏之心之外，也指出了战争"国之大事"的重要性。既然是"大事"，那就需要慎重对待，所以王夫之战争观的一个重要内容就是"慎战"主张。这其实和大多数兵家，尤其是和孙子的战争观，基本保持一致。孙子将战争视为"国之大事"，也看到了战争的巨大破坏作用和各种深重的危害，所以提醒人们"亡国不可以复存，死者不可以复生"⑤，告诫人们必须对战争保持慎重态度，更不能轻易发起战争。

先秦思想家大多都会关注战争问题，并对其危害性有足够的认识。比如《管子》曰"兵事者，危物也"⑥，《老子》曰"兵者，不祥之器"⑦，都表达了类似观点。王夫之的思考，除受孙子影响之外，可能同时受到《管子》等书影响。王夫之也提出类似主张：

① 王夫之：《读通鉴论》卷二十八《五代上》，《船山全书》第十册，岳麓书社，2011 年。
② 《左传·成公十三年》。
③ 参见《读通鉴论》卷二十五《唐宪宗》。
④ 王夫之：《尚书引义》卷六《费誓》，《船山全书》第二册。
⑤ 《孙子兵法·火攻篇》。
⑥ 《管子·问》。
⑦ 《老子》三十一章。

"兵者，毒天下者也。用之而即毒，不待其多杀也。"① 他将战争视为"毒物"，同样看到战争的巨大破坏作用。《管子》指出："夫兵事者，危物也，不时而胜，不义而得，未为福也。失谋而败，国之危也。慎谋乃保国。"② 从中可以看出，作者的思路明显是由"危物"的判断，再转而强调"慎谋保国"。王夫之讨论问题的逻辑与之相类，但也提出了一些新内容。王夫之首先是主张慎重谋划，指出："天下之大，死生之故，兴废之几，非旷然超于其外者，不能入其中而转其轴……慎谋于未举事之前，坦然忘机于已举事之后。"③这段话的中心思想应该是"慎谋"，强调在决策之前的慎重谋划，只有做到了慎重谋划，才能在"举事之后"做到"坦然忘机"。相比《管子》，王夫之的论述稍显烦琐，但主要观点仍保持一致。

在强调"慎谋"的同时，王夫之也反对战略决策时的犹豫不决。他认为在战争这种重大决策中，除了慎重谋划之外，还必须具有一定的胆魄和勇气。王夫之对"勇"给出了自己的理解，认为："勇者，非气矜也，泊然于生死存亡而不失其度者也。"④ 也就是说，勇敢并不是鲁莽，必须在做到淡泊生死的同时，不失去必要的揣度。所以这里的"度"，也含有"慎谋"之义。也就是说，战争决策必须做到"慎谋"与"果敢"的统一，这二者并不矛盾。王夫之还举出汉光武帝作为例证，赞扬他进行决策时张弛有度，不争一时之先，决策中却蕴含着过人的大智慧，所以才能取得成功。王夫之指出，一方之所以能在战争中战胜另一方，不外乎"谋"和"勇"："兵之所取胜者，谋也、勇也，二者尽之矣。"⑤ 勇，是指战阵之中奋勇拼杀；谋，则是指谋划进退时能谋善断。两军相敌之时，双方都会进行谋划，更善谋划的一方才有机会掌握"扼吭抵虚，声左击右，阳

---

① 王夫之：《春秋家说》卷上《襄公》，《船山全书》第五册。
② 《管子·问》。
③ 《读通鉴论》卷六《后汉光武帝》。
④ 《读通鉴论》卷六《后汉光武帝》。
⑤ 《读通鉴论》卷十五《宋文帝》。

进阴退之术"①，才能掌握战争主动权，赢得战争的胜利。王夫之慎重谋划战争的基本主张与孙子、管子等没有太多差别，但他强调慎谋与果敢相统一，则显出其更加周全的考虑。

不仅如此，王夫之还借助于阐发孔子的主张，进一步指出"慎"与"惧"的区别，试图更加明晰地点明"慎"的含义。在《读通鉴论》中，他有这样一段论述："然则孔子之于战也慎，于行军也惧，又何以称焉？夫列兵千里，尺护而寸防之，岂其能惧哉？栉比株连以外蔽而安处其中，则心为之适然而忘忧。寇之来也，于彼乎，于此乎，我皆有以防之，则一处败而声息先闻，固可自全以退，而无忽出吾后以夹攻之患。于是乎而惧之情永忘，弗惧也，则亦无所慎矣。若夫惧以慎者，一与一相当，虔矫三军，履死地而生之，曾是瓜分棋布为能慎也与？不战而慎，未临事而惧先之，不败何待焉？"② 在王夫之看来，只有实力完全超过别人，敌我之间相差悬殊，而且我方握有万全之策，才能充分保证战阵之间的无所畏惧。在这种情况下，自然也就无所谓"慎"。就防守而言，一旦"列兵千里"，做好了严密的准备工作，那么无论敌寇来或不来，都可以非常坦然地"安处其中"，甚至是"适然而忘忧"。但是，如果做不到这些，尤其是两军实力相当，己方并没有必胜的把握时，就需要保持应有的戒惧之心，必须慎重对待和慎重谋划。

对待战争决策需要慎重，选择将帅同样需要慎重。对于择将，王夫之也有不少论述。王夫之指出："夫任将以军，而精于择将，慎于持权，天子之明威行于万里，而不假新进喜功之徒、挠长子之权，夫乃谓之将将。"③ 当然，无论是"精于择将"，还是"慎于持权"，其实都是说起来容易做起来难的事情，难就难在识人。王夫之指出，即便是睿智如诸葛亮，也会出现用人方面的失误："武侯之任人，一失于马谡，再失于李严，诚哉知人之难也。"④ 再比如曹操，他一直

---

① 《读通鉴论》卷十五《宋文帝》。

② 《读通鉴论》卷十五《宋文帝》。

③ 《读通鉴论》卷二十一《唐中宗》。

④ 《读通鉴论》卷十《三国》。

以善于用人见长，用好了诸如荀彧、郭嘉、钟繇、贾诩等一批能臣，而且是"所任而无不称"，但仍然不能洞察像司马懿这样的大奸之徒："不能烛司马懿之奸。"① 由此可见识人之难和择人之难。

"识人"为何如此之难，王夫之分析认为，主要包含了这几个方面的原因："暗者不足以知，而明察者即以明察为所蔽；妄者不足以知，而端方者即以端方为所蔽。"② 也就是说，其中交缠着主观因素和客观因素，既有用人方的原因，也有被用方的原因。两方面因素如果叠加在一起，那就更会造成更大的困难，所以才会出现各种识人之难。但是，尽管识人具有各种难处，但还是要谨慎对待，力争做到知人善任，因为"动静之得失在人"③，这是关系到家国命运的大事："谋人家国者，可不慎哉！"④

因此，王夫之论述"国之大事"，落脚点还在如何用人，尤其是如何用将。在《孙子兵法·计篇》中，孙子论证战争为"国之大事"，只用了"死生之地，存亡之道"等寥寥数语，非常言简意赅，但也缺少体系更为严密的证明。王夫之观点与之相似，但思考已进入另一番天地。他不仅是从危害性方面考虑，还提出了可能解决的办法，于是就这一论题继续深入，进一步探讨了战争决策与战争指挥问题，还特意提醒人们防止宦官弄权，在做好慎重择将的同时，也要做到慎重用人。王夫之主张，必须给将领充分的统兵权和指挥权，一定要防止宦官干预军机大事，尤其要防止他们侵夺战场指挥权。在王夫之看来，唐代正是因为这个原因而导致灭亡："唐始置枢密使以司戎事，而以宦官为之，遂覆天下。"⑤ 因此他认为，军政大权一定不能交到宦官手里，否则就会不可避免地造成泄露军情、贻误战机等现象，进而直接影响到战争结果。在王夫之看来，能够慎

---

① 《读通鉴论》卷十《三国》。
② 《读通鉴论》卷十《三国》。
③ 《读通鉴论》卷二《汉文帝》。
④ 《读通鉴论》卷二《汉文帝》。
⑤ 《读通鉴论》卷二十八《五代上》。

重对待将领，其实就是慎重对待"大事"。

与慎重对待将领相一致，王夫之主张给予武将相应的决策权和指挥权。他指出："国之大事，在祀与戎……以此例戎，其可使宰相方总百揆而兼任之乎？"① 王夫之反对用宰相这样的文官总揽军机大事，而是强调了军事指挥机构的独立指挥权，并高度强调军令畅通和号令统一。他分析指出，兵部所掌管的是兵籍之常，枢密院所统领的是战守之变，无论是进退之道还是奇正之法，都是关系到生死存亡的大事。所以，战争筹划必须既要做到"经画之密，审于始终"，也要做到"文字不得而传，语言不得而泄"，因为这是"上承人主帷幄之谋，遥领主帅死生之命"的大事。② 对于这样的"大事"，托付给那些专门之才尚且担心其无法胜任，更不要说交给那些杂务缠身之人。至于宰相，就是这样杂务缠身之人，因此他没有精力和能力担负起如此重任，也没有能力进行合理的决断。王夫之认为，一旦国家出现了这种情况，那就"无异于无兵，无异于无掌征伐者也"③，一定会遭到彻底的失败。

二、"仁义学说"和"夷夏之辨"的儒家立场

在对战争的认识上，王夫之并非完全沿袭儒家，对兵家也有较多继承。"兵儒合流"的特征，在他身上有着明显的体现。他一方面继承孙子的"慎战"思想，另一方面则更坚持儒家的"仁义"学说。

王夫之首先是继承了儒家以仁义治天下的观点，所以他说："爱以我私，而制尽人族，与仁义背驰，而求治天下，亦难矣。"④ 在他看来，统治者一旦与儒家的仁义学说发生背离，就无法求得天下大治。在王夫之看来，不仅是治理天下需要依靠仁义，御敌同样需要依靠仁义。他相信孟子"仁者无敌"的理论，指出："王以至仁大

---

① 《读通鉴论》卷二十五《唐宪宗》。
② 《读通鉴论》卷二十五《唐宪宗》。
③ 《读通鉴论》卷二十八《五代上》。
④ 王夫之：《黄书·任官第五》，《船山全书》第十二册。

义，率亲睦一体之民往而征之，其主非不欲敌也，而民脱于陷溺以
就仁者，倒戈之不暇，而孰与王敌乎？……故古语有之曰'仁者无
敌'。"① 不仅如此，他还将"仁者无敌"视为颠扑不破的真理，指
出："夫仁人之无敌于天下，必然之理也。民心归之，天命佑之，兵
之所至，壶浆相迎，暴君不能止也。"②

　　就标榜"仁义"这一点来说，王夫之和那些传统儒家，尤其是
妄图"以仁义制敌"的孟子，并没有多大区别，都希望借助施行仁
义而赢得民心。他们似乎都有一个共同的观点：以往的那些圣人都
能做到"以仁义取天下"③，那么过去既然能做到，现在和将来仍然
可以做到，仍可以将"仁义"视为战胜敌人的最重要法宝。王夫之
指出，上古时期的战争，并不以多杀人为目的："古之用兵者，于敌
无欲多杀也。"④ 这种以"仁义"为指导的战争，并不是那么可怕。
王夫之所描绘的上古战争图景是："两军相击，追奔俘馘者无几也，
于敌且有靳焉，而况其人乎！战国交争，驱步卒以并命，杀敌以万
计，而兵乃为天下毒。"⑤ 遗憾的是，这种局面没能继续维持下去。
在列国纷争的年代，由于统治者丢失了"仁义"之心，杀敌每每
"以万计"，以至于战争成为毒害天下的"危物"。

　　孟子相信"仁者无敌"，故而认为"天时不如地利，地利不如
人和"⑥，以"仁义"作为旗帜，也足以招揽民心，故而可以影响战
争结果。王夫之则认为，既存在"至仁大义"，也存在"假仁假
义"，这两者所达成的效果是不一样的。王夫之分析如下："至仁大
义者起，则假仁假义者不足以动天下，商、奄之所以速灭也。无至
仁大义之主，则假仁义者犹足以钳制天下，袁绍之所以不能胜曹氏
也。至于欲假仁义而必不得，然后允为贼而不足与于雄杰之数，视

① 　王夫之：《四书训义》卷二十五《孟子一》，《船山全书》第八册。
② 　《四书训义》卷三十八《孟子十四》。
③ 　《读通鉴论》卷十四《东晋安帝》。
④ 　《读通鉴论》卷十三《东晋穆帝》。
⑤ 　《读通鉴论》卷十三《东晋穆帝》。
⑥ 　《孟子》卷四《公孙丑下》。

其所自起与其所已为者而已。"① 在王夫之看来，"至仁大义"之人，一定会打败那些"假仁假义"之徒。因为"仁义"具有重要作用，所以"假仁假义"仍会有一定的用武之地，即便如曹操这般"假仁假义"，仍然"足以钳制天下"，而袁绍之流则因为连"假仁假义"都做不到，故而只能输个底朝天。由此出发，王夫之仍视"仁义"为影响战争胜负的决定性因素。

从表面上看，王夫之似乎一贯坚持儒家的"仁义"学说，但他主张施行"仁义"也应有限度，比如在施行对象上也有界定，因此反对与夷狄之间的仁或义。从总体上看，王夫之的仁义学说与"夷夏之辨"，都可与传统儒家完全对接，同时也深刻影响了他对战争问题的态度和认识。王夫之之所以会对夷狄表现出深恶痛绝之情，还因为他曾目睹清军入关后的种种暴行。强烈的民族自尊和自保意识，时刻提醒王夫之坚守儒家传统的夷夏观，放弃与夷狄的"信"与"义"。

王夫之指出，人与人相处，当然需要信义，但是，"信义之施，人与人之相于而已矣，未闻以信义施之虎狼与蜂虿也"②。联系上下文，他所说的虎狼与蜂虿，其实就是夷狄。王夫之举出宋襄公的例子来证明自己的立论，因为宋襄公在泓之战中过于拘泥古军礼，片面追求仁义，故而在与楚国人交手时吃到了败仗，就连宋襄公本人也身负重伤，不久之后丧命。在王夫之看来，宋襄公固然是尊奉古军礼的仁人君子，但他施行仁义完全不在地方，因为他的对手是楚国这样的夷狄。所以，王夫之对其深加斥责："宋襄公奉信义以与楚盟，秉信义以与楚战，兵败身伤而为中国羞。于楚且然，况其与狄为徒，而螫噬及人者乎！"③

除了宋襄公之外，王夫之进一步举出"楼兰王阳事汉而阴为匈奴间"的例子，说明夷狄不足以与其讲究信义。因为"夷狄不知有

---

① 《读通鉴论》卷二十七《唐昭宗》。
② 《读通鉴论》卷四《汉昭帝》。
③ 《读通鉴论》卷四《汉昭帝》。

耻"，如果信任他们，或者"推诚以待之"，那就必受其诈。所以，王夫之毫不客气地指出："夷狄者，奸之不为不仁，夺之不为不义，诱之不为不信。何也？信义者，人与人相于之道，非以施之非人者也。"① 在王夫之眼中，夷狄不是人类，而是兽类，所以没必要与他们讲究信义。如果看不到这一点，那就一定会吃尽苦头。王夫之进一步分析指出其中原因："夷狄以劫杀为长技，中国之御之也以信义。"② 在历史上，中原民族之所以会长期吃尽苦头，其根源就在于和夷狄片面地讲信义，但是夷狄所信奉的信条为"劫杀"，尤其是以劫杀中国为能事，而且一直"变诈凶狡"，完全不讲信义。因此，他对夷狄表达了深恶痛绝之情："夷狄者，欺之而不为不信，杀之而不为不仁，夺之而不为不义者也。"③

在为《礼记》作注解时，王夫之特地强调了夷狄与禽兽的联系："夷，羊也。狄，犬也。戎，狨也。蛮，蟊也。四夷无人理，故以兽名。"④ 所以，他坚持认为，对于夷狄，不仅需要严加防范，还需要及时剿灭，而且杀死夷狄不会伤及仁义："夷狄，非我族类者也，蟊贼我而捕诛之，则多杀而不伤吾仁；如其困穷而依我，远之防之，犹必矜而全其生；非可乘约肆淫、役之残之而规为利也。汉纵兵吏残蹂西羌，而羌祸不解，夷狄且然，况中国之流民乎？夫其阑入吾土，不耕而食，以病吾民，编人视之，其忿愎也必深。"⑤ 虽然将夷狄视为禽兽，但王夫之也看到了"夷狄之智"，而且将其与"中国之智"进行对比。他认为"中国之智"就在于"以小慧制戎狄"，所以无关痛痒；而"戎狄之智"则是"以大险覆中国"，⑥ 故而总能祸国殃民。所以，"中国"（指古代中原政权）这边如果得势，最多是想尽办法消耗其财力而已；而戎狄一旦得势，就会竭尽烧杀抢掠

---

① 《读通鉴论》卷四《汉昭帝》。
② 《读通鉴论》卷二十八《五代上》。
③ 《读通鉴论》卷二十八《五代上》。
④ 《礼记章句》卷二《曲礼下》。
⑤ 《读通鉴论》卷十二《晋怀帝》。
⑥ 《读通鉴论》卷七《后汉安帝》。

之能事，甚至给中国带来灭国之痛。

夷狄之所以非常凶险，还有另外一层原因，就是他们富有勇力。由于夷狄长期与禽兽为伍，既有野性，也有蛮力，而这些正为中原民族所欠缺："夫夷狄所恃以胜中国者，朔漠荒远之乡，耐饥寒、勤畜牧、习射猎，以与禽兽争生死，故粗犷悍厉足以夺中国膏粱豢养之气。"① 很显然，因为夷狄长期与禽兽为伍，故而"与禽兽争生死"，养成了那种彪悍作风。所以，当他们冒险进入中原之后，往往能造成巨大创伤。

在总结历史上无数次惨痛教训后，王夫之提出了对付夷狄的办法，主要有以下几点：

首先就是要严守"夷夏之辨"。王夫之指出："天下之大防二：中国、夷狄也，君子、小人也。非本未有别，而先王强为之防也。中国之与夷狄，所生异地，其地异，其气异矣；气异而习异，习异而所知所行蔑不异焉。"② 在他看来，因为存在着气候、地域等诸多客观差异，所以造成夷狄与华夏之间不可磨灭的种种差异。而且，这些差异既然是天造地设，就没有必要去试图加以调和，而且夷狄一直在给华夏族造成重大伤害，也就没有理由尝试消弭这种界限。

其次是加强边防建设，巧妙地"寓兵于农"。王夫之指出："夫边不能无兵，边兵不可以更戍而无固心，必矣。兵之为用，有战兵焉，有守兵焉。守兵者，欲其久住，而卫家即以卫国者也。"③ 保持必要规模的军队，始终是震慑对手的必备利器。王夫之认为，不仅要有"守兵"，还要有"战兵"，二者结合才能做好防备，一旦发生不测，才能有兵可用。除了要在边防补充军队之外，还要注意在边境地区补充居民，这也是加强边防建设的重要手段，在王夫之看来，这其实也是"寓兵于农之法"。所以，王夫之赞扬晁错的"实边之

①　《读通鉴论》卷十二《晋惠帝》。
②　《读通鉴论》卷十四《东晋哀帝》。
③　《读通鉴论》卷二十六《唐文宗》。

策"："晁错徙民实边之策伟矣!"① 只有在边境地区做足各种准备工作,才能使得夷狄没有机会窥伺内地,或深入中原腹地,就此彻底消除夷狄之患。

第三,通过战争来彻底消灭对手,并且坚决反对与夷狄讲和。他认为,讲和是"利于夷狄而不利于中国"的行为,而且"利于屡胜之兵,而不利于新败之国者"②。王夫之首先承认夷狄是屡战屡胜,属于"屡胜之兵",但他们其实也是"以战而强、以战而亡"③。所以,要想彻底战胜他们,就只有彻底消灭他们,而不是与之讲和。除了战争之外,王夫之还探讨了其他办法。他寄希望于"王者之道",并认为这是根治边患的办法："故王者之于戎狄,暴则惩之,顺则远之,各安其所,我不尔侵,而后尔不我虐。"④ 王夫之将夷狄分为两种："暴"和"顺"。对于这两种族群,可以采取不同的办法："暴则惩之,顺则远之。"也就是说,对于那些顽固反抗的夷狄,一定要使用暴力彻底加以消灭;对于那些相对顺从的,也要尽量驱赶到远离中国的荒原地带。

应当指出,王夫之的"夷夏之辨"是特定历史时期的产物,是有很大的历史局限性的,所以必须历史地、辩证地看待。

三、兵制探讨:"农可安农"和"兵可安兵"

对于兵制,王夫之也有自己的深入思考。与顾炎武一味崇古不同,王夫之对历史上"寓兵于农"或"兵农合一"的兵制有较多批评。他反倒积极主张兵农分职,从而达到"农可安农,兵可安兵"⑤的效果。

"农可安农,兵可安兵"所要达成的效果,就是"足食足兵"。

---

① 《读通鉴论》卷二《汉文帝》。
② 《读通鉴论》卷十五《宋文帝》。
③ 《读通鉴论》卷十五《宋文帝》。
④ 《读通鉴论》卷七《后汉安帝》。
⑤ 《读通鉴论》卷十七《梁简文帝》。

《论语》中有著名的子贡问政的故事。孔子的"去食、去兵"而"独留信义"① 之说，一直为世人津津乐道。在王夫之看来，"足食"与"足兵"，乃至于"民信"，互相之间并不矛盾。对于先"去兵"再"去食"而独守"民信"的传统解读法，王夫之也并不认同："先者，先足，非先去也。去者，不先之谓耳。"② 所以，他认为兵、食，非得都不可"去"，反而只能"足"：

> "足食"者，民之食与国之食而两足也。"足兵"者，训练之而使战不北、守不溃也。"去兵"者，贫弱之国，恐以训练妨本业，且无言兵，而使尽力于耕作也。"去食"者，极乎贫弱之国，耕战两不能给，且教之以为善去恶，而勿急督其农桑也……倘云先去，则岂去兵之后乃去食，去食之后乃去信乎？三者皆有可为之势，则兵食与信，同时共修，不相悖害。若积敝之余，初议收拾，则先教民而后议食，先足食而后议兵，其施为之次第如此。不然，则如富强之流，或先食，或先兵，亟以耕战立国，而置风俗之淳薄为缓图，固当世言政者之大敝也。③

由此可见，在对待"兵"与"食"的态度上，王夫之敢于推翻业已占主流地位的解读，表现出卓见。事实上，"兵"与"食"的问题本质，就是"兵"与"农"，或者说是"兵""农"关系。所以，他花费了很多精力对其进行探讨。

在王夫之看来，如果兵农不分，那就会造成"废兵"且"废农"的后果。也就是说，"农其兵，殆乎其无兵也"，"兵其农，则

---

① 《论语·颜渊》："子贡问政。子曰：'足食，足兵，民信之矣。'子贡曰：'必不得已而去，于斯三者何先？'曰：'去兵。'子贡曰：'必不得已而去，于斯二者何先？'曰：'去食。自古皆有死，民无信不立。'"
② 王夫之：《读四书大全说》卷六《论语·颜渊篇》，《船山全书》第六册。
③ 《读四书大全说》卷六《论语·颜渊篇》。

天下殆乎无农"①。所以，那些用于作战的"兵"一定不能用来当作"农"，用于耕作的"农"也一定不能用来当作"兵"，否则就会"既废农而必废兵"。所以，众人所称道的那种"兵农合一"，并不是好的设计。

王夫之反对"兵农合一"，同样也反对"文武合一"。他指出，"文武合一"只在三代时期适用，三代之后已无存在必要："文与武固不可合矣，犹田之不可复井，刑之不可复肉矣。"② 所以，自从战国将相分职之后，汉朝初年就将丞相和将军分为两途，而且就此一直得到延续，这就叫"事随势迁，而法必变"③，自有道理存于其中。总结明朝灭亡的教训，也有学者认为失败的根源就在于没有坚持"兵农合一"的兵制，所以希望回到寓兵于农和文武一途的古制中去。对此，王夫之表示坚决反对。

在王夫之看来，即便上古时期果真有所谓寓兵于农的兵制，但这种兵制也并非完美无缺。而且古代的兵制只对古代适用，对于当朝并不一定适用。王夫之指出，如果完全仿照古代的兵制，则是"病国而毒民"④。在他看来，古代的战争，"步可有方，伐可有制，两无重伤，示威而已"⑤。也就是说，上古时期，"一战之胜，不足以兴王；一战之败，祸不及于天下"⑥。上古时期这种特定的作战规模和作战样式等，可与当时的兵制相互适应。在战国时期，寓兵于农的兵制起到了特殊的重要作用，连吴起、白起这些将领在指挥作战时都会无情地屠城，这其实也是"寓农之制未改，而淫杀之习已成"⑦ 的特殊时代，并不能说明寓兵于农的兵制适用于各个朝代，具有永恒不变的价值。当历史走到战国时期以后，战争观、战争性

---

① 王夫之：《春秋世论》卷三《成公》，《船山全书》第五册。
② 《读通鉴论》卷五《汉成帝》。
③ 《读通鉴论》卷五《汉成帝》。
④ 《尚书引义》卷六《费誓》。
⑤ 《尚书引义》卷六《费誓》。
⑥ 《尚书引义》卷六《费誓》。
⑦ 《尚书引义》卷六《费誓》。

质及战争样式等，都已经发生天翻地覆的变化。所以，这种"寓兵于农"和"兵农合一"的兵制，也已经过时，必须跟随时代而进行调整和变化，这才叫"可因时消息而登之用也"①。

事实上，唐宋时期的兵制已经根据形势变化不停地做出调整和变化，但在王夫之看来仍有不少问题。尤其是唐代的府兵制，表面上看是沿袭了隋朝的兵制，但在骨子里还是"兵农合一"。府兵称卫士，由各府从农民中选出，平时重在务农，农闲重在训练，战时则全力以赴投入战争。至于兵器、衣甲和粮食等，也基本依靠各人自备。但是，这种兵制也有弊病，主要在于当时已经完全没有这种兵制生存的土壤和环境。在府兵制建立之初，人人皆称其善，但真正等到战争来临，朝廷仍然还是面临无兵可用的窘境，所以此后朝廷面临武则天篡权、安禄山叛乱等危难，都无法得到有效制止。因此，王夫之指出："所谓府兵者，无益于国而徒以殃民审矣。"② 后人对于府兵制称赞较多，但在王夫之眼中，这正是唐朝一切祸乱的源头所在。

至于宋代兵制，王夫之也指出其中问题，主要就在于"纵佚文吏，拘法牵絷"，这其实就是后人总结的崇文抑武。王夫之说："假杯酒以固欢，托孔云而媚下，削节镇，领宿卫，改易藩武，建置文弱，收总禁军，衰老填籍，孤立于强虏之侧，亭亭然无十世之谋。纵佚文吏，拘法牵絷，一传而弱，再传而靡。"③ 宋太祖赵匡胤吸取唐代藩镇坐大的教训，采取了"杯酒释兵权"的方法，削去各路诸侯的兵权，而且还将指挥权与管理权适当剥离。这种做法虽说巩固了皇权，并在很大程度上避免了藩镇割据，但将帅与士卒之间从此变得陌生，导致将不知兵和兵不知将的局面出现。冗兵现象日益严重，导致军费开支过大。宋军战斗力不升反降，边患也由此而连绵不绝。此后，赵宋王朝虽说也曾有图强变革之念，却始终没有勇气

① 《黄书·宰制第三》。
② 《读通鉴论》卷十七《梁简文帝》。
③ 《黄书·古仪第二》。

在体制和兵制上进行变革，国土由此逐步沦陷。宋不仅无法与辽、金对抗，也奈何不了西夏，最终竟为蒙古人所灭。

王夫之讨论兵制的沿革历史，其着眼点并非为了稽古，而是为明王朝把脉和寻找病因。明代初期推行屯田之法，有兵农合一的性质，所以也成为王夫之的批评对象："故卫所兴屯之法，销天下之兵而中国弱，以坐授洪图于异域，所由来久矣。且所谓屯田者，卤莽灭裂，化肥壤为硗土，天下皆是也，可弗为永鉴乎！"① 在王夫之看来，明朝初期的卫所制，实则与宋朝兵制相似，因此产生的弊端也与之相似。在这种兵制之下，卫所手中有兵，却没有调兵之权，兵部拥有调兵之权，却是手中无兵，由此导致整个指挥系统的不畅，进而接连引发灾难。因此，卫所制度只能暂时求得国内的安稳，却无法抵御外侮。事实上，在明朝建立初期，军队员额急剧增加，明太祖便下令军队实行屯田制，这样便可以实现"无事则耕，有事则战，兵得所养，而民力不劳"② 的效果。应当看到，明太祖通过屯田制，确实暂时缓解了明朝初期养兵难的问题。但是随着情势的变化，屯田制便不再适应当时的需要，弊端渐渐显露。所以对于屯田制，王夫之也一一指出其得失，感慨明朝统治者不能以史为鉴，无法找到一个更为合理的兵制。

如前所述，王夫之一贯反对兵农合一，而是主张让"兵"和"农"各司其职，各安其位，就像文武分职一样。这种做法的效果，就是"农可安农，兵可安兵"③。所以，王夫之痛恨那些主张兵农合一、寓兵于农之人，认为他们都是"占毕小儒"，他们的主张都只是带来祸乱："称说寓兵于农而弗绝，其愚以祸天下，亦至此哉，农之不可兵也，厉农而只以弱其国也；兵之不可农也，弱兵而只以芜其土也。"④

---

① 《读通鉴论》卷十七《梁简文帝》。
② 《明太祖实录》卷八十七。
③ 《读通鉴论》卷十七《梁简文帝》。
④ 《读通鉴论》卷十七《梁简文帝》。

虽说王夫之对于兵制进行了精心研究，也曾提出了种种设想，但是受制于客观条件，他只能做纸上谈兵式的探讨。事实情况则完全与王夫之的设想背道而驰，而且明王朝的"兵制三变"其实是越变越差，最终只能将大好江山拱手让于他人。如果将王夫之有关兵制的论述与黄宗羲或顾炎武进行对比的话，不难看出他们在观点上的巨大差异。王夫之不仅观点激进，而且讨论更为深入。他告诫人们，应当以历史的角度和发展的眼光看待兵制，必须顺应历史发展和战争需要，对兵制进行及时的变革和调整。当然，究竟什么才是好的兵制，王夫之并没有给出明确答案。我们或许只能根据他所反对的方向，去寻找他赞成的方向，找到他关于兵制的构想。

四、"权衡轻重"和"趁势而为"的战争谋略

王夫之认为，进行战略决策或发起战争，最重要的就是权衡轻重和得失，故而对此有大量讨论，突出强调的则为"权衡轻重"和"趁势而为"。

众所周知，"权"之本义是秤锤，度量工具，目的是测量物体的轻重。因此，"权衡"二字有着特定的内涵："权衡之设，可以审大，可以审小，可以程重，可以程轻。物之贵贱，人之智愚，蔑不用也。"[1] 权衡事关重大，以至于追求"王道"都要考虑权衡问题，标准就是《春秋》："《春秋》，王道之权衡。"[2]

王夫之指出，大到治国理政，小到为人处世，其中都有轻重的权衡与得失的考量："心者，人之权衡也。"[3] 战争则更需要权衡轻重得失，因此战略决策和战术设计，都应权衡轻重和得失："战之有主客之辞，曲直之案，轻重之衡。"[4] 如果想要争夺天下并合理进行

---

① 《春秋家说》卷上《僖公》。
② 《春秋家说》卷上《僖公》。
③ 《读通鉴论》卷十五《宋文帝》。
④ 《春秋家说》卷中《宣公》。

治理，同样需要权衡："制天下有权。"① 王夫之对此有较为深入的讨论："制天下有权。权者，轻重适如其分之准也，非诡重为轻、诡轻为重，以欺世而行其私者也。重也，而予之以重，适如其数；轻也，而予之以轻，适如其数；持其平而不忧其忒，权之所审，物莫能越也。"② 在王夫之看来，"权"在进行战争决策时，尤其可以发挥作用，主要用于判断轻重、大小、得失、利害等。战争行为关系国家安危，需要反复权衡、慎重决策，以决定战或不战。而且，还应根据战争规模的大小，进行不同方法的权衡，寻找获胜之道，判断获胜概率等。

决定战争发起与否，不仅仅是依靠权衡轻重和得失，还需要懂得"顺势而为"和"借势发力"。"势"始终是古代兵家非常看重的一个概念，《孙子兵法》有《势篇》专门对此加以讨论，王夫之同样非常关注"势"。在他看来，"势"有特殊的形成之道："权衡审于理，顺逆成于势，端举而委从。"③ 不仅如此，"势"是"守天下"和"攻天下"的关键："守天下者，正名定分而天下信，惟因理以得势。攻天下者，原情准理而天下服，则亦顺势以循理。"④ 权衡的重点是"轻重"，"轻重"其实关注的则为"势"，所以存在"轻重之势"。这种"轻重之势"，也是王夫之重点关注的内容。在王夫之看来，"轻重之势"也即"亲疏之度"，两者关系密不可分。王夫之着重指出，"轻重之势，亲疏之度，不可不审"⑤，强调了"轻重之势"的重要性。

在先秦典籍《管子》中，"轻重"作为治国之术提出，重点讨论通过商品关系的"轻重之术"来调节经济等，类似于兵家的"奇正"。⑥ 在王夫之这里，"轻重"俨然兵家概念，重点是"敌我"双

---

① 《读通鉴论》卷二十《唐高祖》。
② 《读通鉴论》卷二十《唐高祖》。
③ 《尚书引义》卷四《武成》。
④ 《尚书引义》卷四《武成》。
⑤ 《春秋世论》卷二《僖公》。
⑥ 《管子·轻重》诸篇原有 19 篇，今存 16 篇。

方关系的衡量，因此有这样一段论述："亲者迩与之狎而见轻，疏者新得非望而见重，此人情之欷胜，非事理之准也。亲则见轻，轻则彼成乎疏；疏则见重，重则彼报以亲。故人恒乐重其所疏，而不审其本轻。有相敌之国于此，则势恒相诡，我之所亲，亲于彼，彼所重也；彼之所亲，疏于彼，彼所轻也。故我之所重，彼之所轻；我之所轻，彼之所重。唯善用人者，不轻敌之所重，不重敌之所轻。重敌之所轻，则为敌之所轻；轻敌之所重，则使敌得所重。"① 这段类似绕口令的论述中，王夫之重点是告诉我们"不轻敌之所重，不重敌之所轻"的道理。因为"我之所重"即"彼之所轻"，"我之所轻"即"彼之所重"，所以考察敌我双方的"轻重之势，亲疏之度"，就需要不断变换角度，学会换位思考，掌握权衡轻重的种种谋略，才能真正掌握"远近交攻之术"。其中的关键，既要做到"重敌之所轻"，也要注意"轻敌之所重"，切不可贸然出兵。

在王夫之看来，这种"远近交攻之术"，其实也就是"攻与之势"，重点关注的是"远近之形，疏属之差，长短之度，疑信之由"②。如果对上述内容能够很好地审察，就可以取得成功，反之就会失败。当初，秦国人侥幸把握住了这些道理，因而取得了统一天下的伟业。至于秦国二世而亡，则是因为逆势而动和"激怒怨于天下"。看不见摸不着的"势"，往往是成败的关键。所以，王夫之对于这个"势"花费了不少笔墨进行探讨。他指出："势者，顺逆之推；顺逆者，得失之致，故无轻言势。势，一理之成焉矣。"③

就军事斗争而言，"势"之所以重要，终究是因为其中所积之"力"。"势"和"力"二字经常连用，因为"势"是构成"力"的一个基本因素。高明的指挥员非常注意在战争发起之前做好"蓄势"和"造势"，保证足够的战斗力，因为这是打击敌人的关键性因素。所以，王夫之追求"渐积"之势，其实也即达成"渐积"之力，并

① 《春秋世论》卷二《僖公》。
② 《春秋世论》卷二《僖公》。
③ 《春秋世论》卷二《僖公》。

希望落实到对付夷狄的具体策略上来。他指出，对付夷狄必须保证"力足以相及"："善制夷者，力足以相及，则抚其弱，抑其强，以恩树援，以威制暴，计之上也。"① 如果情况完全反过来，力量不足以制人，就会左支右绌，非常被动："力不足以相及，闻其相攻也而忧之，修城堡，缮甲兵，积刍粮，任将训卒，以防其突出，策之次也。听其蹄啮以增其强，幸不我及以缓旦夕之祸，坐毙之术也。"② 王夫之一贯反对那种"以夷攻夷"的投机取巧之举，担心这是遗祸之举，而且"祸一发而不可收"③，因此积极主张发展军事实力，营造有利的内外环境，再做到趁势而为。

因为"势"是一个非常重要的概念，所以王夫之曾多次论及，试图对"势"做出各种层次的理解。在王夫之看来，"势"除了前面所说的，具有轻重、顺逆、远近、长短、亲疏等特性之外，还有一个重要特征：它可以渐渐地积累。聪明的战略家正是善于"积势"，才能取得成功。所以，如何"积势"也是一门学问，而且非常重要。王夫之对此也有探讨："势之所积，必有所循，其始常轻，其后常重。轻而得之者，无心之获也。无心之获，歆动为尤，尤所歆动，而心恒注之，则重积矣。重以积，重而委所重以从，其本且仆，其末益茂，势之积也，固然也。"④ "势"的渐积过程，其实就是由轻到重的积累过程。高明的战略家总是善于从微末之处着手，一以贯之地"蓄势"，逐步积累战胜强敌的筹码，再不失时机地给敌人以致命一击，这其实就是"顺势而为"。在王夫之看来，这其实也是"以道力取者"："有事于天下，以道力取者，因渐渍（积）之势。"⑤ 而且，这种"以道力取者"与那些"以强力取者"，存在着本质不同。如果仅仅依靠强力夺取天下，即便是暂时获胜，也一定

---

① 《读通鉴论》卷七《后汉和帝》。

② 《读通鉴论》卷七《后汉和帝》。

③ 《读通鉴论》卷七《后汉和帝》。

④ 《春秋世论》卷三《宣公》。

⑤ 《春秋世论》卷三《成公》。

难以持久。只有那些懂得"积势"的战略家，才能成为胜利的主宰者。

王夫之进一步指出，高明的战略家不仅要懂得"顺势而为"，还要学会"顺必然之势"①。也就是说，乘势必胜，顺势必胜，顺必然之势者，才是既"因乎天"又"顺乎理"，才能"嶷然以永定而不可复乱"②。学会了"积势"，只是拥有了基本的筹码。如何使用这些筹码来赢得战争，则需要"顺势而为"，懂得如何"为"。这里的"为"，就是要落实到攻守等具体的战争行为上，充分发挥"势"的作用，并抓住进攻时机给对手以致命一击。对此，王夫之花费不少笔墨予以探讨。

在王夫之看来，权衡轻重之后才能决定攻守，而攻守的关键就在于把握时机，找到合理的进攻方向。王夫之说，"善攻者攻其瑕，乘瑕以收功，而积衰之气以振"③，这里强调的选准进攻方向，即攻击敌方防守虚弱之处。王夫之又说，"有攻坚而瑕自破者，有攻瑕而坚渐夷者，存乎其时而已矣"④，这里强调的是把握进攻时机。在他看来，一旦掌握好正确的进攻时机，即便是攻打对方的坚固之处，也会有获得成功的机会。

王夫之指出，攻与守是每一个为将者都需要面对的，但在实际领兵作战过程中，既有"守兵之将"，也有"攻兵之将"。比如，像程不识这样的将领，善于"正行伍，击刁斗，治军簿"，所以可以成为"守兵之将"。像李广这样减省非必要程序，使得军队上下团结如一人的，就是"攻兵之将"。但是，无论是进攻还是防守，其实都需要遵循用兵作战的规律，处理好简易与严谨的矛盾。王夫之指出："严谨以攻，则敌窥见其进止而无功。简易以守，则敌乘其罅隙而相

---

① 《宋论》卷七《哲宗》。
② 《宋论》卷七《哲宗》。
③ 《读通鉴论》卷十三《东晋穆帝》。
④ 《读通鉴论》卷二十五《唐宪宗》。

薄。"因此，在王夫之看来，李广与程不识只是"各得其一长"罢了。① 程不识只能是勉强保持不败而已，李广的军队一旦遇到匈奴的偷袭就会溃败，因为他们并没有真正处理好攻与守的矛盾。相比之下，赵充国的策略更加高明，因为他善于把握进攻和防守的时机。在需要对敌发起进攻时，他会指挥部下发起迅猛一击。当敌人风头正劲之时，他就选择性地避开。在蛮夷初起之时，因为其锋芒毕露，赵充国选择退守，始终避而不战。因为此时"利于守而不利于攻"②，赵充国命令手下一门心思做好防守："持重以临之，使其贫寡之情形，灼然于吾吏士之心目，彼且求一战而不可得，地促而粮日竭，兵连而势日衰，党与疑而心日离。能用是谋而坚持之，不十年而如坚冰之自解于春日矣。"③ 由此可见，王夫之更加推崇赵充国，就因为他善于把握进攻和防守的时机。

第四节　唐甄的兵学思想

　　唐甄（1630—1704），原名大陶，字铸万，号圃亭，四川达州人，明清之际的重要思想家。唐甄的代表作是《潜书》，共分为上、下两篇，上篇论"学"，凡 50 篇，下篇言"治"，凡 47 篇。作者自称此书"历三十年，累而存之"④，可谓耗费毕生心血之作。《潜书》原名《衡书》，只有十二篇（一说十三篇）⑤。"衡"有权衡之意，很容易让人想起宋代苏洵所撰《权书》。从书名到篇名，乃至考察篇

---

① 《读通鉴论》卷三《汉武帝》。
② 《读通鉴论》卷四《汉宣帝》。
③ 《读通鉴论》卷四《汉宣帝》。
④ 《潜书》下篇下《潜存》。
⑤ 《四库全书总目提要》有《〈衡书〉提要》，记《衡书》作者为唐大陶，共十三篇，分别为《核儒》《仁师》《五行》《审知》《利才》《释孟》《受任》《抑尊》《权实》《贱隶》《贞隐》《明悌》《富国》。

中具体内容，都可以看出该书重点关注的是政治和军事。后来唐甄另外增加八十五篇，正式更名为《潜书》，著述目标已改为"上观天道，下察人事，远正古迹，近度今宜"①，不仅深入讨论政治问题，还深入讨论了经济和学术等问题。军事问题也是该书重要内容，作者对战争观、治军思想和用兵谋略等，均有不同程度的探讨。

一、"有意于兵"与"仁胜天下"的战争观

在唐甄看来，兵学是君子之学，故而为君子所必知："君子之为学也，不可以不知兵。"② 在唐甄的心目中，君子更应该懂得"全学"，也即"全能之学"。这种"全学"，既应包括儒家的仁义之学，同时还应包含兵家之学。他以"鼎"为喻，将儒家仁义之学拆分为二，与兵学鼎足而立："全学犹鼎也，鼎有三足，学亦有之：仁一也，义一也，兵一也。一足折，则二足不支，而鼎因以倾矣。不知兵，则仁义无用，而国因以亡矣。夫兵者，国之大事，君子之急务也。"③ 虽说他认定君子需懂得"全学"，才能像"鼎"那样三足而能立，但兵学的地位显然更为重要，因为"不知兵，则仁义无用"，甚至国家也会因此而亡。仁、义、兵这三者相比，孰轻孰重，一目了然。既然如此，为政者应对"兵"有正确认识和科学态度，充分意识其重要性，更不能轻言"去兵"："兽之有角，不时触也；噬及无患，以角便也。身之有手，不时挏也；暴至无患，以手便也。国之有兵，不时刺也；敌至无患，以兵习也。"④ 在这里，唐甄以兽为喻，指出了"兵"的重要性，指出"国之有兵"，正如"兽之有角"，是应对不时之需的必备之物。

由此可见，唐甄对"兵"的重视，与传统兵家更为接近，他反对的是那些不习军旅之事和轻易主张"去兵"的儒者。在唐甄看来，

① 《潜书》下篇下《潜存》。
② 《潜书》下篇下《全学》。
③ 《潜书》下篇下《全学》。
④ 《潜书》下篇下《全学》。

"伐暴养民"是儒者的基本追求，也是为政者的施政目标。他指出："所贵乎儒者，伐暴而天下之暴除，诛乱而天下之乱定，养民而天下之民安。"① 由此出发，他对长期视为圣人的孔子也敢于表达微词："若鲁用仲尼，有齐寇而不能御。"② 众所周知，卫灵公曾向孔子询问军旅之事，孔子不冷不热地回答说："俎豆之事，则尝闻之矣；军旅之事，未之学也。"③ 唐甄指出，鲁国如果重用这样不学军旅之事的孔子的话，一旦遇到齐国进犯，就一定无力抵抗。在他看来，军旅之事关系到江山社稷的安危，孔子既然缺少必备的兵学知识，也便难堪大任。

唐甄能辩证地看待儒家仁义之学和兵家之学的作用，认为他们二者其实可以实现互补："仁义之事，日行而不离；兵之象，常伏而不见。伏则为天下祥，见则为天下殃，是故仁义可习也，兵无可习也。"④ 也就是说，儒学用在平时，兵学用在战胜。仁义之学可以时时学习和实践，兵学则没有这种机会，毕竟战争不会经常遇到。但是，这并不代表兵学为无用之学。恰恰相反，它是事关江山社稷的重要学问，也是君子之急务。

既然是如此重要的学问，就必须认真研习，而且因为平时"无可习"，更需注意研习方法。在唐甄看来，即便是身处军阵之中，如果不懂研习方法，仍然还会不知兵，所以有"天下有老于军中、拥众百万，而不知兵者矣"。如果懂得研习之法，也会有"朝废诗书，夕入帷幄，貌若农夫，口不能言，一计而斩大将，再计而破敌国者矣"。⑤ 之所以出现这两种不同情况，在唐甄看来，并不是智力问题，而是"暗"与"明"的区别，主要看是否能做到"明于兵"："暗于兵者，虽习犹不习也；明于兵者，虽不习犹习也。"⑥ 只有

---

① 《潜书》下篇下《全学》。

② 《潜书》下篇下《全学》。

③ 《论语·卫灵公》。

④ 《潜书》下篇下《全学》。

⑤ 《潜书》下篇下《全学》。

⑥ 《潜书》下篇下《全学》。

"明于兵"，才能懂得军旅之事的重要性，才能懂得利用一切机会学习兵学，从而将自己锻造成为"全学"之人。唐甄指出："兵之为道也，亦无乎不有：圣人之言有之，传记有之，时势有之，盗窃之形有之，德怨有之，喜怒有之，所历山川、所过城邑有之。无意于兵，干戈弓矢非兵；有意于兵，耳目闻见皆兵，而何不可学之有！"① 在唐甄看来，如果留意于兵，做个有心人，就可以发现生活中其实充满了为兵之道：可以从圣人之言中学习，可以从传记作品中学习，可以通过时势变化学习，甚至也可从小偷的盗窃之术中感悟兵学。

为了学好兵学，唐甄主张破除"三蔽"。所谓"三蔽"，首先是蔽于仁义，其次是蔽于鬼神，再次是蔽于保身。

我们首先来看"蔽于仁义"。当战争发起之后，一面是身为大将，领兵作战，御敌杀将，一面是"仁义之声充于四海"，打着孔子和颜回的仁义学说为旗帜反对战争。这中间究竟如何取舍，确实是难事。唐甄主张，此时应该果断破除那些"貌孔颜而追屈宋"的仁义之弊。因为战争毕竟是"相贤君、辅少主、致太平，百姓安宁，风俗敦厚"的行为，所以需要正确对待，充分肯定战争行为所起到的作用。②

再看"蔽于鬼神"。这其实是将战争问题陷入不可知论。唐甄引用武安君"兵者自然之理，何神之有"③ 一语，对其加以严厉批驳。唐甄指出，战争从来都是遵循自然之理，没有可能侥幸取胜。这正像是乡里之间的少年搏斗，依靠的是智力和勇力。他们之间的胜负，旁观者都可以清楚看到。当两军相遇之时，声动天地，白日无光，飞鸟不过，而且一瞬之间，山崩川溃，血流尸横，导致人们"心慑虑昏，若有鬼神，而不敢轻言兵"④，但这并不说明战争是由鬼神主

① 《潜书》下篇下《全学》。
② 《潜书》下篇下《全学》。
③ 《潜书》下篇下《全学》。
④ 《潜书》下篇下《全学》。

导。唐甄指出："彼以十万之众来，我以十万之众往，众相如也；彼怯我勇，则勇者胜；勇相如也，彼实我诈，则诈者胜；诈相如也，彼诈而我知之，我诈而彼不知，则知者胜；知相如也，彼知而发之疑，我知而发之决，则决者胜；决相如也，彼决而攻不善，我决而攻善，则善者胜。若自料不如，未见可胜，则固守封疆，俟衅而动，此所谓自然之理而非神也。"① 由此可知，唐甄认为决定战争胜负的因素很多，包括两军将帅的指挥、士气、计谋等等，但这些因素都属于自然之理，而非鬼神之助。

最后看"蔽于保身"。在唐甄看来，战争必然要面临生与死，但需要对这种生死辩证看待，战争不仅会造成死伤，也会由此而保护人们的生命，所以说："兵，死门也，实天下之生门也。"② 如果对生死问题无法领悟透彻，那就一定不是善于用兵之将。唐甄指出，将帅其实担负着"保天下"的重任，如果无法参透生死，看不到战争是牺牲部分人命而保全天下的行为，就一定无法完成如此重任。他说："请试思之：受命为将，寄河山于纛下，决兴亡于一战，存宗庙于呼吸之间，其任重矣，其机危矣，不能保一身，何以保天下哉！若势不可为，穷居不许身，临事不受命矣，无死道也。"③ 在这段话中，唐甄对于战争行为所造成的牺牲有着充分认识，但仍然强调战争的必要性，较为辩证地点出了"保一身"与"保天下"关系。

唐甄敢于破除"三蔽"，敢于对那些空谈性命而耻言兵事以及将兵学与神学混为一谈等错误观点进行批驳，目的是鼓励人们努力研习兵学，将研究兵学、讨论兵学、探知兵学原理等，都视为分内之事认真对待。他不仅肯定兵事为"国之大事"，也同时肯定了智勇双全的将帅，并极力反对那些空谈心性、崇尚鬼神的危险论调。

基于"全学"的认识，唐甄反对历史上的文武分途的做法，主张将文事与武备合为一体，应该从整体上进行打量。他指出，这其

---

① 《潜书》下篇下《全学》。
② 《潜书》下篇下《全学》。
③ 《潜书》下篇下《全学》。

实是古代长期存在的传统："古之君臣，虽任不求备，才鲜兼长，然而无事则修政教，有事则为将帅，非二事也。"① 只有当世衰学敝之时，那些聪明之士刻苦研习文辞并自以为是大雅之事，不仅视兵为"凶器"，而且耻于言兵，清高地认为"非仁人之道"而不言，这便将兵事完全推给了武夫。② 而这些武夫，向来都是将杀人劫舍作为能事，无法担负重任："一旦得志而为将，杀无辜、虏妇女、掠宝货，纵之则毒人，禁之则拥兵不臣，虽有拔城略地之功，而兵祸不解，常少宁日。"③ 所以，秦以来，战争都是在追求更多地杀人，世之能将也都片面尚力。如果派出儒生御敌，就会被当成以卵投石，但这些现象都是"未明乎用兵之道"④。但是，战争一定不只是斗力："夫斗力者，如两虎相搏，生死未知。"⑤ 或者说，战争固然需要斗力，但更需要依靠计谋："夫兵以力胜，力以谋胜，谋以德胜，非学不可。"⑥ 战阵之中需要勇力，需要依靠这些人，使之登城，使之冲阵，使之先犯，使之间出，但这些并非大将之职责。身为大将，必须学习兵学，精于谋略，"不学，则为秦项之兵"⑦。不只是为将者需要学习军旅之事，作为儒者，也应有意于兵，将知兵和用兵视为己任，这才是有功于民的贤者。

如果说积极主张"有意于兵"是对传统儒家存有叛逆精神的话，那么唐甄"仁胜天下"的主张，则是基本延续了传统儒家的观点。虽说唐甄积极反对"蔽于仁义"，主张给予"兵事"以足够重视，但他也看到了仁义在战争过程中所起到的作用。作为儒者，唐甄非常认同孟子等"大儒爱民"的主张，认为执政者首先想到的应是"为民"。为此，他明确指出："政在兵，则见以为固边疆；政在食，

---

① 《潜书》下篇下《全学》。
② 《潜书》下篇下《全学》。
③ 《潜书》下篇下《全学》。
④ 《潜书》下篇下《全学》。
⑤ 《潜书》下篇下《全学》。
⑥ 《潜书》下篇下《全学》。
⑦ 《潜书》下篇下《全学》。

则见以为充府库；政在度，则见以为尊朝廷；政在赏罚，则见以为叙官职。四政之立，盖非所见。见止于斯，虽善为政，卒之不固不充、不尊不叙，政日以坏，势日以削，国随以亡。国无民，岂有四政？封疆，民固之；府库，民充之；朝廷，民尊之；官职，民养之。奈何见政不见民也？"① 从中可以看出，唐甄视民为国本，强调执政为民，并强调无民则政不立、国不存，所以为政者理应以民为本。

通观对战争史的考察，唐甄认为民心向背是决定战争胜负的根本。如果出发点是"生民"或"救民"，是为民除害，就必然会得到民心拥护，也会就此而左右战争结果。桀纣之所以会失败，就在于失掉民心，尧舜、汤武之所以能取得胜利，就在于得到民心。唐甄指出："人皆有心，心皆具仁义礼智。仁义礼智，犹匠之有斧刀绳尺也。"② 从这个角度出发，他进一步指出了仁义的作用："天下之人不齐，其为变也亦万有不一，岂有仁之所不能养、义之所不能服、礼之所不能裁、智之所不能达者哉！大者如是，小虽不及，亦必有成。器之不成，非斧刀绳尺之不利也，操之不习也；功之不成，非仁义礼智之无用也，学之不至也。"③ 在唐甄看来，虽说天下人心难齐，但仍可以依靠仁义之道来服人。即便不成功，也不能说"仁义礼智之无用"，而是没能对仁义之道有真正领悟。

唐甄之所以重视仁义在战争中所起到的重要作用，是因为他相信孟子"仁者无敌于天下"等观点。唐甄指出，战争的目标是"止杀"，即制止各种杀戮行为。因此，他更主张以德服人，而非以力服人。通常而言，战争都会造成巨大危害，所谓"积尸如山，血流成河，千里无人烟，四海少户口"④，这自然会令人对其进行反思，从而更欢迎那些不嗜杀人者。唐甄指出："君子之于天下也，无他道也，惟全此不忍之心而已矣。推是心也，富贵不以易，不惟富贵不

---

① 《潜书》下篇上《明鉴》。
② 《潜书》上篇下《良功》。
③ 《潜书》上篇下《良功》。
④ 《潜书》下篇下《止杀》。

以易，圣人不以易，天道不以易。"① 从这一角度出发，那些通过覆军杀将和屠城掠夺等手段实现封侯的，等于是"食人之肉以为侯禄"②。至于通过覆天下之军、屠天下之城，来实现"取天下"的，也是一种"食天下人之肉以为一人养"③ 的行为，同样不忍心为之。遗憾的是，自周秦以来的历史，每每都是以杀人多寡论胜负，完全违背了圣人之仁和苍天之仁。杀人过多，征伐不已，必将遭到天谴。

唐甄尊孟，非常认同孟子"仁者无敌"的观点，也非常赞同孟子的仁义之说："天下莫强于仁，有行仁而无功者，未充乎仁之量也。水，能载舟者也。其不能载舟者，水浅也。仁能服人者也，其不能服人者，仁小也。仁之大者，无强不顺，无诈不附。谓仁胜天下，鄙人皆笑之。夫愚者见形，智者见心，礼揖不格刃，儒服不御矢，形也。刃不我刺，反为我操，矢不我伤，反为我发，心也。"④ 孟子一贯主张行仁义，得民心，由此而争胜利，也由此而王天下。唐甄同样是将人心向背和民心得失视为战争胜利的根本条件。只有人心归附、万众一心，才可以战胜强敌。所以说，得人心者得天下，失人心者失天下。

从孟子的主张出发，唐甄不仅推崇仁义之师，还通过总结战争历史发展规律，进一步强调了德在战争中所起到的作用。他说："德者，乳也，兵者，药也，所以除疾保生也。"⑤ 唐甄认为，只要认真考察战争史就不难看出，上古时期一切以民为本，执政者一切为民。统治者是否发起战争，始终都要以是否"生民"作为根本依据，而不是以"杀民"为目标。如果因为发起战争而使得民生凋敝，人财两伤，就会立即失掉民心，战争也必将失败。所以说，军队的职能是保卫国家，是为了安定民众，保护生民。统治者堪称民之父母，胸中始终怀有一颗慈悲之心。正是从这种思想出发，唐甄呼吁建立

---

① 《潜书》下篇下《止杀》。
② 《潜书》下篇下《止杀》。
③ 《潜书》下篇下《止杀》。
④ 《潜书》上篇上《尊孟》。
⑤ 《潜书》下篇下《仁师》。

"仁师"："不明不仁，不可以为天下主。"①

　　战争一定会给国家和民众带来巨大危害，给社会和生产带来重大创伤，这一点几乎已经成为古往今来人们的共识。唐甄也对此进行了总结："夫兵有不动，动必伤人。不伤于己，亦伤于敌。凡用兵之地，拘牛豕，输粟麦，广樵牧，具楼橹，其费必空。凡用兵之地，耕废机废工废贾废市废，其养必竭。凡用兵之地，窜谷翳丛，暴日蒙霜，老羸僵涂，婴孩委莽，其伤必多。奚必刃矢！是三者皆致死之道也。一战之死已不可数，何况百战！一日之死已不可数，何况五年，何况十年！"② 据此唐甄指出，一场战争就会带来无数的死伤和难以估量的损失，何况是百战，一日之间就会造成惨重的伤亡，何况是五年和十年这样的长时间征战。在战争中，如果将帅不懂得推行仁义之道，就会更加肆无忌惮地胡乱杀人，必定会造成更为惨痛的损失。依靠这种杀戮之法，并不能平定天下，反而会成为天下之害："天下之害，莫大于将骄卒悍。将骄卒悍，杀人则勇，杀敌则怯；取宝货妇女则勇，取城郭军垒则怯。若然者，主不能用将，将不能用众，欲得其力，务厚其恩，乃适其所欲而恐或伤其意，此杀戮之不可法禁也。"③

　　在唐甄看来，这样只知胡乱杀人而不敢杀敌的军队只能算是一支残暴之师，最终必然会出现"主不能用将，将不能用众"的局面，在战场上也会缺少基本的战斗力。所以，用兵作战必须仰仗仁义之师。唐甄指出，这种仁义之师也会杀人，但只会杀那些必须杀的人，比如凶残的敌人等。唐甄指出："惟敌之强，势不并立，不得不杀；将卒之悍者，鞭杖不足，贯耳不足，不得不杀。"④ 而且，仁义之师即便是杀人，也非常注意适可而止，在适当的时候及时收手："以仁人之于兵也，不欲久处。成功必速，罢兵必早，乃能救民。"⑤ 正是

---

① 《潜书》下篇下《仁师》。
② 《潜书》下篇下《仁师》。
③ 《潜书》下篇下《仁师》。
④ 《潜书》下篇下《仁师》。
⑤ 《潜书》下篇下《仁师》。

从仁义学说出发，唐甄坚决反对那些穷兵黩武、杀人掠物的非正义战争，而是积极主张以战止战、以仁禁暴的正义战争。

二、"自固之计"与"内外两权"的治军理论

在治军方面，唐甄也有独到见解。在他看来，为了建成仁义之师，首先就是要追求"自固之计"。为了求得"自固之计"，就必须在"内外两权"上下功夫。为此，唐甄结合传统治军理论等，提出了自己的治军理念。他指出："兵有两权，内外是也。两得者兴，一得者亡。"① 要想使得军队走向强盛，就必须首先做到"自固"。

接下来，唐甄以力举数百斤的勇士为例，说明"自固"的重要性。由于能够力举数百斤，当勇士身处闹市时，市人成百上千聚集却没人敢与之较量，因此给人以无人能敌的感觉。但即便是这样的勇士，如果不能"自养以致疾"，那就会"三日疾则力衰，五日疾则不能行，十日疾则不能起坐"。到了这时候，即便是位弱女子，也可以扼住他的脖颈并杀死他。勇士其实还是当初那位勇士，并不是他不够勇敢，而是因为勇士出现了"内虚"，也即缺少"自固之计"而导致虚弱无力。② 还有一种称为"厚养之士"。这类人一直非常注意节食，也始终保持节制欲望，远离女色。由于他平时注意养生之术，所以一直身无疾病，健康长寿。但是，当他离家远行时，不幸在半路遇到劫匪。由于"厚养之士"平时不注意训练，没有掌握必备的自卫能力，所以"力不如其强，器不如其利，与不如其众"，在面对盗匪时，便只能"俯首而就死"。③ 之所以会出现"厚养"而无益的情况，就是因为"厚养"只能"保于内"而不能"强于外"。

由此可见，"内虚"与"厚养"都因为偏执而吃到苦头，这便说明做好"内外两权"的重要性。为了说明这一道理，唐甄继续举出李闯王和吴三桂起兵失败的例子。在明朝末年，李自成率领饥寒

① 《潜书》下篇下《两权》。
② 《潜书》下篇下《两权》。
③ 《潜书》下篇下《两权》。

之民起义，拥数十万之众，由大同而攻京师，势如破竹，却在大事将成之际一朝崩溃。吴三桂拥有众多宿将战卒，金钱与甲兵和京师相差无几，故发兵反叛之时，天下为之震动，但最终仍不免失败。对于这两个案例，唐甄从"内外两权"的角度出发进行了分析："夫李寇之兵，蚩尤之兵也，而无本根，以至于亡；吴寇之所处，霸王之资也，而昧于攻守之计，以至于亡。使去两短，兼用两长，岂易敌哉！欲见兵之长短以决成败，无明于此者矣。"① 通过这些例子，唐甄总结指出，"内外两权"都非常重要，都不可偏废。治理军队也是这个道理，必须"熟察于二者之形"，进而做到内外兼顾："熟察于二者之形，凡举事者，有必胜之兵，而不能先自固；有自固之计，而不能制胜，岂能幸存哉？同归于灭亡耳。"② 也就是说，只有注意"内外两权"，才能建成必胜之兵，并打败强敌。这内外两权互相依赖，互相补充，是一个不可分割的整体。只有两者并存，才能收到效果。一旦出现偏执的情况，便只有遭到失败。

无论是治国，还是治军，都需要统率千军万马，如何做好"内外两权"的"自固之计"，始终是一门大学问。在唐甄看来，重点是要抓住三个要素：地、食、法。他指出："自固之计有三：地、食、法是也。"③

所谓"地"，并非一定要定在咸阳，或死守河内，重要的是做到"因势之便而处，因民之宜而处，因粮之利而处，因敌之形而处"④，必须选择适当地点才能成就大业。这就像龙有所止之渊、虎有所伏之穴的道理一样，只有找对了合适的地点，才可以腾跃山谷，与百兽展开搏斗。

所谓"食"，就是要解决军队的吃饭问题。俗话说，民以食为天。在唐甄看来，要想解决军需供给问题，必须激发农民生产粮食

---

① 《潜书》下篇下《两权》。

② 《潜书》下篇下《两权》。

③ 《潜书》下篇下《两权》。

④ 《潜书》下篇下《两权》。

的积极性，也即"田税必轻于故籍以宽之，籴必增直以利农"①。攻破城池之后，就可以去寻找仓储，因为赶走一支军队之后，必定会坐收其丢弃的粮草，因而不必去抢夺民众手中的粮食。即便是缺粮，也必须做到"民藏不可取，野积不可掠，富室不可贷"②。这样做的好处是，屯堡、庐舍仓库皆实。士卒都有父母妻子，也会由此而解决温饱问题，进而保证三军上下转战千里而无二心。

所谓"法"，就是要保证三军上下遵纪守法，始终做到令行禁止。唐甄指出："国中无法，虽众不一，其主可虏；军中无法，虽勇不齐，其将可禽。"③ 法的作用在于，它可以保证"文武之官各尽其职，典兵者不侵民，牧民者不构兵"④。不仅仅是做到有法可依，还需要做到执法必严。执法的原则在于"不私于故，不偏于亲"，也在于"有罪必刑，战后必诛"，必须使得"有劳者必厚其赏，有功者必尊其爵"，才能使得人心信服，不约而同，才能达成"以战必胜，以攻必取"的目标。⑤

在唐甄看来，如果掌握并解决了地、食、法三个重要因素，就可以"修武教而得士心"，才能锻造"整而不可乱之兵"。⑥ 要想治理好军队，必须使得士卒"感德然后畏威，畏威然后感德"，这首先考验的是将帅的才能和素质。将帅必须起到表率作用，与士卒同甘共苦，才能培养出"能死而不可走之兵"⑦。对于其中的具体注意事项，唐甄也进行了总结："士卒未安不先寝、未食不先食，草食不甘食，疾病必视药，赏赐俘财，尽以分赐，日烹牛豕飨众，亲之如此，士卒爱之如父母矣。止舍有度，临战有节，违于法者即诛之，不少假于将率，于是士卒既爱且畏，无不愿效者。此能死而不可走之兵

---

① 《潜书》下篇下《两权》。
② 《潜书》下篇下《两权》。
③ 《潜书》下篇下《两权》。
④ 《潜书》下篇下《两权》。
⑤ 《潜书》下篇下《两权》。
⑥ 《潜书》下篇下《两权》。
⑦ 《潜书》下篇下《两权》。

也。能死而不可走，然后可使。有如是之众，得以变化从心，合而不狃，散而不乱，进而不佻，退而不先，隐而不惑，危而不慑，我可以挠敌，敌不可以挠我；我可以入敌，敌不可以入我。以是方行天下，诛暴救民，乃有成也。"① 在唐甄看来，保证军队做到止舍有度和临战有节，并始终做到违法必究，都需要依靠将帅完成。将帅如果能让士卒既爱且畏，那就会引来无数愿意效命之人，聚拢一批"能死而不可走之兵"。有这样一群士卒作为支撑，才能做到从心所欲，保证"我可以挠敌，敌不可以挠我"。也只有这样的军队，才能做到横行天下，完成"诛暴救民"的目标。

　　将帅的地位既然如此重要，选将不能不慎之又慎，必须将那些真正贤能之才选拔出来予以重用。唐甄以打磨玉石为喻，说明选将的重要性。就玉石而言，如果所遇非材，自然无法雕琢成玉器。如果本身材质无忧，但遇到"拙工者剖而琢之"②，则不仅不能打磨出名器，反而还会对玉石造成损伤。就治军而言，选择将帅就是要避免这样的"拙工"，努力寻找"良工"。

　　选人用人向来是一门大学问，唐甄认为，首先要注意"区而别之，等而差之"。他指出："贤主用人，群谋杂进，区而别之，等而差之，各效其用，亦犹炉之分金也。"③ 要想选好将帅，除了要通过战争实践来进行考察之外，还要掌握"量力而行"和"量才而用"这一标准："量力而行则不竭，量智而谋则不困。譬之权焉，移石于钧，移钧于斤，则衡拔而权坠；又譬则工焉，使金攻石，使石攻木，则敛手而器不成。才有所不及，智有所不通也。"④ 也就是说，对于所选之人，要重点考察智谋或能力能否胜任，始终秉持"量力而行"的原则，通过"审知"，对其进行有效考察，进而充分地发挥其作用。秉持"量力而行"的原则，就可以将各类人才放在最为合适的

---

① 《潜书》下篇下《两权》。
② 《潜书》下篇下《受任》。
③ 《潜书》下篇下《审知》。
④ 《潜书》下篇下《审知》。

岗位之上。这个道理就像跑步，能行百里者则给予其百里之道，能行五六十里者则给予其五六十里之道；也像吃饭，能吃一升米的，则煮一升米，能吃一合米的，则煮一合米；也像是举重，能举百斤的，则取百斤，不能举百斤的，则给其六七十斤或四五十斤。

针对选人用人问题，唐甄提出了"三用三不用"的原则，即"用其所信，毋用所疑；用其所长，毋用所短；用其所熟，毋用所疏"①。唐甄主张，既然已经选出将帅并已进行任命，那就应该充分给予信任，做到"用其所信，毋用所疑"。与此同时，还要做到用人之所长，将其放在最为合适的岗位之上，放在其熟悉的工作上。只有这样，才能充分调动其积极性，真正发挥他们的才能。这就是"知人者用人，自知者用于人"②的道理。

对于"用其所熟"，唐甄予以特别强调，视其为将帅的基本要求，也详细列举了将帅所应熟知的各个方面的问题："身在军中，百人为耳，千人为目，两敌之形皆熟知之，要塞山厄，熟知地利；面背应逆，熟知人心；远近离附，熟知援势；巧谍捷候，熟知敌隐；别道间谷，熟知奇伏；智力等类，熟知将能；信疑爱怨，熟知卒用；骑步水火，熟知技便。"③以上唐甄所列事项，牵涉用兵作战的方方面面，包括天时、地利、人心、敌情、战法等，可见唐甄其实强调了将帅的全面素质。如果某一方面不够熟悉，即便是未曾发生危险，也应加以警惕。在唐甄看来，将帅应对各种情况都有处置预案，提前预防，做到"危险尝之，岁月历之"④，这才是"谋可效、功可成"⑤的贤将。

历来选将都非常重视"勇"字当先，但唐甄竭力予以反对，更加重视谋略水准与指挥才能。他指出："兵者，自然之理，人情之

① 《潜书》下篇下《审知》。
② 《潜书》下篇下《审知》。
③ 《潜书》下篇下《审知》。
④ 《潜书》下篇下《审知》。
⑤ 《潜书》下篇下《审知》。

常，审势好谋，可以决胜，何必猛如虎、贪如狼者乃可为大将?"①
"猛如虎"与"贪如狼"之间没有必然联系，但是唐甄将二者联系
在一起，主要是为了反对以勇猛作为择将标准。他认为，勇力之士
固然是军中所宝，但只能使之为偏裨，"不可使总三军为大将"②。
在唐甄看来，选用王守仁这样富有智谋的儒者担当大将，也说明其
更重视将帅的谋略水准。

三、"立谋尚诡"与"得机而动"的战争谋略

关于作战指导思想，唐甄也有较为系统的论述，主要见诸《五
形》。此外，在《审知》《两权》等篇中也有或多或少的论述。这些
构成了"制胜之计"的主要内容，可分解为"立谋尚诡"和"得机
而动"两个方面。

首先是"立谋尚诡"。唐甄主张用兵要懂得"审势好谋"③，只
有那些富有谋略、精于计策的人，才会更懂得以奇用兵之道，更善
于抓住战机。他指出："若夫问兵如转丸，问谋如抽绪，辩言伟貌以
倾世主，卒至功堕名败、为人笑辱者，非其智不足也，高望蔽之，
幸心汩之也。立谋尚诡，临危尚决，取事尚短，制事尚长，出言戒
易，谋功戒贪，图成戒幸。古之人，忠厚而不妄，故能以五慎成二
奇。"④ 自从孙子提出"兵者诡道"的主张之后，历代军事家都开始
光明正大地使用战争谋略。由于战场形势瞬息万变，将帅如果不懂
谋略，缺少智谋，则无以应对千变万化的敌我态势，无法在战争中
取胜。唐甄认为"问谋如抽绪"，是主张不间断地使用谋略，充分发
挥人的主观能动性，从而掌握战争主动权。因此，他非常赞同以奇
用兵的原则，而且主张遵从吴子的"五慎"⑤，由此而设计奇谋和建

① 《潜书》下篇上《省官》。
② 《潜书》下篇上《省官》。
③ 《潜书》下篇上《省官》。
④ 《潜书》下篇下《审知》。
⑤ 《吴子·论将》曰："故将之所慎者五：一曰理，二曰备，三曰果，四曰
戒，五曰约。"

立奇功，始终主张通过机动灵活的战略战术克敌制胜。

出于对诡诈之道的认同，唐甄嘲笑并批评那些不善于用兵的"拙兵者"，高度赞扬那些"神智用兵"的种种手段："鸡之斗者，两距相拒，不知其他；狗之斗者，两牙相啮，不知其他。吾笑拙兵之智类鸡狗也。"①鸡、狗这些牲畜在博斗时，只知道使用蛮力，不懂使用计谋。如果两军交战时，将帅也不懂如何使用谋略，那么其智商就等同于鸡狗。唐甄的批评和嘲讽，不可不谓辛辣。

本着诡道用兵的原则，唐甄主张用兵之时要避开正道，因为正道之上，既是我之所往，也是敌之所来，既是我之所争，也是敌之所御，所以很难取得成功。因此，善于用兵之人，一定要出人意料：既要做到"不出所当出，出所不当出"，也要做到"不攻所当攻，攻所不当攻"。②唐甄对"三无"和"三必"进行了对比，认为"必攻之地常固，必攻之城常坚，必攻之时常警"，所以很难取得成功。与之形成对比的是"无屯之谷，无候之径，无城之地"，这些地方因为缺少坚固的防守，因此可成为用兵之选："可以利趋，能趋之者胜。"③

由此可知，选择进攻方向时，就应该从"人情所不虞"出发，力争出敌不意："欲取其东必击其西，彼必不舍西而备东；欲取其后必击其前，彼必不舍前而备后。此人情所不虞也，能误之者胜。"④唐甄这里所总结的进攻之法，与孙子"诡道十二法"的基本原则完全吻合。孙子主张"能而示之不能，用而示之不用，近而示之远，远而示之近"，力争实现"攻其无备，出其不意"。⑤这对后世兵家产生了深远影响。唐甄自不能免，同样主张依据"人情所不虞"的思维方法，选择出人意料的进攻方向。

---

① 《潜书》下篇下《五形》。
② 《潜书》下篇下《五形》。
③ 《潜书》下篇下《五形》。
④ 《潜书》下篇下《五形》。
⑤ 《孙子兵法·计篇》。

善于诡道用兵者，在选择进攻部队时也注意使用"奇兵"。唐甄指出："善用兵者，不专主乎一军，正兵之外有兵，无兵之处皆兵。"① "正兵之外有兵"，这种"兵"，其实就是"奇兵"。这样才能奇正相生。两军对峙之时，我方与敌方兵力相当，比如各自拥有一万人、五万人或十万人，但这只能形成僵持或对抗，很难立即击溃对方。要想击败对手，只有派出"必胜之兵"。至于何为"必胜之兵"，唐甄也进行了总结，共有四种：游兵、缀兵、形兵、声兵。这四者任务不同，但目标一致，都是为了示形诱敌，牵制对手，扰乱敌军。唐甄指出："有游兵以扰之，有缀兵以牵之，有形兵以疑其目，有声兵以疑其耳。所以挠其势也，能挠之者胜。"② 在他看来，如果拥有这些"必胜之兵"，并能正确使用，而且是用在关键时机，就一定可以实现"少可胜众，弱可胜强"③ 的效果。这样才符合奇兵制胜的用兵原理。

为了说明奇兵制胜的道理，唐甄还举出自己的亲身经历加以说明。他在蜀中考试时，曾使用声东击西的计谋，顺利抢得篱酒。当时，一帮人护着篱酒，令别人无法近身。面对此情，唐甄找人在外面大声鼓噪，并摆出与护酒之人决斗的架势，以此扰乱对方。趁着对方不备，唐甄再派出身手敏捷之人趁乱抢走篱酒。唐甄抢酒之所以能够取得成功，依靠的正是谋略。在他看来，用兵的道理正如同争抢篱酒，同样需要以智胜敌，善用奇兵。

除了"立谋尚诡"之外，唐甄战术思想的另一个重要内容是"得机而动"。他指出，"凡用兵之道，莫神于得机"④，突出强调把握战机的重要性，同时就如何把握战机提出了自己的观点。

唐甄指出，智者伺机而动，从不贻误战机，拙者则类出穴之鼠，首鼠两端，在犹豫不决中错失战机。唐甄描绘了老鼠出洞的形态：

① 《潜书》下篇下《五形》。
② 《潜书》下篇下《五形》。
③ 《潜书》下篇下《五形》。
④ 《潜书》下篇下《五形》。

"左顾者三，右顾者再，进寸而反者三，进尺而反者再。"① 虽说态度谨慎，但步履蹒跚，进展缓慢，用这种方法去指挥作战，必然会坐失良机。

在此基础上，唐甄进一步论述了何为"机"，以及指挥员为何要重视"机"。他指出："机者，一日不再，一月不再，一年不再，十年不再，百年不再，是故智者惜之。古之能者，阴谋十年，不十年也；转战千里，不千里也。时当食时，投箸而起，食毕则失；时当卧时，披衣而起，结袜则失；时当进时，弃家而进，反顾则失。不得机者，虽有智主良将，如利剑之击空；虽有累世之重、百万之众，如巨人之痿处；虽有屡战屡胜之利，如刺虎而伤其皮毛。机者，天人之会，成败之决也。"② 在唐甄看来，"机"是难得一遇的天人之会，并非时时存在。一旦战机出现，那就要果断出击，赢取胜利。一旦丧失战机，便如同"利剑之击空"，徒劳无益，坐等失败。

与敌人决战的时机难得一遇，故需全力掌握。为了强调把握战机，唐甄进一步论述了丧失时机的巨大危害，指出："若乃遗机失谋，数战不利，数举无功，二年三年，甲敝兵钝，战气消竭，豪杰失望，思归丘陇，人心解散，不可复振，此坐而自亡之道矣。"③ 当遇到大敌对阵时，非我克彼，即彼克我。这种生死存亡的紧急关头，也正是积累千百之功的时机，所以说"决机则在于一日，成功则定于一战"④。反之则必然会出现"甲敝兵钝"和"人心离散"的危险局面，并从此一蹶不振，从而走上灭亡之路。

唐甄进一步从人情之理出发，对此予以考察。他指出，通常情况下，人情之理是"兴则附，衰则去"，在看到己方无法获胜之时，必然会灰心丧气，作鸟兽散。反之，如果能一战胜敌，必然会"兵威震世，义声盈耳"，从此赢得"人心归附，豪杰响应"。⑤ 由此开

---

① 《潜书》下篇下《五形》。
② 《潜书》下篇下《五形》。
③ 《潜书》下篇下《两权》。
④ 《潜书》下篇下《两权》。
⑤ 《潜书》下篇下《两权》。

始，敌我双方的力量对比和优劣态势都会发生急剧变化。

对于如何把握战机，唐甄也提出了自己的主张，主要是三点。

第一是"乘其未定"，先发制人。

依照人之常情，敌人刚遇到某一突发情况时，会非常惊恐，但时间一久则会淡定下来。当敌人表现出万分惊恐之时，就是乘机袭扰的机会，一旦镇定下来就变得不可侵犯。善于用兵之人，总是"乘惊为先"，抓住敌人惊恐万状的机会发起进攻，采取的是先发制人的策略。当这种机会出现在眼前时，"千里非远，重关非阻，百万非众"①，一定要倍道而进，行军如同飘风，如同疾雷，对敌发起迅猛一击。遇到这种突然袭击，敌方一定难以防备："敌之主臣失措，人民逃散，将士无固志，乘其一而九自溃，乘其东而西自溃，乘其南而北自溃，兵刃未加，已坏裂而不可收矣。"② 所以，这时候才是击溃敌人的最佳时机。当战机出现时，指挥员必须果断出击，如同"伺射惊隼，伺射突兔"，并做到"先后不容瞬，远近不容分"，这才是"用机之形"。③

为了说明"得机用兵"需要"乘其未定"的道理，唐甄同样以自己的亲身经历加以论证。他少年时曾随舅父李长祥饮酒，对面坐着一个力举千斤的壮士秦斯。李长祥对一个身体羸弱的客人说，你既然喜好拳技，就大胆地与其较量，完全可以打败这个壮士。壮士秦斯颇不以为然，左顾右盼有说有笑，羸弱之客乘其未定之时，迅速击打壮士，秦斯则因猝不及防而应声倒地。唐甄认为这其实就是用兵之道，他据此总结道："夫以客当斯，虽百不敌也，然能胜之者，乘其未定也。善用兵者，如客之击秦斯，可谓智矣。"④

第二是主动进攻，果敢决战。

---

① 《潜书》下篇下《五形》。
② 《潜书》下篇下《五形》。
③ 《潜书》下篇下《五形》。
④ 《潜书》下篇下《五形》。

孙子认为战术的核心问题是"致人而不致于人"①，强调力争掌握战争主动权，为了争取主动权，就要崇尚进攻速决战。唐甄对此深表赞同，他强调战术原则的中心问题是主动进攻，以此掌握战争主动权。他指出："夫兵者，死门也，不可以生心处之。有自完之心者，必亡；为退休之计者，必破；欲保妻子，妻子必虏；欲全家室，家室必灭。善用兵者，有进无退，虽退所以成进；有先无后，虽后所以成先；有速无迟，虽迟所以成速；有战无守，虽守所以成战；有全无半，虽半所以成全。"② 在战争面前，如果存有侥幸心理，就必然会遭到失败。只有那些掌握战机、主动出击的将领，才能掌控生死之门。在唐甄看来，那些保守懦弱之将，如同千金小姐不事稼穑，唯恐伤及肢体。在战争中，指挥员一定要打破这种"贵人之处"，具有勇敢进攻意识。

由此出发，唐甄特意强调了勇敢精神的重要性。他指出："以彼千百之众，其智其力，岂不三盗若也？而不能禽者，趋生者怯，趋死者勇也。人之常情，棘迫肤则失色，砭触趾则失声。一旦临死莫逃，怒发气生，心无家室，目无锋刃，鬼神避之，金石开之，何战不克，何攻不取！故夫以能死之将，驱能死之众，如椎椎刾，鲜不破矣。"③ 在战场上，只有那些奋不顾身、勇往直前的勇士才能掌握战机，才能在英勇杀敌的过程中保存自己。反之，如果犹豫不决，畏敌如虎，则必然为敌所伤。一旦身怀必死之心，身处必死之地，就能向死求生，勇敢杀敌。这种成败的差别，其实就是勇怯的差别。

第三是情报先行，隐秘己情。

战机稍纵即逝，但也会预先露出表征。要想把握战机，就必须及时发现和掌握这些表征。这当然离不开情报工作，离不开间谍的努力。

为强调知敌之情的重要性，唐甄指出："知敌之情者，重险如门

---

① 《孙子兵法·虚实篇》。
② 《潜书》下篇下《五形》。
③ 《潜书》下篇下《五形》。

庭；不知敌之情者，目前如万里。筜渡之国，索登之山，我能取之，不困其险，不中其谲者。非有他巧，知敌之情也。"① 情报工作既然如此重要，战前秘密派出间谍侦察敌情，就显得格外重要。当然，唐甄也能辩证地看待间谍的得失："谍者，军之耳也；有以谍胜，亦有以谍败。"② 他还主张在派出间谍时，也要有所区别："敌有愚将，可专任谍；敌有智将，不可专任谍。"③

唐甄深知情报工作的复杂性。他指出，在情报人员执行任务的过程中，经常会遇到对方以假情报诱我上当的情况，这时候即便是有"巧谍"也难以招架："我有巧谍，彼乃故表其形，故声其令，故泄其隐以诱我。"④ 一旦遇到这种情况，就更要注意头脑保持冷静并认真加以分析，必须认真辨别真伪，才能探知真实情况。如果想要采用使用敌方间谍的反间之法，就更要慎之又慎，避免被对方的假情报所欺骗。总之，一定要努力保证情报工作真正起到参谋和耳目的作用，为战争决策和战术制定提供足够有力的支撑。

第五节　魏禧的兵学思想

魏禧（1624—1681），明末清初著名学者，字叔子，又字冰叔，号裕斋，又号勺庭，江西宁都人。魏禧一生好读文史，喜谈兵略，人称"以文法言兵，以兵法作文"⑤。著作有《文集》22 卷、《日录》3 卷、《诗集》8 卷、《左传经世》10 卷、《兵迹》12 卷、《兵谋》1 卷、《兵法》1 卷等。其兵学思想主要集中于《兵迹》《兵谋》

---

① 《潜书》下篇下《五形》。
② 《潜书》下篇下《五形》。
③ 《潜书》下篇下《五形》。
④ 《潜书》下篇下《五形》。
⑤ 魏禧：《兵法·跋》，《中国兵书集成》第四十一册。

《兵法》等。《兵迹》共 12 卷 14 编，通过概述历代用兵史迹来总结其中得失，从战争历史中汲取谋略与智慧。《兵谋》与《兵法》则是魏禧精研《左传》之后对其中兵学思想和军事谋略的总结与阐释。

一、战争起源论和"夷夏之辨"

在《兵迹》中，魏禧借回顾历史，探讨了战争起源问题。众所周知，上古历史因为年代过于久远，诸多人物和故事都无法一一坐实，魏禧无意对此进行严谨考证，编排顺序等也较为主观，但从中也可看出他对战争起源及战争问题的认识。魏禧指出："太古之世，民物友处，无有姤伤之心。迨后机智渐生，茹血衣皮，兽有爪牙、角尾之利，民因剥材木以相拒触，民物相攫而有武矣。"[1] 在魏禧看来，在远古时期，人与动物之间始终能够和谐相处，彼此之间并无伤害之心，所以也便没有争斗发生，更不可能出现战争这类现象。等到后来因为人类有了智慧，依靠智慧与动物搏斗，从此也便有了武力相抗，从此开始角力用智，于是才出现了战争。

在战争初起阶段，人们对于"兵"的态度都是不一样的。魏禧总结认为，由于伏羲氏"造干戈以饰武"，这就是"干戈之始"。与此同时，伏羲氏开始研究阵法，设立五营九军，由此开始，"营阵兴矣"。[2] 也就是说，魏禧认为在伏羲的时代不仅产生了武器，也已经有了营阵之法的出现。大规模的征伐战争，魏禧认为是从神农氏开始："神农伐补遂国，大战克之，而征伐起矣。"[3] 将战争发展到一个新高度的，则推黄帝。因为黄帝习用干戈，又教会熊、罴、貔、貅、䝙、虎等六兽中之能战者，与榆罔战于阪泉，三战皆胜，自此便有了兽战。由于蚩尤好兵喜乱，而且大量锻造刀戟等兵器，暴虐天下，黄帝发明弓矢，由此而有了弓矢战。黄帝与蚩尤决战于涿鹿，蚩尤兴起大雾迷惑军士，但黄帝发明指南车辨别方向，从此便有了

---

① 魏禧：《兵迹》卷一《历代编》，《中国兵书集成》第四十一册。

② 《兵迹》卷一《历代编》。

③ 《兵迹》卷一《历代编》。

雾战和车战。魏禧就此认为，在黄帝时代已经有了较为齐全的战争门类。

结合无法确定的上古历史，魏禧重点探讨的是战争起源问题，间或涉及战争性质的讨论。在其后相对清晰的战争历史勾勒中，魏禧则着重总结了自己对战争问题的认识和态度等。比如，在描写尧发起的战争时，魏禧有意强调了尧的"仁而去兵，城郭不修，武士无位"①，并有意强调这类行为对于战争所造成的影响。在对商汤时期的战争进行追忆时，他突出强调了仁义的作用："汤十一征而无敌，主仁义。"② 在对商纣王的失败进行总结时，魏禧重点突出的是其残暴无德。虽然纣王力大惊人，能与猛兽搏斗，而且统率千军万马，却因为自己的军队临阵倒戈而灭亡。借助于总结周朝的兴起，魏禧也重点强调了"义"的作用，认为从季历开始至文王这一系列的讨伐战争中，始终高举仁义的旗帜，并做到"师以义动"③，强调出兵是为了严惩那些不义之徒，这才能做到威服天下。

与传统儒家相似，魏禧同样严守"夷夏之辨"的传统。在魏禧看来，秦朝修筑万里长城，"延袤万里以遮胡，为千古凭守"④，从而建立了不朽功业。在对汉朝战争历史进行总结时，他更是体现出态度鲜明的夷夏观。魏禧赞扬汉文帝的"备夷"之念，对匈奴"三入三拒"⑤，既不穷兵黩武，也彰显智谋。对于汉武帝，魏禧虽然批评其好大喜功，但也肯定其击破夷狄的功劳。在魏禧看来，这甚至可与秦始皇统一天下的功业媲美。不仅如此，魏禧认为历史上总会出现"说者称秦皇汉武"的现象，也是因为他们能够严守"夷夏之辨"。对于东汉历代皇帝，魏禧认为其"咸能取胜夷狄，以续武帝之业"，因此更是给予积极赞扬。尤其是东汉光武帝刘秀，魏禧给予了

---

① 《兵迹》卷一《历代编》。
② 《兵迹》卷一《历代编》。
③ 《兵迹》卷一《历代编》。
④ 《兵迹》卷一《历代编》。
⑤ 《兵迹》卷一《历代编》。

更高评价，赞扬其对部下推心置腹，重修文、景之治，可谓"偃兵修文，能动而亦能静"，因此能够"闭玉关，谢西域"。① 其他如明帝开三十六国，章帝威震西域，和帝北击匈奴并出塞三千余里，桓帝击破羌夷等等，都是攘夷之壮举。由此出发，魏禧总结汉代的功业尽在于严防夷狄，给夷狄以严惩："是汉之战功在夷狄。制夷狄者，莫汉若。"②

在对历史进行总结之后，魏禧指出，夷狄危机得以总爆发的根源出在晋朝。在晋朝，由于"武备单虚"，从而给了夷狄以可乘之机。当政者"杂夷种于内地"的做法，更如同"蛇虺居室"，由此而酿成"五胡割裂"的局面。③ 魏禧对东晋的情况进行了较为深入的分析，认为当初元帝为避胡患而被迫南迁，致使北方完全失控，沦入夷狄之手。从明帝到成帝，其间虽试图反击，但只能说差强人意，已经无法从根本上改变中原沦丧的局面。由于"数十年中原沦灭"④ 之故，夷狄势力已经逐渐强大起来。所以，总结两晋的战争史，可以看到中原始终受到夷狄的逼迫，而无法使得江南江北真正统一起来。

魏禧对历代战争的总结，止于明代。在明亡之后，魏禧的父亲魏兆凤隐迹山中，长久号哭，竟日不食，不到四十而卒。魏禧同样感受到亡国之痛，拒绝参加清廷组织的科举考试，并念念不忘复明大业，也由此出发将研讨兵学作为己任。在《历代编》中，他总结历朝用兵得失、兵制演变等，明显有所寄托。在总结战争历史时，他以夷夏观作为主导，对历史人物和历史事件都时刻予以褒贬，用心不难体察。

应当指出，与黄宗羲、王夫之一样，魏禧的夷夏观也有很大的历史局限性。

---

① 《兵迹》卷一《历代编》。
② 《兵迹》卷一《历代编》。
③ 《兵迹》卷一《历代编》。
④ 《兵迹》卷一《历代编》。

二、为将之道与治军之术

通观《兵迹》，将帅论是其重点内容，魏禧花费很多笔墨探讨为将之道。从卷二的《将体编》《将物编》到卷三的《将兽篇》，再到卷四的《将能篇》和卷五的《将效篇》，几乎都是围绕为将之道展开。魏禧以单个字条的方式，分门别类地就将帅应具备的素质、应掌握之技能以及应熟习的谋略之术和治军之术等，都进行了探讨和总结。

在《将体编》中，魏禧首先探讨了如何借用姓名来威慑敌军，进而战胜对手的方法，认为这是"因人之畏之乃得以行其计"[①]。当然，需要注意的是，要想达到效果，就一定要使用"声名足以慑敌"的名将，甚至是"呼其名而敌退者"。[②] 除此之外，魏禧还总结了如何利用身、手、口、耳、目、鼻等特长击退敌军的方法，就任用儒将、老将、幼将、弱将，乃至妇女、犯人等误敌欺敌的方法，也进行了梳理和总结。此外，他还主张利用呼叫、寂静、宴饮、乐曲、歌谣、哭笑、舞蹈等方法，欺骗敌军，诱惑敌军，进而寻找机会战胜对手，并对具体的运用技巧进行了总结。

在《将物编》中，魏禧辑录了历代名将巧用诗词、书信、字画、榜牌、金鼓、旗帜、弓弩，以及衣服、甲胄、甲盾、车马、舰船、竹木等物资，巧行欺诈之术，进而战胜敌军的案例。在魏禧看来，诸如沙石、城墙、江河、山川等各种作战物资，都是可以利用的破敌之器，如果将帅善加使用，就一定可以丰富进攻手段和进攻战术，也令敌军更加难以防备。在总结这些方法的同时，魏禧也指出，其中也有"意外之事"，故此"亦当慎者"。[③] 在《将兽编》，魏禧辑录了巧妙利用马、牛、象、狮、虎、犬、鸡、鸽、鹊等禽兽战胜敌军的案例，说明动物也是可以利用的力量，就看指挥员是否能够善

---

① 《兵迹》卷二《将体编》。
② 《兵迹》卷二《将体编》。
③ 《兵迹》卷二《将物编》。

加利用。

在《将兽编》中，魏禧重点探讨了将帅的治军之道。魏禧指出："能得士者强，能用士者胜。"① 也就是说，能不能得到人才，是能否战胜强敌的关键。至于得士之法，魏禧也总结出很多种，比如善求、恭礼、奉侍、隆典、尊事、尊名、听荐、善选等。② 从总体上看，这些方法都是驭将之法。在探讨了这些内容之后，他对于"率兵之法"也进行了探讨。魏禧指出，"驭将有法，率兵亦有法"③，一定要得法。如果做到统御得法，那么无论士兵是多是寡，都可以击败敌军。比如齐桓公招募五万人破敌，正是依靠多多益善，尹继伦只用千余人马便打败契丹，是因为他坚持走精兵路线。

众所周知，严明军纪和严格执行军法一贯被视为治军良策，魏禧对此也予以特别强调。他借尉缭子"杀士"的名言，阐发了严明纪律的重要性。尉缭子曾说："臣闻古之善用兵者，能杀卒之半，其次杀其十三，其下杀其十一。能杀其半者，威加海内；杀十三者，力加诸侯；杀十一者，令行士卒。"④ 通过惩罚那些少数犯罪之徒，无疑可以对士卒起到警示和教育作用。而且尉缭子主张杀更多的人，以此激励士卒，令其发挥最大潜能。这种办法是否可取，其实并无定论，但此举受到魏禧的激赏，原因就在于其中贯穿的是"严刑峻法"的思想。他就此指出，"从来名将，未有不法之峻者"⑤，强调严明军纪的重要性。当然，在强调严刑峻法的同时，魏禧也主张宽待部下，并将罚与赏都视为治军的重要方法。他举出历史上诸如斛律光这样因罪行得到赦免而越发拼死效忠的经典案例，说明宽严相济和赏罚分明才是治军要则。

在《将能编》，魏禧重点辑录将帅的布阵用兵之法，仍然是采用

---

① 《兵迹》卷三《将兽编》。
② 《兵迹》卷三《将兽编》。
③ 《兵迹》卷三《将兽编》。
④ 《尉缭子·兵令下》。
⑤ 《兵迹》卷三《将兽编》。

单个字条的方式展开。他首先是对军阵的起源和发展进行了探讨，从伏羲开始溯源，诸如太公、孙子、韩信、诸葛亮、岳飞等名将的阵法都有论及，指出高明的阵法在于变化和出奇，认为"阵中有阵，为尤奇也"①。

对于攻守之法，魏禧也进行了总结。就进攻而言，他总结有围攻、水攻、火攻、死攻、四面俱攻及不攻而攻等，并且都举出历史上的经典战例进行论证。即便是攻城，也有很多种方法："攻城之法多端"，一定要根据不同的形势，采取不同的进攻方法。这一点也得到了历史上众多成功战例的证明。关于防守，魏禧认为，它本与进攻密切相连。因此，进攻方法变化多端，防守之法也多种多样。魏禧总结的防守之法主要有：先攻以为守、因攻以为守、因攻变而为守等。攻与守，完全是两种不同的战法，魏禧引用兵法"攻者常倍，守者常半"及"攻者常劳，守者常逸"等名言，说明攻与守的区别及联系，强调了"能先""能因""能变"②。也就是说，要能抢先占据主动，能根据形势变化而采取不同方法，能够不断变化战法。

在总述攻守的原则之后，魏禧又进一步总结具体的进攻和防守之法。比如，"淹"就是进攻方法的一种。利用浩大的水势，既可以淹没敌军，也可以摧毁城池，但也要注意依据客观条件展开，比如水小者用壅，水卑者用堰，水高者用引，水盛者用决等，尤其要注意不可"因水以自害"③。除了"水"之外，魏禧总结的其他具体战法还有很多，比如火、效、寓、肆、藏、穴等，以及灰尘、神鬼等，如果能够巧妙运用，同样可以找到战胜敌军的良机。所以，将帅需懂得充分发挥自身的聪明才智，才能使出各种巧法战胜敌军。

在探讨和总结历史上的各种战法之后，魏禧也对将帅所应具备的品质进行了总结。比如对于"慎"，魏禧给予了突出强调。众所周

---

① 《兵迹》卷四《将能编》。
② 《兵迹》卷四《将能编》。
③ 《兵迹》卷四《将能编》。

知，孙子对于战争持"慎战"态度，主张"非危不战"①。这一点被历代兵家所继承，也为魏禧所赞赏。他指出："兵凶战危，不可不慎。"② 不仅如此，身为将帅，需要时时处处谨慎，既"慎于营阵，也"慎于行止"；既"慎于起息"，更"慎于决策"。战争是安国全军的大事，一旦发起征伐战争，就应当事事谨慎，处处谨慎。只能"慎"字当先，才能少犯错误。

再如"诚"，魏禧认为这也是兵家的可贵品质。他指出，兵家向来提倡"兵以诈胜，无谋，非用兵也"③，但也不能将其绝对化。如果对敌军示之以诚，也有机会胜敌。比如羊祜在与吴人交战时，一定要事先约定好交战日期，也不搞埋伏和偷袭，如果遇到有人进献阴谋诡计，就一定及时予以阻止。这种以诚待敌的方法，仿佛回到了"竞于道德"④ 的上古时代，表面上看显得不合时宜，但也能取得很好的效果。在魏禧看来，羊祜"以诚为战"的方法，打破了春秋以降以诡道为战的常规，因而也是出奇制胜的方法之一，所以一定不可忽视。

魏禧指出，身为将帅，一定要懂得简易之道，化繁为简，使得将士安心。另外也更要懂得隐蔽己方意图，因为"兵者，阴道也，贵于能寓"⑤。只有隐蔽行事，不露形迹，才能不让敌军生疑，不被对方察觉。魏禧说，"战之奇者，无如藏"⑥，也强调了这一层道理。除此之外，将帅还应该懂得反向思维，善于扭转不利局面。魏禧指出："善战者能反其势，则事易而功倍。"⑦ 在他看来，这是扭转局势的一种方法，能够依靠它来实现反败为胜。当然，具体施行起来还有一些方法，如：反营阵之势，反先后之势，反主客之势，反攻

---

① 《孙子兵法·火攻篇》。
② 《兵迹》卷四《将能编》。
③ 《兵迹》卷四《将能编》。
④ 《韩非子·五蠹》。
⑤ 《兵迹》卷四《将能编》。
⑥ 《兵迹》卷四《将能编》。
⑦ 《兵迹》卷四《将能编》。

守之势，反胜败之势等。只有善于"反其势"，才能立于不败之地。魏禧还指出，将帅应当研究和掌握各种具体的作战方法，不断地提高自身的指挥能力。他辑录历史上除盗寇、因疲猛、陷坚阵、断归路、绝逃亡、用饥渴、寡胜众、顺天时等各种制胜方法，名之《将效编》，希望将帅能够认真学习并善加运用。

在《兵迹》的其余诸篇，如《华境编》《华人编》《土夷编》等，也有很多篇幅是在探讨如何治军。这些内容与为将之道及治军之术等，也存有密切联系。在《华境编》，魏禧记述各地兵卒的习性和特长，提示将帅应据此而采用不同的训练方法和使用方法，充分发挥各自优长。《华人编》辑录了僧兵、赤脚兵、被窝兵等各类兵卒的不同特点，提示将帅应利用这些特点，将其分别投送于各种特殊战场，以收取意想不到的作战效果。包括盗贼、渔人、猎人、乡民、妇幼等，都应当用其所长，使其在战场上最大程度地发挥作用。在《土夷编》，魏禧还记述了狼兵、苗民、瑶民等风俗习惯和作战特点等，提示将帅应熟悉并掌握，学会在战场上因势利导，力争依靠他们取得最佳的作战效果。

从总体上打量，《兵迹》其实是一部军事史著作，作者分类辑录了重要历史上的重大战争，探讨战争的发生原因和胜败关键，并且剖析其中的战术方法和军事制度等，同时也对有关地区的地形特点、兵要地理进行概括性总结，目的是要写成一部对将帅具有启迪意义的兵书。《兵迹》中辑录了中国古代各种特种部队建设情况，具有相当重要的史料价值。该书辑录资料虽然宏富，但因为分类合理，编排得当，非常便于查阅，是学习古代军事问题的重要参考书。不仅如此，魏禧要言不烦的评语，大都也能起到画龙点睛的作用，体现出作者良好的军事素养。

三、用兵之谋与用兵之法

魏禧对用兵理论和作战方法的总结，除《兵迹》中有部分展示之外，更多集中于《兵谋》《兵法》两书。这两本兵书，其实是魏禧精心研读《左传》的心得，因此也有人视之为读史札记。其实它们与读史札记存在着很大不同，因为作者立意在"兵"。从书名中"谋"和"法"二字就可以看出，魏禧试图为用兵筹划谋略，为作战寻求方法。另外，与《兵迹》相似，这两本兵书仍是以一个字来集中概括出每条战术或谋略的最重要特点，再辅以经典战例予以阐释。

在《兵谋》中，魏禧首先是区分了"谋"与"法"的关系，并就此剖析了"谋"的内容。他指出："凡兵，有可见，有不可见。可见曰法，不可见曰谋。法而弗谋，犹搏虎以梃刃而不设阱也；谋而弗法，犹察脉观色而亡方剂也。"① 从中可以看出，魏禧将"谋"与"法"的关系视为互为表里的关系，一为可见，一为不可见。而且，"谋"与"法"必须互相配合，这才能发挥作用，如同猎人有本钱与虎狼搏斗，或医生有医术为病人治病那样。

魏禧对《左传》进行了深入研究，总结其中军事谋略共有32种："左氏之兵，为谋三十有二：曰和，曰息，曰量，曰忍，曰弱，曰强，曰致，曰畏，曰防，曰需，曰疾，曰久，曰激，曰断，曰听，曰诡，曰信，曰谍，曰间，曰内，曰衅，曰逼，曰与，曰胁，曰假，曰名，曰辞，曰备，曰法，曰同，曰本，曰保。"② 对于以上谋略之术，魏禧也进一步进行了阐释。比如，"和"就是上下礼让，上下同心；"息"就是暂时与民休养生息，适当时机驱用；"量"就是衡量敌我双方的实力等；"忍"即忍辱负重，甘于下位，做暂时的忍让；"弱"即暂时示弱，以此麻痹敌军，再战而胜之；"强"即"弱而示之强，以慑之是也"，意即通过示强震慑敌人；"致"即调动对方；"畏"即保持必要的警惕，力戒恃强逞骄；"防"即始终保持戒备，时刻注意提防；"需"即"迟而待之"，意为暂时迟缓，寻机胜敌；"疾"即得机给敌迅猛一击；"久"即持久待敌，寻找胜机；"激"即激怒敌军，使其在暴躁之中自乱方寸；"断"即果断决策，避免贻误战机；"听"即"或听于众，或听于贤"，善于倾听能者的意见；

① 魏禧：《兵谋》，《中国兵书集成》第四十一册。
② 《兵谋》。本段引文均出自本书。

"诡"即"知人之诡，我以诡人"，既能识破敌方诡诈之术，也能以诡诈之计对敌；"信"即"不厌信礼"，不排斥信用和礼节；"谍"即利用间谍刺探敌方情报；"间"即离间敌军；"内"即注意防范内奸作乱；"衅"即谨防己方出现缝隙，并利用敌方缝隙战胜敌军；"逼"即依靠威势迫敌投降；"与"即结交邻国寻求合作和援助；"胁"即胁迫敌军；"假"即"假于鬼神"等，借助占卜、鬼神等欺骗和迷惑敌军；"名"即追求师出有名；"辞"即注意外交辞令；"备"即"有备无患"，保持戒备之心；"法"即严明军法，公平赏罚；"同"即同甘共苦，上下同心；"本"即以民为本；"保"即修"本"确保胜利。魏禧借助上述 32 个字条，总结并揭示了《左传》的用兵谋略，不仅为人们研读《左传》提供了便利，也对研究春秋时期的战争谋略提供了方便。虽说其中部分内容显得过于简略，但仍不失为一部特色鲜明的兵书。

《兵法》是《兵谋》的姊妹篇，是魏禧对《左传》用兵之法进行的梳理和总结。如前所述，他认为，"谋"与"法"互为表里，相辅相成，又指出"兵不法不立"，所以在《兵谋》的基础上另外写出《兵法》一书。在书中，他总结《左传》的用兵之法共计 22条："左氏之兵，为法二十有二：曰先，曰潜，曰覆，曰诱，曰乘，曰衷，曰误，曰瑕，曰援，曰分，曰尝，曰险，曰整，曰暇，曰众，曰简，曰一，曰劝，曰死，曰物，曰变，曰将。"① 与《兵谋》相似，对于这些用兵之法，魏禧仍然是通过 22 个字进行揭示。其中，"先"即先声夺人和先发制人；"潜"即悄然隐蔽，寻找时机对敌发起袭击；"覆"即设下埋伏，等待时机袭击敌军；"诱"即"以弱示之"，通过示弱诱敌深入，再对其发起攻击；"乘"即抓住时机，出敌不意发起攻击；"衷"即"折而取其衷"，从中间分割敌军，再对其进行前后夹击；"误"即多方误敌，欺骗对手；"瑕"即进攻敌方虚弱之处；"援"即组织好援兵，互相呼应；"分"即合理分兵，多路出击；"尝"即对敌进行试探，摸清敌情；"险"即控制险要地

---

① 《兵法》。本段引文均出自本书。

带，恃险制敌；"整"即保持军容严整，使敌无懈可击；"暇"即示敌以闲暇，令其无从知晓我方真实情况；"众"即利用兵势之众威慑敌军；"简"即"简其精锐"，挑选精锐之卒，进攻敌军；"一"即统一进退号令，做到统一指挥，令行禁止；"劝"即"激而厉之"，设法激励士卒，振奋士气；"死"即寻找"致死之法"，令其冲锋陷阵而不畏死；"物"即准备齐全各种军需物资；"变"即权变，追求灵活多变，不守常规，因敌而变；"将"即"将将是也"，使用各种方法御将，保证军队指挥通畅。

魏禧通过字条来总结用兵之道，其实是借鉴了《兵壘》和《兵经》等兵书的做法，算不上独创。所列《兵法》22条与"兵谋"难以截然划清界限，其中某些字条不免有生拉硬凑之嫌。当然，即便是《兵法》存在这样的缺陷，仍然值得重视。魏禧能从《左传》中总结出如此之多的条目，一方面显示出其研读《左传》功夫之深，另一方面也展示了他的军事理论水准。

主要参考文献

一、著作类

《中国兵书集成》编委会. 中国兵书集成［M］. 北京：解放军出版社，沈阳：辽沈书社，1987—1998.

糜振玉. 中国军事学术史［M］. 北京：解放军出版社，2008.

军事科学院. 中国军事通史［M］. 北京：军事科学出版社，1998.

于汝波，刘庆. 中国历代战略思想教程［M］. 北京：军事科学出版社，2000.

于汝波，黄朴民. 中国历代军事思想教程［M］. 北京：军事科学出版社，2000.

中国军事史编写组. 武经七书注译［M］. 北京：解放军出版社，1986.

军事科学院战略研究部. 战略学［M］. 北京：军事科学出版社，1987.

李际均. 论战略［M］. 北京：解放军出版社，2002.

李际均. 军事战略思维［M］. 增订版. 北京：军事科学出版社，1998.

钮先钟. 中国古代战略思想新论［M］. 合肥：安徽教育出版社，2005.

孙光圻. 中国古代航海史［M］. 北京：海洋出版社，1989.

杨向奎. 大一统与儒家思想［M］. 北京：中国友谊出版公司，1989.

杨向奎. 中国古代社会与古代思想研究［M］. 上海：上海人民

出版社，1964.

刘泽华. 中国政治思想史［M］. 杭州：浙江人民出版社，1996.

任继愈. 中国哲学发展史［M］. 北京：人民出版社，1983.

谭其骧. 长水集［M］. 北京：人民出版社，1987.

史念海. 河山集［M］. 北京：生活·读书·新知三联书店，1963.

钱穆. 中国近三百年学术史［M］. 北京：商务印书馆，1997.

钱穆. 国史大纲［M］. 修订本. 北京：商务印书馆，1996.

雷海宗. 中国文化与中国的兵［M］. 北京：商务印书馆，2001.

高锐. 中国军事史略［M］. 北京：军事科学出版社，1992.

毛佩琦，王莉. 中国明代军事史［M］. 北京：人民出版社，1994.

顾诚. 南明史［M］. 北京：光明日报出版社，2011.

顾诚. 隐匿的疆土：卫所制度与明帝国［M］. 北京：光明日报出版社，2012.

吴如嵩. 孙子兵法新论［M］. 北京：解放军出版社，1989.

吴如嵩. 徜徉兵学长河［M］. 北京：解放军出版社，2002.

方克. 中国军事辩证法史：先秦［M］. 北京：中华书局，1992.

姜振寰. 技术通史［M］. 北京：中国社会科学出版社，2017.

于汝波. 孙子兵法研究史［M］. 北京：军事科学出版社，2001.

于汝波. 孙子学文献提要［M］. 北京：军事科学出版社，1994.

于汝波. 大思维：解读中国古典战略［M］. 北京：军事科学出版社，2001.

王显臣，许保林. 中国古代兵书杂谈［M］. 北京：解放军出版社，1983.

许保林. 中国兵书通览［M］. 北京：解放军出版社，2002.

中国人民革命军事博物馆. 中国战争发展史［M］. 北京：人民出版社，2001.

王兆春. 中国科学技术史：军事技术卷［M］. 北京：科学出版社，1998.

王兆春. 中国军事科技通史［M］. 北京：解放军出版社，2010.

阎步克. 中国古代官阶制度引论［M］. 北京：北京大学出版社，2010.

黄朴民. 刀剑书写的永恒：中国传统军事文化散论［M］. 北京：国防大学出版社，2002.

黄朴民. 大一统：中国历代统一战略研究［M］. 北京：军事科学出版社，2004.

黄朴民. 名战史话［M］. 北京：社会科学文献出版社，2012.

黄朴民，孙建民. 中华统一大略［M］. 北京：解放军出版社，2002.

黄朴民，魏鸿，熊剑平. 中国兵学思想史［M］. 南京：南京大学出版社，2018.

姜国柱. 中国军事思想通史［M］. 北京：中国社会科学出版社，2006.

姜国柱. 中国军事思想简史［M］. 北京：新世界出版社，2006.

姜国柱. 道家与兵家［M］. 北京：西苑出版社，1998.

赵国华. 中国兵学史［M］. 福州：福建人民出版社，2004.

史美珩. 古典兵略［M］. 沈阳：辽宁教育出版社，1993.

刘申宁. 中国兵书总目［M］. 北京：国防大学出版社，1990.

谢祥皓. 中国兵学［M］. 济南：山东人民出版社，1998.

周纬. 中国兵器史稿［M］. 北京：中华书局，2018.

黄冕堂，刘锋. 朱元璋评传［M］. 南京：南京大学出版社，2011.

赵海军. 孙子学通论［M］. 北京：国防大学出版社，2000.

唐文基. 明代赋役制度史［M］. 北京：中国社会科学出版社，1991.

肖立军. 明代中后期九边兵制研究［M］. 长春：吉林人民出版社，2001.

肖立军. 明代省镇营兵制与地方秩序［M］. 天津：天津古籍出版社，2010.

洪兵. 中国战略原理解析［M］. 北京：军事科学出版社，2002.

张显清，林金树. 明代政治史［M］. 桂林：广西师范大学出版社，2003.

阎盛国.《孙子兵法》经世致用研究［M］. 北京：中国社会科学出版社，2017.

李鸿彬. 清朝开国史略［M］. 济南：齐鲁书社，1997.

冯友兰. 中国哲学史新编［M］. 北京：人民出版社，1998.

刘庆，皮明勇. 中华文化通志：军事学志［M］. 上海：上海人民出版社，1998.

宫玉振. 中国战略文化解析［M］. 北京：军事科学出版社，2002.

萧公权. 中国政治思想史［M］. 北京：商务印书馆，2011.

萨孟武. 中国政治思想史［M］. 北京：东方出版社，2008.

陈力恒. 军事预测学［M］. 北京：军事科学出版社，1993.

姜春良. 军事地理学［M］. 北京：军事科学出版社，1995.

葛剑雄. 统一与分裂：中国历史的启示［M］. 北京：生活·读书·新知三联书店，1994.

刘浦江. 正统与华夷：中国传统政治文化研究［M］. 北京：中华书局，2017.

钱穆. 中国学术思想史论丛［M］. 北京：生活·读书·新知三联书店，2009.

张岂之. 中国思想史［M］. 西安：西北大学出版社，1993.

孟森. 明清史讲义 ［M］. 北京：中华书局，1981.

王锺翰. 中国民族史 ［M］. 北京：中国社会科学出版社，1994.

郑天挺. 清史探微 ［M］. 北京：北京大学出版社，1999.

陈梧桐. 朱元璋大传 ［M］. 北京：中华书局，2019.

汤一介，李中华. 中国儒学史 ［M］. 北京：北京大学出版社，2011.

姜广辉. 中国经学思想史 ［M］. 北京：中国社会科学出版社，2003.

吴雁南，秦学颀，李禹阶. 中国经学史 ［M］. 北京：人民出版社，2010.

嵇文甫. 晚明思想史论 ［M］. 北京：中华书局，2017.

葛兆光. 中国思想史 ［M］. 上海：复旦大学出版社，2001.

丁伟志，陈崧. 中西体用之间 ［M］. 北京：中国社会科学出版社，1995.

施元龙. 中国筑城史 ［M］. 北京：军事谊文出版社，1999.

宫玉振，赵海军. 书剑飘逸：中国的兵家与兵学 ［M］. 北京：解放军出版社，1999.

袁庭栋，刘泽模. 中国古代战争 ［M］. 成都：四川省社会科学院出版社，1988.

王毓铨. 明代的军屯 ［M］. 北京：中华书局，2009.

梁志胜. 明代卫所武官世袭制度研究 ［M］. 北京：中国社会科学出版社，2012.

宋烜. 明代浙江海防研究 ［M］. 北京：社会科学文献出版社，2013.

刘景纯. 明代九边史地研究 ［M］. 北京：中华书局，2014.

杨金森，范中义. 中国海防史 ［M］. 北京：海洋出版社，2005.

张铁牛，高晓星. 中国古代海军史 ［M］. 北京：八一出版社，1993.

秦天，霍小勇. 悠悠深蓝：中华海权史［M］. 北京：新华出版社，2013.

刘旭. 中国古代火药火器史［M］. 郑州：大象出版社，2004.

孙文良，李治亭. 明清战争史略［M］. 北京：中国人民大学出版社，2012.

张金奎. 明代卫所军户研究［M］. 北京：线装书局，2007.

樊铧. 政治决策与明代海运［M］. 北京：社会科学文献出版社，2009.

萧一山. 清代通史［M］. 北京：中华书局，1986.

阎崇年. 清朝开国史［M］. 北京：中华书局，2014.

樊树志. 明史讲稿［M］. 北京：中华书局，2012.

樊树志. 晚明大变局［M］. 北京：中华书局，2015.

黄仁宇. 现代中国的历程［M］. 北京：中华书局，2011.

黄仁宇. 万历十五年［M］. 北京：中华书局，2006.

范中义. 戚继光传［M］. 北京：中华书局，2003.

万明. 明代中外关系史论稿［M］. 北京：中国社会科学出版社，2011.

于志嘉. 卫所、军户与军役：以明清江西地区为中心的研究［M］. 北京：北京大学出版社，2010.

赵树国. 明代北部海防体制研究［M］. 济南：山东人民出版社，2014.

王成组. 中国地理学史［M］. 北京：商务印书馆，2015.

彭勇. 明代班军制度研究：以京操班军为中心［M］. 北京：中央民族大学出版社，2006.

彭勇. 明代北边防御体制研究：以边操班军的演变为线索［M］. 北京：中央民族大学出版社，2009.

方志远. 明代国家权力结构及运行机制［M］. 北京：科学出版社，2008.

谢贵安. 明实录研究［M］. 武汉：湖北人民出版社，2003.

李新峰. 明前期军事制度研究［M］. 北京：北京大学出版社，

2016.

缪咏禾. 中国出版通史：明代卷［M］. 北京：中国书籍出版社，2008.

张建雄. 清代前期广东海防体制研究［M］. 广州：广东人民出版社，2012.

童强. 中国政治思想史［M］. 南京：南京大学出版社，2018.

沈福伟. 中西文化交流史［M］. 上海：上海人民出版社，2018.

张亚红，徐炯明. 宁波明清海防研究［M］. 宁波：宁波出版社，2012.

吕一燃. 中国海疆史研究［M］. 成都：四川人民出版社，2016.

冈田武彦. 《孙子兵法》新解：王阳明兵学智慧的源头［M］. 钱明，徐修竹，译. 重庆：重庆出版社，2017.

伊藤宪一. 国家与战略［M］. 军事科学院外国军事研究部，译. 北京：军事科学出版社，1988.

岛田虔次. 中国近代思维的挫折［M］. 甘万萍，译. 南京：江苏人民出版社，2010.

田中健夫. 倭寇：海上历史［M］. 杨翰球，译. 北京：社会科学文献出版社，2015.

克劳塞维奇. 战争论［M］. 时殷弘，译. 北京：商务印书馆，2016.

范克勒韦尔德. 战争的文化［M］. 李阳，译. 北京：生活·读书·新知三联书店，2016.

约米尼. 战争艺术［M］. 钮先钟，译. 桂林：广西师范大学出版社，2003.

崔瑞德，牟复礼. 剑桥中国明代史 1368—1644 年［M］. 杨品泉，等译. 北京：中国社会科学出版社，2006.

麦金德. 历史的地理枢纽［M］. 林尔蔚，陈江，译. 北京：商务印书馆，2010.

菲尔格里夫. 地理与世界霸权［M］. 龚权，译. 上海：上海人民出版社，2016.

埃弗拉. 战争的原因：权力与冲突的根源［M］. 何曜，译. 上海：上海人民出版社，2014.

斯皮克曼. 和平地理学：边缘地带的战略［M］. 俞海杰，译. 上海：上海人民出版社，2016.

佩恩. 海洋与文明［M］. 陈建军，罗燚英，译. 天津：天津人民出版社，2017.

莱弗里. 征服海洋：探险、战争、贸易的 4000 年航海史［M］. 邓峰，译. 北京：中信出版社，2017.

二、论文类

顾诚. 明帝国的疆土管理体制［J］. 历史研究，1989（3）.

顾诚. 卫所制度在清代的变革［J］. 北京师范大学学报（社会科学版），1988（2）.

范中义. 明代军事思想简论［J］. 历史研究，1996（5）.

范中义. 论明朝军制的演变［J］. 中国史研究，1998（2）.

范中义. 明代海防述略［J］. 历史研究，1990（3）.

李洵. 明代火器的发展与封建军事制度的关系［J］. 史学集刊，1989（3）.

张海瀛. 张居正军事改革初探［J］. 晋阳学刊，1986（1）.

李渡. 明代募兵制简论［J］. 文史哲，1986（2）.

王树连. 明代军事地理研究概述［J］. 测绘科学与工程，2005（4）.

陈表义，谭式玫. 明代军制建设原则及军事的衰败［J］. 暨南学报（哲学社会科学版），1996（2）.

李龙潜. 明代军屯制度的组织形式［J］. 历史教学，1962（12）.

赵映林. 明代的军事制度［J］. 文史杂志，1987（1）.

朱子彦. 明代火器的发展、运用与军事领域的变革［J］. 学术月刊，1995（5）.

林正根. 论明太祖的心态与功臣群体的覆灭 [J]. 江汉论坛，1992（12）.

徐奎. 明代火器的运用与军事学术的发展 [J]. 军事历史，2002（3）.

刘以东. 论明代火器部队的发展与军事思想的变化 [J]. 上海大学学报（社会科学版），1991（4）.

黄明光. 明代科举制度对军事的影响 [J]. 社会科学战线，2004（2）.

刘景纯. 明代九边的军事策应与救援 [J]. 宁夏社会科学，2010（2）.

程利英. 明代兵制的嬗变与财政支出关系述论 [J]. 军事经济研究，2006（6）.

武沐. 岷州卫：明代西北边防卫所的缩影 [J]. 中国边疆史地研究，2009（2）.

傅顽璐. 明代军屯制度沿革 [J]. 军事经济研究，1996（4）.

华林甫. 顾炎武地理考据得失论：纪念顾炎武诞辰四百周年 [J]. 中国历史地理论丛，2013（4）.

何平立. 论明代郑和下西洋的军事性质与作用 [J]. 军事历史研究，1991（2）.

赵中男. 论明代军事家丁制度的历史地位 [J]. 中国史研究，1991（4）.

刘庆. 论中国古代兵学发展的三个阶段与三次高潮 [J]. 军事历史研究，1997（4）.

刘庆. 明清（前期）浙江海防战略地位的演变 [J]. 军事历史研究，2009（3）.

高锐. 清朝中期军事经济政策的失误及其影响 [J]. 军事经济研究，1991（1）.

金普森，姚杏民. 清代军制的演变评述 [J]. 军事历史研究，1989（1）.

毛振发. 论清代边防及晚清边防危机 [J]. 中国边疆史地研究, 1993（2）.

周远廉. 清代前期的八旗制度 [J]. 社会科学辑刊, 1981（6）.

李巨澜. 清代卫所制度述略 [J]. 史学月刊, 2002（3）.

唐景绅. 明代关西七卫述论 [J]. 中国史研究, 1983（3）.

常建华. 试论乾隆朝治理宗族的政策与实践 [J]. 学术界, 1990（2）.

史明星. 中国历代海防发展概览 [J]. 军事历史研究, 1992（4）.

万明. 万历援朝之战与明后期政治态势 [J]. 中国史研究, 2001（2）.

樊树志. 万历年间的朝鲜战争 [J]. 复旦学报（社会科学版）, 2003（6）.

赵红. 论明代山东海防的特点与得失 [J]. 东方论坛, 2011（5）.

刘昌龙, 张晓林, 黄培荣. 明清时期海防的历史嬗变及启示 [J]. 军事历史研究, 2012（2）.

戴裔煊. 倭寇与中国 [J]. 学术研究, 1987（1）.

黄朴民. 中国古代军事预测述要 [J]. 军事历史研究, 1991（3）.

黄朴民. 中国历代军事思想的演化大势及其特征 [J]. 浙江社会科学, 1997（5）.

黄朴民. 简论中国历史上的安全观念及其战略 [J]. 军事历史研究, 2000（1）.

黄朴民. 兵家治军辩证思维的管理学借鉴 [J]. 人民论坛, 2011（11）.

黄朴民, 张志锐. 历代实现国家统一的基本经验 [J]. 新华文摘, 2000（10）.

宫玉振. 文化流变与中国传统兵家的形态更替 [J]. 军事历史研究, 2000（1）.

朱诚如. 明辽东都司二十五卫建置考辨［J］. 辽宁师院学报（社会科学版），1980（6）.

张德信，林金树. 明初军屯数额的历史考察：与顾诚同志商榷［J］. 中国社会科学，1987（5）.

卢苇. 明代海南的"海盗"、兵备和海防［J］. 暨南学报（哲学社会科学版），1990（4）.

黄群昂. 明代兵部考论［J］. 河北师范大学学报（哲学社会科学版），2018（4）.

石陶，刘凤强. 明代北方军事防御体系建设探究：以右玉要塞杀虎口为例［J］. 山西大同大学学报（社会科学版），2018（3）.

祝太文. 明清海防史研究综述［J］. 理论观察，2016（4）.

谭立峰，刘文斌. 明代辽东海防体系建制与军事聚落特征研究［J］. 天津大学学报（社会科学版），2014（5）.

郝平. 明蒙军事冲突背景下山西关厢城修筑运动考论［J］. 史林，2013（6）.

王继光，孙建军. 明代"九边"宣大军事防务区的形成［J］. 中国边疆史地研究，2009（2）.

阎盛国. 顾祖禹对《孙子兵法》军事地理思想的继承与超越［J］. 复旦学报（社会科学版），2017（4）.

邓庆平. 明清卫所制度研究述评［J］. 中国史研究动态，2008（4）.

陈爱平，刘季富. 明代以后南方军事优势论略［J］. 殷都学刊，2001（2）.

徐新照. 明代火器文献中的科技成就及其对军事的影响［J］. 军事历史研究，2000（2）.

王联斌. 明代兵书及其军事伦理思想［J］. 军事历史研究，1996（3）.

季德源. 明代《孙子》研究概说［J］. 军事历史研究，1993（2）.

罗冬阳. 明代兵备初探［J］. 东北师大学报（哲学社会科学

版），1994（1）.

张德信. 明代诸王与明代军事：略论明代诸王军权的变迁 ［J］.
河北学刊，1989（5）.